Raymond ~~KHOURY~~

Né en 1960 à Beyrouth, Raymond Khoury quitte le Liban en 1975 pour étudier à New York. Il se consacre à une carrière dans la finance à Londres, avant de se lancer dans l'écriture de scénarios pour des séries télévisées comme *Dinotopia* en 2002, puis *MI-5* en 2004 et 2005. *Le dernier Templier* (2006), son premier roman, est un best-seller traduit dans de nombreux pays. Il s'est vendu à plus de 3 millions d'exemplaires dans le monde. *Eternalis*, son deuxième roman, a paru en 2008, suivi du *Signe*, en 2009. *La malédiction des Templiers*, la suite très attendue du *Dernier Templier*, a paru en 2010. *L'élixir du diable* (2011) est son cinquième roman. Tous ont paru aux Presses de la Cité.

Retrouvez toute l'actualité de l'auteur sur :
www.raymond-khoury.fr

LA MALÉDICTION
DES TEMPLIERS

RAYMOND KHOURY

LA MALÉDICTION
DES TEMPLIERS

Traduit de l'anglais
par Renaud Bombard

PRESSES DE LA CITÉ

Titre original :
THE TEMPLAR SALVATION

Pocket, une marque d'Univers Poche,
est un éditeur qui s'engage pour la
préservation de son environnement et
qui utilise du papier fabriqué à partir
de bois provenant de forêts gérées de
manière responsable.

© Raymond Khoury, 2010

place
des
éditeurs

© Presses de la Cité, un département de place des éditeurs, 2010
pour la traduction française.
ISBN : 978-2-266-21395-0

À la mémoire de mon père,
Kamal Khoury (1932-2011),
un homme d'une grandeur d'âme,
d'une intégrité et d'une générosité sans pareilles

Prologue

Constantinople, juillet 1203

— Courbez-vous, et surtout, pas un mot, souffla l'homme aux cheveux grisonnants en aidant le chevalier à se hisser sur le chemin de ronde. Les remparts grouillent de gardes, et ils sont sur les dents depuis que la ville est assiégée.

Everard de Tyr regarda de tous côtés, scrutant l'obscurité, à l'affût du moindre signe de danger. Personne. Les tours étaient encore loin, les torches vacillantes des gardes de faction à peine visibles en cette nuit sans lune. Le Gardien avait bien choisi leur point d'entrée. S'ils passaient rapidement à l'action, ils avaient une chance raisonnable de pouvoir escalader le reste des fortifications et de pénétrer dans la ville sans se faire remarquer.

Quant à en sortir indemnes, c'était une tout autre affaire...

Il tira sur la corde à trois reprises pour alerter les cinq frères chevaliers qui attendaient en contrebas, dans l'ombre de la grande muraille extérieure. L'un après l'autre, ils grimpèrent par la corde à nœuds, que le dernier remonta. Une fois leurs épées fermement serrées dans leurs mains calleuses, ils longèrent le rempart, leur hôte en tête, dans un silence absolu. On déroula la corde, cette fois le long de la muraille intérieure. Quelques minutes plus tard, ils avaient tous repris contact avec la terre ferme et suivaient un homme qu'aucun d'eux ne connaissait, progressant dans une ville où ils n'avaient jamais mis les pieds.

Ignorant où les menait le Gardien, ils demeuraient courbés, de peur d'être repérés. Plutôt que leurs capes blanches traditionnelles, frappées de la croix rouge aux extrémités évasées, ils portaient un surcot par-dessus une tunique sombre. Inutile de clamer à tous les vents leur véritable identité. Particulièrement lorsqu'on cheminait en territoire ennemi, et a fortiori quand on s'introduisait subrepticement dans une ville soumise au siège des croisés du pape Innocent. Car, après tout, ils étaient bel et bien des croisés. Pour les habitants de Constantinople, les Templiers faisaient partie des troupes papales. Ils étaient l'ennemi. Et Everard était parfaitement conscient du sort funeste réservé aux chevaliers capturés derrière les lignes adverses.

Mais le moine-soldat ne considérait pas les Byzantins comme l'ennemi, et il n'était pas là à la requête du pape.

Loin de là.

Chrétien contre chrétien, se dit-il en passant furtivement avec ses compagnons devant une église fermée pour la nuit. N'y aura-t-il jamais de fin à cette folie ?

Leur voyage avait été long, et périlleux. Des jours durant, ils avaient chevauché en n'observant que de brèves pauses, menant leurs montures jusqu'à l'épuisement. Le message émanant des Gardiens, dissimulés au plus profond de la capitale byzantine, était inattendu, et singulièrement alarmant. La cité de Zara, sur la côte dalmate, avait été inexplicablement mise à sac par l'armée du pape. Inexplicablement, car il s'agissait d'une ville chrétienne, chrétienne et *catholique* qui plus est. La flotte vénitienne transportant les rapaces de la quatrième croisade avait repris la mer. Leur objectif suivant n'était autre que Constantinople, dans le but affiché d'y rétablir sur le trône son empereur, déposé après qu'on lui eut crevé les yeux, ainsi que son fils. Or, étant donné que la capitale byzantine n'était pas catholique, mais relevait du rite orthodoxe grec, et compte tenu des massacres qui avaient endeuillé la ville une vingtaine d'années plus tôt, les perspectives pour la cité n'étaient guère encourageantes.

Everard et ses frères chevaliers avaient donc quitté en hâte leur forteresse de Tortosa. Ils avaient chevauché vers le nord, jusqu'à la côte, avant d'obliquer vers l'ouest, franchissant l'hostile Cilicie arménienne et le territoire des musulmans seldjoukides, traversant l'aride Cappadoce aux paysages lunaires, veillant à ne pas trop s'approcher des villages et des villes, s'efforçant d'éviter toute confrontation. Lorsqu'ils atteignirent les environs de Constantinople, la flotte croisée – plus de deux cents galères et transports de chevaux, sous le commandement du redoutable doge de Venise en personne – était fermement installée dans les eaux environnant la plus grande cité de son temps.

La ville était assiégée.

Il n'y avait pas de temps à perdre.

Ils se tapirent dans l'ombre, laissant passer une patrouille de fantassins dans un grand bruit de bottes, puis traversèrent un petit cimetière à la suite du Gardien pour arriver à un bosquet où les attendait un chariot attelé. Un autre homme aux tempes grisonnantes, dont l'expression solennelle cachait mal une profonde inquiétude, y était appuyé, les rênes à la main. Le deuxième des trois, songea Everard, lui adressant un bref signe de tête tandis que ses hommes montaient à l'arrière. Aussitôt après, ils s'enfoncèrent dans le cœur de la cité, le solide chevalier s'autorisant à jeter de loin en loin un coup d'œil à travers l'étroite fente pratiquée dans la bâche.

Jamais il n'avait vu pareil endroit.

Malgré les ténèbres presque totales, il pouvait distinguer la silhouette imposante des clochers s'élevant vers les cieux, des palais monumentaux d'une taille dépassant l'imagination. Et tous ces bâtiments en nombre ahurissant. Rome, Paris, Venise… il avait eu la bonne fortune de les visiter toutes, bien des années auparavant, en accompagnant le grand maître de l'Ordre dans sa visite au Temple de Paris. Chacune d'elles paraissait bien pâle en comparaison. La Nouvelle Rome était sans conteste la plus grande cité de toutes. Et lorsque le chariot atteignit enfin sa destination, le spectacle qui s'offrit à Everard ne fut pas moins impressionnant : un édifice magnifique, colossal, à la façade ornée d'une colonnade de style corinthien et dont le fronton se perdait dans les hauteurs obscures.

Le troisième Gardien, plus âgé, les attendait devant l'édifice, en haut du grand escalier.

— Quel est ce lieu ? lui demanda Everard.

— La bibliothèque impériale, répondit l'homme.

L'expression d'Everard refléta sa surprise : la bibliothèque *impériale* ?

Le Gardien s'en rendit compte et son visage s'éclaira d'un soupçon de sourire.

— Où mieux cacher quelque chose qu'à la vue de tous ? fit-il avant de se retourner pour se diriger vers l'entrée. Suivez-moi. Le temps nous est compté.

12

Escortés par les deux autres Gardiens, les chevaliers gravirent les marches, traversèrent le vestibule et s'enfoncèrent dans les profondeurs du bâtiment. Les salles étaient désertes. L'heure était certes avancée, mais il y avait plus encore. Même ici la tension qui régnait dans la ville était palpable. Chargé d'humidité, l'air nocturne était lourd de peur, une peur nourrie par une incertitude et une confusion qui ne faisaient qu'empirer au fil des jours.

Ils poursuivirent leur progression, passant devant les vastes scriptoriums qui abritaient l'essentiel des connaissances du monde antique, longues rangées d'étagères où reposaient rouleaux et codex, dont certains avaient échappé à l'incendie de la grande bibliothèque d'Alexandrie, puis descendant un escalier en colimaçon à l'arrière de l'édifice, suivant ensuite un labyrinthe de passages étroits qui ouvraient sur d'autres escaliers, leurs ombres glissant furtivement sur les parois au calcaire moucheté d'humidité, jusqu'à atteindre un couloir dépourvu d'éclairage sur lequel donnait une série de lourdes portes. L'un de leurs hôtes déverrouilla la dernière d'entre elles et les précéda à l'intérieur d'une grande réserve, sans doute l'une parmi bien d'autres, se dit Everard. La pièce était encombrée de caisses, ses murs recouverts d'étagères tapissées de toiles d'araignée accueillant rouleaux de parchemins et manuscrits reliés de cuir. L'atmosphère confinée sentait le renfermé, mais il faisait frais. Celui qui avait fait construire cet endroit savait qu'il était indispensable de le préserver de l'humidité afin de permettre aux manuscrits de survivre au temps. Ce qui avait été le cas, depuis des siècles.

C'était pour eux qu'Everard et ses hommes étaient là.

— Les nouvelles ne sont pas bonnes, leur lança l'aîné des Gardiens. Alexis l'usurpateur n'a pas le courage d'affronter l'ennemi. Il a effectué hier une sortie à la tête de quarante divisions mais n'a pas osé engager le combat avec les Francs et les Vénitiens. Il est rentré dans la ville aussi vite qu'il en était sorti, dit le vieil homme qui marqua une pause, abattu. Je crains le pire. Constantinople peut être considérée comme perdue. Et une fois tombée…

Everard imaginait déjà le prix qu'auraient à payer les habitants de la ville si les Latins parvenaient à percer leurs défenses.

Une vingtaine d'années à peine s'étaient écoulées depuis que les Latins de Constantinople avaient été exécutés. Hommes, femmes, enfants… nul n'avait été épargné. Des milliers et des milliers d'entre eux, exterminés dans une orgie meurtrière comme on n'en avait pas vu depuis la prise de Jérusalem, lors de la première croisade. Depuis longtemps installés à Constantinople dont ils contrôlaient aussi bien le commerce maritime que les finances, les marchands originaires de Pise, de Gênes ou de Venise ainsi que leurs familles – la totalité des catholiques romains de la cité – avaient été sauvagement massacrés au terme d'une brutale explosion de fureur et de ressentiment par une population locale ivre de jalousie. Les quartiers où ils résidaient avaient été réduits en cendres, leurs tombes saccagées, les rares survivants vendus comme esclaves aux Turcs. Les membres du clergé catholique n'avaient pas connu meilleur sort aux mains de leurs ennemis, de rite orthodoxe grec : leurs églises avaient été brûlées, et le représentant du pape avait été décapité en place publique, après quoi sa tête, attachée à la queue d'un chien, avait été traînée dans les rues rouges de sang sous les yeux d'une foule jubilante.

Le vieil homme se retourna et entraîna les chevaliers vers le fond de la pièce, jusqu'à une seconde porte en partie cachée par des étagères lourdement chargées.

— Ils parlent de reprendre Jérusalem, mais nous savons, vous comme moi, qu'ils n'iront jamais aussi loin, dit-il en entreprenant d'ouvrir les serrures. De toute façon, ils ne sont pas réellement animés par le désir d'aller récupérer le Saint Sépulcre. Du moins ne le sont-ils plus. Leur unique préoccupation, c'est de se remplir les poches. Quant au pape, son souhait le plus cher consiste à voir cet empire s'effondrer et ses églises passer sous l'autorité de Rome. Ils vont prendre cette ville, poursuivit-il d'un air sombre, et le moment venu, je ne doute pas qu'une petite troupe d'hommes résolus aura pour unique tâche de mettre la main sur ce qui se trouve ici.

Il poussa le battant de la porte et entra. La pièce était vide si l'on exceptait trois gros coffres en bois.

Everard sentit son pouls s'accélérer. Il était l'un des rares, même aux plus hauts échelons de l'Ordre, à savoir ce qu'abritaient ces coffres dépourvus de tout ornement. Il savait également ce qu'il lui restait à faire.

— Vous aurez besoin du chariot et des chevaux, et Théophile vous prêtera de nouveau la main, poursuivit le vieil homme en désignant d'un signe de tête le plus jeune des trois Gardiens, celui qui avait aidé Everard et ses hommes à pénétrer dans la ville. Mais il faudra agir avec célérité. La situation peut évoluer à tout moment. On dit même que l'empereur est sur le point de s'enfuir de la ville. Vous devrez être en route à la pointe de l'aube.

— Nous... ? lâcha Everard, surpris par les paroles du vieil homme. Et vous ? Vous allez bien venir avec nous, n'est-ce pas ?

L'aîné des Gardiens échangea un regard triste avec les deux autres avant de secouer la tête.

— Non. Nous devrons couvrir vos traces. Que les hommes du pape continuent de croire que ce qu'ils recherchent est toujours ici jusqu'à ce que nous ayons l'assurance que vous ne courez plus le moindre danger.

Le premier réflexe d'Everard fut d'élever une objection, mais il comprit très vite que les Gardiens ne se laisseraient pas fléchir. Ils avaient toujours su qu'une circonstance comme celle-ci pouvait se présenter. Ils y avaient été préparés, comme toutes les générations de Gardiens avant eux.

Ils charrièrent les coffres jusqu'au chariot, un par un, quatre chevaliers se chargeant de transporter les plus pesants, tandis que les deux autres surveillaient les alentours. Les prémices de l'aube pointaient dans le ciel nocturne lorsqu'ils en eurent terminé.

La Porte du Printemps, celle qu'avaient choisie les Gardiens, était l'une des voies d'entrée dans la ville les plus reculées. Flanquée de deux tours, elle était également dotée d'une poterne sur un des côtés de la porte principale. C'était vers cet endroit qu'ils se dirigeaient.

Tandis que le chariot lourdement chargé, mené par deux individus dissimulés sous des manteaux, roulait à grand bruit vers la porte, trois soldats curieux se mirent en devoir de lui bloquer le passage.

L'un d'eux les arrêta d'un geste.

— Qui va là ? s'enquit-il.

Théophile, qui tenait les rênes, fit entendre une toux douloureuse avant de murmurer d'une voix mourante

16

qu'ils devaient rejoindre de toute urgence le monastère de Zoodochos, juste au-delà de la porte. Assis à ses côtés, Everard suivait la scène en silence. La réponse du Gardien eut pour effet d'intriguer le garde, qui s'approcha pour poser d'une voix rogue une autre question.

De sous la capuche de sa tunique sombre, le Templier observait l'homme. Il attendit qu'il soit tout près pour se jeter sur lui et lui enfoncer sa dague dans le cou jusqu'à la garde. Dans le même temps, trois des chevaliers, descendus sans bruit du chariot pendant la discussion, réduisaient les autres vigiles au silence avant qu'ils aient pu donner l'alerte.

— Allez ! siffla Everard.

Ses frères se précipitèrent vers le poste de garde tandis que lui-même et les deux autres chevaliers, à croupetons, étudiaient les tours. Il fit signe à Théophile de se mettre à l'abri. Celui-ci avait accompli sa part du travail ; il n'avait plus rien à faire là. Everard savait pertinemment qu'il pouvait y avoir du grabuge à tout instant – ce qui se confirma lorsque deux nouveaux gardes émergèrent du poste alors même que les chevaliers venaient de retirer la première des barres fermant la porte.

Récupérant leurs épées, les Templiers expédièrent les gardes avec une efficacité stupéfiante, mais l'affrontement attira l'attention des gardes postés dans les tours. Quelques secondes plus tard, lanternes et torches s'agitaient frénétiquement sur les remparts tandis que l'on sonnait l'alerte. Tournant les yeux vers la porte, Everard constata que ses frères étaient occupés à ôter la dernière des barres ; à cet instant, des flèches vinrent se ficher dans la terre desséchée, juste à côté de lui, manquant de peu l'un des chevaux. Il n'y avait pas de temps à perdre. Si une bête venait à être abattue, leur fuite deviendrait problématique.

— Il faut y aller ! rugit-il en déclenchant son arbalète.

Le carreau alla frapper loin au-dessus de lui un archer : l'homme s'écrasa au sol. Everard et ses deux compagnons rechargèrent leurs armes et lâchèrent de nouveaux traits, contraignant les sentinelles à s'abriter, jusqu'au moment où, du côté de la porte, l'un des chevaliers poussa un cri, couvert par le grincement du battant qui s'ouvrait.

— On s'en va ! hurla Everard à l'adresse de ses hommes.

Ceux-ci se ruaient vers le chariot quand une flèche atteignit l'un des chevaliers au côté droit, la pointe allant se ficher au plus profond de la cage thoracique. L'homme – Odon de Ridefort, un colosse – s'effondra dans des flots de sang.

Everard se précipita vers lui et l'aida à se relever, appelant les autres à la rescousse. En un rien de temps, tous firent cercle autour de leur frère chevalier, trois d'entre eux décochant des traits vers les tours pendant que les autres aidaient le blessé à grimper à l'arrière du chariot. Tandis que ses archers maintenaient leur couverture défensive, Everard courut à l'avant. Il était sur le point de se hisser sur le banc quand il se tourna vers Théophile pour lui adresser un signe de tête en témoignage de gratitude. Mais le Gardien n'était plus là où il l'avait vu pour la dernière fois. Il finit pourtant par le repérer, non loin, étendu par terre, immobile : une flèche lui avait transpercé le cou. Il le regarda une dernière fois, le temps d'un simple battement de cœur, mais suffisamment pour que cette scène s'imprime à jamais dans sa conscience. Puis il bondit sur le siège et fit claquer les rênes.

Tous les chevaliers réussirent tant bien que mal à monter à l'intérieur du véhicule, qui franchit les portes à toute allure, quittant les limites de la ville sous un déluge de flèches.

Everard maintint le rythme jusqu'au sommet d'une éminence. Avant d'obliquer vers le nord, il contempla la mer en contrebas, miroitant sous le soleil : les galères de combat fendaient l'onde devant les murailles de la ville, gonfalons et oriflammes battant fièrement depuis les châteaux arrière, les boucliers en vue, les bastingages bien garnis, échelles et mangonneaux dressés de façon menaçante.

Folie, se dit-il une fois de plus, le cœur serré, avant de laisser derrière lui cette cité sublime et l'effroyable catastrophe qui allait bientôt s'abattre sur elle.

Le chemin du retour fut plus laborieux. Ils montaient de nouveau leurs chevaux, qui les avaient suivis vaille que vaille, mais l'encombrant chariot et sa lourde charge ralentissaient leur train. Éviter les villes et les contacts humains se révélait plus délicat que lorsque, avec leurs seules montures, ils étaient en mesure de s'écarter des sentiers battus. Il y avait plus grave : Odon perdait beaucoup de sang, il était impossible d'arrêter l'hémorragie. Et, pis que tout, ils ne voyageaient plus à l'insu de tous : leur sortie de la ville n'avait pas été aussi discrète que leur entrée. Des soldats étaient sûrement déjà à leur poursuite.

Crainte qui se confirma avant même le coucher du soleil.

Everard avait envoyé deux chevaliers en avant-garde, deux autres surveillant leurs arrières afin de parer à toute éventualité, une précaution qui se révéla payante dès ce premier soir. L'arrière-garde du convoi repéra une compagnie de chevaliers francs venant de l'ouest, qui galopait sur leurs traces encore fraîches. Everard envoya un homme récupérer les deux éclaireurs à l'avant-garde puis, s'écartant de l'itinéraire le plus évident et le mieux connu, cette route du sud-est que les croisés s'attendaient certainement à les voir emprunter, il donna l'ordre d'obliquer vers l'est, en direction des montagnes.

C'était l'été, la neige avait fondu, mais le paysage désolé n'en présentait pas moins bien des difficultés aux voyageurs. Après une succession de vertes collines aisément franchissables, apparurent des montagnes abruptes, déchiquetées. Les rares pistes carrossables étaient étroites et périlleuses, certaines à peine plus larges que les traces laissées par les roues du chariot qui frôlaient de vertigineux ravins. En outre, chaque nouvelle journée voyait l'état d'Odon empirer. L'arrivée de pluies torrentielles transforma une situation déjà plus que précaire en un véritable calvaire, mais Everard et ses hommes continuèrent de tailler leur route lentement, malaisément, se nourrissant de baies et de rare gibier, remplissant leurs gourdes aux cascades, contraints de faire halte dès la tombée du jour, passant les nuits constamment sur le qui-vive, sachant leurs poursuivants toujours à leur recherche, non loin.

Nous devons à tout prix réussir, se répétait Everard, maudissant l'infortune qui s'était abattue sur eux. Nous ne pouvons nous permettre d'échouer, l'enjeu est trop considérable.

Plus facile à dire qu'à faire…

Après plusieurs jours de progression d'une lenteur accablante, la condition d'Odon devint désespérée. Ses compagnons avaient réussi à extirper la flèche et à arrêter l'hémorragie, mais la blessure s'infecta et la fièvre fit son apparition. Everard savait qu'il leur fallait trouver un moyen de le maintenir immobile et au sec quelques jours afin qu'il ait quelque chance de retrouver vivant leur forteresse. Mais les éclaireurs confirmant que leurs poursuivants n'avaient toujours pas abandonné, ils n'eurent d'autre recours que de continuer à avancer en terrain hostile, et à espérer un miracle.

Qui se produisit le sixième jour, sous la forme d'un minuscule ermitage, perdu dans les montagnes.

Celui-ci serait demeuré inaperçu des voyageurs, sans la présence d'un couple de freux qui volait en cercles au-dessus du refuge, attirant ainsi l'œil exercé d'un des éclaireurs. Constitué d'une série de cellules taillées dans le roc, le monastère était pratiquement indécelable tant il était haut dans les montagnes, dissimulé dans le creux d'une falaise dont le sommet lui offrait une parfaite protection.

Les chevaliers s'en approchèrent aussi près que possible, avant d'abandonner montures et chariot pour escalader l'éboulis qui y menait. Everard songea avec émerveillement au dévouement des hommes qui avaient érigé ce bâtiment en un lieu si isolé et si périlleux – bien des siècles auparavant, à en juger par son apparence –, tout en se demandant comment il avait pu demeurer intact dans cette région systématiquement ravagée par des bandes de guerriers seldjoukides.

Ils s'approchèrent à pas prudents du monastère, leurs épées prêtes à frapper, tout en doutant qu'un endroit aussi inhospitalier pût abriter âme qui vive. À leur stupeur, ils furent accueillis par une bonne douzaine de moines, vieillards fatigués et disciples d'âge plus tendre qui, reconnaissant dans ces visiteurs des adeptes de la Croix, leur offrirent aussitôt le gîte et le couvert.

Pour modeste et éloigné de la civilisation qu'il fût, le monastère était fort bien pourvu. Odon fut confortablement installé sur une couche bien sèche, une nourriture chaude et des boissons revigorantes l'aidant à redonner quelque force à des défenses naturelles mises à mal. Everard et ses hommes hissèrent ensuite les trois lourds coffres jusqu'au monastère, où ils furent entreposés dans une petite salle dépourvue de fenêtre. La pièce voisine n'était autre qu'un scriptorium abritant une impressionnante collection de manuscrits reliés. Une poignée de copistes s'affairaient à leur table de travail, concentrés sur leur ouvrage, levant à peine la tête pour saluer les visiteurs.

Les moines – des basiliens, comme le découvrirent très vite les chevaliers – tombèrent des nues en prenant connaissance des nouvelles. Que l'armée du pape pût assiéger d'autres chrétiens, mettre à sac des cités chrétiennes, était chose difficile à admettre, même en tenant compte du Grand Schisme. Isolés comme ils l'étaient, les moines n'étaient pas au courant de la perte de Jérusalem, désormais aux mains de Saladin, ni de l'échec de la troisième croisade. Leurs cœurs saignaient et leurs fronts se plissaient à mesure que leur étaient assénées les terribles nouvelles.

Tout au long de leur conversation, Everard avait soigneusement évité d'aborder une question épineuse : ce que lui et ses compagnons templiers étaient venus faire à Constantinople et le rôle qu'ils avaient joué dans le siège de la grande cité. Il avait conscience que, aux yeux de ces moines orthodoxes, lui et ses hommes pouvaient fort bien être partie prenante de ces forces latines qui attendaient de se lancer à l'assaut de leur capitale. Avec, en corollaire, une demande plus délicate encore, que l'higoumène du monastère – son abbé, le père Philippicus – se décida enfin à formuler :

— Que transportez-vous donc dans ces coffres ?

Everard avait bien vu que lesdits coffres avaient éveillé la curiosité des basiliens, et il balançait sur la réponse à apporter.

— Je me pose la même question que vous, répondit-il après un moment d'hésitation. J'ai simplement reçu l'ordre de les transporter de Constantinople à Antioche.

L'abbé soutint son regard, évaluant sa réponse. Après un long et pesant silence, il hocha respectueusement la tête.

— C'est l'heure des vêpres, puis nous nous retirerons. Nous poursuivrons cette conversation au matin.

Une fois que l'on eut offert aux chevaliers de nouvelles rations de pain et de fromage ainsi que des tasses d'eau bouillie parfumée à l'anis, le monastère plongea pour la nuit dans un silence que seul brisait le martèlement incessant de la pluie contre les fenêtres. Ce staccato aida probablement Everard à surmonter le malaise qui le tenaillait, car il sombra rapidement dans un profond sommeil.

Il s'éveilla, assailli par les rayons du soleil. Il se redressa sur sa couche, mais fut pris d'un étourdissement ; ses paupières étaient lourdes et sa gorge désagréablement sèche. Il regarda autour de lui – les deux chevaliers qui avaient partagé sa cellule n'étaient plus là.

Il essaya de se lever mais chancela, privé de force, les jambes en coton. Une cruche d'eau et une petite écuelle étaient posées, tentantes, devant la porte. S'obligeant à se redresser, il s'en approcha d'un pas mal assuré, porta la cruche à sa bouche et en avala le contenu d'un trait. Réconforté, il s'essuya d'un revers de manche et se dirigea vers le réfectoire ; mais très vite, il sentit que quelque chose n'allait pas.

Où sont donc passés les autres ?

Les nerfs maintenant à vif, il avança lentement, pieds nus sur les dalles froides, longea deux cellules, puis le réfectoire. Tout était désert. Entendant un vague bruit, il se dirigea vers le scriptorium, son corps inhabituellement faible, ses jambes tremblant de façon incontrôlable. En passant devant la pièce où ils avaient entreposé les coffres, une pensée lui traversa l'esprit. Il s'arrêta un bref instant, puis pénétra dans la salle, ses sens soudain parfaitement en éveil, pris d'une angoisse rapidement justifiée par le spectacle qui s'offrait à lui.

Les coffres avaient été forcés, leurs serrures arrachées.

Les moines savaient ce qu'ils contenaient.

Une brusque nausée lui monta aux lèvres et il dut s'adosser au mur le temps de retrouver son sang-froid. Faisant appel à toute l'énergie dont il était capable, il réussit à quitter la pièce et à pénétrer dans le scriptorium.

La scène qu'il distingua malgré sa vision déformée le pétrifia.

Ses frères étaient étendus sur le sol de la vaste pièce, dans des positions bizarres, anormales ; immobiles, leurs visages figés empreints de la pâleur glacée de la mort. Pas de sang, aucun signe de violence. On eût dit qu'ils avaient simplement cessé d'exister, comme si la vie leur avait été doucement retirée. Les moines se tenaient derrière eux en un demi-cercle macabre, le fixant d'un regard dépourvu d'expression, leur abbé, le père Philippicus, occupant la position centrale.

Everard sentit ses jambes chanceler. Il avait compris.

— Qu'avez-vous fait ? demanda-t-il d'une voix étranglée. Que m'avez-vous donné ?

Il voulut se jeter sur l'abbé, mais tomba à genoux avant même d'avoir fait un pas. Se concentrant autant que possible, il essaya de comprendre ce qui s'était produit. Lui et ses hommes avaient été drogués. La boisson parfumée aux graines d'anis… c'était forcément cela. Drogués, afin de laisser aux moines tout le temps d'explorer le contenu des coffres. Puis, ce matin… l'eau. Elle avait certainement été empoisonnée, réalisa Everard, le ventre en proie à d'intolérables spasmes. Sa vision se rétrécit brutalement, ses doigts se mirent à trembler sans qu'il pût les contrôler. Il eut l'impression que ses boyaux étaient comme pris dans une main de fer puis enflammés.

— Qu'avez-vous fait ? demanda de nouveau le templier, articulant à grand-peine, sa langue devenue de plomb dans sa bouche soudain desséchée.

Le père Philippicus fit un pas en avant et demeura là, dominant de toute sa hauteur le chevalier terrassé. Son expression était ferme et résolue.

— Telle était la volonté du Seigneur, se contenta-t-il de répondre.

Puis il leva la main et la fit lentement bouger, d'abord de haut en bas, ensuite de chaque côté, ses doigts souples traçant le signe de la croix dans l'espace trouble qui les séparait.

Ce fut la dernière chose que vit Everard de Tyr.

1

Istanbul, Turquie, de nos jours

— *Salam, Professor. Ayah vaght darid keh ba man sohbat bo konid ?*

Behrouz Sharafi se retourna, étonné. L'étranger qui venait de l'interpeller – un bel homme brun, élégant, la trentaine bien sonnée, grand et mince, aux cheveux noirs plaqués en arrière par du gel, vêtu d'un col roulé anthracite sous un costume sombre – était adossé à une voiture garée là. L'homme lui adressa un petit signe avec le journal plié dans sa main. Behrouz ajusta ses lunettes et le considéra. Il était à peu près certain de ne jamais l'avoir vu, mais l'étranger était à l'évidence un compatriote iranien – son accent farsi était parfait. Ce qui était inattendu. Behrouz n'avait pas rencontré beaucoup d'Iraniens depuis son arrivée à Istanbul, à peine plus d'un an auparavant.

Le professeur hésita puis, incité par le regard engageant et plein d'attente de l'étranger, fit quelques pas vers lui. Il faisait doux en ce début de soirée et la place donnant sur l'université avait perdu une bonne partie de son animation de la journée.

— Excusez-moi, mais nous sommes-nous déjà…

— Non, nous ne nous sommes jamais rencontrés, confirma l'étranger en invitant, d'un geste de la main, l'universitaire à rejoindre la berline dont il venait d'ouvrir la portière côté passager.

Behrouz s'immobilisa, tendu, saisi d'un malaise aussi imprévisible que violent. Jusqu'à cet instant, tout ce qu'il avait vécu à Istanbul s'était révélé libérateur. Jour après jour, les tensions de la vie quotidienne de ce professeur de soufisme à l'université de Téhéran – regarder discrètement par-dessus son épaule, faire attention au moindre mot prononcé – s'étaient peu à peu dissipées. Loin des batailles politiques qui accablaient la communauté universitaire en Iran, l'historien, qui venait de fêter ses quarante-sept ans, avait apprécié sa nouvelle vie dans un pays moins isolé, moins dangereux, un pays qui espérait faire son entrée dans l'Union européenne. Et il avait suffi qu'un étranger en costume sombre l'invite à faire un tour dans sa voiture pour qu'instantanément ce rêve chimérique vole en éclats.

L'universitaire leva les mains, paumes tournées vers l'inconnu.

— Désolé, je ne vous connais pas et…

L'étranger l'interrompit de nouveau :

— Je vous en prie, professeur, dit-il du même ton courtois, dépourvu de toute menace. Pardonnez-moi de vous aborder avec cette brusquerie, mais j'ai absolument besoin d'avoir une discussion avec vous. Il s'agit de votre femme et de votre fille. Il se peut qu'elles soient en danger.

Behrouz sentit la peur et la colère monter.

— Ma femme et… De quoi parlez-vous ?

— Je vous en prie, répéta l'homme, sans une once d'alarme dans la voix. Tout va bien se passer. Mais il faut que nous parlions.

Behrouz regarda autour de lui, le regard flou. À part la conversation à glacer les sangs qui était en train de se dérouler, tout semblait normal. Une normalité qui, il l'avait compris, ne ferait plus partie de son existence à partir de cet instant.

Il monta dans la voiture. Il s'agissait d'une BMW neuve, d'un modèle haut de gamme, mais une odeur étrange, désagréable, lui picota aussitôt les narines. Tandis qu'il se demandait de quoi il pouvait bien s'agir, l'étranger se mit au volant et rejoignit la circulation, fluide à cette heure de la journée.

Behrouz ne put se contenir davantage.

— Que s'est-il passé ? demanda-t-il. Que voulez-vous dire en affirmant qu'elles pourraient être en danger ? Quel genre de danger ?

— En fait, il ne s'agit pas seulement d'elles, répondit l'étranger sans quitter la route des yeux. Mais de vous trois.

Le ton égal, imperturbable, avec lequel il venait de les prononcer rendait ses paroles d'autant plus alarmantes.

— C'est en rapport avec votre travail, poursuivit l'homme, tournant cette fois les yeux vers son passager. Plus précisément avec quelque chose que vous avez découvert récemment.

— Quelque chose que j'ai découvert ?

Behrouz sentit son cerveau marquer un temps d'arrêt, avant de comprendre de quoi il s'agissait.

— Quoi ? La lettre ?

L'étranger hocha la tête.

— Vous avez essayé de comprendre à quoi elle se référait, mais jusqu'à présent sans succès.

Ce n'était pas une question, mais une affirmation, et émise avec une assurance qui la rendait plus inquiétante encore. Non seulement l'étranger connaissait l'existence de la lettre, mais il semblait également savoir que les recherches de Behrouz se heurtaient à un mur.

— Comment êtes-vous au courant de tout ça ? demanda-t-il en tripotant ses lunettes.

— Je vous en prie, professeur. Mon métier consiste à tout savoir de ce qui pique ma curiosité. Et votre trouvaille l'a piquée. Au plus profond. Et, s'il est vrai que vous êtes extrêmement méticuleux dans votre travail et dans vos recherches – une méticulosité admirable, si je puis me permettre –, sachez que je le suis tout autant dans les miens. D'aucuns diraient que je pousse jusqu'au fanatisme cette recherche de la perfection. Donc, oui, je sais en effet tout de vos activités. De vos déplacements. De vos interlocuteurs. Je suis au courant de ce que vous avez été en mesure de déduire, et de ce qui vous échappe encore. Mais ce n'est pas tout. Je connais un certain nombre de détails, de choses périphériques, si vous voyez ce que je veux dire. Par exemple que Mlle Deborah est l'institutrice préférée de la petite Farnaz à l'école. Ou que votre femme vous a préparé du *gheimeh bademjan* pour le dîner. Ce qui est vraiment gentil de sa part, poursuivit-il après une pause, dans la mesure où vous ne le lui avez demandé qu'hier soir. Il est vrai qu'elle se trouvait dans une situation plutôt vulnérable, non ?

Behrouz sentit le sang déserter son visage et la panique l'envahir. Comment peut-il… ? Il nous observait, nous écoutait ? Jusque dans notre chambre à coucher ? Il lui fallut un long moment pour reprendre le contrôle de son corps et trouver la force de demander d'une voix rauque :

— Que voulez-vous de moi ?

— La même chose que vous, professeur. Je veux le trouver. Ce trésor auquel la lettre fait allusion. Je le veux.

Les pensées de Behrouz sombrèrent dans un puits sans fond, étranger à toute réalité. Il s'efforça de recouvrer un semblant de cohérence :

— J'essaie bien de le trouver, mais… comme vous venez de le dire, j'ai du mal à tout comprendre.

L'étranger tourna la tête vers lui un bref instant, mais la dureté de son regard frappa l'universitaire comme un coup de poing.

— Vous devrez redoubler d'efforts, dit l'homme, avant d'ajouter, regardant de nouveau devant lui : Vous devrez vous efforcer de le trouver comme si votre vie en dépendait. Ce qui est d'ailleurs le cas, en l'occurrence.

Il quitta l'avenue sur laquelle ils roulaient jusqu'alors et s'engagea dans une rue étroite bordée de boutiques aux rideaux de fer baissés. Il s'arrêta devant l'une d'elles. Behrouz jeta un coup d'œil autour de lui. L'endroit était désert et aucune lumière n'émanait des immeubles abritant les boutiques.

L'étranger coupa le moteur de la BMW, fit face à son passager.

— Vous devez absolument comprendre que je suis on ne peut plus sérieux, lui dit-il avec les mêmes intonations d'une douceur intolérable. Je veux que vous sachiez que, pour moi, il est de la plus grande importance que vous fassiez tout ce qui est en votre pouvoir – je dis bien *tout* – pour mener à bien ce que vous avez entrepris. Vous devez comprendre à quel point il est crucial pour votre bien-être, ainsi que celui de votre femme et de votre fille, que vous consacriez tout votre temps, toute votre énergie, à la résolution de cette question, que vous fassiez appel à toutes les ressources qui sont les vôtres et dont vous ne soupçonnez même pas l'existence, et que vous me trouviez la solution. À partir de maintenant, et jusqu'à nouvel ordre, ce doit être votre seule préoccupation. La seule et l'unique.

Il s'arrêta, le temps que ses paroles aient fait leur effet, avant de reprendre :

— Dans le même temps, je veux que vous saisissiez bien que, si l'idée stupide de demander de l'aide à la police vous effleurait, les conséquences en seraient catastrophiques. Il est vital que vous le compreniez. Nous pourrions de ce pas aller ensemble à la police, mais je peux vous garantir que vous seriez le seul à en subir les conséquences, qui seraient, je vous le répète, catastrophiques. Vous devez en être absolument convaincu et n'avoir aucun doute sur ce que je suis prêt à faire, ce que je suis capable de faire, ce jusqu'où je suis prêt à aller pour m'assurer que vous ferez pour moi ce que je viens de vous demander.

Il saisit le boîtier électronique de la berline et actionna l'ouverture des portières.

— Peut-être avez-vous besoin d'une démonstration. Venez, dit-il en descendant de la voiture.

Behrouz le suivit, les jambes flageolantes. L'inconnu contourna la BMW par l'arrière. L'universitaire leva les yeux en l'air, à l'affût d'un quelconque signe de vie, avec l'envie folle de prendre la fuite et d'appeler à l'aide, mais il se contenta de rejoindre son tourmenteur d'un pas résigné, tel un forçat.

L'étranger appuya de nouveau sur un bouton du boîtier. Le coffre de la voiture s'ouvrit automatiquement.

Behrouz ne voulait surtout pas regarder ce qu'il contenait, mais quand l'inconnu tendit le bras à l'intérieur, il ne put s'empêcher d'y glisser un regard oblique.

Le coffre était vide, grâce à Dieu, à l'exception d'un petit sac de voyage. L'étranger le tira à lui et en ouvrit la fermeture Éclair. Une odeur putride assaillit les narines de l'universitaire qui, saisi d'un haut-le-cœur, fit un pas en arrière. Sans paraître l'avoir remarqué, l'étranger fouilla dans le sac et en extirpa un mélange indescriptible de cheveux, de peau et de sang qu'il brandit sous le nez de Behrouz sans la moindre trace d'hésitation ou de malaise.

Le professeur sentit le contenu de son estomac lui monter aux lèvres en reconnaissant la tête tranchée que l'étranger tenait à bout de bras.

Mlle Deborah. L'institutrice préférée de sa fille.

Ou ce qu'il en restait.

Incapable de se contenir, Behrouz se mit à vomir violemment. Ses jambes se dérobèrent sous lui et il s'effondra sur le trottoir, crachant, submergé de nausées, essayant en vain d'inspirer un peu d'air, une main devant les yeux pour les empêcher de voir le spectacle horrible qu'on voulait leur imposer.

Sans lui laisser aucun répit, l'étranger se baissa près de lui, l'agrippa par les cheveux et l'obligea à relever la tête afin qu'il ne puisse échapper au face-à-face avec la masse hideuse et sanglante.

— Trouvez-le, ordonna-t-il. Trouvez-moi ce trésor. Faites comme vous voulez, mais trouvez-le. Sinon vous, votre femme, votre fille, vos parents à Téhéran, votre sœur et sa famille...

Il n'acheva pas sa phrase, fort de la tranquille assurance que le professeur avait reçu le message cinq sur cinq.

2

Cité du Vatican, deux mois plus tard

En traversant la cour Saint-Damase, Sean Reilly contempla d'un œil las les grappes de touristes aux yeux écarquillés qui exploraient le Saint-Siège, se demandant s'il aurait un jour le loisir de visiter les lieux avec la même tranquillité d'esprit.

Car lui n'avait pas l'esprit tranquille, loin de là.

Il n'était en effet pas là pour admirer les merveilles architecturales ni les magnifiques œuvres d'art des musées, et il n'effectuait pas non plus un pèlerinage spirituel.

Non.

Il était là pour sauver la vie de Tess Chaykin.

Et s'il écarquillait les yeux lui aussi, c'était pour essayer d'échapper aux effets du décalage horaire et au manque de sommeil, de garder la tête assez claire pour s'y retrouver dans cette crise invraisemblable qui s'était abattue sur lui moins de vingt-quatre heures plus tôt. Une crise qu'il avait du mal à appréhender dans tous ses aspects, même s'il devait absolument y parvenir.

Reilly n'avait aucune confiance dans l'homme qui marchait à ses côtés – Behrouz Sharafi –, mais il n'avait pas vraiment le choix. Pour l'heure, il n'avait d'autre recours que de passer, une fois de plus, en revue toutes les informations dont il disposait, depuis le coup de fil désespéré de Tess jusqu'au récit éprouvant, et de première main, que lui avait fait l'universitaire iranien durant leur course en taxi depuis l'aéroport de Fiumicino. Il devait avant tout s'assurer qu'il n'avait raté aucun épisode – non qu'il eût grand-chose sur quoi s'appuyer. Un cinglé obligeait Sharafi à trouver quelque chose pour lui. Il avait tranché la tête d'une femme pour lui montrer à quel point il était sérieux. Et ce même psychopathe avait maintenant pris Tess en otage pour contraindre Reilly à entrer dans la partie. Reilly avait horreur de se retrouver dans cette position – sur la défensive et non dans l'offensive –, même si, en sa qualité d'agent spécial du FBI, à la tête de l'unité Terrorisme intérieur du bureau de New York, il avait été longuement entraîné à réagir aux crises, dont il avait, par ailleurs, une vaste expérience. Le problème, c'est que, d'ordinaire, celles-ci n'impliquaient pas quelqu'un qu'il aimait.

Un jeune prêtre en soutane noire les attendait devant un bâtiment orné d'un portique, transpirant sous le chaud soleil de ce milieu d'été. Il les précéda à l'intérieur et, tandis qu'ils arpentaient les longs couloirs dallés, puis gravissaient de majestueux escaliers de marbre, Reilly eut quelque mal à chasser de son esprit les souvenirs désagréables liés à sa précédente visite en ces lieux sacrés, ainsi que les bribes troublantes d'une conversation toujours présente dans un coin de sa mémoire. Ces souvenirs se firent plus prégnants encore quand, après avoir poussé une énorme porte en chêne superbement ouvragée, le prêtre fit entrer ses visiteurs et les mit en présence de son supérieur, le cardinal

Mauro Brugnone, secrétaire d'État du Vatican. Homme aux épaules carrées dont le physique imposant eût mieux convenu à un fermier calabrais qu'à un homme d'Église, le bras droit du pape était le contact de Reilly avec le Vatican et, apparemment, la raison de l'enlèvement de Tess.

Bien qu'ayant largement dépassé la soixantaine, le cardinal était aussi costaud et vigoureux que trois ans auparavant, lors de la dernière visite de Reilly. Le prélat s'avança pour le saluer, les bras tendus.

— J'avais vraiment hâte de vous revoir, agent Reilly, dit-il, une expression douce-amère assombrissant son visage. Même si j'aurais préféré que ce soit dans des circonstances plus heureuses.

Reilly posa son sac, hâtivement préparé la veille au soir, et serra la main du cardinal.

— Moi de même, Votre Éminence. Et merci d'avoir accepté de nous recevoir si rapidement.

L'homme du FBI présenta l'universitaire iranien, et le cardinal fit de même avec les deux autres personnes qui se trouvaient dans la pièce : Mgr Francesco Bescondi, préfet en charge des Archives secrètes du Vatican – un homme fluet aux cheveux blonds clairsemés et à la barbiche soigneusement taillée –, et Gianni Delpiero, inspecteur général de la gendarmerie, les forces de police du Vatican, nettement plus grand et plus solide, aux cheveux noirs et drus coiffés en brosse, aux traits anguleux. Reilly essaya de dissimuler son malaise devant le fait que le flic numéro un du Vatican avait été invité à se joindre à eux. Il serra la main de son collègue avec un cordial mais bref sourire, en reconnaissant qu'il aurait pu s'y attendre étant donné l'urgence de sa demande d'audience – et l'identité de son employeur.

— Que pouvons-nous faire pour vous, agent Reilly ? s'enquit le prélat en les invitant à prendre place dans de somptueux fauteuils installés près d'une cheminée. Vous m'avez dit que vous vous expliqueriez une fois arrivé.

Reilly n'avait pas vraiment pris le temps de penser à la façon de présenter les choses, mais ce qu'il savait, c'est qu'il devait surtout ne pas tout dévoiler. En tout cas s'il voulait avoir une bonne chance de les voir agréer sa requête.

— Avant toute chose, commença-t-il, je dois vous dire que je ne suis pas là pour des raisons profession-nelles. Je ne suis pas en mission pour le FBI. C'est à titre personnel que je vous ai adressé cette demande, et je voudrais être sûr que vous n'y voyiez pas d'objection.

Après que Tess l'eut appelé à l'aide, il avait demandé à prendre deux jours de congé pour motifs personnels. Au siège new-yorkais du FBI, Federal Plaza, personne – ni Aparo, son équipier, ni Jansson, leur patron – ne savait qu'il était à Rome. Ce qui était peut-être une erreur, songea-t-il, mais c'était ainsi qu'il avait décidé de traiter l'affaire.

Brugnone ignora sa précaution oratoire.

— Que pouvons-nous faire pour vous, agent Reilly ? répéta-t-il, insistant cette fois sur le « vous ».

Reilly le remercia d'un léger signe de tête.

— Je me trouve impliqué dans une affaire délicate, dit-il à son hôte. Et j'ai besoin de votre aide. Je n'ai personne d'autre vers qui me tourner. Mais j'ai égale-ment besoin de votre indulgence : vous ne devez pas me demander plus de renseignements que ceux que je peux vous fournir pour le moment. Tout ce que je suis en mesure de vous dire, c'est que des vies sont en jeu.

Brugnone échangea un regard perplexe avec ses deux collègues.

— Dites-nous ce qu'il vous faut.

— Le professeur Sharafi, ici présent, a besoin de certaines informations. Des informations qu'il ne saurait, pense-t-il, trouver ailleurs que dans vos archives.

L'Iranien ajusta ses lunettes et confirma d'un hochement de tête.

Le cardinal regarda longuement Reilly, visiblement décontenancé.

— Quel genre d'informations ?

Reilly se pencha en avant.

— Nous aurions besoin de consulter un fonds précis dans les archives de la Congrégation pour la doctrine de la foi.

Ses trois interlocuteurs du Vatican s'agitèrent inconfortablement sur leurs sièges. L'appel à l'aide de Reilly possédait un caractère moins anodin qu'il n'y paraissait. Contrairement à la croyance populaire, les Archives secrètes du Vatican n'avaient rien de particulièrement « secret ». Dans ce contexte particulier, ce mot signifiait que les archives en question entraient dans le cadre du « secrétariat » personnel du pape, ses documents *privés*. Mais concernant les archives auxquelles Reilly demandait à avoir accès, l'*Archivio Congregatio pro Doctrina Fidei* – les archives de l'Inquisition –, c'était une tout autre affaire. Elles renfermaient les documents les plus « sensibles » des archives du Vatican, en particulier tous les dossiers des procès en hérésie, ainsi que des ouvrages interdits. L'accès à ses rayonnages était sévèrement limité, afin de tenir à l'écart les amateurs de scandales. Les affaires que couvraient ses *fondi* – un fonds étant un recueil de

38

documents traitant d'un problème spécifique – étaient loin de rappeler les plus belles heures de la papauté.

— Et de quel fonds s'agirait-il ? demanda le cardinal.

— Du *fondo Scandella*, répondit Reilly sans l'ombre d'une hésitation.

L'espace d'un instant, ses hôtes eurent l'air désemparés, puis ils se détendirent ostensiblement. Domenico Scandella était un meunier relativement insignifiant du XVIe siècle, qui avait eu le défaut d'être trop bavard. Ses idées sur l'origine de l'univers avaient été jugées hérétiques, et il avait été condamné au bûcher. Ce que Reilly et l'universitaire iranien pouvaient rechercher dans les minutes de ce procès ne soulevait aucune inquiétude. La requête se révélait parfaitement inoffensive.

Le prélat observa Reilly avec attention, perplexe.

— C'est tout ce qu'il vous faut ?

— Oui, fit l'agent du FBI avec un hochement de tête.

Le cardinal consulta du regard les deux autres officiels du Vatican. Ceux-ci haussèrent les épaules avec indifférence.

Reilly comprit qu'il avait gagné la partie. La première manche, en tout cas.

Restait à faire le plus dur.

Accompagnés de Bescondi et de Delpiero, Reilly et son compagnon iranien traversèrent la cour du Belvédère en direction de la Bibliothèque apostolique, qui abritait les archives.

— Je dois avouer ma crainte de vous voir exprimer une demande qu'il eût été plus difficile, disons, euh…

d'honorer, confia le préfet des Archives avec un petit rire nerveux.

— Et vous songiez à quoi ? demanda Reilly, jouant le jeu.

Le visage de Bescondi s'assombrit. Le religieux recherchait à l'évidence la réponse la moins compromettante possible.

— Aux prophéties de Lucia Dos Santos, par exemple. Vous voyez de qui je veux parler ? La fillette qui a vu la Vierge à Fatima.

— Effectivement, maintenant que vous le dites... fit Reilly avec un sourire complice.

Bescondi eut un petit rire, manifestant ouvertement son soulagement.

— Le cardinal Brugnone m'avait dit que l'on pouvait vous faire confiance. Je me demande ce qui m'inquiétait.

Ces mots résonnaient encore désagréablement dans l'esprit de Reilly lorsqu'ils s'arrêtèrent à l'entrée du bâtiment. Delpiero, l'inspecteur général, prit congé, sa présence ne semblant pas indispensable.

— Si je puis faire quoi que ce soit pour vous être utile, agent Reilly, lança-t-il, n'hésitez pas à me le faire savoir.

Dans les trois halls de la bibliothèque, aux parois revêtues de somptueux panneaux de chêne sculptés et de fresques aux couleurs vives décrivant les donations faites au Vatican par différents souverains européens, régnait un silence presque inquiétant. Des chercheurs, des prêtres d'origines diverses et d'autres universitaires aux références irréprochables arpentaient sans bruit les couloirs au sol de marbre, s'apprêtant à rejoindre ou venant tout juste de quitter la paix des salles de lecture. Bescondi précéda les deux visiteurs dans un large escalier en colimaçon qui plongeait dans les profondeurs du sous-sol. Il y faisait nettement plus frais et les conditionneurs d'air étaient mis à moins rude épreuve qu'aux étages supérieurs. Ils passèrent devant deux jeunes archivistes, qui adressèrent au préfet une courbette respectueuse, et accédèrent à une salle de réception claire et spacieuse ; un garde suisse vêtu d'un uniforme bleu sombre d'une grande sobriété et coiffé d'un béret noir était installé à un comptoir, devant une série d'écrans de contrôle. L'homme leur fit signer un registre, tapa un code à cinq chiffres sur son clavier. La porte coulissante du sas de sécurité s'ouvrit devant eux avant de se refermer aussitôt après : ils se trouvaient désormais à l'intérieur du saint des saints du bâtiment des archives.

— Les *fondi* sont rangés par ordre alphabétique, expliqua Bescondi en désignant les plaques à l'élégante écriture manuscrite fixées aux étagères. Voyons voir, poursuivit-il en cherchant à se repérer. Le dossier Scandella devrait se trouver par là…

Reilly et l'Iranien le suivirent vers le fond de la vaste crypte au plafond bas. Excepté le claquement sec de leurs talons sur le sol de pierre, le seul bruit que l'on entendait était celui du système de régulation d'air qui maintenait l'oxygène à un niveau constant et préservait l'atmosphère ambiante de tout microbe potentiellement dangereux. Les longues rangées d'étagères étaient bourrées de rouleaux et de manuscrits reliés de cuir, auxquels se mêlaient des ouvrages plus récents et des boîtes en carton renfermant des dossiers. Des rangées entières d'antiques manuscrits suffoquaient sous d'épaisses couches de poussière, preuve que, dans certains cas, personne n'y avait touché ou ne les avait consultés depuis des décennies, voire des siècles.

— Nous y voilà, dit le préfet des archives en désignant une boîte sur une étagère basse.

Reilly regarda derrière lui, vers l'entrée de la salle. Ils étaient seuls. Il remercia le prêtre d'un signe de tête avant de lâcher :

— En fait, c'est un autre fonds que nous voudrions consulter.

Bescondi cligna des yeux, abasourdi.

— Un autre fonds ? Je ne comprends pas...

— Je suis confus, mon père, mais... je ne pouvais pas courir le risque que vous-même et le cardinal nous refusiez de venir ici. Or il est impératif que nous ayons accès aux informations dont nous avons besoin.

— Mais, mais... bégaya l'archiviste, c'est la première fois que vous mentionnez cela et... j'aurais besoin de l'autorisation de Son Éminence pour vous montrer tout autre...

— Mon père, je vous en prie, l'interrompit Reilly. Nous devons absolument voir ce que nous sommes venus chercher.

Bescondi eut quelque difficulté à déglutir.

— De quel fonds s'agit-il ?

— Du *fondo Templari*.

Les yeux de l'archiviste s'écarquillèrent, se tournèrent rapidement vers la gauche, au bout de l'allée dans laquelle ils se trouvaient, avant de revenir se fixer sur Reilly. Il leva les mains en signe d'objection et recula d'un pas mal assuré.

— Désolé, mais ce n'est pas possible, pas sans avoir obtenu l'accord préalable de Son Éminence.

— Mon père...

— Non, c'est impossible. Je ne peux pas vous y autoriser sans en avoir parlé avec...

Il recula de nouveau d'un pas, avant de faire demi-tour en direction de l'entrée.

Reilly se vit contraint de passer à l'action.

Il tendit le bras droit, empêchant le prêtre de passer.

— Désolé, mon père, murmura-t-il.

Ce disant, il plongea la main gauche dans la poche de sa veste, en extirpa un petit aérosol pour se purifier l'haleine, l'éleva jusqu'au visage affolé de l'archiviste et pulvérisa vers lui un jet de spray. Le prêtre le fixa avec des yeux terrifiés, tandis que le nuage de particules liquides lui enveloppait la tête. Il toussa à deux reprises avant que ses jambes se dérobent. Reilly le rattrapa et l'allongea avec douceur sur le sol de pierre.

Incolore et inodore, le liquide n'avait rien d'un produit destiné à purifier l'haleine...

Même si l'archiviste n'allait sans doute pas en mourir, Reilly devait agir, et vite.

Fouillant dans une autre poche, il en sortit une petite seringue en céramique, ôta le bouchon protecteur de l'aiguille, qu'il piqua dans une veine apparente sur l'avant-bras de l'ecclésiastique. Il vérifia son pouls, attendit d'avoir la certitude que l'antidote agissait. Sans lui, le Fentanyl – un opiacé incapacitant à action ultra-rapide qui faisait partie du petit et très discret arsenal d'armes non létales du Bureau – aurait pu plonger le préfet dans le coma, ou même le tuer, comme cela avait été le cas, quelques années plus tôt, dans ce théâtre de Moscou où plus d'une centaine d'otages avaient trouvé la mort.

Administrée sans tarder, une dose de Naxolone devait permettre à l'archiviste de continuer à respirer.

Reilly demeura à ses côtés suffisamment longtemps pour s'assurer que le produit faisait effet, essayant de refouler le vif malaise qu'il retirait de son geste envers un hôte sans méfiance, et de ne pas penser à Tess et à ce que son ravisseur avait fait subir à l'institutrice, ainsi que le lui avait rapporté Sharafi. Sentant que la respiration de l'archiviste s'était stabilisée, il hocha la tête.

— La voie est libre.

L'Iranien indiqua le fond de la crypte.

— Il a regardé par là quand vous avez mentionné le fonds. Ce qui est logique. Le « T » est la lettre suivante.

— Nous avons à peu près vingt minutes avant qu'il ne se réveille, peut-être moins, lui lança Reilly alors qu'ils se dirigeaient vers le fond la salle. Essayons de les utiliser au mieux.

3

Tess Chaykin sentait ses poumons la brûler. Ses yeux aussi. De même que son dos. En fait, à peu près toutes les parties de son corps la brûlaient.

Pendant combien de temps encore vont-ils me garder comme ça ?

Elle avait perdu toute notion du temps – plus précisément toute notion de tout. Elle savait qu'une bande adhésive lui recouvrait les yeux. La bouche. Ses poignets étaient liés derrière son dos, ses genoux et ses chevilles entravés. Une momie du XXIe siècle en quelque sorte, emmaillotée dans du ruban argenté et... dans autre chose aussi. Une sorte de cocon, doux, épais, rembourré, qui l'entourait tout entière. Comme un sac de couchage. Elle le tâta du bout des doigts. Oui, c'était bien cela. Un sac de couchage. Ce qui expliquait pourquoi elle était trempée de sueur.

C'était en gros la seule chose dont elle était sûre.

Elle ne savait pas où elle se trouvait. Pas précisément en tout cas. Elle avait l'impression d'être dans un espace très exigu. Chaud et exigu. Peut-être à l'arrière d'un camion, ou dans un coffre de voiture. Elle n'aurait pas pu le jurer, mais elle distinguait des sons déformés, assourdis, malgré l'adhésif qui lui bouchait les oreilles.

Des bruits de l'extérieur. D'une rue animée. Des voitures, des motos, des scooters, bourdonnant ou passant dans un vrombissement de moteur. Ces bruits avaient toutefois quelque chose qui détonnait. Qui ne collait pas vraiment, sans qu'elle pût déterminer précisément quoi.

Elle se concentra, essayant d'ignorer la sensation de lourdeur dans sa tête et de dissiper le brouillard qui obscurcissait sa mémoire. De vagues souvenirs commencèrent à prendre forme. Elle se rappela avoir été enlevée sous la menace d'une arme à feu alors qu'ils venaient de quitter leur chantier de fouilles de Pétra pour retourner en ville, tous les trois – elle, son ami Jed Simmons et l'historien iranien qui était venu les chercher. Comment s'appelait-il déjà ? Sharafi. Behrouz Sharafi. Elle se rappela aussi avoir été enfermée à clef dans une horrible pièce sans fenêtre. Peu de temps après, son ravisseur l'avait obligée à appeler Reilly, à New York. Après quoi elle avait été droguée, on lui avait injecté quelque chose. Elle sentait encore la douleur de la piqûre. C'était là la dernière chose dont elle se souvenait. Cela remontait à quand maintenant ? Elle n'en avait aucune idée. Des heures. Un jour entier peut-être ? Plus ?

Aucune idée.

L'endroit dans lequel elle se trouvait était étouffant, étriqué, sombre, on ne peut plus inconfortable, et il y régnait une odeur de, comment dire, oui, de coffre de voiture. Mais pas celui d'une vieille bagnole avec toutes sortes de débris un peu partout empuantissant l'atmosphère. Cette voiture, s'il s'agissait bien de cela, était à l'évidence neuve, mais il y régnait une odeur parfaitement désagréable.

Plus elle songeait à la situation qui était la sienne, plus son moral flanchait. Si elle se trouvait dans le coffre d'une voiture, et si elle pouvait entendre des bruits venant de l'extérieur, peut-être se trouvait-elle sur une route fréquentée. Elle sentit la panique monter en elle.

Et s'il m'avait juste abandonnée là, pour m'y laisser pourrir ?

Et si personne ne découvrait que je suis là ?

Une veine à son cou se mit à battre plus fort, le ruban entourant ses oreilles les transformant en chambre d'écho. Aiguillonnées par cet infernal tambourinement, ses pensées couraient en tous sens : combien d'air lui restait-il ? Combien de temps pourrait-elle tenir sans eau et sans nourriture ? Le sparadrap n'allait-il pas finir par l'étouffer ? Elle se vit sur le chemin d'une mort atroce, insupportablement lente, ses forces vitales s'amenuisant sous l'effet de la soif, de la faim, de la chaleur, dépérissant dans une boîte obscure, comme enterrée vive.

La bouffée de terreur qui l'envahit lui fit l'effet d'un seau d'eau glacée. Elle devait faire quelque chose. Elle essaya de se tortiller pour changer de position, dans l'espoir de trouver un bras de levier suffisant pour donner des coups de pied sur le rabat du coffre ou quel que soit l'endroit où elle était enfermée, mais non : impossible de faire un geste. Quelque chose l'empêchait de bouger. Elle était totalement immobilisée, retenue par une entrave quelconque qui, elle le sentait maintenant, lui sciait les épaules et les genoux.

Impossible de remuer ne serait-ce que le petit doigt.

Cessant de lutter contre les liens qui la maintenaient prisonnière, elle se laissa aller, poussant un soupir déchirant qui résonna dans ses oreilles. Les larmes lui vinrent aux yeux alors que l'idée de la mort prenait corps. Le visage rayonnant de sa fille Kim lui apparut et pour échapper au désespoir elle essaya de concentrer son esprit sur cette image. Elle se représentait l'adolescente de treize ans jouissant de la chaleur estivale dans le ranch de sa tante Hazel, la sœur aînée de Tess ; un autre visage apparut dans le tableau, celui de leur mère, Eileen, qui se trouvait également avec elles en Arizona. Puis leurs traits s'effacèrent, et un sentiment de colère et de remords l'étreignit : quelle idée de quitter New York et de venir dans ce trou, en plein désert jordanien, pour y faire des recherches en vue de son prochain roman ! Il est vrai que, sur le moment, l'idée de rejoindre sur son lieu de fouilles Simmons, un contact de son vieil ami Clive Edmondson et l'un des meilleurs experts pour tout ce qui touchait aux Templiers, lui avait paru excellente. Dans le silence et la solitude du désert, elle aurait tout le loisir d'améliorer ses connaissances dans ce domaine dont elle avait décidé de faire la colonne vertébrale de sa nouvelle carrière. Par ailleurs, et plus important encore peut-être, cela lui donnerait l'espace dont elle avait besoin pour mettre au clair un certain nombre de choses sur un plan plus personnel.

Et pour quel résultat…

Ses regrets abordèrent toutes sortes de territoires obscurs avant que ses pensées s'arrêtent sur un nouveau visage : Reilly. La culpabilité lui noua les entrailles : qu'est-ce qui avait bien pu la pousser à lui passer ce coup de téléphone ? Elle se demanda également s'il était sain et sauf, et s'il finirait un jour par la retrouver. Cette pensée alluma en elle une étincelle d'espoir. Elle avait envie de croire qu'il en était capable. Mais cette étincelle s'évanouit aussi vite qu'elle était apparue. Elle se faisait des illusions, elle le savait. Reilly était loin, très loin, à deux continents de là. Même s'il faisait tout son possible – et ce serait le cas –, il serait hors de son élément, étranger en terre étrangère. Cela n'arriverait pas.

Je ne peux pas croire que je vais mourir comme ça.

Un petit bruit, très faible, parvint jusqu'à elle, à peine audible, comme pour la torturer un peu plus encore. Elle devina cependant qu'il s'agissait d'une sirène. De voiture de police, ou d'ambulance. Le son se fit de plus en plus fort, faisant croître son espoir, avant de faiblir, puis de disparaître. Elle avait une autre raison d'en être ébranlée : ce son était très singulier. Chaque pays a, semble-t-il, un bruit de sirène qui lui est propre pour ses véhicules de secours. Or, cette sirène-là avait quelque chose de bizarre. Elle avait entendu bien des sirènes d'ambulances et de voitures de police durant son séjour en Jordanie, mais, sans qu'elle pût en avoir la certitude, celle-là lui avait semblé différente. Très différente. C'était un son qu'elle avait déjà entendu auparavant, à coup sûr, mais pas en Jordanie.

Un frisson de terreur lui parcourut l'échine.

Mais où suis-je, bon sang ?

4

Archives de l'Inquisition, Cité du Vatican

— Combien de temps nous reste-t-il ? demanda l'historien iranien en ajoutant un nouveau manuscrit relié de cuir à la pile à ses pieds.

Reilly consulta sa montre et fronça les sourcils.

— Cela n'a rien d'une science exacte. Il peut se réveiller d'une seconde à l'autre maintenant.

Son compagnon eut un hochement de tête nerveux. Des gouttelettes de sueur perlaient à son front.

— Plus qu'une étagère, dit-il.

Ajustant ses lunettes, il s'empara d'une liasse de documents et dénoua d'un geste vif la lanière de cuir qui les entourait.

— Il se trouve bien là, hein ? s'enquit Reilly en tournant une nouvelle fois la tête en direction du prélat, toujours allongé sur le sol froid, et du sas qui protégeait la salle des archives.

À l'exception du bourdonnement régulier du conditionneur d'air, tout était silencieux. Pour le moment.

— C'est ce qu'a dit Simmons. Il en était sûr. Il est certainement là, quelque part.

L'Iranien reposa les feuillets et s'empara d'un nouveau volume.

Le fonds Templier occupait trois pleines étagères tout au fond de la salle des archives, soit beaucoup plus que tous les autres alentour. Ce qui n'avait rien de surprenant. L'affaire avait été le plus gros scandale politique et religieux de son temps. Diverses commissions papales et une petite armée d'inquisiteurs avaient été chargées d'enquêter sur l'Ordre, depuis l'époque précédant la délivrance des premiers mandats d'arrestation, à l'automne 1307, jusqu'à la dissolution de l'Ordre, cinq ans plus tard, et la mort sur le bûcher de son grand maître, en 1314. Bien que les archives des Templiers eussent été perdues – on avait eu vent pour la dernière fois de leur présence à Chypre, où elles avaient été transférées depuis Acre, à la suite de la chute de la ville, en 1291 –, le Vatican s'était constitué son propre fonds, considérable, à la faveur de cette enquête extensive. Rapports d'inquisiteurs itinérants, transcriptions d'interrogatoires et de confessions, déclarations de témoins, listes de biens et documents administratifs confisqués dans les différents lieux appartenant aux Templiers à travers l'Europe, tout était accumulé là, compte rendu exhaustif, quasi médico-légal, de la fin infamante des moines-soldats.

Il n'en semblait pas moins que nombre de secrets demeuraient enfouis dans ces feuillets à l'encre pâlissante.

Comme pour le confirmer, l'historien se tourna vers Reilly, l'excitation illuminant son visage.

— Je l'ai trouvé.

L'agent du FBI s'approcha. L'Iranien tenait entre ses mains un épais volume relié de cuir, de la taille d'un gros album de photos. La couverture était déchirée et d'aspect très fragile ; les planchettes en bois rigidifiant la reliure en cuir ouvragé ressortaient aux quatre coins. Il ouvrit le volume, laissant apparaître la première page. Elle était blanche, à l'exception d'une large tache d'un brun pourpre dans le coin en bas à droite – une attaque de bactéries – et du titre en son centre : *Registrum Pauperes Commilitones Christi Templique Solomonici.*

Le Registre des Templiers.

— C'est bien lui, confirma le professeur, tournant les pages avec le plus grand soin.

La plupart des feuillets, à base de lin, semblaient couverts de pavés de prose, à l'écriture manuscrite gothique. Certains présentaient des cartes rudimentaires, d'autres des listes de noms, d'endroits, de dates et des informations que Reilly n'était pas en mesure de déchiffrer.

— Vous en êtes certain ? demanda l'agent du FBI. On ne nous laissera pas une seconde chance, vous savez.

— Quasiment. En fait, Simmons n'a jamais eu l'occasion de le voir, mais il est exactement tel qu'il l'a décrit, ça j'en suis sûr.

Reilly jeta un ultime coup d'œil sur les codex qui demeuraient sur l'étagère. Il savait qu'il devait se fier au jugement de Sharafi. De précieuses secondes s'écoulaient.

— OK. Fichons le camp.

À ce moment précis, un grognement sourd parvint jusqu'à eux. Reilly se figea. L'archiviste du Vatican revenait à lui. Essayant de repérer les caméras de surveillance qu'il aurait pu ne pas remarquer depuis leur arrivée dans la salle, Reilly rejoignit en courant l'ecclésiastique à l'instant où celui-ci se redressait. Bescondi s'appuya contre une étagère, s'épongeant le front des deux mains. Reilly se pencha vers lui et approcha son visage du sien.

Désorienté, l'archiviste lui jeta un regard effrayé.

— Que… que s'est-il passé ?

— Je ne sais pas vraiment, répondit Reilly en lui posant sur l'épaule une main rassurante. Vous vous êtes évanoui une seconde. Nous nous apprêtions à appeler à l'aide.

Lui qui avait horreur de mentir…

L'air éperdu, l'archiviste essayait de comprendre ce qui s'était passé. Reilly savait qu'il ne se rappellerait rien – pas tout de suite en tout cas. Car la mémoire lui reviendrait. Et rapidement.

— Restez là, reprit Reilly. Nous allons chercher de l'aide.

Bescondi opina du bonnet. L'agent du FBI adressa alors à Sharafi un bref signe de tête pour lui faire comprendre qu'il était temps de filer, et ses yeux désignèrent discrètement le manuscrit qu'il tenait toujours.

Comprenant le message, l'Iranien fourra le volumineux volume sous son bras, hors de vue de l'archiviste, qu'il contourna avant de suivre Reilly.

Ils atteignirent le sas. Les deux doubles portes coulissantes semblèrent les narguer tandis qu'ils attendaient avec une certaine impatience qu'elles les autorisent à passer, un peu lentes à leur goût. La double porte extérieure s'ouvrit enfin et les deux hommes se retrouvèrent dans la zone de réception. Le gardien avait quitté son siège et se tenait en alerte, les sourcils froncés, percevant nettement la tension et la hâte qui caractérisaient leurs mouvements, se demandant pourquoi l'archiviste ne se trouvait pas avec eux.

— Mgr Bescondi a eu un… Il lui est arrivé quelque chose, il vient de s'évanouir, balbutia Reilly, désignant la salle des archives tout en s'efforçant de faire écran à Sharafi. Il aurait besoin d'un médecin.

L'homme de faction chercha sa radio d'une main, tendant l'autre bras, paume en avant vers les visages de Reilly et de l'Iranien pour leur faire comprendre qu'ils devaient rester sur place.

— Un moment, ordonna-t-il.

Reilly ne se démonta pas.

— Il a besoin d'un médecin, vous comprenez ? Et tout de suite, insista-t-il, désignant du doigt la salle des archives afin d'inciter le gardien à pénétrer dans le sas.

L'homme hésita, peu désireux de laisser les visiteurs sans surveillance mais se sentant contraint d'aller voir l'archiviste, tandis que…

… à l'intérieur de la salle des archives, Bescondi commençait tout juste à reprendre ses esprits. Scrutant l'allée sur sa droite, puis sur sa gauche, il aperçut la pile de manuscrits et de boîtes d'archives en vrac sur le sol.

La signification de ce qu'il avait devant les yeux le tira de sa torpeur avec l'efficacité d'un défibrillateur. Frappé de stupeur, la respiration coupée par le choc, il se redressa non sans mal et avança en titubant vers le sas, qu'il atteignit à temps pour voir l'agent Reilly et son collègue iranien en grande conversation avec le gardien. Encore sonné, l'archiviste pressa le bouton actionnant les portes du sas, puis se mit à tambouriner des deux mains sur la porte intérieure en attendant que celle-ci s'ouvre, ses appels à l'aide renvoyés par le verre renforcé et résonnant de façon assourdissante autour de lui...

... mais étrangement étouffés par le sas du côté de la salle de réception. La scène surréaliste qui se déroulait à l'intérieur finit pourtant par attirer l'attention du garde.

Muscles contractés, ce dernier lança sa main droite vers l'étui qui abritait son pistolet, tandis que, de la gauche, il portait la radio à sa bouche pour donner l'alerte. Deux actions que Reilly devait étouffer dans l'œuf s'il voulait que lui et Sharafi se sortent de là. Et bien que le garde fût, comme tous les membres de la plus petite armée du monde, un soldat professionnel formé dans l'armée suisse, il se révéla moins rapide que Reilly : l'agent du FBI se jeta sur lui, écartant du bras gauche l'arme qu'il pointait dans sa direction, lui arrachant sa radio de la main droite et la lançant hors de sa portée. Le garde tenta de lui placer un uppercut à la tête, mais Reilly para le coup et riposta avec une droite de son cru qui atteignit son adversaire en plein thorax, lui coupant le souffle. Sous l'effet du coup, la main droite du garde se relâcha, ce qui permit à Reilly de lui arracher son arme avant de le percuter de tout son poids et de le projeter contre l'angle du bureau. L'agent du FBI suivit du regard le pistolet, qui glissa sur le sol en pierre, loin de son propriétaire, sonné après sa collision avec le comptoir. Puis il se tourna vers Sharafi, qu'il agrippa par le bras.

— On se bouge ! beugla-t-il en le poussant en avant et en se ruant vers l'escalier.

5

Une fois au rez-de-chaussée, ils traversèrent en courant les salles du palais, sans que quiconque tente de les arrêter. Reilly savait que cela ne durerait pas. Et, de fait, quelques secondes plus tard, ils entendirent derrière eux des coups de sifflet et des bruits de pas précipités : le garde suisse du sous-sol avait recouvré ses esprits et venait de recevoir du renfort. Devant eux, à l'autre extrémité de la troisième salle, quatre *carabinieri* se ruaient dans leur direction, pistolet au poing.

Pas tout à fait au point, mon plan, se morigéna Reilly. Il s'arrêta brusquement, glissant sur le sol dallé, et obliqua sur sa gauche, jetant un coup d'œil vers Sharafi pour s'assurer que celui-ci était toujours dans son sillage. Bescondi, l'archiviste, était revenu à lui trop tôt. Reilly n'ignorait pas que cela pouvait arriver. La dose d'incapacitant qu'il lui avait administrée avait été intentionnellement assez faible. Il ne pouvait courir le risque de voir l'homme passer de vie à trépas, ni même tomber dans le coma, et avait donc été contraint de jouer la sécurité. Un peu trop, à l'évidence. Et voilà que, maintenant, il devait trouver un moyen de quitter la cité papale ; ils n'arriveraient jamais à rejoindre la voiture avec chauffeur qui les attendait devant le palais apostolique. D'ailleurs, même s'ils y parvenaient, quitter l'enclave vaticane avec une armée de flics à leurs trousses leur serait impossible.

— Par là ! cria-t-il à l'adresse de l'universitaire iranien.

Les deux hommes traversèrent à toutes jambes une autre pièce aussi fastueuse que les précédentes et se retrouvèrent dans les salles contemporaines de l'aile nouvellement ouverte du musée Chiaramonti. Les visiteurs étaient nombreux, transformant l'endroit en parcours d'obstacles constitué de personnes des deux sexes, de tous âges, toutes tailles et toutes corpulences, autour desquelles ils devaient slalomer, soulevant cris perçants et remarques indignées, conscients que toute collision ne pourrait être que désastreuse. Derrière, leurs poursuivants, qui avaient choisi de faire bloc, les talonnaient en fendant la foule sans états d'âme.

Voyant une grande entrée se profiler à droite, Reilly tourna dans cette direction mais s'arrêta net en voyant trois autres policiers se précipiter vers eux en franchissant les portes vitrées. Il jeta un coup d'œil sur sa gauche : de l'autre côté de la salle, une autre sortie faisait face à la précédente. Il se fraya un passage vers cette issue providentielle, l'Iranien juste derrière lui, et franchit les portes à toute allure pour se retrouver sur une plate-forme à l'air libre, une sorte de terrasse en haut d'un magnifique escalier à double révolution.

La touffeur estivale lui sauta au visage.

Avalant avec avidité de grandes goulées d'air brûlant, l'agent du FBI se tourna vers Sharafi.

— Passez-moi le livre, lui dit-il, il ne peut que vous ralentir.

L'Iranien, étrangement calme, refusa de la tête, serrant plus fort l'objet contre sa poitrine.

— Ça ira. Vers où allons-nous ?

— Aucune idée, mais on ne peut pas rester là, répondit Reilly avant de dévaler l'escalier quatre à quatre.

Entendant le bruit de friture d'un talkie-walkie, il se pencha par-dessus la rampe de marbre, aperçut les casquettes de deux autres *carabinieri*, qui gravissaient les marches dans le but évident de prendre les fugitifs entre deux feux. Dans une seconde, deux tout au plus, ils se retrouveraient face à face. Pas idéal comme perspective.

Et merde.

Bandant tous ses muscles, Reilly prit deux pas d'élan, sauta par-dessus la balustrade, atterrit de tout son poids sur les deux hommes, les entraînant dans sa chute et laissant du même coup le champ libre à Sharafi.

— Continuez ! cria-t-il à l'adresse du professeur tandis que les deux policiers cherchaient à lui saisir bras et jambes.

En vain. Il parvint à se dégager et se retrouva bientôt en bas, à la suite de l'Iranien.

Côte à côte, ils franchirent au pas de course la pelouse soigneusement tondue de la cour centrale avant de se réfugier dans un passage voûté qui traversait le bâtiment pour déboucher à l'air libre sur le Stradone dei Giardini, une avenue bordée de chaque côté par de longues rangées de voitures. Reilly fit halte, laissant filer une poignée de précieuses secondes, observant les alentours, à l'affût de quelqu'un montant en voiture ou en sortant, quittant un scooter, une moto, n'importe quoi, priant pour qu'une occasion se présente de sauter sur un engin doté d'un moteur et de roues, afin de ficher le camp de là sans délai. Mais rien ne bougeait dans le voisinage, aucun bip-bip signalant une alarme en cours de désactivation, aucune cible potentielle. C'est alors qu'une autre escouade de carabiniers fit son apparition, se dirigeant vers eux au pas de charge depuis l'autre bout de la route, à une centaine de mètres tout au plus.

Reilly se creusa la cervelle, s'efforçant de retrouver quelques repères dans cette carte du Vatican qu'il n'avait pas eu le temps d'étudier avec le soin nécessaire avant de se lancer dans cette expédition décidément bien mal montée. Il savait en gros où ils étaient, mais la cité papale avait été bâtie sans véritable plan d'urbanisme : c'était un enchevêtrement de bâtiments, un labyrinthe de voies et de passages tortueux où se perdre paraissait inévitable, même si l'on possédait le plus remarquable sens de l'orientation qui soit. En l'absence d'une révélation miraculeuse, Reilly fit appel une fois de plus à son instinct de survie et se jeta en avant, fuyant le danger qui approchait. Précédant le professeur derrière une rangée de voitures garées sur leur droite, il s'engagea dans une rue étroite qui débouchait sur une vaste pelouse sillonnée par deux allées se croisant à angle droit, le Jardin Carré, lequel s'étendait devant un autre musée. Reilly se rendit alors compte qu'ils étaient coincés : policiers du Vatican et gardes suisses convergeaient vers eux de tous côtés. Ils sauteraient d'une seconde à l'autre sur les deux fugitifs qui, sans le moindre endroit où se réfugier, sans la moindre issue de secours, constituaient désormais une proie facile.

Reilly pivota sur lui-même, scrutant les alentours, refusant de se résoudre à l'inéluctable... et eut une illumination. Au cours de leur fuite éperdue, son cerveau avait continué de fonctionner, suffisamment en tout cas pour qu'il réalise où ils se trouvaient et ce qui leur tendait les bras, tout près, à un jet de pierre.

— Par là, fit-il, aiguillonnant le professeur en désignant du doigt l'autre extrémité du jardin, bordée par un haut mur en ciment dépourvu de la moindre ouverture.

— Vous êtes fou ? On ne pourra jamais escalader ce mur.

— Contentez-vous de me suivre, ordonna l'Américain.

Sharafi se précipita derrière lui et, juste avant qu'ils arrivent au mur, le sol s'ouvrit miraculeusement sous leurs pas, sous la forme d'une rampe bétonnée qui descendait en pente douce vers une sorte de structure souterraine.

— C'est quoi, là-dessous ? demanda le professeur en haletant.

— Le musée des Carrosses, répondit Reilly, le souffle court. Allez, on continue.

6

Parvenus en bas de la rampe, Reilly et le professeur iranien n'en cessèrent pas pour autant de courir.

Dernier ajout en date aux musées du Vatican, le musée des Carrosses était un vaste écrin en sous-sol qui faisait songer à une interminable galerie, disposition qui convenait parfaitement à Reilly. Il ralentit sa course en entrant dans la première salle d'exposition, laissant à son GPS mental une seconde pour se mettre en marche. L'espace qui l'entourait avait été conçu selon des lignes pures et modernes, en contraste saisissant avec les objets tapageurs qui y étaient exposés, depuis de somptueuses chaises à porteurs jusqu'à des carrosses du XIXe siècle, tout d'or, de velours et de soie damassée, collection étonnante de chefs-d'œuvre montés sur roues ou sur béquilles.

Le professeur regarda autour de lui, éperdu.

— Qu'est-ce qu'on fait là ? C'est un cul-de-sac et je ne crois pas que ces trucs puissent nous mener où que ce soit. À moins de trouver des chevaux, bien sûr.

— Nous ne sommes pas ici pour les carrosses, répondit sèchement Reilly, avant d'entraîner l'Iranien un peu plus loin.

Après les carrosses dorés, vint le tour des automobiles. Ils passèrent devant un trio de monstrueuses
limousines noires des années 1930 qui semblaient tout
droit sorties d'un film de gangsters, leur carrosserie
faite main, leurs phares ronds comme des tambours et
leurs pare-chocs démesurés rappelant une ère lointaine
où l'élégance n'était pas un vain mot.

— On peut dire que vous me faites marcher, hein ?
fit Sharafi en se permettant un petit rire.

Reilly était sur le point de répliquer quand il entendit
du bruit venant de derrière, du côté de l'entrée. Un petit
groupe de carabiniers et de gardes suisses fit irruption
dans la salle d'exposition, bousculant les visiteurs
apeurés. L'un des policiers repéra Reilly et l'Iranien
derrière un groupe de touristes et, les pointant du doigt,
entreprit d'alerter ses collègues à grands cris.

Reilly fronça les sourcils.

— Il ne faut pas perdre espoir, dit-il à Sharafi avant
de reprendre sa course folle.

Il attira l'Iranien derrière un pousse-pousse blanc à
trois roues – la tiare papale imprimée sur ses portières
de toile –, puis dans la partie du musée qui abritait des
« papamobiles » plus récentes. Ils passèrent en trombe
devant une Mercedes 600 convertie en cabriolet,
une Lincoln Continental quatre portes décapotable et
une Chrysler Imperial, trois merveilles des années 1960
aussi noires et étincelantes que l'obsidienne, et continuèrent de courir vers le fond du musée. Ils s'arrêtèrent
un instant, essoufflés.

Sharafi regarda derrière lui. Leurs poursuivants se
rapprochaient.

— Comment comptez-vous nous faire sortir de là ?
demanda-t-il. Vous ne pourriez pas démarrer une de
ces voitures en connectant les fils ?

— J'espère ne pas avoir à le faire, répondit Reilly.

Il venait de repérer ce qu'il cherchait désespérément : une issue, tout près d'un gros volet à enrouleur inséré dans la paroi du fond et peint en blanc pour passer aussi inaperçu que possible.

— Par là ! lança-t-il en désignant la porte et en se dirigeant vers elle.

Alors qu'ils s'apprêtaient à la pousser, la porte s'ouvrit et deux techniciens de maintenance en salopette blanche franchirent le seuil, inconscients du chaos qui régnait dans la salle. Reilly les poussa de côté et entra en trombe, retenant la porte avant qu'elle ne se referme. Il fit passer Sharafi devant lui, le suivit à l'intérieur d'un tunnel assez large pour qu'une voiture puisse y circuler, tandis que, derrière eux, résonnaient des cris de colère. Il accéléra l'allure, poumons et muscles des cuisses en feu, dépassa l'Iranien et se retourna pour s'assurer que celui-ci tenait le rythme – ce qui, à sa grande surprise et son non moins grand soulagement, était le cas. Le tunnel les mena à un vaste garage où trois mécaniciens s'affairaient près des « papamobiles » en exercice : un 4 × 4 Mercedes G500 à toit ouvrant, utilisé par le pape pour ses déplacements romains, et deux autres véhicules à quatre roues motrices : des Mercedes ML430 modifiées, dites « papaquariums », équipées à l'arrière d'une cabine surélevée à vitrage blindé pour ses voyages à l'étranger ; les trois véhicules étaient peints dans le ton blanc baptisé « vaticanmystic » par le constructeur allemand. Une autre rampe sortait du garage et menait dans la direction opposée à celle que les deux hommes avaient prise pour entrer.

Une issue.

Peut-être.

Après avoir trié ses options en une fraction de seconde, Reilly se précipita vers la ML sur laquelle travaillaient les mécanos. Elle se trouvait dans le mauvais sens, l'arrière vers la rampe de sortie, mais présentait le double avantage d'avoir son capot relevé et son moteur allumé. Surpris, les mécaniciens se tournèrent vers les nouveaux venus pour les interroger sur leur présence en ces lieux, mais Reilly était saturé d'adrénaline et n'avait pas de temps à perdre en explications. Sans tergiverser, il rejoignit le plus proche des mécaniciens, l'attrapa par le bras et le projeta vers l'un de ses collègues, les deux hommes allant s'écrouler sur un établi. Après une hésitation, le troisième mécanicien recula, tendit la main vers un autre établi, où il prit une grosse clef anglaise, avant de se diriger vers les intrus.

— Montez ! aboya Reilly à Sharafi.

Après avoir ôté de son berceau la tige qui le maintenait ouvert, il referma le capot avec un claquement sec et prit place en toute hâte sur le siège conducteur.

Il regarda le professeur qui contournait la voiture par l'arrière, le perdit de vue derrière la cabine de verre, avant d'apercevoir le mécanicien qui, clef anglaise à la main, marchait droit sur l'Iranien depuis la portière avant droite. Il hésita, se demandant s'il devait ou non venir en aide à son compagnon, qu'il aperçut soudain de nouveau dans le rétroviseur. Il le vit alors avec stupéfaction se débarrasser du mécanicien en lui décochant avec une précision chirurgicale deux méchants coups de pied au genou puis au visage.

Sharafi s'installa près de lui, le souffle court mais sans paraître le moins du monde perturbé, serrant toujours le lourd codex contre sa poitrine. Leurs regards se croisèrent – les yeux de Reilly reflétant sa satisfaction devant l'efficacité avec laquelle l'Iranien avait réglé ce dernier incident –, juste avant que les carabiniers ne fassent irruption dans le garage côté musée, pistolet au poing, leur hurlant de ne plus bouger. Venant de derrière, un ronronnement sourd attira l'attention de Reilly, qui se retourna vivement pour constater que le volet roulant à l'entrée de la rampe menant vers l'extérieur était en train de se baisser. L'un des mécaniciens, remis de ses émotions et appuyé contre le mur, venait d'actionner le boîtier, content de lui à en juger par son sourire réjoui.

— Accrochez-vous ! rugit Reilly en passant en marche arrière et en appuyant à fond sur la pédale d'accélérateur.

Le lourd véhicule fit une brutale embardée, ses pneus crissant sur le plancher en acrylique. Tant bien que mal, l'Américain fit franchir aux quatre tonnes du 4 × 4 l'espace qui les séparait de la rampe, essayant autant que possible de ne pas heurter les parois latérales, tout en surveillant d'un œil le volet roulant qui continuait de descendre. Il parvint de justesse à passer dessous, le toit de la cabine de verre raclant bruyamment le bas du volet, dans le fracas aigu du métal mordant sur le verre de sécurité renforcé. Émergeant à l'air libre, ils se retrouvèrent sur l'avenue qu'ils avaient parcourue en courant à peine quelques minutes plus tôt.

D'un brusque coup de volant, il fit faire demi-tour au gros 4 × 4, poussa le levier sur « drive » et accéléra à fond. Étroite et bordée de chaque côté par des voitures à l'arrêt, la voie longeait la Bibliothèque apostolique.

— Bien joué avec ce mécanicien, tout à l'heure, remarqua Reilly en coulant un regard de biais à son passager.

— Depuis que je suis né, mon pays a presque toujours été en guerre, expliqua l'Iranien avec un haussement d'épaules. J'ai fait mon temps dans l'armée, comme tout le monde. Vous savez où on est ?

— Plus ou moins... La porte se trouve de l'autre côté de ce bâtiment, ajouta Reilly en désignant la bibliothèque qui défilait sur leur gauche. Si ma mémoire est bonne, il devrait y avoir un passage dans la cour, là où sont garées les voitures.

Sa mémoire ne l'avait pas trompé. L'Américain engagea le 4 × 4 Mercedes dans l'étroit tunnel qui menait à la cour du Belvédère et vira autour des véhicules qui y étaient stationnés. Affolés, les touristes s'empressaient de se mettre en lieu sûr pour ne pas se faire écraser par l'énorme « papaquarium » portant la plaque d'immatriculation SCV1 – *Stato della Citta del Vaticano*, État de la Cité du Vatican, même si, pour la plupart des Romains, réputés pour leur humour, la véritable signification était plutôt *Se Cristo Vedesse*, « Si le Christ voyait ça ». La pique voulant dire que, au cours des siècles, les papes avaient détourné le message originel de Jésus, qui prêchait la non-possession des biens de ce monde.

Un autre passage voûté au fond de la cour les conduisit de l'autre côté du complexe de la bibliothèque ; ils débouchèrent ensuite sur la Via del Belvedere, qu'ils dévalèrent sans encombre en direction de la porte Sainte-Anne, qui leur permettrait de quitter le Vatican.

— On ne peut pas rester là-dedans, fit remarquer Sharafi. On attire un peu trop l'attention...

— Mais nous ne sommes pas encore tirés d'affaire, répliqua Reilly, les dents serrées, regardant droit devant lui.

Deux voitures de carabiniers – des Alfa Romeo bleu foncé aux lignes pures, aux calandres menaçantes, gyrophares bleus en action et sirènes hurlantes – venaient d'émerger devant eux d'une rue latérale et fonçaient droit sur la papamobile.

Décidément, rien ne se passe selon le plan prévu, songea Reilly en fronçant les sourcils à l'idée de jouer aux gendarmes et aux voleurs avec la police italienne, au volant d'une papamobile volée. Et c'est pourtant ce qu'il était en train de faire. Les voitures des forces de l'ordre se rapprochaient à toute allure. À cet instant précis, le visage de Tess apparut dans son subconscient. Il se la représenta dans un horrible trou à rats, enchaînée à un radiateur, réduite à l'impuissance, tandis que le psychopathe qui l'avait enlevée rôdait non loin. Il ne pouvait pas reculer, il devait les sortir de là, avec le livre. Il devait réussir son coup. Pour elle.

Il roulait toujours, pied au plancher, droit sur les Alfa.

— Agent Reilly…

Sharafi était crispé, sa main droite serrant convulsivement l'accoudoir.

L'Américain ne cilla pas.

Une nanoseconde avant le choc frontal, la voie sur laquelle ils roulaient s'ouvrit sur une vaste *piazza* devant la tour de Nicolas V, une massive fortification de forme ronde qui faisait partie des murailles originelles du Vatican. Reilly tourna brutalement son volant vers la droite, quittant sa trajectoire rectiligne au moment précis où les voitures de police arrivaient à sa hauteur, avant d'obliquer de nouveau à gauche pour poursuivre sa course folle. Dans son rétroviseur, il vit les deux Alfa faire un demi-tour parfaitement synchronisé au frein à main, dans un hurlement de pneus, avant de reprendre la poursuite.

Devant le 4 × 4, la voie était désormais libre, et la porte ne se trouvait plus qu'à une centaine de mètres. C'était par elle qu'il était entré au Vatican lors de ses deux visites dans la cité papale : une porte majestueuse, flanquée de deux colonnes de marbre surmontées d'un aigle en pierre et encadrant de lourds battants en fer forgé, battants que des gardes suisses étaient en train de refermer en toute hâte.

Pas bon, ça.

Reilly continua sa course, pédale d'accélérateur toujours enfoncée, le ventre noué. Les deux Alfa des policiers presque sur son pare-chocs arrière, il doubla à toute allure quelques voitures qui attendaient d'être autorisées à franchir la porte pour rejoindre la grande rue à l'extérieur de la Cité du Vatican. Les roues de gauche du lourd 4 × 4 mordirent le trottoir pour forcer le passage, avant de franchir les portes et de les laisser derrière lui dans un fracas assourdissant de fer et d'acier tordu, immédiatement suivi par une explosion de verre : la haute cabine à l'arrière de la papamobile avait éclaté en mille morceaux en heurtant de plein fouet le sommet de la porte.

De l'autre côté des murailles vaticanes, dans la rue animée où commençait la ville de Rome proprement dite, les piétons affolés s'écartaient pour éviter le véhicule fou. Reilly tourna sur la gauche dans un crissement de pneus et s'engouffra dans la Via di Porta Angelica. Sharafi regarda derrière lui : la première Alfa Romeo, sortie à pleine vitesse elle aussi de la porte, tourna à gauche à la suite du 4 × 4 dans un crissement de pneus identique. À ce moment précis, une énorme explosion ébranla la rue, son onde de choc soulevant Reilly de son siège et le projetant en avant.

Bon sang, qu'est-ce que...

Instinctivement, Reilly rentra la tête dans les épaules. S'efforçant de contrôler la papamobile qui zigzaguait sous l'onde de choc, il enfonça à fond la pédale de frein. Assourdi, étourdi, les muscles tendus, il regarda longuement Sharafi, la stupeur et l'effarement le privant de parole. L'Iranien lui rendit son regard, l'air étonnamment calme, comme s'il n'était rien arrivé. Le cerveau de Reilly était trop occupé à quitter son état de surrégime pour tirer les conclusions qui s'imposaient, d'autant qu'il s'efforçait dans le même temps de prendre la mesure de la situation. Le regard impassible de l'Iranien ne s'en grava pas moins quelque part en lui, tandis qu'il tournait la tête et tendait le cou pour mieux voir ce qui s'était passé.

Du côté romain des portes, la rue offrait un spectacle proprement apocalyptique, rappelant en un sens le centre de Bagdad. Une fumée noire s'élevait d'une voiture en flammes. Très certainement piégée, elle avait dû exploser au moment précis où l'Alfa qui les pourchassait était passée à côté d'elle. Projetée sur le côté, la voiture de police s'était littéralement encastrée dans la muraille extérieure de la cité papale. Et ce qui ressemblait fort à la deuxième Alfa avait pour sa part embouti des véhicules stationnés là. Des débris jonchaient la chaussée et les trottoirs, des morceaux de béton et de métal continuant de pleuvoir alentour. Hébétés, choqués, beaucoup de témoins du désastre claudiquaient à la recherche d'êtres chers ; d'autres demeuraient figés sur place, incrédules, incapables de comprendre ce qui venait de se passer.

— Il faut qu'on y aille, dit l'Iranien.

Reilly lui jeta un regard de côté, encore sous le choc.

— Vous devez nous sortir de là, reprit Sharafi. Pensez à Tess.

Reilly regarda une fois de plus derrière lui : sortant du nuage de fumée, deux carabiniers couraient dans leur direction, pistolets dégainés.

— Grouillez-vous, ordonna l'Iranien d'une voix grinçante.

Quittant enfin des yeux le chaos ambiant, Reilly pressa l'accélérateur. Et tandis que le 4 × 4 blindé passait en trombe dans les rues étroites, sans véritable destination, une pensée fusa brutalement de son cerveau en ébullition, une pensée qui lui fit l'effet d'un coup de poignard.

Plusieurs épisodes disparates se mirent à faire sens : le comportement de l'Iranien lorsqu'on les poursuivait, comme s'il effectuait un simple jogging alors que lui, Reilly, avait du mal à retrouver son souffle. La façon dont il s'était débarrassé du mécano, avec l'efficacité d'un ninja. Son comportement imperturbable lorsque la bombe avait explosé. Le fait qu'il ne semblait même pas avoir remarqué les corps meurtris qui jonchaient la rue.

Et merde.

Il se tourna vers l'homme assis à côté de lui.

— Qui êtes-vous, bordel ?

7

Reilly sentit son cœur se glacer. L'homme assis sur le siège passager le regardait sans la moindre trace d'émotion. Sans sourire narquois. Sans ricanement dément. Rien. Juste un regard égal, calme, celui d'un homme en train de faire un tour en voiture et qui regarde défiler le paysage en bavardant de tout et de rien avec son chauffeur.

À ceci près que les mots qu'il lâcha n'avaient rien d'anodin :

— Si vous voulez qu'elle vive, dit-il à Reilly, continuez de rouler.

Une suite frénétique d'images et de sons vus ou entendus minute après minute depuis le coup de fil de Tess se bouscula dans le cerveau de l'Américain. Tous confirmaient la même chose : le salopard à côté de lui l'avait purement et simplement roulé dans la farine.

Ses doigts serrèrent le volant, comme pour l'étrangler, ses ongles s'enfonçant dans le rembourrage en cuir.

— La bombe… c'était vous.

— Une sorte d'assurance, confirma l'homme, extirpant un téléphone portable de sa poche et le gardant dans sa main droite, le plus loin possible de Reilly. Et il s'avère qu'elle n'était pas superflue.

Reilly comprit aussitôt : il avait déclenché la bombe avec son portable. Son sang bouillait littéralement. Il aurait voulu se jeter sur son passager, lui arracher le cœur, le lui faire avaler de force et le regarder s'étouffer.

— Et le vrai Sharafi ?

— Mort, si vous voulez mon avis, répondit l'inconnu avec un léger haussement d'épaules. Il se trouvait dans le coffre de la voiture.

Aucune trace d'émotion dans sa voix.

La question suivante tourbillonnait dans la tête de Reilly, cognant de tous côtés, hurlant qu'on la laisse sortir. Et cependant, il ne fallait surtout pas qu'il la pose, il connaissait d'avance la réponse. Mais sa bouche fut la plus rapide.

— Et Tess ?

Le regard de l'homme se durcit imperceptiblement.

— Il y a une autre voiture, là-bas. Piégée elle aussi, dit-il en montrant de nouveau le portable à Reilly, pour appuyer son propos. Tess se trouve dedans.

L'Américain eut l'impression que sa poitrine était en feu. Le paysage environnant devint trouble, mélange indiscernable de voitures stationnées et de murs gris.

— Quoi ? Vous voulez dire qu'elle est là ? À Rome ?

— Oui. Et plus près que vous ne le pensez.

Il avait cru qu'elle était toujours en Jordanie, où elle se trouvait quand elle lui avait téléphoné. Après avoir été enlevée par l'immonde salopard assis à côté de lui. Le cœur de Reilly battait maintenant à se rompre ; son rythme avait largement dépassé la cote d'alerte, l'assourdissant, lâchant dans son sang des flots d'adré-naline, la nécessité absolue de retrouver Tess éclipsant toute autre pensée. Son cerveau élabora simultanément des dizaines d'actions possibles, les évaluant, cherchant un angle d'attaque, refusant d'accepter l'idée que l'ordure occupant le siège du passager puisse sortir indemne du traquenard qu'il avait monté.

Il ne songea même pas à lever le pied. Le 4 × 4 cabossé passa en trombe devant le marché aux fleurs et traversa à toute allure, comme sur des rails, un carrefour très fréquenté sur la Circonvallazione Trionfale, obligeant les autres véhicules à freiner à mort, provoquant une série de collisions.

— Roulez toujours tout droit, et restez concentré, ordonna le poseur de bombes. Si vous nous tuez, Tess n'en profitera guère. Je me demande combien de temps encore elle pourra respirer dans ce coffre...

Reilly cligna des yeux, serrant les dents, résistant difficilement à l'envie de rouer de coups son passager. Mais il se contenta de continuer à fixer la voie devant lui, enfonçant encore un peu plus la pédale d'accélérateur. Le moteur de la Mercedes, poussé à plein régime, propulsa le lourd 4 × 4 blindé à une vitesse plus folle encore. La Via Trionfale fut parcourue à un rythme d'enfer avant que, des deux côtés de la rue, les rangées d'immeubles d'habitation à deux étages ne cèdent le pas à un parc arboré, la route s'élevant maintenant sur le flanc d'une colline couverte de forêt.

Toujours pied au plancher, Reilly sentait le gros moteur gronder et vibrer, tandis que les arbres défilaient à toute allure de chaque côté. Ce qui avait toute l'apparence d'une petite forêt en plein centre de Rome n'était en fait qu'un joli parc de quelque huit hectares surmonté, au sommet de la colline, par un hôtel de grand luxe, le Cavalieri Hilton. Regardant subrepticement sur sa droite, Reilly venait de remarquer que l'homme agrippait son accoudoir pour éviter d'être ballotté, quand un virage en épingle à cheveux se présenta brusquement sur sa gauche. Surpris, il se battit avec le volant pour garder le contrôle du véhicule, essayant de le maintenir sur la route, les pneus protestant furieusement, à la limite de la perte d'adhérence. Le 4 × 4 sortit du virage après une embardée et continua à monter à toute allure, moteur rugissant, quand un nouveau coude, sur la droite cette fois, se dessina.

— Ralentissez, bon sang ! aboya le passager.

Va te faire foutre, pensa Reilly. C'est alors qu'il l'aperçut… Ouverte dans le parc paysagé, une petite clairière miraculeusement déserte semblait l'attendre sous le chaud soleil estival, au bout d'un sentier juste avant le virage.

Il leva le pied, feignant de ralentir avant de s'engager dans la courbe, puis accéléra de nouveau brutalement, projetant le véhicule dans le sens opposé. Quittant la route en cahotant rudement, le 4 × 4 s'engagea sur le chemin empierré, dérapant comme sur un lac gelé, avant que Reilly ne tourne le volant à fond sur la gauche et ne tire sèchement sur le frein à main. Dans un rugissement, le 4 × 4 fit un brusque tête-à-queue, ses gros pneus faisant gicler des gravillons. Reilly profita de ce qu'il était déstabilisé pour se jeter sur son passager, le coude droit levé, afin de l'écraser sur le visage de son adversaire.

Vif comme l'éclair, l'homme se servit du lourd volume comme bouclier. Le codex amortit en bonne partie le poids de Reilly, détourna le coup. L'agent du FBI n'en conservait pas moins un certain avantage, son adversaire étant désormais écrasé contre la portière avant droite. De sa main libre, ce dernier ouvrit prestement la portière en question. Reilly passa un bras autour du gros livre, tandis que, de son autre main, il essayait de frapper son adversaire au visage, mais l'autre esquivait toujours. Son corps penchait maintenant de façon précaire hors du véhicule, ce que l'Américain mit rapidement à profit, lui arrachant le codex avant de le propulser à l'extérieur.

Le poseur de bombes roula au sol. Reilly sortit en toute hâte du 4 × 4 pour lui sauter dessus, mais l'homme s'était déjà relevé et détalait à toutes jambes. Ayant rapidement mis une dizaine de mètres entre lui et son poursuivant, il s'arrêta et se retourna. Les deux hommes s'affrontèrent alors du regard, les secondes s'écoulant lentement, interminablement, sous l'impitoyable soleil romain, dans la clairière toujours déserte. Le calme qui y régnait était un peu irréel, surtout après les épisodes chaotiques qu'ils venaient de traverser, seuls le chœur des cigales et le rare gazouillis d'un étourneau rompant le silence.

— Calmez-vous, lança le poseur de bombes à Reilly, lui montrant le téléphone portable de la main gauche, tandis que la droite agitait un index menaçant. Une simple pression et elle disparaît.

L'Américain le fusillait du regard, le codex plaqué contre sa poitrine.

Sans cesser de s'étudier, ils firent l'un et l'autre un pas de côté, à l'unisson, conservant le même espace de sécurité entre eux.

— Où est-elle ? demanda Reilly.

— Chaque chose en son temps.

— Vous ne vous en tirerez pas comme ça.

Les yeux rivés sur son adversaire, tous ses sens en alerte, Reilly passait en revue chaque bribe d'information en sa possession, à la recherche de quelque chose, n'importe quoi, susceptible de lui donner un avantage.

— Pas d'accord, contra l'homme. Nous avons la certitude que cette femme représente beaucoup pour vous. Vous n'auriez pas fait la moitié du tour du monde et vous ne m'auriez jamais aidé à entrer à l'intérieur du Vatican si ça n'était pas le cas. Ce qui veut dire que vous ne m'empêcherez pas de partir d'ici sans dommages si cela doit entraîner sa mort. Et c'est le cas. N'en doutez surtout pas.

— Peut-être, mais c'est moi qui ai le livre maintenant. Et nous avons la certitude qu'il a pour vous une certaine importance, non ?

L'homme concéda ce point à Reilly d'un petit hochement de tête.

— Voilà donc ce que nous allons faire, reprit l'Américain. Vous voulez le livre ? Je veux Tess. En un seul morceau. Nous allons donc procéder à un échange. Le livre contre l'endroit où elle se trouve, et le téléphone que vous avez à la main.

Le poseur de bombes réfléchit un bref instant avant de répondre avec un haussement d'épaules :

— OK. Cela me paraît correct.

Cette pourriture ose prononcer le mot « correct », se hérissa Reilly. Il lutta pour contenir sa fureur et en finir avec cette scène grotesque.

— En ce cas, voilà ce qu'on va faire, reprit-il. Vous posez le portable par terre et vous me dites dans quelle voiture elle se trouve, et où celle-ci est garée.

— Je pourrais vous mentir, fit l'homme, toujours aussi insupportablement calme et impénétrable.

— Je suis prêt à courir ce risque, riposta Reilly. Je vais poser le livre moi aussi. Puis nous avancerons de côté, ensemble, pas à pas, comme si nous tournions autour d'un cercle imaginaire. Très lentement. Vous prendrez le bouquin, je prendrai le portable.

— Et ensuite ?

— Ensuite vous pourrez vous tirer. Pour un temps. Car ne vous y trompez pas, je finirai par avoir votre peau, tôt ou tard, lâcha Reilly tout en mémorisant chacun de ses pores, chacune de ses rides, le moindre détail de sa physionomie.

— Bon, fit le poseur de bombes, avant de marquer une pause, comme s'il soumettait ce qu'il allait dire à un dernier examen. Je vais vous dire dans quelle voiture elle se trouve. OK ?

Reilly sentit son pouls s'accélérer.

— Je suis tout ouïe.

L'homme sortit de sa poche des clefs de voiture et les balança au bout de ses doigts, provoquant l'Américain comme on provoque un taureau avec un chiffon rouge.

— C'est une BMW série 5. Bleu foncé. Immatriculée à Brindisi. Elle est garée à côté de l'entrée Petriano.

Ce qui est logique, se dit Reilly. Une assurance, pour reprendre l'expression impitoyable de son vis-à-vis. Pour le cas où ils auraient quitté la Cité du Vatican par son autre porte.

L'homme fit tournoyer les clefs un moment encore, avant de se tourner et de les jeter derrière lui, un peu sur le côté. Elles atterrirent sur un carré d'herbe. Il regarda Reilly, un sourire méprisant, glacial, modifiant à peine l'expression hermétique de son visage.

— Mais je crois que vous tenez encore plus à ça, ajouta-t-il en montrant le téléphone portable, avant de se tourner et de le jeter, lui aussi.

Reilly retint son souffle en regardant l'appareil faire plusieurs tours en l'air avant de retomber sur le même espace engazonné, tout près de deux bancs publics. Il demeura un instant immobile, chacun des muscles de son corps tendu à se rompre, ouvrant grand ses oreilles, redoutant d'entendre une explosion révélatrice, au loin. Mais non, rien.

— Lâchez le livre et allez les chercher, cracha l'homme, désignant le coin de pelouse d'un doigt impérieux.

Reilly hésita, les pieds cloués au sol. Impossible de garder le gros volume et de contourner le poseur de bombes pour aller récupérer le téléphone. L'homme n'aurait aucun mal à le plaquer par terre. Les muscles de ses jambes se contractèrent, partagés entre le statu quo et le passage à l'acte, jusqu'au moment où il se décida. Se détournant brusquement, il jeta le codex derrière lui, à la manière d'un lanceur de poids, le plus loin possible de son adversaire, avant de se ruer vers le téléphone.

Le poseur de bombes bondit lui aussi, au même instant. Chacun des deux hommes se précipita vers l'objet convoité, sans se quitter du regard, tout en maintenant entre eux une distance de sécurité. Lorsqu'ils se croisèrent, Reilly dut faire appel à toute sa volonté pour résister à l'envie de modifier sa trajectoire et se jeter dans les jambes de l'homme. Mais il ne pouvait courir ce risque : un échec aurait signé l'arrêt de mort de Tess. Il poursuivit donc sa course vers sa destination première, qu'il atteignit en quelques secondes. Il repéra le téléphone, se baissa pour le ramasser et le regarda, incrédule, le pouls battant à toute allure. Puis il se retourna d'un bloc.

Le poseur de bombes avait disparu.

Le livre également.

8

Reilly passa à l'action avec la farouche détermination d'un robot, comme s'il ne contrôlait plus son propre corps. Il avait une mission à accomplir, une seule mission, et rien ne l'empêcherait de la mener à bien.

Après avoir grimpé la colline à toutes jambes, il traversa les jardins de l'hôtel, dont les riches clients dévisagèrent d'un air médusé cet homme à l'apparence hagarde. Sans même les remarquer, il fonça jusqu'à l'entrée de l'hôtel, se précipita sur un taxi sur le point de charger un couple élégamment vêtu, passa devant eux et s'engouffra dans la voiture.

— Au Vatican, entrée Petriano, ordonna-t-il.

Le chauffeur, furieux, commença à l'injurier en italien, mais à peine avait-il prononcé quelques mots que Reilly lui fourrait sous le nez son badge d'identification du FBI en rugissant, l'index pointé vers la route devant eux :

— Au Vatican. Tout de suite. Et magnez-vous.

Ils se trouvaient encore à près d'un kilomètre de la place Saint-Pierre quand la circulation s'arrêta totalement.

Conséquence sans doute de l'explosion, le chaos le plus absolu régnait dans une bonne partie de la capitale italienne. Des cordons de sécurité empêchaient voitures et piétons d'emprunter les voies menant à la Cité du Vatican, tandis que des hordes de visiteurs effrayés étaient dirigées par des policiers loin des sites touristiques. Dans les rues, taxis et autocars cherchaient à s'extirper de l'embouteillage géant, enveloppé d'un voile de fumée noire qui montait jusqu'au dôme de la basilique.

Quittant précipitamment son taxi, Reilly se fraya un chemin dans la marée de véhicules et de piétons. Il repéra un panneau indiquant « Cancello Petriano » qui le mena dans une étroite venelle bondée de touristes affolés fuyant les lieux. Collé contre la façade d'un édifice, il remonta à grand-peine le torrent humain, se dirigeant vers la colonnade du Bernin qui bordait la place Saint-Pierre. Au milieu des grappes de visiteurs, il aperçut un autre panneau de signalisation indiquant la direction de la porte, celui-ci l'orientant sur sa gauche. Après avoir dépassé un imposant bâtiment, il obliqua donc à gauche, émergeant de la foule en haletant. La porte se trouvait désormais à moins d'une centaine de mètres, au-delà d'une zone de parking où étaient garées quelques douzaines d'automobiles.

Une BMW bleu foncé immatriculée à Brindisi.

Elle devait se trouver là, quelque part.

Il se dirigeait vers les voitures en stationnement quand un policier qui dirigeait l'évacuation se plaça en travers de son chemin, essayant de lui bloquer le passage. Son visage baigné de sueur reflétant un stress intense, il marmonna en italien quelque chose d'incompréhensible. Sans ralentir le pas, Reilly le repoussa et continua d'avancer. L'agent, qui avait retrouvé le sens de sa mission, le rattrapa et le saisit par le bras, cette fois avec rudesse, vitupérant, son autre main agitant furieusement une matraque avec laquelle il l'invitait à faire demi-tour et à se joindre à l'exode. Reilly plongea la main dans sa poche avec l'intention de lui montrer son badge, avant de se rappeler que cela n'aurait pas été bienvenu. Pas ça. Pas là. Il devait désormais se trouver sur la liste des personnes hautement recherchées. Il croisa le regard de l'agent de police, qui sembla lire l'hésitation dans ses yeux.

Dès lors, il n'avait plus le choix.

Levant les mains en signe de défense avec un sourire penaud, il lui lança « *Prego, signore* » – « S'il vous plaît, monsieur » –, puis lui asséna un coup de poing dans l'estomac, suivi d'un direct du droit à la mâchoire.

L'homme s'effondra.

Reilly reprit aussitôt sa marche, scrutant avec une attention désespérée les rangées d'automobiles, à la recherche de la BMW bleue. Il pensa bien à appuyer sur le bouton du boîtier électronique actionnant l'ouverture des portières – le bip lui permettrait peut-être de localiser le véhicule –, mais il n'avait aucune envie de courir de risque : le poseur de bombes avait peut-être piégé la voiture en songeant précisément à cela.

Un coup de sifflet strident l'interrompit dans sa réflexion. Le policier qu'il venait de frapper s'était relevé, tant bien que mal, et appelait des renforts. En quelques secondes, plusieurs de ses collègues convergèrent vers Reilly depuis la porte et dans son dos. Au moment précis où le premier d'entre eux arrivait à sa hauteur, il la repéra : une BMW bleu marine, avec une plaque d'immatriculation blanche commençant par BR, le code de la province de Brindisi.

Un policier cria « *Alt !* » à Reilly et s'avança pour lui barrer la route, mais l'agent du FBI l'écarta et poursuivit sa progression vers le véhicule, qui ne se trouvait plus maintenant qu'à quelques mètres. Un autre membre des forces de l'ordre rejoignit son collègue, et les deux hommes se mirent à pousser des hurlements furieux, bras écartés et pistolet pointé, ordonnant à Reilly de s'arrêter sur-le-champ. Celui-ci écarta les mains d'un air dépité et leur fit signe de garder leur calme, tout en continuant insensiblement de s'approcher de la BMW.

— La voiture, fit-il d'une voix rauque, tendu à l'extrême. Il y a une femme dans cette BMW.

Il pointa le doigt à plusieurs reprises en direction de la berline bleue, le visage tordu par la rage.

— Dans cette foutue voiture, répéta-t-il. Elle est là-dedans.

Il colla ses poignets l'un contre l'autre, mimant une personne aux mains liées.

Le visage des deux policiers exprimait une confusion indubitable ; ils avancèrent de concert avec lui, bras écartés, cherchant à le canaliser. Reilly s'approchait toujours de la BMW, sans les quitter du regard, et finit par atteindre son objectif.

Il essaya de nouveau de s'expliquer par gestes, utilisant ses deux mains et l'expression désespérée de son visage pour les implorer de lui laisser une seconde. Puis il se concentra sur l'arrière de la berline, les questions se bousculant dans sa tête.

Est-ce que Tess est là-dedans ? La voiture contient-elle une bombe ? L'autre salopard n'est-il pas caché tout près, observant la scène, attendant le bon moment pour nous faire tous sauter en actionnant à nouveau son détonateur ? Et d'ailleurs en a-t-il besoin ? Si cette ordure de psychopathe avait tout simplement piégé le coffre ?

Les deux carabiniers l'arrachèrent à ses affres : l'un d'entre eux se jeta sur lui, matraque levée, le tirant de sa torpeur momentanée. Reilly lui saisit le poignet des deux mains, bloquant le coup, avant de lui tordre le bras, de lui arracher sa matraque, puis de le contraindre à faire demi-tour et de le projeter avec force sur son collègue. Il se précipita vers la portière avant gauche, qu'il essaya d'ouvrir. Elle était verrouillée. À l'aide de la matraque, il fracassa la vitre. L'alarme se déclencha au moment précis où les policiers le rejoignaient, sans pouvoir l'empêcher de se pencher à l'intérieur. Une prière silencieuse lui traversa l'esprit tandis que, l'instinct prenant le dessus, espérant de toute son âme qu'il n'était pas en train de commettre une erreur monumentale, il tendait la main vers la base du siège conducteur pour tirer sur le levier déclenchant l'ouverture du coffre. À peine avait-il eu le temps de voir le couvercle du coffre s'ouvrir et se relever sans plus de dommage qu'il était repoussé contre la carrosserie – rudement – par les deux policiers, très vite rejoints par des collègues entrant à leur tour dans la danse.

Lui mettant aussitôt les bras dans le dos, ils lui plaquèrent le visage contre le toit. Le souffle coupé, la joue et l'oreille droites écrasées, Reilly tenta de résister, cherchant à tout prix à relever la tête afin de voir ce qui se trouvait dans le coffre. C'est alors qu'il entendit… Un des policiers qui s'était écarté pour aller jeter un coup d'œil poussait des hurlements.

Tess.

Partagé entre espoir et appréhension, Reilly se raidit, essayant de comprendre ce que criait l'homme.

— En anglais, lança-t-il. Dites ça en anglais, bon Dieu ! Elle est là-dedans ? Elle va bien ?

Il lut l'affolement dans les yeux de l'homme et l'entendit répéter le mot « *bomba* ». Pas besoin de traduction. Puis un autre mot lui parvint, « *donna* », lui aussi prononcé à plusieurs reprises. Un mot qui lui arrachait le cœur. *Donna* – une femme. Oui mais… vivante ou… ?

Puisant dans des réserves d'énergie qu'il ne soupçonnait même pas, il s'arc-bouta contre la voiture pour se soustraire à la pression des policiers, réussit à les repousser, à leur échapper un instant, le temps de se faufiler jusqu'à l'arrière de la BMW et de regarder dans le coffre.

Elle était là.

Enveloppée dans un sac de couchage, attachée par des sangles au tapis de sol, les yeux et la bouche fermés par du ruban adhésif couleur argent. Son nez et deux petits morceaux de joues étaient les seules traces de peau visibles.

Totalement immobile.

Et juste à côté d'elle, dans le coin droit du coffre, un méli-mélo de paquets de Semtex gris, de fils, et un détonateur digital avec une petite LED rouge indiquant qu'il était armé.

Sans y prêter autrement attention, Reilly tendit les bras et caressa doucement des deux mains les joues de Tess, son pouce effleurant sa narine gauche.

La tête de la jeune femme eut un mouvement de côté.

Le visage de Reilly s'éclaira. Il jeta un coup d'œil aux policiers qui l'entouraient en silence, bouche bée, puis entreprit de retirer délicatement le ruban adhésif du visage de Tess, d'abord le morceau qui lui fermait la bouche, puis celui qui lui bouchait les oreilles et les yeux.

Elle le regarda, les yeux débordant de larmes d'angoisse et de joie, sa lèvre supérieure tremblotant.

C'était la plus belle chose qu'il eût jamais vue.

9

Mansour Zahed jeta un ultime coup d'œil à son rétroviseur avant de s'engager dans l'allée, sans remarquer quoi que ce soit de suspect, de près ou de loin. La maison que l'agence lui avait louée était située dans une rue résidentielle parfaitement tranquille. Les regards curieux n'étaient pas un sujet de préoccupation, d'autant que la petite allée était protégée de la rue par un haut portail métallique.

De toute façon, il n'avait aucunement l'intention de s'attarder outre mesure. Maintenant que ce qu'il était venu chercher se trouvait à l'abri sous le siège passager, il en avait probablement terminé avec Rome. Simmons, l'historien américain, lui confirmerait rapidement si c'était ou non le cas. Dans le même temps, du moins Zahed l'espérait-il, l'homme leur indiquerait leur prochaine destination. L'instinct de Zahed lui soufflait en effet qu'il allait bien vite devoir reprendre son bâton de pèlerin en laissant derrière lui la Cité éternelle, qui ne serait plus dès lors qu'une mention supplémentaire – rouge de sang – dans son effroyable, bien qu'anonyme, CV.

En passant sa journée en revue, il se sentit raisonnablement content de lui. Les choses ne s'étaient pas passées aussi simplement qu'il l'avait espéré, mais il était là, sain et sauf, et il avait le codex avec lui. Mission accomplie, se dit-il avec un sourire narquois ; il adorait cette expression et la connotation ironique qu'elle évoquait dans l'histoire récente. Et cependant, en se remémorant les événements qui s'étaient déroulés un peu plus tôt, il ressassait avec un malaise diffus les actions de l'agent du FBI. Une sensation dont Mansour Zahed n'était pas coutumier. Et qu'il n'était pas prêt à tolérer plus longtemps.

L'agent n'avait pas été compliqué à manipuler. Zahed avait réussi à l'attirer à Rome. Il lui avait aisément fait croire qu'il était cet ectoplasme de Sharafi, professeur de soufisme. Il avait actionné assez de boutons pour amener l'Américain à le faire pénétrer dans les recoins les plus profonds du saint des saints de sa religion. Sean Reilly n'avait pas flanché, pas plus au début qu'au cours des épisodes qui avaient suivi. Il avait accompli sans hésitation tout ce qu'on attendait de lui. Il s'était glissé dans la peau d'un criminel sans se soucier le moins du monde des conséquences.

C'est ce qui perturbait Zahed.

Il n'avait pas l'habitude de voir les gens s'engager ainsi à fond, en tout cas pas ces mollassons d'Occidentaux. Non qu'il eût sous-estimé Reilly. Même s'il n'avait pas eu grand-chose à se mettre sous la dent le concernant avant leur première rencontre, les renseignements qu'il avait réussi à glaner sur Reilly laissaient entendre que l'homme n'était pas un débutant, et que, pour lui, le respect des règles n'était pas spécialement une obsession. Ce qui convenait parfaitement à Zahed. Leur petite entreprise, une *joint venture* en quelque sorte, nécessitait un partenaire aux reins particulièrement solides, en béton armé si possible. Il y avait toutefois un point d'équilibre au-delà duquel les qualités caractérisant l'homme dont il avait besoin risquaient de le transformer en épée de Damoclès potentielle.

Or ce point d'équilibre avait été franchi.

Zahed se demanda s'il avait eu raison de laisser la vie sauve à l'Américain, et il fronça les sourcils à cette idée. Il avait eu sa chance. Il aurait très bien pu passer à l'action quand Reilly s'était précipité sur le téléphone, lorsque tous deux s'étaient croisés. Mais sur le coup, le doute l'avait effleuré : il s'était demandé s'il serait vraiment en mesure de venir à bout de son adversaire dans un combat au corps à corps. Il s'était retenu, en voyant dans le regard de Reilly une flambée de détermination et d'assurance qui l'avait amené, lui, Zahed, à s'interroger sur ses propres capacités, pourtant considérables. Ce qui, une fois de plus, était pour lui inhabituel. Et intolérable.

Mansour Zahed se morigéna pour cet accès de faiblesse momentané. Il aurait dû profiter de l'occasion pour se débarrasser de Reilly, ce qui lui aurait permis de garder l'esprit libre, sans cette légère appréhension qui le tarabustait : car oui, ce foutu agent du FBI risquait bien de devenir pour lui une sacrée épine dans le pied.

Si nos chemins doivent se croiser de nouveau, il aura à le regretter plus que moi, décida Zahed avant de chasser cette pensée de son cerveau pour se préoccuper d'affaires plus urgentes.

Il attendit que le portail se referme avant de descendre de voiture, une Fiat Croma de location, berline familiale très répandue qui ne risquait pas d'attirer l'attention. Il l'avait laissée dans le quartier du Trastevere, non loin des rives du Tibre, avant de se rendre en taxi à l'aéroport pour y retrouver Reilly. Il l'avait récupérée une fois le codex en sa possession, mais avant cela il avait été contraint d'improviser : après avoir dévalé la colline, il avait obligé un ado affolé à lui abandonner son scooter Piaggio, dont il s'était servi pour rejoindre sa voiture. Il ne craignait pas que l'on retrouve sa trace. Pas à Rome. À Londres, c'eût été une autre paire de manches. La capitale du Royaume-Uni avait adopté une politique de sécurité digne du *1984,* de George Orwell, chaque pâté de maisons étant placé sous l'œil de caméras de surveillance. Rien de tout cela à Rome. Le Vieux Monde. Une technologie obsolète. Ce qui convenait parfaitement à Zahed, de même incidemment qu'à Cosa Nostra, qui avait son mot à dire sur la plupart des décisions du conseil municipal.

Il pénétra dans la maison. À l'intérieur, régnait une odeur froide et humide de renfermé, propre aux endroits qui n'ont pas été occupés depuis des mois. Les rares meubles étaient recouverts de vieux draps ou de couvertures que Zahed ne s'était pas donné la peine de retirer. Après avoir fermé la porte d'entrée à double tour, il pénétra dans le vestibule, s'arrêtant devant la glace qui ornait l'entrée. Il examina avec une hautaine indifférence l'image qu'elle lui renvoyait : les cheveux coiffés en arrière, les lunettes bon marché, les vêtements sinistres, tout cela était indispensable pour tromper l'ennemi. Il se réjouissait de devoir retrouver un personnage dans la peau duquel il se sentait nettement plus à l'aise, ce qu'il allait faire pas plus tard que tout de suite.

Il descendit l'escalier menant à la cave et déverrouilla une porte ouvrant sur un cellier. Il actionna l'interrupteur : comme il s'y attendait, Jed Simmons occupait la même position que celle dans laquelle il l'avait laissé : assis par terre dans la pièce dépourvue de fenêtre, le dos au mur, les poignets attachés par des liens de Nylon au tuyau d'un radiateur.

Simmons entendit la porte grincer juste avant que l'ampoule nue qui pendait au bout d'un fil au centre de la pièce ne s'allume. Il regarda en haut de l'escalier de pierre. Après l'obscurité totale des dernières heures, même cette pâle lueur était douloureuse pour ses yeux. Au surplus, le simple fait de lever les paupières semblait exiger des efforts surhumains. Il avait quelque mal à se reconnaître dans cet état lamentable – si faible qu'il était à peine capable de bouger les membres, la respiration laborieuse, l'esprit confus.

Il fut pris d'une brève, d'une cruelle bouffée d'espoir. Le nouveau venu allait le secourir, quelqu'un avait découvert – par quel miracle ? – ce qui lui était arrivé et était là pour mettre fin à son cauchemar. Mais cet espoir s'évanouit aussi vite qu'il était survenu quand la silhouette désormais familière de son ravisseur lui apparut.

Une décharge d'adrénaline parcourut ses veines et la colère l'enflamma. Il éprouvait un sentiment d'indignation à l'idée d'être détenu ainsi, par quelqu'un dont il ignorait tout, son nom comme ses intentions. Son ravisseur s'était montré d'une discrétion exaspérante, dont il ne s'était jamais départi. Autrement dit, Simmons ne savait rien en dehors de l'essentiel : il était là pour aider l'homme à récupérer l'objet, ou les objets (lesquels ? mystère…) qu'un petit groupe de Templiers avait réussi à faire sortir de Constantinople. C'était tout. Qui était cet homme, pour qui travaillait-il, pourquoi était-il à la recherche de ce ou ces objets, il n'avait pas réussi à lui soutirer la moindre information.

Il se demanda s'il allait mourir sans le savoir. Et cette pensée ne fit qu'accroître sa rage.

Simmons sentit un frisson lui parcourir l'échine lorsqu'il repéra le codex. Impuissant, il regarda son ravisseur s'accroupir et arracher d'un coup sec le ruban adhésif sur sa bouche.

— Bonne nouvelle, dit l'homme en posant le volume sur les tomettes, devant lui. J'ai réussi à l'avoir. Ce qui veut dire que vous pouvez encore m'être utile.

— Tess… Où est-elle ? Elle va bien ?

Sa voix était faible, sa langue pâteuse.

— Elle va bien, Jed. Tout à fait bien. Elle m'a aidé, et maintenant elle est libre. Vous me suivez ? Il en sera de même pour vous si vous faites très exactement ce que je vous demande et si vous m'aidez à trouver ce que je recherche. Qu'en dites-vous ?

Simmons le regarda droit dans les yeux, dévoré par la haine. Il avait envie de croire ce type, de croire que Tess allait bien, mais, quelque part, il doutait fort que ce soit vrai.

— Et Sharafi ?

L'homme esquissa un sourire.

— Lui aussi va bien. Je n'avais plus besoin de lui, donc je l'ai laissé partir. C'est aussi simple que cela.

Il tendit la main et pinça la joue de Simmons d'un geste condescendant.

— Et maintenant, si on vous installait confortablement, après vous avoir complètement réveillé bien sûr, afin que vous puissiez vous mettre au travail ?

Il plongea la main droite dans sa poche, la ressortit avec une seringue. De la gauche, il extirpa d'une autre poche un flacon rempli d'un liquide transparent. Il enfonça l'aiguille dans le bouchon en caoutchouc, pompa le produit dans la seringue, avant de la tenir devant lui et de faire gicler la petite dose de rigueur permettant de s'assurer qu'il ne restait plus la moindre bulle d'air à l'intérieur.

L'archéologue fixa l'aiguille sans dire un mot. Il se contenta de secouer la tête, son regard noir se posant sur l'antique manuscrit, maudissant en silence le jour où il en avait entendu parler pour la première fois et souhaitant ne jamais avoir mentionné ce foutu bouquin.

10

Niché dans une aile du palais du Tribunal, derrière la basilique Saint-Pierre, le bureau central de la gendarmerie du Vatican était en effervescence.

Des bruits de pas précipités résonnaient en tous sens dans les couloirs du bâtiment médiéval, des sonneries de téléphone se faisaient entendre de partout, s'entrecroisant avec les questions et autres rapports hurlés d'une pièce à l'autre, ce tohu-bohu discordant vrillant les tympans de Tess Chaykin et retentissant douloureusement à l'intérieur de son crâne.

Reilly et des carabiniers l'avaient transportée là après l'avoir extirpée du coffre de la voiture piégée, et l'avaient installée sur un canapé, dans cette salle d'attente. Deux auxiliaires médicaux avaient été réquisitionnés pour l'examiner : elle était déshydratée, affaiblie par la privation de nourriture, mais n'avait été victime d'aucune violence. On lui avait donné à boire des reconstituants et des fortifiants, et quelqu'un avait été chargé de lui trouver au plus vite des vêtements propres et quelque chose à manger. Tout cela s'était déroulé pour elle comme dans une sorte de brouillard, à l'exception d'une question qui était demeurée fermement ancrée dans son cerveau :

Rome ?

Mais comment diable suis-je arrivée à Rome ?

Elle leva la tête vers Reilly, qui parlait aux infirmiers. Il dut sentir qu'elle le regardait car il se tourna vers elle et lui sourit. Elle ne le lâcha pas des yeux tandis qu'il remerciait les deux auxiliaires médicaux avant de la rejoindre.

— Comment te sens-tu ?

— Beaucoup mieux depuis que je ne suis plus dans ce foutu cercueil.

Elle avait un million de questions à lui poser mais la tête lui tournait toujours et elle avait du mal à ordonner ses pensées.

— Je te sors de là le plus vite possible. Ils vont te trouver une chambre et un lit.

— Merci.

Sa voix était toujours faible, sa bouche sèche, et ses yeux n'avaient pas perdu leur expression effrayée.

— Il me faudrait un téléphone, ajouta-t-elle. J'ai besoin d'appeler Kim, et maman.

Reilly lui tendit son BlackBerry.

— Tu connais le code d'accès.

— Ouais, dit-elle, un petit sourire complice éclairant son visage.

Une voix venant de la porte les interrompit :

— Reilly ?

L'Américain se retourna.

Doug Tilden, l'attaché juridique du bureau du FBI à Rome, se tenait dans l'encadrement. Grand, les cheveux gris coiffés en arrière, on voyait à ses yeux, que ne cachaient pas d'élégantes lunettes sans monture, que lui aussi était au bord de la rupture.

— On a besoin de toi.

Reilly fit signe de la tête qu'il arrivait, puis se tourna à nouveau vers Tess.

— Si tu as besoin de quoi que ce soit, je suis à côté, dit-il en lui caressant la joue.

— Vas-y. J'ai largement de quoi faire avec tout ça, répondit-elle en montrant les bouteilles et le téléphone portable, le visage toujours sombre mais s'efforçant néanmoins de sourire.

Il était sur le point de se lever quand Tess l'arrêta en l'agrippant par le bras et l'attira à elle, son visage proche du sien à le toucher.

— Désolée, dit-elle. Je ne pouvais pas m'imaginer que…

Reilly l'interrompit d'un léger mouvement de tête.

— Surtout n'y pense plus. OK ?

Sans le lâcher des yeux, elle attira Reilly plus près encore et l'embrassa doucement sur les lèvres.

— Merci, murmura-t-elle. Merci de m'avoir retrouvée.

Il sourit, son regard lui faisant clairement comprendre que son soulagement était partagé, puis se leva pour rejoindre Tilden.

— Ah ça, on peut dire que tu nous as fourrés dans un beau merdier, lâcha ce dernier alors qu'ils se dirigeaient vers le bureau de l'inspecteur général. Pourquoi tu ne nous as rien dit avant ? On aurait pu t'aider.

Agent fédéral de carrière, Tilden était attaché juridique de l'antenne du Bureau à Rome et, à ce titre, responsable des opérations du FBI en Italie ainsi que des relations avec les différents organismes de police dans le sud de l'Europe, le Moyen-Orient et l'Afrique non francophone. Il avait l'habitude de traiter les situations de crise, mais celle-ci avait, à l'évidence, fait exploser la cote d'alerte de son baromètre personnel. Sa présence ne facilitait guère les choses pour Reilly, qui le connaissait de longue date : ils avaient travaillé ensemble, bien des années auparavant, dans une affaire conjointe avec la DEA[1]. Une mission pénible qui s'était achevée en tragédie, tout comme aujourd'hui. Les deux fois, des passants innocents y avaient laissé la vie, avec cette différence que, à l'époque, c'était Reilly lui-même qui avait tiré le coup de feu fatal. Cette fusillade n'avait jamais cessé de le hanter, souvenir particulièrement douloureux qu'il aurait préféré ne pas voir resurgir du seul fait de la présence de Tilden. Et surtout pas aujourd'hui.

— Tu sais bien comment ça peut se passer, Doug.

— Et puis, il s'agissait de Tess, pas vrai ?

Reilly lui adressa un coup d'œil entendu, dont Tilden accusa réception, à contrecœur, par un petit hochement de tête.

— En tout cas, reprit-il, je suis ravi que tu leur aies dit que tu étais là pour motifs personnels. Cela m'évite au moins d'avoir toute la pression sur mes frêles épaules.

— Je suis le seul responsable dans cette affaire. De A à Z.

Tilden lui jeta un regard en biais.

— Bon, grommela-t-il. Mais, s'il te plaît, rends-moi service et débrouille-toi pour que les choses n'aillent pas plus mal encore.

1. Drug Enforcement Agency : l'organisme fédéral américain chargé de lutter contre le trafic de drogue et de réprimer ses organisateurs.

— Tu crois que j'aurai besoin d'un avocat ?

— Probablement, répondit laconiquement Tilden. À condition qu'ils te laissent sortir de là vivant.

À en juger par les regards que lui lancèrent Delpiero et les deux autres hommes présents dans la pièce à son entrée, Reilly comprit que ce n'était pas qu'une figure de style.

Delpiero, le flic en chef du Vatican, présenta brièvement les deux hommes à Reilly – l'un était membre de l'unité antiterroriste de la police italienne, l'autre des services secrets de l'État – avant de lever les mains dans un geste mêlant fureur et incompréhension.

— Il y a à peine une heure, attaqua-t-il, je vous ai laissé avec Mgr Bescondi et votre professeur, en vous disant que j'étais à votre disposition si vous aviez besoin de quoi que ce soit. Et c'est comme cela que vous récompensez notre générosité ?

À cela, Reilly n'avait pas grand-chose à répondre. Il préféra éluder en demandant :

— La seconde bombe… Elle n'a pas éclaté ?

— Nous l'avons désamorcée.

Et maintenant, le plus difficile :

— Et la première ? De gros dégâts ?

Le visage de Delpiero se durcit.

— Trois morts. Plus de quarante blessés, dont deux dans un état critique. Voilà où nous en sommes, pour le moment.

Bouche pincée, sourcils froncés, Reilly sentit son sang se glacer de colère et de remords.

— Il y avait un homme dans le coffre de la première voiture, dit-il au bout d'un moment.

Delpiero se tourna vers l'un de ses collègues et lui posa une question en italien. À leur échange aussi bref qu'intense, Reilly comprit qu'il venait de leur apprendre quelque chose qu'ils ignoraient.

— Comment le savez-vous ? lui demanda Delpiero.

— Le type qui était avec moi me l'a dit.

— L'homme dans le coffre... Vous connaissez son identité ?

— C'était Behrouz Sharafi. Le vrai.

— Ce qui signifie que l'homme qui était avec vous...

— ... était un imposteur.

À cette seule pensée, Reilly sentit la bile lui monter aux lèvres. Il vit que Delpiero et les deux autres avaient décroché.

Sous l'effet de la fureur et de la confusion, la voix de Delpiero grimpa d'un ton.

— Donc, vous avez amené ce... ce terroriste ici, au Vatican, sans même savoir qui il était en réalité ?

— Ce n'est pas si simple, répliqua Reilly, essayant de dissimuler sa fureur – envers le terroriste mais, plus encore, envers lui-même. On m'avait dit que je devais l'aider à s'introduire aux Archives, sans quoi cette femme, à côté, serait exécutée, poursuivit-il en désignant la porte d'un index rageur. Ce salopard, d'où qu'il vienne et quel qu'il soit, a joué son rôle à la perfection ; et vous pouvez être sûrs que, étant donné le niveau de ressources dont il semble disposer, il n'aurait eu aucun mal à me montrer une fausse pièce d'identité avec le nom de Sharafi si je lui en avais demandé une. Bref, il m'a roulé dans la farine, fit-il avec amertume. Jamais je ne me serais attendu à ça. J'essayais juste de sauver la vie d'une amie.

— Et ce faisant vous avez provoqué la mort de trois personnes et envoyé plusieurs dizaines d'autres à l'hôpital, contra Delpiero.

La réplique toucha Reilly droit au cœur, et il ravala la phrase furieuse qui ne demandait pourtant qu'à sortir. Des innocents étaient morts, d'autres avaient été atteints dans leur chair, et il s'en sentait responsable. Il avait été abusé par cette ordure, refait dans les grandes largeurs. Ou presque. Reilly essaya de se consoler en se disant qu'il aurait pu tout aussi bien y passer. Il ne doutait pas une seconde que, s'il lui avait laissé la moindre chance après qu'ils avaient quitté le Vatican, le terroriste en aurait profité pour se débarrasser de lui une fois pour toutes. Et il était plus que probable que Tess serait elle aussi passée de vie à trépas. Sur ce point au moins, il pouvait considérer que sa mission avait été menée à bien. Le manuscrit envolé ? La papamobile en miettes ? C'était le cadet de ses soucis. Il avait sauvé la vie de Tess, ce qui était l'objectif qu'il s'était fixé. Pas comme ça, il est vrai. Cela ne faisait pas partie du contrat. Des gens étaient morts, des innocents qu'il n'avait aucun droit d'impliquer dans ce qui était *son* affaire, et cela, rien ne pourrait le racheter.

Lisant sur son visage les tourments qui agitaient son collègue, Tilden décida d'intervenir :

— Avec tout le respect que je vous dois, *ispettore*, je pense que nous devrions d'abord prendre connaissance de l'ensemble des faits avant que l'un de nous prononce des paroles qu'il pourrait regretter par la suite.

— Vous m'en voyez d'accord, fit une voix flûtée.

Le cardinal Brugnone venait d'entrer. Il était accompagné de Mgr Bescondi, préfet des Archives secrètes du Vatican, apparemment rétabli de la piqûre que lui avait administrée Reilly. Les deux prélats n'esquissèrent pas le moindre sourire.

Reilly eut quelque difficulté à les regarder dans les yeux.

— Nous devons être mis au courant de tous les faits susceptibles d'expliquer cet acte scandaleux, grommela Brugnone. Agent Reilly, pourquoi avoir caché ce que vous auriez dû nous dire lorsque vous êtes arrivé ici ?

Reilly sentit pointer les prémices d'une monstrueuse migraine.

— Je vous dirai tout ce que je sais, mais je ne maîtrise pas moi-même la totalité des faits. Pour avoir une meilleure vision d'ensemble, il serait bon que nous allions écouter ce que Tess, Mme Chaykin, qui se trouve à côté, a à nous dire.

— Pourquoi ne pas l'inviter à se joindre à nous ? suggéra le cardinal.

— Je ne suis pas sûr qu'elle soit en mesure de le faire, dit Reilly.

Le prélat le fixa d'un regard grave.

— Et si nous lui demandions son avis ?

11

— Tout a commencé en Jordanie, expliqua Tess au groupe d'hommes présent dans la pièce.

Parler était la dernière chose qu'elle avait envie de faire. Elle était vidée, et ressasser le souvenir du calvaire qu'elle venait d'endurer lui donnait le frisson. Mais elle se rendait compte que son témoignage était important. Les hommes rassemblés là – Reilly, le cardinal Brugnone, l'inspecteur Delpiero, l'archiviste Bescondi et les deux policiers de l'unité antiterroriste –, tous avaient besoin de savoir ce qu'elle avait subi. Elle devait faire tout ce qui était en son pouvoir pour les aider à mettre la main sur le type qui était derrière toute cette affaire, et à sauver Simmons, qui était sûrement toujours vivant, du moins l'espérait-elle. Pour combien de temps encore ? Elle n'avait pas vraiment envie d'y songer.

— J'étais là-bas avec un autre archéologue, Jed Simmons. Il fouille un site non loin de Pétra, avec le soutien financier de Brown et…

Elle s'arrêta net, s'obligeant à s'en tenir à ce qui était pertinent et à ne pas se perdre dans des détails.

— Bref, cet historien iranien s'est pointé ; il connaissait quelqu'un qui connaissait Jed.

— Behrouz Sharafi, intervint Reilly.

Tess opina de la tête.

— Oui. Un type calme, gentil. Sérieux et extrêmement cultivé.

Reilly l'avait informée du sort qui lui avait été
réservé, et l'idée qu'il était mort ne fit qu'accentuer ses
frissons. Elle fit un effort pour se reprendre et
poursuivit :

— Sharafi avait besoin d'aide pour résoudre une
énigme. L'un de ses contacts lui avait suggéré d'en
parler à Jed parce que... parce que, même si le travail
de Jed à Pétra avait trait à l'histoire de la culture naba-
téenne, c'est aussi l'un des meilleurs spécialistes
mondiaux de tout ce qui touche aux Templiers. C'est
d'ailleurs pour cette raison que j'étais moi-même allée
le voir là-bas.

Elle vit Brugnone s'agiter sur son siège et jeter à
Reilly un regard de biais, comme si les pièces d'un
puzzle commençaient pour lui à se mettre en place.

— Tess – Mme Chaykin – est archéologue, expliqua
Reilly à l'assistance. Ou plus précisément elle l'était
avant de se défroquer, si vous me permettez cette
expression en ce lieu. Elle est aujourd'hui romancière.
Et son premier ouvrage avait les Templiers pour sujet.

— Une fiction historique, précisa Tess, sentant soudain les parois de la pièce se resserrer autour d'elle.

Promenant un regard circulaire sur la petite assem-
blée, elle remarqua la réaction de Brugnone. Le prélat
semblait au fait de ce que Reilly et elle venaient de
mentionner.

— Votre livre... commença le prélat, songeur, ses
yeux la scrutant avec une grande attention. Il a été
plutôt bien accueilli, si je ne m'abuse.

— En effet, fit Tess avec un gracieux petit mouvement de tête qui cachait plus ou moins bien son
embarras.

Elle savait ce qu'il insinuait. Bien que son roman, un
thriller au temps des croisades, eût été accueilli comme
une œuvre de fiction historique, elle n'ignorait pas que
Brugnone était parfaitement au courant que l'histoire
qui se déroulait au fil des pages n'était pas exclusivement le fruit de son imagination. Avec un léger
malaise, elle tenta de se rappeler qu'elle n'avait rien
fait de mal. Elle s'en était tenue à ce sur quoi elle
s'était mise d'accord avec Reilly : garder pour eux,
sans en parler à quiconque, notamment Brugnone et le
patron de Reilly au FBI, ce qui s'était réellement passé
dans cette tempête et sur cette île grecque. Mais cela
n'impliquait pas qu'elle s'interdise d'utiliser ce qu'elle
avait vécu et ce qu'elle avait découvert sur les Templiers pour son roman – un livre qui s'était révélé un
grand succès, même si seuls les tenants les plus frénétiques des théories du complot auraient pu imaginer
qu'il était fondé sur une histoire véridique. Quoi qu'il
en soit, ce livre avait marqué pour elle le début d'une
nouvelle carrière, d'une nouvelle existence, et, au bout
du compte, avait eu un effet agréablement cathartique.

Jusqu'à aujourd'hui…

Le cardinal soutint son regard un long et pénible
moment, avant de lâcher :

— Poursuivez, je vous prie.

La jeune femme but une gorgée de boisson reconsti-
tuante à même le goulot et s'agita sur son siège.

— Sharafi avait découvert quelque chose à la Bibliothèque nationale d'Istanbul. Dans la section des vieilles
archives ottomanes. Il était tombé dessus par hasard. Il
vivait à Istanbul, depuis qu'il avait quitté Téhéran, et

enseignait dans une université. C'était un spécialiste du soufisme, et il faisait des recherches sur l'histoire de cette doctrine pendant ses heures de loisir. Lui-même en était adepte, dit-elle avant de se passer la langue sur les lèvres, abîmées par l'adhésif. Quoi qu'il en soit, Istanbul était le lieu idéal pour ce genre de recherches puisque c'était là que tout avait commencé, dans la Turquie du XIIIe siècle, avec Rumi et ses poèmes.

— Et il a trouvé là-bas quelque chose ayant un rapport avec les Templiers ? demanda Brugnone, l'incitant habilement à aller à l'essentiel.

— En quelque sorte. Il fouillait dans les vieilles archives – vous savez, les Turcs ont des dizaines de milliers de documents entreposés en vrac, dans l'attente d'être classés. Toutes sortes de choses. Les Ottomans avaient la manie de tout archiver. Quoi qu'il en soit, Sharafi est tombé sur un livre. Un gros volume, belle reliure de cuir ouvragé, du début du XIVe siècle. Il contenait les écrits d'un voyageur soufi dont Sharafi n'avait jamais entendu parler jusqu'alors. Mais il y avait également autre chose. Plusieurs feuillets libres, en vélin, avaient été glissés sous la reliure. Et étaient restés ainsi cachés des siècles durant. Sharafi les a remarqués et, tout naturellement, ils ont éveillé sa curiosité. Sans en parler à personne et sans la moindre autorisation, il les a extraits du volume. Première surprise : ils n'étaient pas écrits en caractères arabes, comme le livre dans lequel il les avait trouvés, mais en grec. En grec médiéval. Il a recopié quelques phrases et a demandé à un collègue de les lui traduire. Les feuillets en question se sont révélés être une lettre. Mais pas une simple lettre… Une confession. La confession d'un moine qui vivait dans un monastère byzantin orthodoxe. Le monastère du mont Argée, si je me souviens bien.

Elle s'arrêta et regarda l'assistance, à l'affût d'une quelconque réaction. Mais non, rien. Ce nom ne semblait rien dire à personne.

Le préfet des Archives, Bescondi, se pencha en avant. Il paraissait interloqué.

— Vous dites que cet homme, ce Sharafi, a trouvé la confession d'un moine d'un monastère byzantin... Qu'est-ce que cela a à voir avec les Templiers ?

Un mot, un seul, monta aux lèvres de Tess :

— Tout.

12

Constantinople, février 1310

— Cinq cents hyperpyres ? C'est… c'est tout simplement exorbitant, s'indigna l'évêque français.

Conrad de Tripoli demeura impassible. Il se contenta de soutenir le regard du vieil homme avec la sérénité de celui qui a connu bien des situations de ce genre, et haussa les épaules. Pas de manière méprisante ni hautaine, mais de façon à laisser entendre à son interlocuteur qu'il le comprenait et, surtout, qu'il le respectait.

— Nous ne devrions pas nous chicaner pour quelques misérables pièces d'or, mon père. Pas lorsque l'enjeu est aussi sacré.

Ils étaient installés à une table retirée, dans le coin le plus obscur d'une taverne du quartier de Galata, colonie génoise sur la rive septentrionale de la Corne d'Or. Conrad connaissait bien le tenancier de cet établissement, où il venait souvent régler ses affaires, et savait pouvoir compter sur sa discrétion, ingrédient indispensable dans sa partie, ainsi que sur une aide plus substantielle pour le cas où les choses tourneraient mal. Non qu'il ne pût se passer de cette aide… Conrad avait assisté à plus de batailles, avait versé plus de sang que la plupart des hommes ne pouvaient l'imaginer, mais cela appartenait à un passé largement révolu qu'il préférait garder pour lui.

Le coffret en or reposait au beau milieu de la table. C'était une manière de petit chef-d'œuvre, orné d'une fleur en relief sur le côté et d'une grande croix sur le couvercle. L'intérieur était doublé de velours râpé qui donnait l'impression d'être vieux de plusieurs siècles. La première fois que Conrad avait présenté le reliquaire au prélat, les ossements qu'il contenait étaient toujours enveloppés dans une feuille de vélin qui portait les insignes et le sceau du patriarche d'Alexandrie. Aujourd'hui, ils reposaient sur le fond de la boîte, leur pâleur d'un gris jaunâtre, reflet de leur ancienneté, offrant un contraste frappant avec le capiton bordeaux.

Les doigts fins, aux ongles longs, du prélat tremblaient lorsqu'il les tendit pour toucher de nouveau les ossements. Pas un ne manquait, de l'astragale aux métatarses.

— Sacré est le terme qui convient, en effet. Le pied de saint Philippe, murmura-t-il, une lueur de vénération dans le regard. Le cinquième apôtre.

Ses doigts fendirent doucement l'air tandis qu'il se signait une fois encore.

— L'homme qui a continué de prêcher jusqu'au bout, même lorsqu'il a été crucifié la tête en bas, confirma Conrad. Un vrai martyr.

— Comment vous les êtes-vous procurés ? s'enquit le prêtre.

— Mon père, je vous en prie. Nous ne sommes pas en confession, que je sache.

Conrad gratifia son interlocuteur d'un petit sourire ironique avant de se pencher vers lui et de lui dire, sur le ton de la confidence :

— Cette ville compte bon nombre de cryptes : sous la chapelle de la Vierge du Pharos, à l'intérieur des murailles du Grand Palais, dans l'église de Pammaka-ristos... Pour trouver, il suffit de savoir où les chercher, ces trésors les plus sacrés, cachés en lieu sûr juste avant le grand saccage, et qui n'attendent plus que de revoir la lumière du jour pour retrouver la gloire à laquelle ils ont droit. Et comme tout un chacun pourra vous le confirmer, je connais ces cachettes comme ma poche, poursuivit-il en tapotant sa cotte avec un sourire. Mais avant tout, mon père, j'ai besoin de savoir si vous souhaitez bel et bien vous porter acquéreur de ces reliques. D'autres acheteurs potentiels ont manifesté leur intérêt... et j'ai besoin de fonds pour poursuivre mon œuvre afin de mettre enfin la main sur le plus grand trésor de tous.

— Et de quoi s'agit-il ? demanda le prélat, les yeux écarquillés.

Conrad se pencha un peu plus encore vers lui.

— Du Mandylion, souffla-t-il.

L'évêque inspira brièvement et son visage s'illumina.

— Le Mandylion d'Edesse ?

— Nul autre. Et je crois bien toucher au but.

Les doigts du prélat s'agitèrent nerveusement.

— S'il vous arrivait de le découvrir, dit-il, je serais extrêmement désireux de m'en porter acquéreur pour notre cathédrale. Extrêmement désireux.

— Tout comme nombre de mes clients, fit Conrad avec un petit hochement de tête. Mais je ne suis pas certain que je souhaiterais m'en départir. Pas avec l'image de Notre-Seigneur Lui-même qui y est restée imprimée.

Les lèvres du vieil homme tremblaient maintenant ostensiblement, et ses mains ridées se tendirent vers son interlocuteur.

— Je vous en prie, supplia-t-il. Si vous parvenez à le découvrir, promettez-moi de me le faire savoir. Je vous paierai le prix qu'il faudra.

Conrad saisit les avant-bras du prélat et les rabattit avec douceur sur la table.

— Concluons d'abord l'affaire qui nous intéresse, si vous n'y voyez pas d'inconvénient. Nous parlerons du reste le moment venu.

L'évêque le fixa un moment avant de lui adresser un sourire édenté. Les deux hommes se mirent d'accord sur le jour et l'heure auxquels ils se retrouveraient pour procéder à l'échange, après quoi le vieil homme se leva et quitta la taverne.

Affichant un sourire satisfait, Conrad enveloppa les ossements dans leur vélin, commanda d'une voix forte un pichet de bière et prit le temps de regarder autour de lui. Dans la salle principale, l'animation était générale : marchands, aristocrates, gens du commun et prostituées procédaient à leurs affaires respectives à grand renfort de boissons fortes, le tout dans un brouhaha indescriptible dominé par le sabir italien – la *lingua franca* du quartier de Galata – et les éclats de rire.

Un sacré changement après l'austérité de sa vie antérieure. Sa vie de moine-soldat membre des Pauvres Soldats du Christ et du Temple de Salomon – les Templiers.

Son sourire s'élargit encore. La ville avait été bonne pour lui.

Elle l'avait accueilli en son sein et lui avait permis de se bâtir une nouvelle existence, ce qui n'avait pas été facile. Pas après tous les revers, tous les désastres qui les avaient accablés, lui et ses frères, pas après qu'ils eurent été transformés en bêtes traquées. Mais tout se passait au mieux pour lui désormais. Sa réputation grandissait à chaque nouvelle transaction. Et il appréciait particulièrement de prospérer aux dépens de ceux qui avaient été à l'origine de la chute de l'Ordre, filoutant ceux, ou leurs semblables, qui l'avaient contraint à se réfugier à Constantinople.

S'ils savaient... se disait-il avec une joie mauvaise.

Tout comme sa cité d'adoption, Conrad se relevait d'une catastrophe dont le Vatican était l'unique responsable. Ses ennuis avaient commencé avec la défaite d'Acre en 1291, soit deux décennies plus tôt : cette bataille désastreuse avait contraint Conrad, ses frères templiers et le reste des troupes croisées à abandonner la dernière forteresse chrétienne en Terre sainte ; ils avaient touché le fond avec les arrestations en masse de 1307, orchestrées par le roi de France et le pape pour démanteler l'Ordre. La Reine des Cités avait connu de son côté un véritable cataclysme un siècle auparavant : en 1204, l'armée du pape l'avait littéralement mise à sac après lui avoir fait subir un siège de près d'un an. Une année au cours de laquelle la ville avait enduré de terribles inondations et des incendies épouvantables qui avaient réduit en cendres un bon tiers de ses constructions. Quant à celles toujours debout, elles avaient été pillées au-delà de tout entendement. Après ce désastre, tous ceux qui en avaient les moyens avaient fui la cité. Jadis foire et entrepôt du monde, siège glorieux de l'empereur de Dieu sur terre, la Nouvelle Rome avait été transformée en un amas de ruines.

Ceux qui l'avaient conquise n'avaient pas eu lieu de s'en réjouir outre mesure. Capturé par les Bulgares à l'occasion d'une escarmouche près d'Andrinople, moins d'un an après le début de son règne, son premier empereur latin, Baudouin, avait été jeté dans un ravin, après qu'on lui eut coupé les quatre membres, et y avait, dit-on, agonisé trois jours entiers avant de passer de vie à trépas. Ses successeurs n'avaient guère fait mieux, ne parvenant à tenir la ville qu'un petit demi-siècle avant que leurs guerres de clans et leur incompétence n'amènent leur règne à prendre fin dans l'humiliation la plus totale.

L'empereur byzantin qui avait repris la ville en 1261, Michel VIII, se voyait comme un nouveau Constantin et s'était mis en devoir de lui restituer sa gloire d'antan. Palais et églises avaient été rénovés, les rues repavées, des hôpitaux et des écoles érigés. Mais la réalité avait très vite mis un frein à ses ambitions. En premier lieu, l'argent se faisait rare. L'Empire byzantin n'avait plus guère d'empire que le nom : sa superficie n'avait rien à voir avec ce qu'elle avait été jadis, ne représentant de fait guère plus que celle d'un État grec de peu d'importance, ce qui impliquait que ses souverains ne recevaient plus qu'une fraction des impôts et taxes douanières qui remplissaient les coffres de leurs prédécesseurs. Pis encore, ses marches orientales étaient soumises à de constantes attaques : des bandes de nomades turcs ne cessaient de grignoter un empire fracturé et diminué. Fuyant les provinces soumises à ces pressions et escarmouches incessantes, des masses de réfugiés, sans le sou et désespérés, envahissaient désormais la cité, survivant dans la crasse et la misère la plus absolue dans des abris de fortune regroupés dans de véritables villes bâties sur des champs d'ordures, grevant encore davantage une économie très mal en point. Un hiver particulièrement rude n'avait fait qu'empirer les choses, une période de gel tardif

111

ayant anéanti de vastes champs de céréales, aggravant du même coup la pénurie de vivres.

Ce chaos, cette agitation n'avaient pas affecté Conrad. Bien au contraire, l'anonymat que pouvait offrir une cité en pleine tourmente lui avait été bénéfique. On pouvait se faire pas mal d'argent à condition de savoir où le trouver. À savoir dans les poches des clercs ayant quitté leurs opulentes églises et cathédrales d'Occident pour venir visiter la ville, et prêts à avaler à peu près n'importe quoi.

Car si, un siècle plus tôt, Constantinople avait été dépouillée d'à peu près tout ce qui avait quelque valeur, elle n'en demeurait pas moins une véritable caverne d'Ali Baba pour ce qui touchait aux saintes reliques. D'après les bruits qui couraient, des centaines étaient disséminées à travers la cité, cachées dans ses innombrables églises et monastères, n'attendant que d'être chapardées et bradées. Ces restes étaient d'une très grande valeur aux yeux des prêtres d'Europe occidentale : si loin de la Terre sainte, une cathédrale, une église, un prieuré voyaient leur statut, et donc les dons dont ils bénéficiaient, fortement revu à la hausse lorsqu'ils étaient en mesure d'exposer à leurs ouailles une relique de quelque importance originaire de ces lointains rivages. Les fidèles n'étaient dès lors plus contraints d'entreprendre des pèlerinages aussi longs que dispendieux, de traverser terres et mers pour avoir une chance de voir, peut-être même de toucher, l'os d'un martyr ou un copeau de la Vraie Croix. Ce qui expliquait pourquoi de si nombreux clercs se rendaient à Constantinople, en quête d'un trophée à rapporter chez eux afin d'en faire bénéficier leur église. Certains payaient bien, d'autres recouraient à toutes sortes de

112

manigances, tous faisaient ce qu'il fallait pour s'assurer leur prise de guerre.

Et Conrad était là pour les y aider.

Même si, la plupart du temps, la prise en question n'avait pas la valeur qui lui était attribuée. Conrad n'ignorait pas que, comme pour les jeux de tripots, tout était affaire de présentation. Il suffisait d'investir dans un bon emballage, de mettre au point une histoire crédible, et les acheteurs faisaient la queue pour se porter acquéreurs d'une écharde de la Couronne d'épines ou d'un fragment de la robe de la Vierge Marie.

— Encore un client satisfait ? s'enquit le tavernier qui tenait à la main un pichet de bière fraîche.

— En existerait-il d'autres ?

— Sois béni, mon fils, fit l'aubergiste avec un petit rire.

Il posa le pichet sur la table et indiqua l'arrière-salle d'un signe de la tête.

— Quelqu'un t'attend là, derrière. Un Turc, un certain Kacem. Tu sais qui il est, à ce qu'il dit.

Conrad se versa une rasade de bière, qu'il avala d'un trait, avant de reposer son gobelet et de s'essuyer la bouche d'un revers de main.

— Là, derrière ? Maintenant ?

Le tenancier fit oui de la tête.

Conrad haussa les épaules, puis poussa vers lui le reliquaire.

— Tu peux me garder ça en attendant, s'il te plaît ?

Sans même attendre la réponse, il traversa l'arrière-salle et trouva l'homme qui l'attendait près d'un empilement de tonneaux vides, à l'extérieur, juste devant la porte à l'arrière de la taverne. Il avait fait la connaissance de Kacem et de son père peu de temps après être arrivé en ville, il y avait de cela un peu plus d'un an. Il

113

avait immédiatement éprouvé une forte antipathie pour Kacem, un jeune homme musculeux d'une vingtaine d'années, renfermé, aux yeux dépourvus de toute chaleur. Son père, Mehmet, était fort différent : replet, joufflu, c'était un petit homme tout en rondeur, au front large, aux yeux globuleux et au cou épais. Par ailleurs commerçant émérite, de ceux capables de vous vendre quelque chose puis de vous le racheter à moitié prix en vous donnant l'impression qu'il vous rend un service.

Il avait en outre accès au matériel dont Conrad avait besoin pour mener à bien ses « affaires », et avait le mérite de ne jamais poser trop de questions.

— Mon père possède quelque chose qui, d'après lui, pourrait vous intéresser, lui dit le jeune homme.

— Je vais chercher mon cheval, répondit aussitôt Conrad, sans se douter que la petite phrase anodine de Kacem allait bouleverser son existence de fond en comble.

Il reconnut aussitôt les épées à double tranchant.

Il y en avait six en tout, chacune dans son fourreau de cuir, étalées sur une table en bois de la petite échoppe de Mehmet. À côté, d'autres armes (quatre arbalètes, deux douzaines d'arcs droits composites en corne, un assortiment de dagues et de couteaux) ne faisaient que conforter Conrad dans son sinistre pressentiment.

Car ces armes lui étaient on ne peut plus familières. Les épées l'intéressaient tout particulièrement. Toutes modestes fussent-elles d'apparence, c'étaient de formidables outils de guerre. Façonnées par des experts, parfaitement équilibrées, dépourvues des ornements un peu trop voyants que l'on trouvait fréquemment sur les pommeaux et poignées des armes de la noblesse, elles étaient d'une efficacité redoutable. L'épée du Templier n'était pas un objet destiné à faire étalage de sa richesse, ça ne pouvait d'ailleurs pas l'être, les chevaliers-guerriers ayant fait vœu de pauvreté. C'était une arme de guerre, purement et simplement. Une poignée cruciforme confortable couronnant une lame ornée de motifs, destinée à tailler dans la chair et à trancher les os de n'importe quel ennemi, ainsi qu'à transpercer la plus solide des cottes de mailles.

Ces armes avaient cependant un trait distinctif, à peine visible mais néanmoins toujours présent : les initiales de leur propriétaire, de chaque côté d'une petite croix évasée – la fameuse croix pattée adoptée par l'Ordre –, le tout gravé sur la section supérieure de la lame, juste au-dessous de la garde.

Des initiales que Conrad avait tout de suite reconnues.

Une avalanche d'images et de sentiments le submergea.

— Où avez-vous trouvé ça ?

Mehmet le fixa avec une curiosité non dissimulée, puis son visage poupin se détendit et ses lèvres s'ouvrirent sur un sourire.

— Donc ma petite collection vous plaît.

Conrad essaya bien de dissimuler son malaise, mais il savait que le Turc ne s'y laisserait pas prendre aisément.

— J'achèterai le tout au prix que vous demanderez, mais j'ai besoin de savoir où vous avez trouvé ces armes.

Le négociant le dévisagea avec une attention encore plus soutenue.

— Pourquoi ? demanda-t-il enfin.

— Cela me regarde. Vous voulez me les vendre, oui ou non ?

Le commerçant pinça les lèvres, se frotta le menton de ses doigts boudinés, puis décida de répondre.

— Je les ai achetées à un groupe de moines. Nous les avons rencontrés dans un caravansérail il y a trois semaines de ça.

— Où ?

— À l'est d'ici, à une semaine de cheval environ.

— Où ? insista Conrad.

— En Cappadoce. Près de la ville de Venessa, précisa le négociant de mauvais gré.

Conrad hocha la tête, plongé dans ses pensées, envisageant déjà le proche avenir. Avec ses deux compagnons templiers, en route pour Constantinople, ils avaient traversé cette région au paysage irréel, veillant à contourner ses nombreux caravansérails, ces énormes comptoirs commerciaux éparpillés le long de la route de la soie, mis en place par les sultans et dignitaires seldjoukides afin d'attirer et de protéger les négociants dont les caravanes de chameaux reliaient l'Europe à la Perse et, au-delà, à la Chine.

— C'est là que se trouve leur monastère ?

— Non. Tout ce qu'ils m'ont dit, c'est qu'il était caché quelque part dans les montagnes, répondit le Turc. Ils essayaient de se procurer un peu de nourriture, en vendant les quelques biens qu'ils possédaient. La sécheresse qu'ils avaient subie avait anéanti tout ce que le gel des mois d'hiver avait épargné, dit-il en étouffant un petit rire. De toute façon, quelle importance ? Vous ne pensez tout de même pas vous rendre là-bas ?

— Et pourquoi pas ?

— C'est une contrée dangereuse, surtout pour un Franc. Pour y parvenir, il vous faudrait traverser une demi-douzaine de beylicats différents en courant le risque de tomber au passage sur dix fois plus de bandes de ghazis.

Conrad savait qu'il disait vrai. Depuis la chute du sultanat seldjoukide de Roum, toute la région à l'est de Constantinople s'était disloquée, donnant naissance à une mosaïque de beylicats indépendants, minuscules émirats gouvernés par des beys. Les armées de ces potentats au petit pied étaient constituées pour l'essentiel de mercenaires ghazis, gardiens de la foi recherchant avec ardeur soit la victoire, soit le « miel du martyre », pour reprendre leur expression, sans qu'ils expriment une préférence pour l'une ou l'autre. Guerriers farouches, ils contrôlaient leurs territoires avec une poigne de fer. Conrad et ses frères templiers avaient eu quelque mal à traverser ces contrées sans se faire remarquer, mais cette fois cela n'aurait rien à voir : il lui faudrait avancer à visage découvert, en posant des questions à droite et à gauche pour essayer de dénicher un monastère dont, à l'évidence, les occupants ne souhaitaient pas être découverts.

— D'un autre côté, nous aurions beaucoup moins de mal que vous à franchir ces obstacles, glissa le commerçant en s'adossant au siège de sa chaise, son sourire rusé multipliant les plis de son menton. On pourrait tout à fait envisager de vous déguiser et de vous emmener avec nous en vous faisant passer pour l'un des nôtres.

Conrad fixa longuement le madré négociant : l'homme avait à l'évidence flairé quelque chose qui valait son pesant d'or.

Il s'occuperait de cela le moment venu. Sa priorité était ailleurs.

— Combien ? demanda-t-il.

— Tout dépend de ce que vous recherchez, répondit le Turc.

— Une petite conversation.

Ce n'était pas la réponse qu'escomptait le commerçant. Mais Conrad n'imaginait pas qu'il ait pu s'attendre à ce qu'on lui dise la vérité.

L'homme haussa les épaules.

— En ce cas, je vous demande le double pour ces magnifiques objets, dit-il en montrant de sa main potelée les épées, les couteaux et les arcs disposés sur la table.

Pour reprendre les termes de l'évêque français, c'était là un prix tout à fait exorbitant. Mais les fausses reliques permettraient de l'acquitter, et bien au-delà.

Et puis, c'était pour une noble cause.

La plus noble de toutes.

— Très bien. Je vous ferai connaître ma décision pour la suite, dit Conrad.

Mehmet le gratifia d'un sourire satisfait et d'une petite courbette théâtrale.

— À votre service, mon ami.

Les deux hommes fourrèrent les armes blanches dans un sac de jute, que le Franc accrocha au pommeau de sa selle. Il venait de quitter l'échoppe au petit trot quand il l'aperçut.

La sœur de Kacem, Maysoun. Qui se dirigeait vers la boutique de son père.

Cette vision le plongea aussitôt dans un trouble profond.

Après avoir vécu des années dans un strict célibat derrière les murailles des forteresses templières en

118

Terre sainte, il n'avait, au bout du compte, pas eu trop de mal à se faire à la compagnie des femmes maintenant qu'il vivait au milieu d'elles. Mais Maysoun avait quelque chose qui lui faisait battre le cœur. Certes, cette jeune fille était à tous égards singulièrement attirante : âgée d'une vingtaine d'années, gracieuse, élancée, avec des yeux turquoise à l'éclat incomparable, une peau couleur de miel et des courbes à damner un saint que dissimulait à grand-peine son ample vêtement de couleur sombre, elle attirait irrésistiblement les regards.

Elle avançait dans sa direction d'un pas léger et il tira sur ses rênes, ralentissant sa monture sans toutefois l'arrêter tout à fait, essayant de faire durer ce moment le plus longtemps possible. Leurs regards se croisèrent. Ce n'était pas la première fois et, comme à son habitude, elle ne détourna pas le sien, le fixant d'un air énigmatique qui alluma en lui un véritable brasier. Lors de leurs précédentes rencontres, une demi-douzaine en tout peut-être, ils n'avaient guère échangé que quelques amabilités polies. Son père ou son frère étaient immanquablement présents, ce qui avait hâté sa retraite. Le comportement de Kacem en particulier révélait à l'égard de sa sœur une féroce possessivité, qu'elle subissait en silence. Conrad savait que cette rencontre ne serait pas différente des autres dans la mesure où ils étaient visibles depuis la boutique. Il en fut donc réduit à adresser un petit signe de tête à la jeune fille puis à la regarder passer de son pas chaloupé, ses yeux semblant toujours le défier, longtemps, longtemps, avant de finir par se détourner.

Il résista à l'envie de se retourner pour la regarder s'éloigner, et éperonna son cheval pour le mettre au petit galop. Tout en chevauchant, il ne pensait qu'à

elle. Ce n'était pas la première fois que ce conflit intérieur l'agitait et il ne savait toujours pas comment s'en
dépêtrer. Jusqu'à une période très récente, toute sa vie
d'adulte avait été dominée par le sacrifice. Il s'était
voué à un ordre monastique austère et avait juré d'obéir
à sa règle sans la moindre hésitation. Comme tout
moine, il s'était engagé à mener une existence réglée
par des lois rigides, dépourvue des biens de ce monde,
d'épouse ou de famille. En tant que moine-soldat, il
avait dû faire face à un fardeau supplémentaire : celui
de voir peut-être, ou sans doute, sa vie fauchée un beau
jour sous le coup d'un cimeterre ou le choc d'une
flèche.

Mais tout cela appartenait au passé.

L'Ordre n'existait plus.

Il faisait maintenant partie des civils, libéré des
contraintes drastiques de sa vie antérieure. Il ne s'en
sentait pas moins tiraillé entre deux mondes, et avait
encore beaucoup de mal à profiter pleinement de sa
liberté nouvelle.

C'était le cas même avant qu'il rencontre Maysoun
pour la première fois.

En pensant à elle, il se rappela une règle singulière
propre aux Templiers : celle-ci interdisait aux chevaliers toute forme de chasse, à l'exception de la chasse
aux lions. Une règle d'autant plus étrange qu'aucun
lion ne hantait les territoires où vivaient et combattaient les Templiers. Lors de ses années de formation,
on avait enseigné à Conrad qu'il s'agissait là d'une
référence aux Saintes Écritures : « Ton adversaire, le
démon, rôde comme un lion rugissant, cherchant une
proie à dévorer. » Il savait que cette phrase faisait allusion au conflit entre l'homme et le désir bestial, un

antagonisme que tous les chevaliers devaient coûte que coûte surmonter.

Il n'était pas sûr d'être en mesure de pouvoir le faire plus longtemps.

Ce qui le tourmentait d'autant plus que le passé qu'il croyait avoir laissé derrière lui avait resurgi pour le saisir à la gorge.

Il avait du pain sur la planche.

— Tout est fini, Conrad, lui dit Hector de Montfort. Tu sais ce que ces bâtards ont fait à Paris. Pour autant que l'on sache, les autres ont eux aussi péri sur le bûcher à l'heure qu'il est.

Ils étaient assis en tailleur sous un ciel constellé d'étoiles, autour d'un petit foyer dans une des pièces d'un vieux manoir qui avait perdu son toit et ses propriétaires depuis des décennies. Trois anciens frères d'armes, trois hommes blanchis sous le harnois qui avaient échappé à un mandat d'arrêt particulièrement injuste et tentaient maintenant de se réinventer sur une terre étrangère.

Conrad, Hector et Miguel de Tortosa.

Les nouvelles dont ils avaient pris connaissance quelques semaines plus tôt étaient désastreuses. En février, plus de six cents de leurs frères, arrêtés en France, avaient changé d'avis et étaient revenus sur leurs confessions. Ils avaient décidé de défendre leur Ordre contre les accusations extravagantes du roi Philippe. Une décision courageuse, mais funeste : en se rétractant, ils devenaient des hérétiques, des relaps, ce qui les condamnait à périr sur le bûcher. En mai de cette même année, cinquante-quatre d'entre eux avaient été brûlés vifs à Paris. D'autres membres de l'Ordre avaient connu le même sort un peu partout en France.

Et des centaines de leurs frères attendaient désormais leur tour.

— Nous devons essayer de les sauver, insista Conrad. Nous devons essayer de sauver notre Ordre.

— Il n'y a plus rien à sauver, Conrad, répliqua Miguel, jetant l'une des épées à deux tranchants dans la pile de fourreaux et de coutelas que Conrad venait de leur montrer. Depuis Acre et la perte du *Faucon-du-Temple*, notre Ordre est mort et enterré.

— Eh bien, en ce cas nous devons le ramener à la vie, rétorqua Conrad, la ferveur illuminant son visage. Écoutez-moi : si nous arrivons à remettre la main sur ce qu'ont égaré Everard et ses hommes, nous pouvons y parvenir.

Hector jeta un coup d'œil à Miguel. Les deux hommes avaient l'air las, visiblement toujours sous le choc de ce que Conrad leur avait révélé lorsqu'il leur avait montré les armes, un peu plus tôt dans la soirée. L'un des favoris du maître et commandeur de l'Ordre, Conrad avait eu le privilège d'être introduit dans le cercle restreint des chevaliers informés de la véritable histoire des Templiers. Il faisait partie des rares à savoir en quoi consistait la mission qu'Everard de Tyr et ses hommes avaient été chargés de mener à bien en 1203. Ce n'était pas le cas d'Hector ni celui de Miguel. Les deux hommes n'avaient pas été mis dans la confidence.

Jusqu'à cette nuit.

La révélation était difficile à digérer.

— Sois réaliste, frère, soupira Miguel. Que peuvent bien faire trois hommes contre un roi et un pape ? Ils nous obligeraient à monter sur le bûcher avant même que nous ayons pu proférer un mot.

— Pas si nous le récupérons, objecta Conrad. Pas si nous utilisons convenablement nos atouts. Écoutez, ça les a déjà mis à genoux par le passé. Grâce à lui, neuf hommes ont été en mesure de bâtir un véritable petit empire. Nous pouvons suivre leur exemple. Nous pouvons reconstruire ce qui était nôtre et perpétuer leur œuvre.

Il regarda avec attention ses frères chevaliers. Ils avaient bien changé. Pour commencer, ils étaient moins jeunes. La bataille qu'ils avaient livrée tous les trois, à Acre, remontait maintenant à près de vingt ans. Plus âgés, alourdis, engourdis par les avantages d'une existence désormais libérée de toute contrainte. Il sentit le doute l'effleurer et se demanda s'il croyait réellement à ce qu'il venait de dire. Ce qu'il leur demandait était tout sauf négligeable, un sacrifice considérable dont l'issue était rien moins que certaine.

— Nous pouvons bien sûr rester ici, tourner le dos à notre passé et continuer de vivre comme nous le faisons, reprit-il. Ou alors nous pouvons nous rappeler nos vœux. Notre mission. Nous pouvons nous souvenir de tous ceux qui ont donné leur vie pour notre cause et essayer de faire en sorte qu'ils ne soient pas morts en vain. Personnellement, j'estime que nous n'avons pas le choix. Nous devons essayer, dit-il en s'emparant d'une épée. Ces armes auraient pu tomber dans les mains de n'importe quel commerçant du pays. Mais cela n'a pas été le cas. Elles m'ont trouvé, moi. Elles nous ont trouvés, nous. Nous ne pouvons nous permettre de l'ignorer. Nos frères font appel à nous depuis leur tombe. Ne me dites pas que nous allons faire semblant de ne pas entendre leur supplique.

Ses yeux se tournèrent vers Hector. Le Français sou-
.int son regard un long moment, hocha lentement la
tête. Conrad l'imita avant de se tourner vers Miguel.
L'Espagnol regarda Hector, puis manifesta à son tour
son accord d'un signe de tête, selon toute apparence à
contrecœur.

Ils se mirent en route quatre jours plus tard. Conrad,
ses deux frères chevaliers, Mehmet et son fils, ainsi que
quatre hommes que le négociant avait embauchés pour
les aider en cas de besoin. Contrairement à Miguel et
Hector, Conrad n'était pas à cheval, ce qui ne manqua
pas d'éveiller la curiosité du commerçant. Il conduisait
un chariot attelé à deux chevaux, son contenu recouvert
d'une toile.

— Vous n'avez jamais parlé de chariot, dit Mehmet.
Cela va nous ralentir.

— Ce qui sous-entend que cela va changer les
termes de notre accord ? demanda Conrad.

Le négociant le regarda avec un petit sourire faussement offensé.

— Ai-je jamais été autre qu'un honnête homme ?

— Vous n'êtes qu'un voleur patenté, répliqua
Conrad. Dites votre prix et allons-y.

Ils sortirent rapidement de la ville en direction du
levant. Le lendemain, ils quittaient les terres byzantines
pour pénétrer sur un territoire entièrement sous la
coupe des beys.

Un territoire ennemi.

Ainsi que le leur avait conseillé Mehmet, les chevaliers étaient vêtus comme tous les membres de leur
escorte : robes et tuniques très simples, de couleur
sombre, dolmans et ceintures en lin. Leur visage était

partiellement dissimulé sous leur turban et ils portaient à la ceinture non pas des épées mais des cimeterres.

La ruse fonctionna au-delà de toute espérance.

Grâce également au boniment à toute épreuve de Mehmet, leur déguisement leur permit de passer sans encombre, à deux reprises, au travers de bandes de ghazis rôdant dans les parages. Ainsi, au terme d'une chevauchée de huit jours, ils atteignirent le Sarihan, un immense édifice en pierre, trapu et bas de plafond, dont les murs extérieurs étaient dépourvus d'ouverture, à l'exception d'un portail d'entrée richement décoré.

Une fois à l'intérieur, obtenir des renseignements sur le monastère se révéla tout sauf évident. Aucun des caravaniers, pas plus que le patron du caravansérail, ne semblait au courant de son existence. Ils poursuivirent donc leur route et tentèrent leur chance dans d'autres caravansérails. En vain. Les jours succédaient aux jours sans la moindre promesse de résultat, jusqu'à ce que leur obstination trouve enfin sa récompense, sous la forme du prêtre d'une église rupestre en pleine Cappadoce, qui en avait entendu parler.

Bien que ses indications fussent des plus vagues, ils finirent par le trouver après avoir franchi maints pics escarpés et longé nombre de vertigineux ravins : niché au pied d'une falaise, dissimulé au reste du monde, un regroupement de cellules plus qu'un monastère à proprement parler.

Conrad demanda à Mehmet de l'accompagner pour aller y voir de plus près. Après avoir laissé leurs bêtes et le chariot à leurs compagnons, ils montèrent au sommet d'une petite crête et prirent position derrière un gros rocher, assez près pour être en mesure d'identifier les moines qui entraient et sortaient de l'ermitage.

Mehmet repéra rapidement l'un des moines qui lui avaient vendu les épées.

Pour le reste, Conrad n'avait nul besoin d'être accompagné.

Ils rejoignirent les autres, après quoi Conrad récupéra sa monture et prit le chemin du monastère. Seul.

Il gravissait, non sans peine, l'éboulis qui y menait lorsque deux jeunes acolytes surgirent, alertés par les hennissements inquiets du cheval et le cliquètement de ses sabots. Le temps qu'il arrive à l'ermitage, toute la population du lieu était dehors, le regardant avec curiosité, dans un silence absolu. Peu après, l'abbé, un vieillard ridé, fit son apparition, examina le nouveau venu avec attention, se présenta comme le père Nicodème et l'invita à pénétrer à l'intérieur du monastère.

Ils allèrent s'asseoir dans le réfectoire, rapidement entourés par une demi-douzaine d'autres moines. Après avoir accepté un verre d'eau, Conrad ne perdit pas de temps en vains préliminaires, se contentant de donner son nom et de dire qu'il venait de Constantinople, même si ses hôtes mouraient d'envie d'avoir des nouvelles de ce qui se passait dans la grande ville.

— Je ne suis pas là par hasard, mon père, dit-il à l'abbé.

— Ah ?

— Je suis là à cause de quelque chose que vous avez vendu il y a peu.

— Vendu ? Et de quoi s'agit-il ?

— D'épées.

Il observa une pause, scrutant le prêtre, étudiant chacune des pattes-d'oie autour des yeux du vieil homme, et les rides au coin de sa bouche, avant d'ajouter :

— Des épées templières.

Cette précision sembla ébranler le moine. Conrad n'eut aucun mal à déceler nombre d'indices révélateurs : les clignements d'yeux, les lèvres soudain sèches, les doigts s'agitant nerveusement, les brusques changements de position. Ces moines avaient passé l'essentiel de leur existence retirés du monde, coupés de toute forme de contact social, l'art de la tromperie, du mensonge, n'était donc pas leur fort. Mais pourquoi le vieil abbé était-il à ce point ébranlé ? La réponse était nettement moins évidente.

— Vous savez de quelles épées je veux parler, j'imagine ?

Le moine hésita, bredouilla une réponse :

— Oui... en effet.

— J'ai besoin de savoir comment vous vous les êtes procurées.

Le vieil abbé resta silencieux une longue seconde, méditant cette requête, sur la défensive. Puis un sourire contraint étira les coins de sa bouche.

— Et pour quelle raison, je vous prie ?

Le visage de Conrad demeura impassible, son regard toujours aussi dur.

— Elles appartenaient à mes frères.

— Vos frères ?

Le Franc tira alors de son fourreau sa propre épée à double tranchant, la posa sur la table, devant l'abbé et tapota du doigt ce qui était gravé à la base de la lame.

Le vieux moine se pencha en avant pour regarder de plus près.

Conrad indiquait la croix évasée.

— Des chevaliers templiers. Comme moi.

Sur le front de l'abbé, les rides se multiplièrent.

— Comment se sont-elles retrouvées entre vos mains ?

— Je… je ne sais pas trop. Elles sont très anciennes, vous savez. Elles étaient entreposées dans une de nos caves depuis une éternité. Mais voyez-vous, avec le gel, puis la sécheresse, nous n'avions plus de réserves de nourriture. Nous avons donc été obligés de vendre certains objets. Et, comme vous pouvez le constater, nous n'avions guère le choix à cet égard.

Décidément, ce moine faisait à Conrad très mauvaise impression.

— Et vous ne savez pas comment elles sont arrivées là ?

Le vieil abbé fit non de la tête.

— Elles sont là depuis très, très longtemps. Bien avant mon époque.

Conrad hocha pensivement la tête, tournant et retournant cette réponse, laissant entendre clairement qu'elle ne le satisfaisait guère, accentuant du même coup le malaise de son hôte.

— Vous conservez une chronique, ici, j'imagine ? demanda-t-il enfin.

La question parut surprendre son interlocuteur, qui papillota des yeux.

— Bien sûr, finit-il par admettre. Pourquoi ?

— J'aimerais la consulter.

L'abbé cligna des yeux de plus belle.

— Nos chroniques sont… Ce sont des documents privés. Je suis sûr que vous comprenez.

— Bien entendu, fit Conrad sans un sourire. Mais j'aurais tout de même besoin de les consulter. Plusieurs de mes frères ont disparu. Leur trace s'arrête ici, avec ces épées. Dans votre monastère. Je suis sûr que vous comprenez.

Les yeux du moine se posaient ici ou là dans la pièce sans jamais croiser ceux du chevalier.

— J'ai besoin de consulter vos annales depuis de grâce 1203, précisa ce dernier. C'est cette année qu'ils ont été portés disparus. Je ne peux pas croire que le jour où leurs épées et le reste de leurs armes se sont retrouvés ici n'a pas représenté un événement digne d'être ne serait-ce que mentionné dans vos archives. Et vous m'affirmez cependant que personne ici n'a entendu parler de cet épisode ?

Conrad scruta les visages tendus des autres moines présents dans le réfectoire. Ils étaient pour la plupart jeunes et minces, avec des visages très pâles. Tous par ailleurs le regardaient fixement, les lèvres uniformément pincées, certains hochant vaguement la tête.

— Personne ? insista-t-il. Pas même votre chroniqueur ? Qui est le chroniqueur, ici ?

L'un des moines hésita, puis leva docilement une main et avança d'un pas.

— Vous n'avez pas connaissance de cet épisode ?

L'homme secoua la tête.

— Non.

Conrad se tourna alors de nouveau vers l'abbé.

— Il semblerait que nous ayons un peu de lecture devant nous.

Après une longue inspiration, le vieux moine opina du chef et ordonna à l'un des chroniqueurs d'emmener Conrad voir les livres.

— Je vous rejoindrai dans le scriptorium, dit-il au chevalier. Vous m'avez l'air bien las, frère Conrad. Je suis sûr que vous auriez besoin de vous sustenter quelque peu après votre longue chevauchée.

Dans la vaste salle aux murs aveugles, de gros candélabres portant des dizaines de chandelles éclairaient les pupitres et les étagères chargées de livres. Le chroniqueur s'approcha sans bruit de l'une d'elles, au fond

salle, étudia les dos des codex aux reliures de cuir
s'y trouvaient, en retira deux volumes, qu'il alla
nsuite déposer sur un grand pupitre incliné avant
d'inviter Conrad à les compulser.

Le chevalier franc alla chercher une chaise et entreprit de consulter les différents chapitres, à la recherche de la date qui l'intéressait. Il savait qu'Everard et ses hommes avaient quitté Tortosa au début de l'été cette année-là. Il feuilletait toujours avec un soin extrême les pages en vélin fragile quand l'abbé apparut avec sa suite de jeunes acolytes. Il tenait d'une main une assiette avec un morceau de fromage et un quignon de pain, de l'autre une tasse.

— Ce n'est pas grand-chose, mais je crains que ce ne soit tout ce que je puis vous offrir, s'excusa-t-il.

Conrad ne l'avait pas quitté des yeux. Chose curieuse, ses mains tremblaient légèrement, faisant danser dangereusement la tasse, qu'il finit par poser.

— C'est l'abondance, mon père, remercia le chevalier franc, son front barré d'un pli. Vous avez droit à toute ma gratitude.

Il arracha un morceau de pain, qu'il engouffra, puis souleva la tasse. Celle-ci était emplie d'un liquide chaud, d'un jaune doré. Conrad l'approcha de ses narines et le huma. Ce n'était pas un arôme qui lui était familier.

— Des graines d'anis, expliqua l'abbé. Nous le faisons pousser ici. Lorsque le gel et la sécheresse nous le permettent.

Conrad haussa les épaules et approcha la tasse de ses lèvres.

Il venait à peine de la toucher quand ses yeux captèrent le regard du vieux moine. Une alarme retentit alors aussitôt dans son cerveau. Quelque chose n'allait pas.

L'intérêt de l'homme était trop évident, et les pe[tits]
signes révélateurs repérés plus tôt s'étaient multiplié[s].

Il récapitula en une fraction de seconde tout ce qu'i[l]
savait. Et à cet instant, il imagina l'impensable.

Ce n'est pas possible, se dit-il. Ils ne peuvent pas
cacher ça...

Et pourtant... Des années de confrontation avec la
traîtrise en Terre sainte avaient aiguisé ses sens, lui
avaient appris qu'il devait s'attendre à être trahi à
chaque coin de rue, sentiment que n'avait fait
qu'intensifier le fait de devoir vivre incognito en terre
étrangère. Ses sens lui soufflaient maintenant que
l'impensable pouvait en réalité expliquer pas mal de
choses.

Il garda la tasse contre ses lèvres et, sans avaler la
plus petite goutte de liquide, continua de scruter le
visage de l'abbé.

Puis il l'écarta de sa bouche, très légèrement.

— Je dois vous dire, mon père, que vous me
paraissez vous-même plutôt pâle, dit-il en fixant le
vieillard droit dans les yeux. Peut-être avez-vous plus
besoin que moi de ce breuvage.

Et il tendit la main, présentant la tasse au vieux
moine.

— Mais non, mais non, je vais très bien, fit celui-ci
en se reculant légèrement. Je vous en prie. Nous pren-
drons notre repas quand nous en aurons terminé avec le
travail de la journée.

Conrad ne cilla pas. Se penchant en avant, il
approcha la tasse plus près encore de la bouche de
l'abbé tout en posant son autre main très ostentatoire-
ment sur le manche de la grosse dague qu'il portait à la
ceinture.

— J'insiste.

131

et il maintint la tasse d'une main ferme, à quelques ntimètres du prêtre. De légers tics agitèrent le visage au vieillard, les coins de sa bouche, ses narines, ses paupières.

— Prenez-la, ordonna Conrad.

Le vieux moine s'exécuta d'une main hésitante.

— Buvez, siffla le chevalier franc.

La main de l'abbé tremblait maintenant si fort qu'il faillit renverser le liquide tandis qu'il portait la tasse à sa bouche. Une fois à ses lèvres, il la laissa là un moment, la main bougeant de plus belle, une lueur d'affolement absolu dans le regard, ses yeux allant de la tasse à Conrad et inversement.

— Buvez, mon père, répéta le chevalier d'une voix calme mais ferme.

Le vieux moine ferma les yeux, et tout le monde crut qu'il allait avaler une gorgée de liquide, mais il arrêta brusquement son geste, lâcha la tasse. Celle-ci s'écrasa sur le sol en pierre.

Conrad transperça le prêtre du regard, tira lentement sa dague de son fourreau et la posa sur la table.

— Bien. Et maintenant, si vous me disiez enfin comment ces épées ont abouti ici ?

— Tout se passera bien, dit Conrad au négociant en lui tendant la bourse. À partir de maintenant, c'est à nous seuls de jouer.

Mehmet jeta un rapide coup d'œil aux pièces d'or que contenait la bourse, puis en resserra les cordons et la glissa sous sa large ceinture.

— Constantinople est loin. Les parages sont dangereux. Et, au retour, vous risquez de tomber sur des bandes de ghazis.

— Tout ira bien, répéta le Franc. Nous n'avons pa[s]
l'intention de retourner là-bas.

— Ah bon ?

Conrad se contenta de confirmer d'un signe de tête
et lui tendit la main. Le gros négociant fronça les sourcils avant de la lui serrer à contrecœur.

— En ce cas, bonne chance pour la suite, dit-il.

— Bonne chance à vous.

Les trois anciens templiers regardèrent partir les
Turcs. Conrad ne se faisait aucune illusion sur ce qui
trottait à n'en pas douter dans la tête du rusé commerçant : les Francs lui avaient versé une petite fortune
pour les guider jusqu'à cet endroit, et ils avaient pris
soin d'y venir avec un chariot. Un chariot destiné à
transporter quelque chose. Quelque chose qui valait
certainement beaucoup d'argent compte tenu des
risques encourus et des sommes engagées.

Quelque chose que le négociant convoiterait nécessairement, instinctivement.

— Je suppose que tu as déniché quelque chose,
avança Hector.

— Ça, on peut le dire, confirma Conrad en suivant
du regard les six cavaliers qui disparaissaient un peu
plus bas.

Sa bouche s'ouvrit sur un sourire entendu.

— Ça, on peut le dire.

Assis à la table de travail du chroniqueur, le père
Nicodème sentait la nausée monter à chaque nouvelle
ligne couchée sur le papier. Le poids de son fardeau lui
obscurcissait l'esprit, le choix de chaque mot se transformant en effort surhumain. Et pourtant, il se devait

e faire ce qu'il était en train de faire. Il n'y avait pas de retour en arrière possible. Pas dans ce cas précis.

Nous aurions dû le brûler, se disait-il. Nous aurions dû tout brûler, il y a longtemps. Il y avait pensé de nombreuses fois, se demandant si c'était bien la chose à faire, manquant passer à l'acte à deux reprises. Pourtant, comme ses prédécesseurs, il n'avait pu s'y résoudre. Comme eux, il n'avait pas osé franchir le pas de peur de commettre une transgression majeure et d'attirer sur lui une colère qui n'eût pas été de ce monde.

Il sentait le regard de ses acolytes, massés autour de la table, peser lourdement sur lui mais était incapable de lever les yeux et de les affronter. Il décida donc de se concentrer sur les feuilles de vélin devant lui et essaya de garder sa main aussi ferme que possible en maniant la plume d'oie.

J'ai fait défaut à mon Église, écrivit-il. *J'ai fait défaut à notre Église et à Notre-Seigneur, et pour cette défaillance nulle rédemption n'est possible. Je crains que le chevalier Conrad et ses frères templiers n'aient scellé notre sort. Ils traversent désormais le pays, en route pour Corycus et, de là, pour des rivages inconnus, chargés de l'œuvre du démon, rédigée de sa main à l'aide d'un poison tiré des tréfonds de l'enfer, et dont l'existence maudite pourrait ébranler le socle même sur lequel a été érigé notre monde. Je n'aurai pas la prétention de demander l'indulgence ni la miséricorde pour cette défaillance. Tout ce que je puis offrir, c'est cet acte simple pour épargner à Notre-Père qui est aux cieux le lourd fardeau de veiller sur nos âmes misérables.*

Il parcourut une dernière fois les feuillets, de s
yeux las et humides, puis, lorsqu'il en eut terminé
reposa la plume sur le côté et alors, alors seulement,
osa lever les yeux vers les moines qui l'entouraient.
Tous le regardaient en silence, leurs visages plus hâves
que jamais, lèvres et doigts tremblants.

Devant chacun d'eux était posée une simple tasse en
terre cuite.

Le vieil abbé les regarda un à un, fixant leur regard
de ses yeux désespérés. Puis il fit un signe de tête qui
était adressé à tous et leva la tasse à ses lèvres.

Tous l'imitèrent.

Il hocha la tête une fois encore.

13

Cité du Vatican, de nos jours

Un silence assourdissant s'abattit sur la pièce.

Tess embrassa l'assistance du regard, étudiant les visages des hommes présents pour tenter d'apprécier si elle devait ou non poursuivre son récit. Le cardinal Brugnone et le préfet des Archives, Mgr Bescondi, paraissaient particulièrement troublés par ce qu'elle venait de raconter. Ce qui pouvait se comprendre. Pour des hommes d'Église, l'idée que des moines – non des moines-soldats comme les Templiers, mais des individus paisibles qui, mus par la plus profonde piété, s'étaient retirés de la société des hommes pour consacrer leur vie à la prière et à l'étude –, l'idée que ces moines se soient livrés au meurtre, quel qu'en fût le motif, était inconcevable.

Reilly lui aussi semblait interloqué par la confession du moine.

— Donc, résuma-t-il, le premier groupe de templiers détenait une chose pour laquelle les moines étaient prêts à tuer ? Et un siècle plus tard, trois frères de l'Ordre partent sur les traces de leurs copains évanouis dans la nature, se pointent au monastère et récupèrent

leur bien, laissant les moines de l'endroit si flippés
ce qui vient de leur arriver qu'ils décident de se su
cider collectivement…

— C'est en tout cas ce que laisse entendre la lettre
de l'abbé, confirma Tess.

— L'imposteur qui est venu ici avec l'agent Reilly,
intervint Tilden. Qui était-ce ?

— Je l'ignore, répondit la jeune femme. Et Sharafi
ne le savait pas non plus. Ce qui est indiscutable, c'est
que, lorsqu'il est tombé sur la confession, il a eu le sentiment d'avoir déniché quelque chose d'énorme.
Creuser la question le démangeait, alors même qu'il se
sentait terriblement, profondément troublé. Pas sans
raison si on se rappelle ce que le moine avait écrit.
« L'œuvre du démon, rédigée de sa main à l'aide d'un
poison tiré des tréfonds de l'enfer, et dont l'existence
maudite pourrait ébranler le socle même sur lequel a
été érigé notre monde. » Le contenu de cette lettre
n'était peut-être pas destiné à être dévoilé. Pourtant,
Sharafi n'a pas pu résister, tout en étant conscient qu'il
devait être prudent. Il savait que ce genre de chose pouvait se révéler dangereux. Et plus encore, peut-être, si
cela tombait entre de mauvaises mains. Il a donc fait
sortir la lettre des archives, clandestinement – autrement dit, il l'a dérobée –, puis a travaillé dessus
pendant ses heures de loisir, espérant découvrir ce qui
était arrivé à ces templiers et ce qu'ils avaient emporté
avec eux. Il a passé beaucoup de temps en bibliothèque, à la recherche d'indices complémentaires. Le
voyageur soufi n'avait rien écrit sur la confession qu'il
avait dissimulée dans son journal ; il n'avait rien laissé
expliquant où il l'avait trouvée ni ce qu'il avait fait
après. Sharafi a dû se dire que l'homme avait été aussi
perturbé que lui par sa découverte. Cela étant, le

...nal du soufi décrivait ses voyages dans la région, qui constituait un point de départ, même si Sharafi ...ignorait pas que la plupart des endroits habités et des sites naturels visités par le voyageur avaient changé de nom à plusieurs reprises au fil des siècles. Il s'est donc rendu sur le lieu des pérégrinations du soufi, dans la région du mont Argée, posant des questions aux gens du coin, essayant de retrouver les restes du monastère tout en continuant d'étudier tout ce qu'il pouvait dénicher sur les Templiers. En pure perte. La région dans laquelle il faisait ses recherches est peu peuplée, et il a été incapable de repérer la plus petite trace du monastère, même s'il ne s'attendait pas vraiment à un résultat après tout ce temps. Quant à Conrad, impossible là encore de trouver la moindre mention de ce nom, en tout cas dans les documents concernant les Templiers auxquels Sharafi a pu avoir accès. Il était sur le point d'abandonner quand, il y a deux mois environ, ce type l'a abordé devant l'université, à Istanbul. Il n'ignorait rien de la découverte de Sharafi et exigeait de lui qu'il retrouve la lettre mentionnée par le moine. Et il l'a menacé, lui et sa famille.

Tess s'interrompit, regarda Reilly qui, de la tête, lui manifesta son approbation. Elle déglutit et sentit son corps se raidir.

— Sharafi était tout simplement terrifié. L'homme lui a montré une tête coupée. Celle d'une femme qu'il avait tuée, l'institutrice de la fille de Sharafi. Il lui avait coupé la tête... juste pour prouver qu'il était sérieux.

Dans la pièce, l'impression de malaise était soudain devenue presque palpable.

— Comment ce type était-il au courant des recherches de Sharafi ? demanda Reilly. Dans le taxi qui nous emmenait de l'aéroport, je lui ai posé la question, pen-

sant bien sûr avoir affaire au véritable Sharafi, et il
dit qu'il n'en avait parlé à personne.

— Nous lui avons demandé, nous aussi, expliqua
Tess. Il nous a répondu que c'était son assistant à l'université, le jeune homme qui l'aidait dans ses recherches.
À part sa femme, c'était la seule personne à être au
courant. Et lorsqu'il l'a accusé d'en avoir parlé, l'assistant n'a pas nié. Au contraire, c'est lui qui a engueulé
Sharafi en lui reprochant de ne pas avoir fait de rapport
sur ses recherches et en expliquant qu'il était de son
devoir de s'en charger personnellement.

— De son « devoir » ? Mais qui était donc cet
homme ?

— Un doctorant. Originaire d'Iran.

— Et le tueur ? Sharafi savait d'où il venait ?

— D'Iran, lui aussi. C'est en tout cas ce qu'il nous a
dit.

— Il en était sûr ? demanda Reilly, sentant son pouls
s'accélérer.

Tess resta songeuse une demi-seconde.

— Il a juste dit qu'il était iranien. Il semblait n'avoir
aucun doute là-dessus.

Reilly fronça les sourcils : ce n'était de toute évidence pas la réponse qu'il espérait ; cela dit, après les
événements de la journée, il n'y avait pas vraiment lieu
de s'en étonner ; tout cela commençait à ressembler
furieusement au sale boulot d'un service secret. Le service secret d'un pays qui n'avait pas la réputation de
retenir ses coups. Ce qui n'augurait rien de bon pour le
proche avenir.

— Quoi qu'il en soit, Sharafi a reçu le message cinq
sur cinq, poursuivit Tess. Il devait coûte que coûte
obtenir des résultats. Et lorsqu'il s'est trouvé dans
l'incapacité de progresser dans ses recherches, il en a

clu qu'il lui fallait demander l'aide d'un spécialiste
s Templiers…

— Il s'est donc rendu en Jordanie, intervint Tilden.
Pour consulter votre ami Simmons.

Tess opina.

— Il n'était pas au top, comme on peut l'imaginer.
Au début, il a essayé de le cacher. Il ne nous a pas
raconté toute son histoire, se contentant de nous dire
que, dans le cadre de son travail pour une monographie
en cours, il essayait de retrouver la trace d'un chevalier
templier du nom de Conrad, qui s'était retrouvé à
Constantinople en 1310.

— Mais je croyais que tous les templiers avaient été
arrêtés en 1307 ? s'étonna Reilly.

— Les mandats d'arrêt ont été délivrés en octobre
1307, en effet. Mais plusieurs templiers ont réussi à
prendre la poudre d'escampette avant que les sénéchaux de Philippe le Bel ne leur mettent la main
dessus. Beaucoup de templiers français, par exemple,
se sont ainsi réfugiés en Espagne et au Portugal, pays
où les ordres locaux demeuraient plus ou moins sous la
protection de leurs souverains. Ils ont changé de noms
pour échapper aux recherches quand les inquisiteurs
papaux se sont pointés pour les arrêter. En Orient, les
templiers avaient perdu toutes leurs bases en Terre
sainte bien longtemps auparavant. Acre est tombée en
1291, si ma mémoire est bonne. Leur dernier bastion
dans la région était situé sur une petite île du nom
d'Arwad, au large des côtes syriennes. Ils en ont été
chassés en 1303, et les templiers survivants se sont
retrouvés à Chypre, où ils ont eu rapidement des
ennuis : ils ont aidé le frère du roi à renverser le souverain légitime, et quand celui-ci a récupéré son trône, il
s'est empressé de se débarrasser des quatre templiers

qui avaient dirigé les opérations : ceux-ci ont é̶
condamnés à la noyade et leurs compagnons à l'exi̶.
Mais il est certain qu'ils ne pouvaient pas retourner
dans leurs patries respectives, en Europe, où ils
auraient été immanquablement arrêtés. Nous savons
très peu de chose sur ce qu'ils sont devenus.

— On peut donc présumer que Conrad faisait partie
de ces rescapés, conjectura Reilly.

— C'est en tout cas ce que pensait Jed, fit Tess. En
consultant ses archives, il a retrouvé la mention d'un
chevalier du nom de Conrad jusqu'aux arrestations, à
Chypre. Mais après cela, plus aucune trace, rien. Ce qui
n'est d'ailleurs pas surprenant. Une fois condamnés à
l'exil par le roi de Chypre, Conrad et ses compagnons
n'avaient sans doute aucune envie de retourner en
Europe, où des armées d'inquisiteurs ne demandaient
qu'à leur sauter sur le râble. D'après Jed, ils s'étaient
probablement installés dans de grandes cités comme
Antioche ou Constantinople pour y vivre incognito. Fin
de l'histoire. C'est là que Sharafi a craqué. Il nous a
raconté toute l'histoire, dans le moindre détail, et Jed…
Jed a décidé de faire tout ce qui était en son pouvoir
pour lui venir en aide. Et moi aussi. On n'était plus en
présence d'une recherche universitaire ordinaire. Il
était clair que l'interlocuteur de Sharafi n'était pas disposé à accepter un échec. Et Sharafi était littéralement
fou d'inquiétude à l'idée que ce type s'attaque à sa
femme ou à sa fille pour le pousser dans ses retranchements. Il fallait absolument qu'on trouve quelque
chose. C'est quand il s'est heurté à un mur en fouillant
dans ses propres archives que Jed a mentionné le
Registre. Il en avait entendu parler, il savait qu'il existait et qu'il se trouvait entreposé quelque part dans les

es du Vatican – mais il savait aussi que personne avait le droit de le consulter.

Tess interrompit son exposé, espérant que quelqu'un prendrait la balle au bond.

Reilly se dévoua.

— Est-ce vrai ? demanda-t-il en se tournant vers Brugnone.

Le prélat haussa les épaules, l'expression toujours soucieuse, avant d'acquiescer.

— Et pour quelle raison ? insista Reilly.

Brugnone jeta à Tess un regard de côté avant de diriger de nouveau son attention sur l'Américain.

— Nos archives abondent en documents sensibles, comme disent les Anglo-Saxons. Nombre d'entre eux sont susceptibles d'être mal interprétés, et indûment exploités par des colporteurs de ragots aux objectifs tout sauf honorables. Nous nous efforçons de limiter les risques.

— Et ce fameux Registre ?

Brugnone adressa un signe de tête à Bescondi, qui prit le relais :

— C'est un procès-verbal complet des arrestations des templiers et de la dissolution de l'Ordre. Tout y est consigné : ce qu'ont trouvé les inquisiteurs, les personnes qu'ils ont interrogées ou avec qui ils se sont entretenus. Les noms de tous les membres de l'Ordre, depuis le grand maître jusqu'au plus modeste des écuyers ; ce qu'il est advenu d'eux, qui a dit quoi, qui a survécu, qui est mort... Les propriétés de l'Ordre, ses biens en Europe et au Levant, le nombre de ses têtes de bétail, le contenu de ses bibliothèques... Absolument tout.

— Donc Simmons avait vu juste, intervint Reilly. Il savait que, s'il demeurait une trace de ce qu'il était advenu de Conrad, c'est là qu'on pouvait la retrouver.

— En effet, admit Bescondi.

Reilly remarqua que le prélat fixait le cardinal avec un regard lourd de sens. Un échange silencieux sembla se dérouler entre les deux hommes, sur quoi le cardinal répondit à l'archiviste en lui adressant un hochement de tête à peine perceptible. L'intéressé le rendit à son supérieur pour montrer qu'il l'avait enregistré.

Reilly reporta de nouveau son attention sur Tess.

— Et c'est à ce moment-là que tu m'as appelé.

La jeune femme secoua la tête d'un air contrit.

— Je suis navrée. C'est juste que... Je me suis dit que tu étais la seule personne de ma connaissance capable de permettre à Sharafi d'accéder au Registre en question. Rien de plus. Évidemment, je me suis rongé les sangs en me demandant si je devais ou non faire appel à toi. Et ce d'autant plus que nous étions...

Elle laissa sa phrase en suspens, son regard s'attardant un moment sur Reilly. Inutile de mettre les autres au courant de leurs problèmes personnels...

— J'en ai longuement discuté avec Jed. J'hésitais toujours, pesant le pour et le contre... Et voilà que ce type se pointe devant le bureau de Jed, pistolet au poing, nous fait monter de force à l'arrière de son van et nous conduit dans une sorte de grotte, un lieu que je ne connaissais pas. Il nous jette tous les deux dans une pièce, une cave plutôt, et nous passe des menottes en plastique aux poignets et aux chevilles. Sharafi se trouvait déjà là, pieds et poings liés comme nous. Inutile de dire que ces horribles images de l'institutrice décapitée et de ces journalistes retenus en otages à Beyrouth et en Irak ont commencé à me tourner dans la tête.

La jeune femme réprima un frisson. En en parlant, elle revivait son cauchemar. Elle regarda Reilly.

— Il m'a obligée à t'appeler.

— Comment était-il au courant de tout ça ? s'étonna ~eilly. Tu en avais discuté avec quelqu'un d'autre ?

— Non. Bien sûr que non. Peut-être avait-il espionné la conversation que j'avais eue avec Jed, à moins qu'il n'ait installé un micro dans son bureau, ou quelque chose dans ce goût-là.

Reilly resta silencieux quelques secondes, plongé dans un abîme de réflexions.

— En tout cas, ce type, quelle que soit son identité, quels que soient les gens pour qui il travaille – et je pense que nous commençons à avoir quelques pistes de réflexion sur ce point –, est un sacré client avec de sérieux moyens. Il se pointe à Istanbul et assassine une femme sans sourciller, histoire de motiver Sharafi. Il le file jusqu'en Jordanie, se débrouille d'une façon ou d'une autre pour être au courant d'une conversation que vous avez eue en privé, toi et Simmons. Il vous enlève tous les trois à Pétra et s'arrange pour expédier deux d'entre vous, si ce n'est les trois, à Rome en moins de temps qu'il n'en faut pour le dire, et tout cela sans que ni vous ni lui soyez repérés. Il a le culot de me retrouver à l'aéroport, de me vendre son histoire et de m'amener à le conduire ici pour mettre la main sur ce Registre, non sans avoir auparavant piégé deux voitures susceptibles d'être utilisées pour faire diversion en cas de besoin.

Il hocha la tête, l'air perplexe, expira bruyamment.

— Ce type a accès aux renseignements les plus confidentiels, il dispose de ressources qui lui permettent de voyager à sa guise, il a accès à des explosifs, des détonateurs, des véhicules, et à Dieu sait quoi d'autre. Et sous la pression, il fait preuve d'un sang-froid que j'ai rarement rencontré dans ma carrière, fit-il en fixant l'une après l'autre toutes les personnes

présentes pour souligner la portée de ce qu'il venait d...
dire. Ce gars ne boxe pas dans les petites catégories.
C'est un poids lourd, un vrai, et un bon. Et nous allons
nous-mêmes avoir besoin de sérieux moyens si nous
voulons nous donner une petite chance de le mettre
hors d'état de nuire...

Delpiero intervint :

— Oh, nous avons bien l'intention de traîner cet
homme devant les tribunaux, confirma le policier du
Vatican d'un ton railleur. Mais sachez que vous avez
vous aussi à répondre de pas mal de choses dans cette
affaire. Vous semblez oublier que l'homme en question
a agi avec un complice. Vous, en l'occurrence...

— Je n'ai rien oublié du tout, répliqua Reilly, piqué
au vif. Je veux mettre la main sur ce type plus que quiconque dans cette pièce.

— Peut-être n'ai-je pas été assez clair, reprit l'inspecteur. Nous déposons plainte contre vous. Vous avez
introduit cet homme à l'intérieur du Vatican. Sans
vous, jamais il n'aurait pénétré dans la salle des
Archives, il n'aurait pas eu besoin de faire exploser la
moindre bombe et...

— Et vous pensez qu'il s'en serait tenu là ? rétorqua
Reilly. Vous pensez qu'il aurait mis les pouces et serait
rentré tranquillement chez lui ? Vous vous fichez de
moi ! Vous avez bien vu comment il fonctionnait. Si ce
n'était pas moi qui l'avais fait entrer, il aurait trouvé
une autre solution. Peut-être aurait-il trouvé le moyen
de, je ne sais pas, moi, faire pression sur Mgr Bescondi. Avec une autre tête coupée, par exemple, pour
s'assurer qu'on le prenne bien au sérieux !

— Vous avez drogué monseigneur, gronda Delpiero.
Vous avez aidé ce terroriste à s'enfuir...

— C'était avant que je découvre que c'était lui le foutu terroriste qui avait piégé des voitures ! s'énerva Reilly. J'ai fait ce que j'avais à faire pour lui procurer ce maudit bouquin et sauver les otages. Vous avez beau jeu de me faire passer pour son complice. Qu'auriez-vous dit si je vous avais expliqué que ce type avait besoin de vérifier quelque chose dans le Registre des Templiers ? L'auriez-vous autorisé à entrer dans la salle des Archives en lui laissant libre accès à tout ce qu'il souhaitait voir ? Ou auriez-vous éprouvé le besoin de savoir exactement à qui vous aviez affaire et de connaître la raison qui le poussait à s'intéresser au Registre ?

Delpiero chercha visiblement quoi répondre avant de consulter Bescondi et Brugnone du regard. Les deux prélats semblaient également troublés par la question de l'Américain.

— Alors ? insista Reilly d'un ton rogue.

Il n'obtint pour toute réponse que trois haussements d'épaules.

Passant ses deux mains sur son visage, il s'efforça de maîtriser sa fureur.

— Écoutez, reprit-il d'une voix quelque peu apaisée mais néanmoins résolue, vous pensez peut-être que j'ai eu tort, que j'aurais dû procéder différemment. Vous avez peut-être raison. Il se trouve que, sur le coup, je n'ai pas vu d'autre solution. Je suis prêt à faire face aux conséquences de mes actes. N'en doutez pas. Vous pourrez faire de moi tout ce que vous jugerez bon de faire. Mais seulement une fois que tout cela sera terminé. Quand il sera sous les verrous ou sur un brancard, à la morgue. En attendant, je veux rester dans le coup. Je veux contribuer à le coincer.

Delpiero l'affronta du regard.

— C'est tout à fait admirable de votre part, ag
Reilly. Mais nous avons discuté de tout cela avec v
supérieurs, et ils sont d'accord avec nous.

Reilly suivit le regard de l'inspecteur, qui s'arrêta
sur Tilden. Ce dernier haussa les épaules, l'air de dire :
« Tu ne t'attendais quand même pas à autre chose, bon
sang ! »

— Tu n'es pas venu ici en mission pour le Bureau,
fit l'attaché juridique. Pire encore : tu as soigneuse-
ment évité de nous informer des motifs réels de ta
présence à Rome. Les gros bonnets n'ont guère
apprécié, là-bas, au pays. En conséquence, je t'annonce
que tu peux te considérer comme suspendu de tes fonc-
tions, en attendant les résultats de l'enquête ouverte par
les autorités italiennes et celles du Vatican.

— Vous ne pouvez quand même pas me laisser sur
la touche, protesta Reilly. Ce type m'a possédé dans les
grandes largeurs. Je veux aider à le retrouver.

Il fit des yeux le tour de la pièce et remarqua le
regard de Brugnone posé sur lui, le scrutant avec
attention.

— Désolé, reprit Tilden en montrant ses paumes
dans un geste d'impuissance résignée, mais pour le
moment c'est le seul scénario envisageable.

Reilly bondit de son siège.

— C'est complètement dingue ! rugit-il avec de
grands moulinets des bras. Nous devons agir au plus
vite. Nous avons une scène de crime à examiner. Une
bombe non déclenchée à analyser. Nous avons des
empreintes sur et dans les voitures, dans la salle
des Archives, et des bandes vidéo prises par les
caméras de surveillance à étudier. Nous devons lancer
un avis de recherche et le dispatcher vers tous les
points de sortie du territoire italien. Et nous devons

tacter Interpol. N'ayez surtout pas l'impression que vous tiens pour quantité négligeable, poursuivit-il en egardant Delpiero droit dans les yeux. Je sais que vous êtes fou de rage. Moi aussi. Mais je peux vous aider. Je suis là, prêt à vous épauler du mieux possible. Les moyens du FBI ne seront pas de trop dans cette affaire et vous ne pouvez pas vous permettre d'attendre qu'ils se concertent là-bas pour savoir qui vous envoyer et quand. Le temps qu'ils se décident, notre homme sera loin.

Le plaidoyer de Reilly laissa apparemment Delpiero de marbre. À trois sièges de là, toutefois, Brugnone s'éclaircit la gorge avec une certaine ostentation, attirant l'attention de tous.

— Surtout, pas de précipitation, dit-il en se levant de son siège et en glissant un coup d'œil à Reilly. Agent Reilly, veuillez me suivre dans mon cabinet, je vous prie.

Ce fut au tour de Delpiero de bondir de sa chaise.

— *Vostra Eminenza*, je vous prie de me pardonner mais… que faites-vous ? Cet homme devrait être aux arrêts…

Brugnone lui adressa un petit geste de la main, en apparence anodin mais en réalité empreint d'une grande autorité.

— *Prendersela con calma.* Calmez-vous.

Ce qui suffit à clouer le bec à l'inspecteur.

Reilly jeta un regard mal assuré à Tilden et à Delpiero, et quitta la pièce à la suite du cardinal.

14

En compagnie du cardinal secrétaire, Reilly traversa la place Sainte-Marthe, au jardin ombragé. Midi venait de sonner et l'air était brûlant. À une cinquantaine de mètres sur leur gauche, l'arrière de la basilique Saint-Pierre s'élevait haut dans le ciel. Seules de légères volutes de fumée demeuraient du nuage noir provoqué par l'explosion de la voiture piégée, mais la place elle-même, d'ordinaire fort animée à cette époque de l'année avec son grouillement de voitures, d'autocars et de groupes de touristes, était pour l'heure totalement déserte. Même si la seconde bombe avait été désamorcée, et la voiture piégée évacuée, le Vatican faisait penser à une ville fantôme, et, à cette vision, Reilly se sentit encore plus coupable qu'il ne l'était déjà.

Le cardinal marchait en silence, les mains croisées derrière le dos. Sans se retourner, il demanda à Reilly :

— Nous n'avons pas eu l'occasion de discuter, à l'issue de votre dernière visite. À quand remonte-t-elle, déjà ? Trois ans, non ?

— C'est cela, confirma Reilly.

Brugnone hocha la tête, plongé dans ses pensées.

— Ça n'a pas été un moment agréable pour vous non plus, n'est-ce pas ? Vos interrogations, les réponses elles ont reçues… Et puis, au bout du compte, cette ↑mpête catastrophique…

Les souvenirs de cet épisode de sa vie le submergèrent telle une lame de fond. Il avait encore le goût de l'eau salée au fond de la gorge, il sentait encore le froid intense de ces longues heures passées dans la mer, à moitié mort, flottant sur un radeau de fortune à des kilomètres des côtes d'une petite île grecque. Mais le plus glaçant de tout, c'était cette phrase que lui avait lancée le cardinal et qu'il n'était pas près d'oublier : « Je crains que la vérité ne soit celle que vous redoutez. » Cela rappela à Reilly qu'il n'avait jamais obtenu de réponse claire et définitive à sa question. Il se revit au bord de cette falaise avec Tess, regardant avec impuissance les feuillets de parchemin tourbillonner lentement dans les airs avant de tomber dans le ressac, lui ôtant toute chance de savoir enfin s'il s'agissait d'écrits parfaitement authentiques ou de faux admirablement réalisés.

— La journée d'aujourd'hui n'a pas été non plus une promenade de santé. On dirait que c'est la même chose chaque fois que je viens ici, se lamenta-t-il.

Brugnone haussa les épaules, évacua la plainte d'un rapide mouvement de sa grosse main.

— Ce petit territoire est le lieu d'un grand pouvoir, agent Reilly. Et là où il y a pouvoir, il y a nécessairement conflit.

Ils traversèrent la rue et pénétrèrent dans la sacristie d'un édifice de deux étages, accolé au transept sud de la basilique. Une fois à l'intérieur, ils obliquèrent sur leur gauche et traversèrent les somptueuses salles du musée du Trésor. À chaque nouvelle enjambée, les immenses surfaces dallées de marbre et les bustes de bronze des défunts papes pesaient de plus en plus sur

les épaules de Reilly. Dans ce lieu, chaque centim
carré était chargé d'histoire, une histoire qui était ce
de la civilisation occidentale tout entière, et su
laquelle il possédait désormais plus que de simples
connaissances.

— Vous étiez une personne plutôt pieuse lorsque
nous nous sommes rencontrés pour la première fois,
remarqua le cardinal. Allez-vous toujours à la messe ?

— Plus vraiment. J'aide le père Bragg à entraîner les
gosses du catéchisme au base-ball le dimanche matin
chaque fois que je le peux, mais c'est à peu près tout.

— Et… pour quelle raison, si je puis me permettre ?

Reilly pesa ses mots. L'aventure à laquelle il avait
survécu avec Tess trois ans plus tôt – et ses révélations
troublantes – avait laissé son empreinte, mais il tenait
toujours Brugnone en haute estime et ne voulait en
aucun cas se montrer irrespectueux.

— J'ai beaucoup lu depuis notre dernière rencontre… J'ai beaucoup réfléchi à tout ça et… En fait,
je suis moins à l'aise que je ne l'étais avec le concept
de la religion en tant qu'institution.

Brugnone sembla ruminer cette réponse, ses yeux
aux paupières tombantes reflétant sa profonde
réflexion. Poursuivant en silence leur progression, les
deux hommes arrivèrent à l'extrémité de la galerie couverte de fresques et entrèrent dans le transept sud de la
basilique. Reilly n'était jamais entré à l'intérieur de
Saint-Pierre, et le spectacle qui l'accueillit le laissa
bouche bée. Il avait sous les yeux ce qui était peut-être
le plus sublime monument architectural de la planète.
Le moindre détail éblouissait le regard et élevait l'âme.
Sur sa gauche, il admira la chaire papale réalisée par le
Bernin, sa colonnade aux piliers entrelacés, le dais du
prodigieux baldaquin qui paraissait minuscule sous la

...ole monumentale qui le dominait de toute sa hau-
...r. Sur sa droite, à peine s'il pouvait distinguer, loin
...à-bas, l'entrée à l'autre extrémité de la nef. Des rais de
lumière pénétraient par les fenêtres à claire-voie, loin
au-dessus de leur tête, baignant l'édifice d'une lumière
quasi éthérée, ravivant au plus profond de son être une
étincelle qui s'était éteinte au cours des dernières
années.

Brugnone, qui semblait avoir remarqué à quel point
Reilly était impressionné, fit halte à la croisée des tran-
septs afin de le laisser savourer un moment le
spectacle.

— Vous n'avez jamais eu le temps de vraiment
visiter les lieux, c'est ça ?

— En effet. Et je ne crois pas que j'en aurai le loisir
cette fois encore, répondit Reilly avant d'ajouter :
J'aimerais savoir quelque chose, Votre Éminence.

Brugnone ne cilla pas.

— Vous voulez savoir ce qu'il y avait dans ces
coffres.

— Exactement. Vous savez ce que recherche notre
homme ?

— Je n'en suis pas totalement sûr. Mais s'il s'agit de
ce à quoi je pense... Ce serait plus grave encore pour
nous que ce que ce Vance[1] essayait de récupérer.

Il s'arrêta un bref instant, puis reprit :

— Après ce que cet homme a fait aujourd'hui... est-
ce si important ?

Reilly haussa les épaules. Bonne question.

---

1. Voir *Le Dernier Templier*, du même auteur, aux Presses de la
Cité ; Pocket, 13312. *(N.d.T.)*

— Pas vraiment. Mais cela nous aiderait de savoir. Nous devons absolument mettre la main sur l...

Brugnone hocha la tête, notant mentalement la requête de Reilly. Il examina un moment l'Américain, avant de lui dire :

— J'ai entendu ce que vous avez dit tout à l'heure. Et s'il n'est pas question pour moi de fermer les yeux sur ce que vous avez fait ni d'accepter votre choix de nous exclure de vos décisions, je comprends parfaitement que votre position était délicate. Et je considère par ailleurs que nous avons une dette envers vous : vous nous avez rendu il y a trois ans un grand service qui, j'en suis conscient, a été pour vous difficile à avaler. Mais vous êtes resté fidèle à vos principes, malgré vos doutes, et vous avez mis votre vie en jeu pour nous, ce que d'autres n'auraient pas forcément fait à votre place.

Reilly sentit un léger remords le tenailler. Ce que venait de dire Brugnone était en partie vrai, mais le cardinal ne connaissait pas *toute* la vérité. À leur retour de Grèce, il s'était mis d'accord avec Tess pour exposer une version légèrement expurgée des événements. Autrement dit, ils avaient menti. Et pas qu'un peu. Ils avaient raconté aux huiles du FBI et au représentant du Vatican à New York que la tempête avait été fatale à toutes les personnes impliquées, toutes sauf eux deux, et que l'épave du *Faucon-du-Temple* n'avait jamais été retrouvée. Ils avaient promis de ne rien dire sur ce qui leur était arrivé après l'attaque au Metropolitan Museum, lorsque quatre cavaliers vêtus en chevaliers du Temple avaient pris d'assaut le gala organisé par le Vatican, y semant la panique avant de prendre la fuite avec un décodeur datant des Templiers. Pour les autorités du Vatican, Reilly s'était battu vaillamment, et

...qu'au bout, pour défendre sa cause, ce qui, là ...core, n'était pas tout à fait vrai. Et le fait que Reilly ...t le cardinal se tenaient maintenant juste devant l'autel du Mensonge, une mosaïque monumentale représentant la punition d'un couple qui, ayant menti à saint Pierre sur le montant de la somme qu'il avait reçue pour la vente d'un terrain, avait été mortellement frappé pour cette tromperie, n'arrangeait rien à l'affaire.

— Nous avons eu besoin de votre aide à l'époque et vous avez accepté de nous l'accorder en dépit de tout, reprit le prélat. Mais j'ai besoin de savoir comment vous vous sentez maintenant. Quelque chose a-t-il changé ? Êtes-vous toujours prêt à vous battre pour nous ?

Reilly entrevit une ouverture. Ce qui ne modifia pas pour autant sa réponse.

— Mon job consiste à veiller à ce que des types comme celui à qui nous avons affaire n'aient plus jamais l'occasion de nuire à qui que ce soit. En particulier à des innocents, comme ceux qui sont morts aujourd'hui tout près d'ici. Je ne m'intéresse pas plus que ça au contenu de ces coffres, Votre Éminence. Ce que je veux, c'est envoyer ce gars derrière les barreaux, ou six pieds sous terre si telle est sa préférence.

Le prélat soutint son regard un bon moment, puis sembla arriver à une décision après une délibération aussi intense que personnelle, conclue par un lent hochement de tête.

— Bien, agent Reilly... Je pense que nous allons devoir vous laisser la bride sur le cou, dit-il enfin.

Après tout ce qui venait de se produire, et alors que ses émotions n'avaient pas eu le temps de s'apaiser, Reilly n'était pas sûr d'avoir bien entendu.

— Qu'avez-vous dit ? Je croyais qu'on allai. m'arrêter…

Brugnone balaya son commentaire d'un geste de la main.

— Ce qui s'est passé ce matin a commencé ici, à l'intérieur de la Cité du Vatican. La façon dont nous allons traiter cette affaire nous regarde nous… Par ailleurs, comme vous le savez, nous avons quelque influence sur ce qui se passe au-delà de ces murailles.

— Votre influence s'étend-elle jusqu'au siège du FBI ? Parce que, si j'ai bien compris, ils veulent me retirer mon badge.

Brugnone eut un sourire entendu.

— À cet égard, je ne crois pas qu'il y ait beaucoup de domaines qui échappent à notre sphère d'influence, dit-il avant d'ajouter sur un ton plus ferme : Je veux que vous soyez partie prenante de cette enquête, agent Reilly. Je veux que vous retrouviez cet homme et mettiez un terme à ses agissements barbares. Mais j'ai également besoin de savoir que vous continuerez de veiller à nos intérêts, autrement dit que, si vous trouvez ce qu'il recherche, quels que soient le ou les objets en question, vous me les remettrez en mains propres toutes affaires cessantes, au mépris d'autres considérations… ou influences, ajouta-t-il en insistant sur ce dernier mot.

— Qu'entendez-vous par là ? s'enquit Reilly, piqué au vif.

— Que certains de vos associés, ou de vos amis, pourraient avoir d'autres idées sur ce qu'il conviendrait de faire, s'agissant d'une découverte de portée historique.

Cette fois, c'est sur le mot « amis » que le prélat avait mis l'accent.

Reilly crut avoir compris.

— Vous vous inquiétez à propos de Tess ?

Brugnone haussa les épaules.

— Dans une situation comme celle-ci, chacun est un sujet de préoccupation. C'est pourquoi j'ai besoin de savoir que vous prendrez les intérêts de l'Église à cœur, avant toute autre chose. Puis-je avoir votre parole sur ce point, agent Reilly ?

Ce dernier soupesa les paroles du cardinal. D'un côté, il avait le sentiment d'être l'objet d'un chantage. De l'autre, ce n'était pas comme si on lui demandait de faire quelque chose qu'il n'aurait jamais fait de toute façon. Et par ailleurs, pour le moment, sa priorité consistait à mettre hors d'état de nuire l'homme responsable du carnage de ce matin. Le contenu de ces coffres était d'une importance secondaire. Et de loin.

— Vous avez ma parole.

Brugnone accusa réception d'un léger hochement de tête.

— En ce cas, vous devez vous mettre au travail sans plus tarder. Je parlerai à Delpiero et aux responsables de la police italienne. Ainsi qu'à vos supérieurs. Vous avez le champ libre.

— Je vous en remercie.

Reilly tendit la main au prélat, se demandant si ce geste était celui qui convenait. Brugnone la saisit fermement dans les deux siennes.

— Trouvez-le. Et arrêtez-le.

— Ce ne sera pas facile. Il a obtenu ce qu'il voulait… Et avec ce Registre, il a un coup d'avance sur nous. Si le livre contient des informations sur ce qu'est devenu ce Conrad, c'est là que nous trouverons notre homme. Mais il a des biscuits. Et pas nous.

Brugnone esquissa un sourire.

— Je ne dirais pas tout à fait cela...

Il laissa sa phrase en suspens, comme pour laisse langui son interlocuteur, avant de préciser :

— Voyez-vous, nous nous sommes rendu compte il y a déjà un bon moment que nos archives occupaient un volume bien trop considérable pour être administrées selon les méthodes traditionnelles. Nous avons plus de quatre-vingt-cinq kilomètres linéaires d'étagères bourrées à craquer de documents. C'est la raison pour laquelle nous nous sommes lancés il y a maintenant huit ans dans un projet de numérisation à grande échelle. Aujourd'hui, nous avons scanné à peu près la moitié de nos archives.

Le visage de Reilly s'éclaira légèrement. Il pressentait déjà ce qui allait suivre mais n'en lança pas moins au prélat :

— J'espère que vous n'avez pas procédé par ordre alphabétique...

— Nous nous sommes basés avant tout sur l'intérêt potentiel des différents fonds, répliqua le cardinal avec un sourire entendu. Et, notamment après les événements survenus il y a trois ans, on ne peut pas dire que les Templiers soient un sujet dénué d'intérêt, n'est-ce pas ?

15

Le reste de l'après-midi fut à la fois chaotique et tumultueux.

Reilly et Tess le passèrent dans les bureaux de la *gendarmeria*, où un poste de commandement temporaire avait été installé dans une vaste salle de conférences. L'activité frénétique ambiante ne diminua d'intensité à aucun moment durant la longue déposition de Tess, qui fit un compte rendu exhaustif de tout ce qui lui était arrivé tandis que, de son côté, Reilly veillait à ce que les policiers locaux n'oublient rien dans leur recherche du kidnappeur.

À son grand soulagement, ils paraissaient tout à fait à la hauteur. Un avis de recherche « haute priorité » fut envoyé à toutes les autorités responsables du maintien de l'ordre du pays, et des alertes adressées à tous les points de passage de la frontière italienne. Interpol s'assura que la requête était transmise sans délai aux autorités douanières et policières des pays frontaliers. L'information qu'elle contenait était cependant lacunaire. Le terroriste – apparemment un Iranien se servant d'un faux passeport – avait veillé à ce que son visage n'apparaisse avec netteté sur aucune des bandes vidéo enregistrées par les caméras de surveillance à l'intérieur de la Cité du Vatican. Les seules images ponibles de l'homme étaient à la fois partielles granuleuses. Des équipes d'experts médico-légau avaient été réquisitionnées pour essayer de retrouver des empreintes dans la salle des Archives, sur la BMW et la papamobile cabossée, dans l'espoir que celles-ci permettraient d'aider à l'identifier. De leur côté, les spécialistes des différents laboratoires attachés à la Brigade antiterroriste examinaient la bombe désamorcée, à l'affût du moindre détail susceptible de déterminer sa provenance.

Les avis de recherche mentionnaient également Simmons car il était possible que, tout comme Tess et Sharafi, l'archéologue ait été lui aussi emmené à Rome par un moyen quelconque. Une requête urgente concernant les informations figurant sur son passeport fut envoyée à l'ambassade américaine ; dans le même temps, Tess aidait les policiers à dénicher des photos de lui sur Internet.

Reilly se mit en contact avec le représentant du Bureau à Istanbul pour le charger de retrouver, toutes affaires cessantes, l'épouse et la fille de Sharafi afin de les informer des événements concernant leur mari et père. Il pria également son collègue de demander aux policiers turcs de localiser son mouchard d'assistant, sans se faire trop d'illusions sur ce dernier point.

Pendant ce temps, dans le bâtiment des Archives, Bescondi réunissait tous les spécialistes qu'il avait sous la main et leur demandait d'étudier une à une les microfiches scannées du Registre, à la recherche d'une quelconque référence à un chevalier du Temple dénommé Conrad.

Reilly fit de son mieux pour ignorer l'irritation manifeste de Delpiero et ses hommes devant sa prée active. L'intercession de Brugnone avait été une ule amère. Les policiers du Vatican ne faisaient aucun effort pour dissimuler le fait que, à leur avis, sa place se trouvait derrière les barreaux plutôt qu'à leurs côtés. Reilly eut droit à quelques prises de bec mais parvint à se dominer et à ne pas rendre la situation plus délicate qu'elle ne l'était. Il s'efforça en outre de rester le plus discret possible en passant l'essentiel de son après-midi pendu au téléphone : après s'être fait passer un savon mémorable par son boss pour avoir voulu jouer en solo sur cette affaire, il contacta plusieurs chefs de service au siège du FBI à New York, à celui de la CIA à Langley et à celui de la National Security Agency à Fort Meade, afin de mettre sur pied une conférence téléphonique dès que tout le monde serait prêt.

Au coucher du soleil, toutes les dispositions envisageables semblaient avoir été prises. L'ensemble des autorités compétentes avait été alerté, des équipes d'enquêteurs étudiaient minutieusement les dossiers des services de l'immigration et les bandes vidéo enregistrées par les caméras de surveillance, des techniciens de laboratoire mettaient en branle tout leur appareillage hautement sophistiqué, des médiévistes de haut vol se penchaient sur d'antiques manuscrits. La partie d'échecs était lancée.

Tilden déposa Tess et Reilly au Sofitel, un hôtel discret de taille moyenne que l'ambassade utilisait souvent pour loger ses visiteurs. On les enregistra sous de fausses identités et ils se virent remettre les clefs de deux chambres communicantes, au dernier étage. Deux policiers en civil furent postés devant l'hôtel, à bord d'une Lancia banalisée, via Lombardia, une rue quille, à sens unique, ce qui facilitait sensiblement l surveillance.

Spacieuses, les chambres offraient une vue superbe sur les jardins de la Villa Borghese et les dômes de l'église San Carlo al Corso et même, plus à l'ouest, sur la basilique Saint-Pierre. Un panorama magnifique en toute circonstance, mais d'autant plus unique ce soir-là qu'un extraordinaire coucher de soleil illuminait les cieux. Tess consacra bien trois secondes à admirer la scène avant de s'écarter de la baie vitrée pour aller s'écrouler sur le lit king size. Un vrai bonheur pour ses muscles endoloris et son cerveau épuisé.

Elle s'étira et enfonça la tête dans les oreillers, d'un moelleux qu'elle n'avait plus connu depuis longtemps.

— Quels sont ces hôtels dont les pubs n'arrêtent pas de vanter les lits au confort exceptionnel ? lança-t-elle.

— Les hôtels Westin, répondit Reilly, qui venait d'apparaître dans l'encadrement de la porte séparant les deux chambres, s'essuyant le visage avec une serviette de toilette.

— Ah oui, c'est ça. Eh bien, ce que je peux te dire, c'est que celui-ci n'a rien à leur envier.

Elle éprouva une fois de plus le confort du matelas, étirant ses bras en croix, fermant les yeux de plaisir.

Reilly s'approcha du minibar, l'ouvrit.

— Tu veux boire quelque chose ?

— Et comment, répondit-elle sans lever la tête.

— Qu'est-ce qui te ferait plaisir ?

— Surprends-moi.

Les yeux toujours fermés, elle entendit le bruit plaisant d'une bouteille qu'on décapsulait, puis d'une autre. Après quoi le matelas s'affaissa légèrement sur

auche, sous le poids de Reilly qui venait de
.seoir au bord du lit.

La jeune femme redressa alors les oreillers et s'y
adossa, tandis que son compagnon lui tendait une bouteille de bière Peroni bien fraîche.

— Bienvenue à Rome, dit-il d'un ton à la fois narquois et las tandis qu'ils entrechoquaient leurs
bouteilles.

— Bienvenue à Rome, répéta-t-elle, son visage trahissant un trouble manifeste.

Elle en était encore à se demander comment tout cela
s'était produit. Même s'ils avaient passé en revue tous
les épisodes de l'affaire à la *gendarmeria*, le fait de se
retrouver ici continuait de lui sembler surréaliste. À
Rome. Dans une chambre d'hôtel. Avec Reilly à côté
d'elle.

Elle avala une longue gorgée de bière, le breuvage
glacé lui chatouillant agréablement la gorge avant de
répandre des ondes bienfaisantes dans tout son corps,
et contempla son voisin. Son visage présentait deux
contusions, la première sur sa joue gauche, l'autre, plus
prononcée et couverte d'une croûte, juste au-dessus de
son sourcil droit. Elle se rappela qu'il en avait nettement plus la première fois qu'ils s'étaient rencontrés.
Par la suite, lorsqu'ils étaient rentrés aux États-Unis,
lorsqu'ils avaient commencé à sortir ensemble et, peu
de temps après, lorsqu'il s'était installé chez elle, les
ecchymoses en question avaient disparu, pour être remplacées, elle ne l'ignorait pas, par des blessures d'une
autre nature. Elle se surprit à regretter de ne plus le voir
sous cette apparence de super-agent volant au secours
de la veuve et de l'orphelin avec ces bleus, cette intensité, cette détermination de tous les instants qui étaient

ses marques distinctives, et ressentit un léger mala. cette pensée.

— Et voilà comme on se retrouve, dit-elle enfin.

— Eh oui.

Le regard de Reilly exprimait une distance, une lassitude, comme si lui non plus n'avait pas encore assimilé le fait d'être là, avec elle.

— Je t'ai manqué ? ne put-elle s'empêcher de demander, les coins de sa bouche relevés en un petit sourire malicieux.

Il la fixa un long moment avant d'émettre un ricanement de dérision, puis de lamper une gorgée de bière.

— Alors ? insista-t-elle.

— Hé, dis donc, ce n'est pas moi qui me suis enfui de l'autre côté du monde, ou presque.

Au grand soulagement de la jeune femme, il avait dit cela sans une once d'amertume.

— Cela ne veut pas dire que je ne peux pas te manquer, l'asticota-t-elle.

Il éclata de rire et eut un hochement de tête incrédule.

— Toi alors, tu es impayable !

— Donc, ça veut dire que je t'ai manqué ?

Son sourire s'était maintenant franchement élargi. La résistance de Reilly allait céder avant longtemps.

Il soutint longuement son regard avant de lâcher :

— Bien sûr que tu m'as manqué.

Elle leva les sourcils, d'un air faussement surpris.

— Eh bien alors, si tu arrêtais de me regarder comme ça et...

Il ne lui laissa aucune chance de finir sa phrase. Roulant sur le lit, il prit sa tête dans ses mains et l'embrassa avec avidité. Les bouteilles de bière à moitié vides glissèrent du lit et tombèrent sur la moquette avec un bruit

163

tandis que leurs deux corps s'enlaçaient avec une
eur renouvelée, leurs mains plongeant avec hâte
us leurs vêtements, à la recherche d'une chair
amilière.

— Je suis dégueulasse, murmura Tess tandis qu'il
finissait de lui ôter sa chemise et embrassait le creux de
ses seins avant de descendre vers son ventre.

Cela ne l'arrêta pas.

— Je sais. C'est ce que j'aime en toi, répliqua-t-il
entre deux baisers.

Elle éclata d'un rire coquin, entre deux gémissements de plaisir.

— Mais non, je suis dégueulasse, vraiment. Sale, si
tu préfères.

— Je te l'ai dit, ça fait partie de ton charme.

Elle prit sa tête entre ses mains, ferma les yeux et
arqua le dos, sa tête disparaissant entre deux oreillers.

— Ça veut dire que j'ai besoin de me doucher,
crétin.

— Moi aussi, marmonna-t-il tout en continuant de
l'embrasser. Plus tard.

16

« Plus tard » prit deux bonnes heures. Reilly et Tess ne s'étaient pas revus depuis quatre mois. En fait, ils ne savaient pas jusqu'alors quand ils se reverraient, ni même si l'occasion s'en présenterait, car ils ne s'étaient pas exactement quittés dans les meilleurs termes. Et même si passer deux heures à se fondre l'un dans l'autre en oubliant le monde extérieur ne rattraperait pas cent vingt jours de désir réprimé ni ce qu'ils venaient de vivre et qui les avait tous deux conduits aux confins de la mort, c'était un excellent recommencement.

Après un long, très long passage dans la luxueuse cabine de douche au revêtement de marbre, ils se retrouvèrent au lit, cette fois dans d'épais peignoirs de bain, piochant allègrement dans le repas commandé au service en chambre, constitué de *risotto parmigiano* et de *scaloppine al limone*.

Reilly regardait Tess manger. Malgré la folie des dernières vingt-quatre heures, c'était si naturel de se trouver avec elle. Ou plus exactement de la retrouver. Sa présence lui rappelait avec un éclat singulier tout ce qui lui avait manqué en son absence. Ces yeux vert émeraude brillant d'intelligence mais aussi d'espièglerie. Ces lèvres exquisément ourlées et ces dents parfaites derrière un sourire lumineux. Ces boucles blondes, laissées en liberté, qui encadraient le tout et ajoutaient à ces vibrations farouches qui émanaient d'elle. Son rire. Son humour. Son énergie et son dynamisme. Cette aura qui fascinait tout le monde quand elle entrait quelque part. En la regardant à cet instant, en train d'engloutir son repas avec le plaisir sans réserve de quelqu'un dévorant la vie à pleines dents, il n'arrivait pas à croire qu'il l'avait bel et bien laissée sortir de son existence. C'est pourtant ce qu'il avait fait, même si les raisons de cette séparation semblaient désormais avoir été, sinon insignifiantes, en tout cas fort mal gérées. Une constatation bien entendu beaucoup plus facile à faire après coup...

Il aurait dû dire quelque chose à l'époque, se reprochait-il. Mettre un terme à cette lente érosion, aux frustrations, au sentiment d'inadaptation qu'il avait ressenti. Durement. À l'époque, il n'avait pas vu de solution magique. Ils avaient décidé très – trop ? – rapidement de refaire leur vie ensemble. Tess avait déjà une fille de douze ans à l'époque, Kim, qu'elle avait eue de son ex-mari, journaliste en vue d'une chaîne de télévision, qui aurait bien mérité d'être traîné devant les tribunaux pour harcèlement sexuel, et qui s'était installé sur la côte Ouest. Reilly, de son côté, ne s'était jamais marié et n'avait pas d'enfants. Ce qui était devenu un vrai problème dès lors que les caprices de la reproduction humaine étaient entrés en jeu. Car Reilly ne souhaitait pas seulement être le beau-père de Kim : il voulait devenir père lui-même ; chose qui, comme c'était souvent le cas avec les femmes du mauvais côté de la trentaine, ne s'était pas révélée aussi simple. Le don de la vie s'était montré réticent. Des batteries de tests avaient prouvé que lui n'était pas en cause. Peut-être la conséquence de longues années de contraception orale… Une atmosphère de mélancolie s'était installée entre eux alors que le désir d'enfant de Reilly avait fini par être partagé par Tess. Les différents traitements auxquels elle s'était soumise n'avaient fait qu'accroître le malaise, érodant le lien qui les unissait. Chaque tentative avortée leur donnait le sentiment d'avoir entamé une procédure de divorce. Au bout du compte, Tess avait ressenti le besoin de prendre ses distances. Le chagrin, l'impression de lui faire faux bond étaient trop profonds pour qu'elle ait le courage de s'y confronter. Et il ne s'était pas donné assez de mal pour l'empêcher de fuir même si, à l'époque, il s'était senti aussi épuisé, aussi désemparé qu'elle.

Oui, il aurait dû dire quelque chose, songeait-il sans la quitter des yeux. Plus jamais il ne la laisserait sortir de sa vie, se promit-il, avant de se rappeler aussitôt qu'il n'était pas le seul à en décider.

Tess devait avoir senti le poids de son regard, car elle lui jeta un coup d'œil en biais avant de lui demander entre deux bouchées, en désignant son assiette de la pointe de son couteau :

— Tu as l'intention de finir ça ?

Il lui passa son assiette avec un petit rire. Elle piqua alors sa fourchette dans un morceau d'escalope de veau et n'en fit qu'une bouchée.

— Qu'est-ce qui nous est arrivé ? demanda-t-il au bout d'un moment.

— Quoi ?

Il tenta de mettre de l'ordre dans ses pensées.

— Tout ça. Nous. Ici. Confrontés une fois encore aux Templiers et à une histoire de fous.

167

— Peut-être que c'est à cela que nous sommes voués dans la vie, fit Tess avec un sourire entre deux mastications.

— Je suis sérieux.

La jeune femme haussa les épaules et lui lança un regard lourd de sous-entendus.

— Il y a encore un tas de choses que nous ignorons sur leur compte. Pour quelle raison crois-tu que je suis allée trouver Jed sur le site qu'il fouillait ? C'est ce que j'ai essayé de t'expliquer… avant mon départ. Ils méritent d'être pris au sérieux. Durant des décennies, ils ont été ignorés par les historiens, seuls les doux rêveurs et les tenants des théories conspirationnistes leur prêtaient un certain intérêt. Mais nous, nous savons à quoi nous en tenir sur leur compte, pas vrai ? Tout ce que nous pensions n'être que mythe et non-sens… tout s'est avéré authentique.

— Peut-être, pondéra Reilly. Nous n'avons jamais eu l'occasion de vérifier si les documents trouvés sur le *Faucon-du-Temple* étaient authentiques ou de simples faux.

— En tout cas ils s'y trouvaient, non ?

Cela au moins, c'était une certitude, fut-il contraint d'admettre, ce qui confortait la vision qu'elle avait de l'Ordre.

— Autrement dit, maintenant que tes recherches et tes livres tournent tous autour d'eux, cela signifie que tu seras dans la ligne de mire chaque fois qu'un cinglé pensera avoir une piste susceptible de révéler l'un de leurs secrets, c'est bien ça ? demanda-t-il.

— Ce n'est pas à moi que s'intéressait ce type, lui rappela Tess. C'était à Jed. Il se trouve simplement que j'étais là.

— Cette fois, souligna-t-il.

— Si ça se reproduit, tu me promets d'être là pour me sauver ? fit-elle en se lovant tout contre lui et en le gratifiant d'un baiser passionné.

Reilly se laissa le temps d'absorber cette dérobade, puis s'écarta légèrement, pensif.

— Donc – corrige-moi si je me trompe –, si un assassin psychopathe décide de t'enlever, et uniquement dans ces conditions, la demande que tu m'as faite de te laisser « un peu d'espace » et de ne pas chercher à te retrouver afin de te laisser le temps de « faire le point » ne s'applique plus.

Il s'arrêta, les yeux au ciel, comme plongé dans une réflexion profonde, avant de hocher la tête et de lâcher d'une voix sardonique :

— OK, ça me va.

Tess se rembrunit à ces mots, comme si une réalité déplaisante revenait imposer sa présence.

— Est-ce qu'on ne peut pas… est-ce qu'on ne peut pas profiter simplement de l'instant présent et ne pas parler de nous un moment ?

— De nous ? Mais y a-t-il un « nous » ? interrogea-t-il d'un ton plaisant même si, sur le fond, sa question était tout sauf légère.

— On vient de passer deux heures à expérimenter pratiquement toutes les positions du Kama Sutra. Tu ne crois pas que ça peut avoir un effet sur notre situation ? On ne pourrait pas… Pas maintenant en tout cas, s'il te plaît.

— D'accord.

Il lui adressa un petit sourire pour désamorcer la tension et décida d'abandonner le sujet. Provisoirement. Ce qu'ils venaient de vivre n'offrait pas les bases idéales pour discuter sérieusement des sentiments qu'ils éprouvaient l'un pour l'autre. Ce n'était pas juste pour Tess, pas après l'épreuve qu'elle venait de traverser.

— Dis-moi quelque chose : ces coffres, les écrits auxquels fait référence la confession du moine... le cardinal ne m'a pas donné l'impression d'avoir vraiment envie de me répondre franchement sur leur contenu. Vous en avez certainement discuté, toi et Simmons ?

— En effet, mais nous n'avons évoqué que des hypothèses.

— Mais encore ?

La jeune femme fronça les sourcils.

— « L'œuvre du démon, rédigée de sa main à l'aide d'un poison tiré des tréfonds de l'enfer », et cetera. Tout ça a une résonance bien sinistre, non ? Et ce n'est pas quelque chose qu'on associe d'habitude aux Templiers.

— Vous avez eu une autre idée ?

Tess haussa les épaules.

— Une autre approche en tout cas. Mais avant toute chose, il faut se remettre dans le contexte, imaginer l'arrière-plan. Les événements narrés dans le journal, Conrad et les moines... tout cela est intervenu en 1310. Soit trois ans *après* l'arrestation des templiers. Comment cela s'est produit, pourquoi cela s'est produit, le moment où cela s'est produit, autant d'éléments qui pourraient expliquer le reste.

— Continue.

La jeune femme se redressa et son visage s'éclaira, comme c'était toujours le cas lorsque quelque chose suscitait son exaltation.

— Bien. Revenons-en donc au contexte. Fin du XIIIe siècle, début du XIVe, l'Europe occidentale traverse une période difficile. Après plusieurs siècles de températures assez élevées, le temps devient bizarre, imprévisible – en tout cas beaucoup plus froid et humide. Les récoltes sont maigres. Les épidémies se répandent. C'est le début de ce que l'on a appelé « la petite ère glaciaire » qui, étrangement, n'a pris fin qu'il y a cent cinquante ans environ. À partir de 1314, il pleut sans discontinuer pendant trois ans, ce qui donne lieu à la Grande Famine. Les gens du commun connaissent des temps cauchemardesques. De surcroît, ils viennent de perdre leur Terre sainte. Alors que le pape leur avait annoncé que les croisades étaient voulues et bénies par Dieu, voilà qu'elles se soldent par un échec. Les croisés ont perdu Jérusalem et été éjectés d'Acre, dernier bastion de la chrétienté, en 1291. Or il faut toujours garder à l'esprit que l'Église avait consacré des décennies à présenter l'arrivée du nouveau millénaire comme un événement considérable : la survenue de la parousie, autrement dit le second avènement du Christ glorieux. Les gens étaient prévenus : ils devaient embrasser la foi chrétienne et se soumettre à l'autorité de l'Église avant cette date, faute de quoi ils seraient privés de leur récompense : le salut éternel. L'Occident connut donc une résurgence de grande ferveur religieuse à l'époque, mais comme rien ne se produisit, que le nouveau millénaire arriva et commença sans qu'ait lieu le Grand Événement, l'Église fut contrainte de trouver autre chose pour distraire le bon peuple, une excuse en quelque sorte. Ses dirigeants optèrent donc pour la libération de la Terre sainte de l'emprise des musulmans, qui venaient de s'en emparer. Le pape conçut les croisades comme l'événement que Dieu attendait, le couronnement de son action, le début d'une nouvelle ère triomphale pour la chrétienté. L'Église alla même jusqu'à modifier radicalement sa philosophie : alors qu'elle avait prêché jusque-là la paix, l'harmonie, l'amour du prochain, elle tourna casaque, le pape faisant dès lors la promotion de la guerre en annonçant à ses ouailles : « Dieu vous absoudra de tous vos crimes si vous partez en Terre sainte pour y massacrer les païens. » La récupération des Lieux saints représentait donc un enjeu considérable, et l'échec de l'Église fut pour elle un sacré coup dur. Les gens du peuple commencèrent à prendre peur, se demandant si Dieu leur en voulait. Ou si une puissance maligne était à l'œuvre, minant les efforts divins. Si tel était le cas, qui étaient ses agents, et de quels pouvoirs disposaient-ils ?

« Durant tout ce processus, d'autres événements couvaient simultanément en Europe occidentale, poursuivit Tess. Certains groupes, je parle là des personnes qui détenaient le pouvoir, membres du clergé et de la royauté, les rares sachant lire et écrire, avaient depuis peu commencé à prendre de nouveau au sérieux les dangers de la magie et de la sorcellerie. Ce qui n'était plus le cas depuis des siècles ! Ces préoccupations avaient disparu avec le paganisme. La magie, la sorcellerie étaient tournées en ridicule, présentées comme des superstitions de vieilles femmes au cerveau dérangé. Mais lorsque les Espagnols reprirent aux Maures une partie du sud de l'Espagne, vers la fin du XIe siècle, ils découvrirent tout un univers, nouveau pour eux, dans les écrits qu'abritaient des lieux comme la bibliothèque de Tolède. Il s'agissait d'anciens textes scientifiques classiques apportés par les Arabes, qui les avaient traduits dans leur langue, puis en latin, à partir du grec ancien. L'Occident redécouvrit donc ces textes perdus, œuvres de grands savants et penseurs qu'ils avaient complètement oubliés, Platon, Aristote, Ptolémée, ainsi que de nombreux autres dont ils n'avaient jamais entendu parler : des œuvres comme le *Picatrix*, les *Cyranides*, le *Secreta Secretorum*, qui étudiaient la philosophie, l'astronomie, mais aussi les idées magico-religieuses, les potions, les sorts, la nécromancie, l'astromagie, toutes notions dont ces gens ignoraient tout jusqu'alors. Ce qu'ils y lurent les épouvanta au plus haut point. Car ces textes, même si nous les considérons aujourd'hui comme primitifs ou erronés, parlaient de science, du fonctionnement de l'univers, du mouvement des étoiles, des méthodes permettant de soigner le corps humain. Autrement dit, de la façon dont l'homme pouvait dominer les éléments. Ce qui, pour eux, était terrifiant. C'était la science à ses prémices, et ces prémices furent considérées comme de la magie. Et dans la mesure où cela mettait en péril le concept de "volonté divine", les prêtres les présentèrent comme "magie noire", tous les résultats obtenus grâce à elles étant stigmatisés comme œuvres du démon ou de ses suppôts…

Se souvenant d'un épisode découvert lors de ses premiers contacts avec les moines-soldats, Reilly intervint :

— Les templiers n'ont-ils pas été accusés d'adorer la tête d'un démon ?

— Si, bien sûr. Le Baphomet. Il existe à ce sujet plusieurs théories divergentes et, aujourd'hui encore, nous ne savons pas très bien de quoi il s'agissait exactement. Mais c'est là où je voulais en venir : pour comprendre pourquoi on s'est attaqué aux templiers en portant sur eux toutes sortes d'accusations pour la plupart ridicules, il faut bien saisir l'état d'esprit qui régnait à l'époque.

— On se trouve donc en présence d'une population qui pense que Dieu lui en veut, que les agents du diable ont entrepris de l'exterminer, ainsi que de prêtres et de rois qui estiment que la magie noire pourrait bel et bien exister.

— Exactement. Et sur cet arrière-plan déjà lourd, on a ces moines-soldats richissimes et hautains qui viennent de rentrer en Europe après avoir perdu la Terre sainte, et ne semblent pas plus affectés que cela par leur défaite. Ils sont toujours à la tête de biens meubles et immeubles considérables, dont ils vivent plus que largement, tandis que la population crève de faim. Les gens se mettent alors à se poser des questions, se demandant comment font ces types pour s'en sortir aussi bien. Puis ils en viennent à se dire qu'ils ont peut-être des pouvoirs maléfiques, à se demander s'ils ne commercent pas avec le diable, si ce ne sont pas des sorciers débauchés, des adorateurs du démon. C'est cette crainte de la magie noire qui a été à l'origine des procès des templiers. Il va de soi que leur accusateur principal, le roi de France Philippe le Bel, avait des tas de raisons de vouloir leur perte. La cupidité et la jalousie ont joué un rôle énorme. Philippe leur devait beaucoup d'argent, or il était fauché comme les blés et, par ailleurs, outré de leur arrogance et de leur absolu manque de respect à son égard. Mais au-delà de ces contingences, il se considérait sincèrement comme le plus chrétien des monarques de son temps, le meilleur défenseur de la foi, et ce plus encore après la mort de son épouse, en 1307. C'est cette année-là qu'il donna l'ordre d'arrêter les templiers, à une époque où il avait trouvé refuge dans une religiosité empreinte d'égocentrisme dont il ne devait plus jamais sortir. Il se voyait comme un homme choisi par Dieu pour exécuter Sa volonté sur toute l'étendue de la terre et protéger Son peuple de l'hérésie. Il avait l'intention de lancer une nouvelle croisade. Et, tout comme ses conseillers, il n'arrivait pas à comprendre comment ces templiers pouvaient faire preuve d'un tel dédain, d'une telle arrogance envers l'élu de Dieu, si ce n'était avec le soutien de quelque puissance démoniaque.

Reilly eut un rire sarcastique.

— C'est vraiment ce qu'ils croyaient ?

— Absolument. Si les chevaliers de l'Ordre avaient conclu un pacte avec le démon, s'ils disposaient d'un savoir susceptible de transformer le monde, et d'arracher le pouvoir des mains de ceux qui le détenaient, alors il fallait les abattre. Ce qui est moins saugrenu qu'il n'y paraît. Le savoir confère le pouvoir, de multiples manières, et les armes fournies par les puissances occultes se retrouvent fréquemment dans l'Histoire, qui n'est pas avare de mégalomanes en quête d'atouts dans ce registre, de ces pouvoirs divins, de ces connaissances ésotériques qui vont leur permettre de conquérir le monde. Hitler était obsédé par l'occultisme. Les nazis étaient subjugués par la magie noire, les runes, et pas seulement dans *Les Aventuriers de l'Arche perdue*. Mussolini avait son occultiste personnel, un type assez frappé dénommé Julius Evola. Tu serais surpris par les superstitions et les croyances délirantes que bon nombre de dirigeants de ce monde prennent au sérieux, aujourd'hui encore.

Reilly commençait à avoir la tête lourde.

— Et donc ces coffres…

— « L'œuvre du démon, rédigée de sa main à l'aide d'un poison tiré des tréfonds de l'enfer, et dont l'existence maudite pourrait ébranler le socle même sur lequel a été érigé notre monde », lui rappela Tess. Qu'est-ce qui, dans ces livres, a effrayé les moines à ce point ? Pourrait-il y avoir quelque fondement à ces accusations contre les moines-soldats ? Étaient-ils réellement des occultistes pratiquant la magie noire ?

Reilly fit la moue.

— Allons donc ! Tout ceci reposait essentiellement sur des métaphores, remarqua-t-il avant de s'interrompre en repensant soudain à sa précédente rencontre avec Brugnone, trois ans plus tôt. Il existe bien d'autres œuvres qui auraient été susceptibles de bouleverser l'univers d'un moine, non ?

— Si, bien sûr, admit Tess. Mais il faut garder l'esprit ouvert. Tiens, un exemple, signalé par Jed : les templiers étaient nombreux en Espagne et au Portugal, comme tu le sais. Eh bien, au XIIIᵉ siècle, à un moment donné, ils ont eu des ennuis et ont dû gager la plupart des biens qu'ils détenaient en Castille. De toutes les propriétés immobilières qu'ils avaient là, ils n'en ont gardé qu'une, une petite église insignifiante perdue au milieu de nulle part. Cela n'avait aucun sens. Elle n'était pas située dans un lieu stratégique. Les terres alentour ne produisaient pas de revenus suffisants pour permettre aux moines qui les cultivaient d'envoyer des fonds à leurs frères en Terre sainte. Pourtant, ce fut la seule *encomienda*, la seule enclave qu'ils décidèrent de conserver. Ce qui n'apparut pas tout de suite avec évidence, c'est que cette petite église avait un atout non négligeable : son emplacement. Les templiers l'avaient érigée en plein centre de l'Espagne, en un lieu équidistant de ses caps les plus éloignés. Et quand je dis « équidistant », c'était au mètre près.

— Allons donc ! s'étonna Reilly. Que veux-tu dire par « au mètre près » ? Comment ont-ils pu calculer cela il y a, quoi, sept cents ans ? Même de nos jours, avec un système GPS et…

176

— Elle a été bâtie en plein centre de l'Espagne, Sean, insista Tess. Tu peux tracer des lignes nord-sud et est-ouest, tu la trouveras très précisément à leur intersection. Jed a vérifié ses coordonnées GPS : elle se trouve là et pas ailleurs. Cet emplacement a une signification majeure dans le domaine de l'occultisme : contrôler l'épicentre d'un territoire était censé permettre de le dominer magiquement dans sa totalité. D'autres particularités géographiques liées à ce lieu ont un rapport avec les chemins empruntés par les pèlerins se rendant à Saint-Jacques-de-Compostelle, ainsi qu'avec d'autres biens appartenant aux templiers. Tout cela n'est-il qu'une suite de coïncidences ? Peut-être. À moins que les chevaliers de l'Ordre n'aient réellement cru à tout ce fatras. S'il s'agit bien de fatras.

Reilly soupira bruyamment. Quel que soit l'enjeu, il s'agissait de quelque chose pour quoi l'homme qu'il recherchait était prêt à tuer. Et c'était peut-être tout ce qu'il avait réellement besoin de savoir.

— En définitive, ça pourrait être n'importe quoi, conclut-il.

— On peut dire ça comme ça, approuva Tess en avalant le dernier morceau d'escalope.

Reilly la dévisagea avec curiosité, puis hocha lentement la tête et émit un petit rire.

— Qu'est-ce qu'il y a ? demanda-t-elle.

— Je te connais. Tu es en train de te dire que cela va te fournir un super matériau pour ton prochain roman. Je me trompe ?

Elle posa son assiette avant de s'allonger paresseusement, sa tête s'enfonçant dans les oreillers.

— On ne pourrait pas parler d'autre chose ? interrogea-t-elle en se tournant sur le côté pour lui faire face. Ou mieux encore, poursuivit-elle avec un sourire rêveur. Si on s'arrêtait de parler un moment ?

Il sourit à son tour, ôta les assiettes du lit et les déposa d'un seul geste sur la table roulante de service avant de s'anéantir en elle.

La sonnerie du téléphone le rappela à la réalité avec la douceur d'un électrochoc, le tirant d'un sommeil sans rêve qui l'avait fui durant de longues heures.

Il n'avait pas cessé de virer et de tourner dans le lit. La journée qui venait de s'écouler avait été dévastatrice sur le plan émotionnel, avec des hauts et des bas se succédant à une cadence terrifiante. Mais la nuit avait été plus dure encore. Les images des ravages et du carnage qu'avait subis le Vatican avaient étouffé toute la joie qu'il pouvait tirer de ses retrouvailles avec Tess. Il avait passé et repassé en revue les événements récents, essayant de justifier après coup ses actions, sans pouvoir échapper à l'idée obsédante qu'il était responsable de tout, jusqu'à se demander comment il allait pouvoir vivre avec le fardeau que constituait ce sentiment de culpabilité qu'il sentait grandir en lui.

Il se redressa sur ses coudes, un peu hébété. De fins rais de lumière éclairaient la pièce à travers les lames des stores vénitiens. Il lui fallut quelques secondes pour se rappeler l'endroit où il se trouvait. Il jeta un coup d'œil au radio-réveil sur la table de chevet : il était un peu plus de sept heures.

Tess s'agita près de lui tandis qu'il soulevait le combiné.

Il écouta son interlocuteur, puis dit :

— Passez-le-moi.

Pendant qu'il répondait par monosyllabes, Tess se redressa, encore tout endormie, les cheveux en bataille, et l'interrogea du regard.

— C'est Bescondi, articula-t-il en masquant le combiné de la main. Ils ont trouvé quelque chose. Dans le Registre.

— Déjà ?

Puis les yeux de Tess s'éclairèrent.

— Conrad ?

— Conrad.

17

Aérodrome Parchi di Preturo, L'Aquila, Italie

En descendant, au volant de sa voiture de location, la dernière côte de la série de montagnes russes qui l'avait mené jusqu'à la barrière signalant la fin de la route de campagne, Mansour Zahed se félicita une fois de plus d'avoir fait le bon choix, concernant le pilote. L'aérodrome semblait tout aussi somnolent que lorsqu'ils y avaient atterri, deux jours plus tôt. Le pilote qu'il avait engagé, un Sud-Africain dénommé Bennie Steyl, connaissait son affaire.

Nichée dans un paisible vallon des Abruzzes, la petite installation ne se trouvait qu'à une heure et demie de voiture de Rome. En s'en approchant, Zahed put constater que, comme précédemment, l'activité visible était réduite au strict minimum. L'aviation de loisir était nettement plus onéreuse en Italie que dans le reste de l'Europe du fait du coût très élevé du carburant, fortement taxé, et de lourdes charges pour pratiquement tout, depuis l'utilisation de l'espace aérien jusqu'aux services de déneigement et de dégivrage – des frais non négociables, même en Sicile au plus fort de l'été –, et le petit aérodrome s'était peu à peu dégradé jusqu'à ce qu'un tremblement de terre d'une magnitude de 6,3 sur l'échelle de Richter frappe la région, au printemps de 2009. Les routes étroites et sinueuses sillonnant la zone avaient été rapidement congestionnées par les gens du coin s'enfuyant par crainte des répliques, mais les installations, aussi délabrées et isolées fussent-elles, se trouvaient à un jet de pierre des villes et villages dévastés, ce qui avait rendu possible un envoi massif de sauveteurs et d'aide humanitaire, et, par la même occasion, donné au Premier ministre italien l'idée de changer le lieu prévu pour accueillir en juillet le sommet du G8, qui, de Sardaigne, avait été transféré dans la petite ville médiévale de L'Aquila, en solidarité avec les victimes du séisme. Le terrain d'aviation s'était en conséquence fait refaire une beauté afin de recevoir les dirigeants des pays développés, avant d'en revenir à son état naturel, paisible et somnolent.

Ce qui convenait parfaitement à Zahed.

Il arrêta la voiture devant la guérite du gardien, apercevant déjà, au loin, l'avion de Steyl sur le tarmac, son fuselage blanc miroitant sous le soleil matinal. Le bimoteur, un Cessna Conquest, était parqué un peu à l'écart de la douzaine de monomoteurs plus modestes de l'Aéroclub de L'Aquila, alignés le long de la courte piste asphaltée.

Le cerbère baissa son journal, la *Gazzetta Dello Sport*, seul quotidien du monde aux pages de couleur rose, et lui adressa un signe de la main léthargique. Zahed attendit que l'homme, négligé, bedonnant, se décide à se lever de sa chaise au cannage fatigué pour s'approcher du véhicule. Zahed lui expliqua qu'il avait besoin d'aller déposer à l'avion des bagages et diverses fournitures. Le gardien hocha lentement la tête, se dirigea sans se presser vers la barrière et posa son gros bras sur le contrepoids. La barrière se releva juste assez pour permettre à Zahed de faire passer la voiture, ce qu'il fit, non sans adresser un aimable signe de remerciement au si perspicace gardien.

L'homme ne lui posa pas la moindre question sur l'individu aux lunettes noires assoupi sur le siège passager. Zahed n'en attendait pas moins de lui. Dans un petit aérodrome paisible, éloigné de tout comme celui de L'Aquila – félicitations à Steyl, une fois de plus –, la sécurité ne pesait pas lourd face aux résultats des dernières rencontres du *Calcio*.

Zahed roula jusqu'à l'avion et se gara juste à côté. Steyl l'avait habilement positionné de sorte que la porte de la cabine soit dissimulée à la vue des autres appareils, du hangar du club d'aviation et, plus loin, du bâtiment jaune et bleu qui abritait les bureaux de l'aérodrome et sa modeste tour de contrôle. Précaution sans doute superflue dans la mesure où il n'y avait pas âme qui vive alentour.

Bennie Steyl, un grand rouquin musculeux, à la barbe fournie, aux cheveux coiffés en arrière et aux yeux verts enfoncés dans leurs orbites, émergea de la cabine et aida Zahed à soutenir Simmons, aux trois quarts inconscient sous l'effet des sédatifs. Les deux hommes firent gravir à l'archéologue les marches de la passerelle et l'installèrent dans l'un des vastes sièges en cuir. Zahed vérifia son état. Sous les lunettes aux verres fumés, les yeux de Simmons fixaient l'espace devant lui d'un regard vide ; sa bouche était entrouverte et une goutte de salive perlait à l'extrémité de sa lèvre inférieure. L'Américain aurait sans doute besoin qu'on lui administre une nouvelle dose avant qu'ils atterrissent en Turquie.

— Fichons le camp d'ici, lança Zahed au pilote.

— Tout est paré, fit le Sud-Africain d'un ton bourru, sans que Zahed, qui savait que c'était son mode d'expression habituel, s'en offusque. Laissez la voiture en dehors du taxiway, de façon à ce qu'elle n'attire pas l'attention. Je démarre les moteurs.

Zahed suivit le conseil et abandonna le véhicule de location le long du hangar. Les turbopropulseurs du Cessna commençaient à vrombir tandis qu'il se dirigeait vers l'appareil ; il était sur le point de l'atteindre quand il vit un homme vêtu d'un tee-shirt blanc, d'un pantalon noir taille XXL retenu par des bretelles, et chaussé de grosses bottes de travail en cuir sortir du bâtiment de la tour. Le pantalon semblait être muni d'une bande réfléchissante le long de chaque jambe. L'homme tenait des papiers à la main et donnait l'impression d'être pressé. Plus encore : son comportement trahissait une certaine nervosité. Il grimpa sur une bicyclette hors d'âge et se mit à pédaler dans leur direction.

Zahed atteignit l'avion avant lui et grimpa la passerelle. Il trouva Steyl dans le cockpit, abaissant et relevant des manettes tout en vérifiant sa check-list, et désigna l'homme du doigt, derrière la vitre côté pilote.

— Qui est ce type ?

— Un pompier. Il faut toujours qu'il y en ait un sur place, histoire de justifier les charges qu'on nous impose pour leur présence. Et comme les risques qu'ils aient à faire face à un incendie sont pratiquement nuls, on utilise également leurs services pour ramasser les canettes vides et donner un coup de main au gars de la tour de contrôle pour la paperasse. Je le connais, celui-là : c'est un enquiquineur, mais il ne pose pas trop de problèmes à condition qu'on allonge la thune.

Zahed se raidit.

— Qu'est-ce qu'il veut ?

Steyl étudia l'homme plus attentivement.

— J'en sais fichtre rien. Je lui ai déjà réglé les frais de stationnement et je lui ai donné notre plan de vol.

Sous leurs yeux attentifs, le pompier s'arrêta devant l'avion, puis leva la main droite et la passa horizontalement sur sa gorge, de gauche à droite, comme s'il tranchait quelque chose – geste en vigueur chez tous les aviateurs indiquant au pilote de couper ses moteurs. De la tête, Steyl fit signe qu'il avait compris et s'exécuta.

— Débarrassez-vous de lui, ordonna Zahed.

Le pilote quitta le cockpit et Zahed le suivit jusqu'à la porte de la cabine.

Le pompier, entre deux âges, à moitié chauve et secoué de tics, gravit la passerelle rétractable, s'arrêta sur la dernière marche et jeta un coup d'œil dans la cabine. Il sentait la cigarette à plein nez, et son tee-shirt présentait de larges auréoles de transpiration aux aisselles. Il paraissait dans tous ses états, mais également un peu hébété, comme si quelqu'un venait de le réveiller en lui hurlant dans les oreilles. Il brandit ses documents vers Steyl.

— *Mi scusi, signore*, fit-il en respirant bruyamment, des gouttes de sueur perlant à son front. Je m'excuse pour le dérangement mais... poursuivit-il, cherchant non sans difficulté les mots justes, vous savez sans doute qu'il y a eu hier à Rome un gros attentat terroriste. Alors on nous a demandé de vérifier les passeports de tous les gens qui arrivaient dans cet aérodrome ou qui en repartaient, et de remplir ces papiers.

Steyl le fixa un moment, puis, après un regard oblique à Zahed, le gratifia d'un large sourire.

— Aucun problème, l'ami. Pas de souci. Ce monsieur souhaiterait voir votre passeport, dit-il en se tournant vers Zahed. Vous pouvez le lui montrer ?

— Mais bien sûr, répondit poliment Zahed.

Le pilote pointa le doigt en direction du cockpit et, parlant au pompier en détachant lentement ses mots :

— Je vais chercher le mien dans mon sac, OK ?

L'homme opina du chef et épongea son front à l'aide d'un mouchoir.

— *Grazie mille.*

De son côté, Zahed rejoignit le fond de la cabine, retrouva sa serviette et farfouilla parmi les passeports – tous aussi faux. Celui qu'il sélectionna pour lui, parmi une poignée d'autres de différentes nationalités, était saoudien. Celui qu'il avait fait confectionner hâtivement pour Simmons le présentait comme étant citoyen du Monténégro, tout comme ceux qu'il avait fait faire pour Tess Chaykin et Behrouz Sharafi, cela grâce à un gros paquet de passeports en blanc acquis par l'entremise d'un employé corrompu du ministère de l'Intérieur monténégrin. Zahed n'avait pas eu à se servir de ces documents à leur arrivée. Quarante-huit heures plus tôt, peu après avoir atterri, Steyl avait bouclé la porte du Cessna et l'avait quitté comme s'il en était l'unique occupant avant de rejoindre tranquillement la tour de contrôle afin de régler les formalités administratives. Le soir même, au volant de la voiture de location, il était venu retrouver Zahed à l'avion et l'avait aidé à faire sortir les deux autres, à la faveur de l'obscurité.

Les choses se compliquaient quelque peu, comme Zahed s'y était plus ou moins attendu. En observant le pompier, il vit que son regard était rivé sur Simmons, qui, affalé sur son siège, regardait droit devant lui, immobile, les yeux cachés derrière ses lunettes de soleil. Zahed eut une bouffée d'inquiétude. Le siège arrière faisant office d'écran, il plongea la main dans sa serviette et en sortit un pistolet Glock 28 ultraléger muni de son chargeur à capacité augmentée, de dix-neuf balles, son préféré. Il le glissa dans son dos, sous sa ceinture.

Sur quoi il rejoignit le pilote à la porte de la cabine, les deux passeports à la main.

— Votre ami… Il va bien ? demanda le pompier.

— Lui ? Oh, il est en pleine forme, répondit Zahed en tendant les documents à l'Italien et en ajoutant, avec un clin d'œil complice : Il a un peu abusé de votre *Montepulciano* hier soir, voilà tout.

— Ah bon, se détendit l'homme en feuilletant les passeports.

Zahed suivait ses moindres gestes, muscles tendus, les sens en éveil.

Sourcils froncés, le pompier s'efforçait tant bien que mal de garder ouvert le passeport de Zahed tout en remplissant l'un des formulaires posés sur ses genoux. Ayant terminé, il fit passer le papier sous la pile et s'occupa du passeport de Simmons. Il l'ouvrit, puis le mit un instant de côté pour feuilleter la liasse qu'il tenait à la main, de toute évidence à la recherche de quelque chose. Levant les yeux vers Zahed et Steyl, il leur adressa un sourire penaud avant d'en revenir à sa liasse, jusqu'à ce qu'un papier retienne son attention. Après l'avoir passé sans réellement le voir, il s'arrêta, fit un retour en arrière, l'extirpa de la pile et l'examina avec curiosité. Après quoi il fit ce qu'il n'aurait jamais dû faire : il jeta un coup d'œil à Simmons. Un coup d'œil qui n'avait rien d'anodin ni d'accidentel. Un regard furtif, lourd de sens, qui amena Zahed à glisser

186

sa main dans son dos, à en retirer le pistolet d'un geste calme et fluide et à le pointer sur le visage de l'Italien.

Il leva son autre main, index pointé, se tapota doucement les lèvres, faisant comprendre au pompier qu'il devait se tenir tranquille. Puis il tendit cette même main vers l'homme et lui fit signe de lui remettre documents et passeports. Nerveux, l'Italien tourna rapidement les yeux de gauche à droite, montrant d'une façon un peu trop évidente qu'il réfléchissait au moyen de se sortir de ce guêpier. D'un mouvement du doigt, calmement, Zahed lui fit signe de ne rien tenter. Il acquiesça d'un hochement de tête et lui passa les documents.

Ses yeux quittant un court instant le pompier, Zahed lança à Steyl :

— Faites donc monter notre ami dans votre avion, je vous prie.

— Bien sûr, fit le pilote après une courte hésitation.

Il se pencha en avant et agrippa l'avant-bras de l'Italien. Ce dernier hocha la tête nerveusement et pénétra dans la cabine. Là, il resta debout, sans bouger, les bras ballants, transpirant comme jamais, le visage déformé par la peur, son corps d'obèse bouchant presque la porte de la cabine demeurée ouverte, la tête baissée sous le fuselage bas de plafond.

Feuilletant rapidement la liasse de documents, Zahed trouva sans mal le papier qui avait retenu l'attention du pompier. C'était l'alerte diffusée à tous les points de sortie du territoire italien. Une photo de Simmons l'illustrait. Zahed nota avec intérêt que la sienne n'y figurait pas. Il en tira la conclusion qu'aucun des enregistrements vidéo réalisés par les caméras de surveillance du Vatican n'était assez net. Une excellente nouvelle. Il devait faire en sorte que tout continue comme ça.

Levant les yeux vers l'Italien, il l'invita d'un geste à prendre place sur le siège opposé à celui qu'occupait Simmons, de l'autre côté de l'avion.

— *Prego*. Je vous en prie.

L'homme opina du bonnet. Au moment où il lui tournait le dos pour aller s'asseoir, Zahed leva son pistolet et frappa violemment le pompier à la tête. L'Italien tomba lourdement sur le siège, tête la première. Du sang suinta de ses cheveux à l'arrière de son crâne et commença à couler sur le siège en cuir. Il ne bougea plus.

— Nom d'un chien, grimaça Steyl. Ça va nous flanquer dans une sacrée merde.

— Mais non, ne vous en faites pas. Débrouillez-vous pour nous tirer de là au plus vite, voilà tout, répliqua Zahed avec flegme.

— On ne pourra pas atterrir là-bas avec ce type à bord, vous le savez, dit le pilote.

L'Iranien réfléchit au problème une bonne seconde avant de hausser les épaules.

— Alors ce ne sera pas le cas, répliqua-t-il en regardant Steyl d'un air entendu.

Le pilote fit signe qu'il avait compris. Il referma la porte de la cabine, retourna dans le cockpit, prit place sur son siège et redémarra les moteurs. Il amena l'avion en bout de piste et, quelques secondes plus tard, l'appareil prenait de l'altitude dans un ciel sans nuages. Zahed était assis dans le sens inverse de la marche, Simmons en face de lui. Il regarda par le hublot et attendit.

Peu après le décollage, Steyl ôta l'écouteur de son oreille droite et, se tournant vers Zahed depuis le cockpit, lui lança par l'ouverture menant à la cabine :

— Nous avons l'autorisation de monter à cinq mille pieds !

Le panorama était spectaculaire, et plus encore quand le pilote vira sur l'aile, vers deux mille cinq cents pieds. Les hauts plateaux autour de L'Aquila cédèrent rapidement la place à des montagnes couvertes de forêts. Le petit appareil passa bientôt au-dessus du nid d'aigle de la ville fortifiée de Castel del Monte et, quelques minutes plus tard, longea une série de pics déchiquetés, laissant sur sa gauche le sommet enneigé du Gran Sasso, point culminant de la péninsule italienne.

Steyl se tourna de nouveau vers la cabine :

— Palier à cinq mille pieds. D'ici un peu plus d'une minute, je devrai prendre de l'altitude.

Zahed sentit que l'avion ralentissait et comprit que Steyl avait réduit les gaz pour ne pas dépasser une vitesse de cent nœuds. Quand l'appareil se fut stabilisé, il s'extirpa de son siège, ôta à Simmons ses lunettes de soleil, qu'il fourra dans sa poche, avant de vérifier son état. L'archéologue était éveillé mais toujours sous l'effet des sédatifs : ses yeux éteints fixèrent Zahed d'un regard totalement dépourvu d'expression. Ce dernier tira sur sa ceinture de sécurité pour s'assurer qu'elle était toujours bouclée, tapota la joue de Simmons d'un geste condescendant puis, courbant le dos, se dirigea vers la porte de la cabine.

Celle-ci était en deux parties qui s'ouvraient comme un coquillage : le panneau du dessus, occupant le tiers de l'ouverture, basculait vers le haut, celui du dessous, plus important puisqu'il contenait le dispositif de passerelle, s'ouvrait vers le bas. Zahed saisit des deux mains la poignée et la tourna lentement, avant de retenir son souffle l'espace d'une seconde et d'entrouvrir la partie supérieure de la porte, de quelques centimètres à peine. Elle s'ouvrit instantanément en grand, le panneau étant violemment repoussé par l'air qui glissait le long du fuselage. Il relâcha ensuite la poignée du panneau inférieur, qui s'ouvrit tout aussi brutalement.

Un flux d'air glacial s'engouffra à l'intérieur de l'appareil avec un rugissement assourdissant. Zahed vérifia ses appuis. Il devait agir sans tarder. Les agents du contrôle aérien allaient incessamment donner à Steyl le feu vert pour passer à un palier supérieur et ils commenceraient à lui poser des questions s'il ne reprenait pas de l'altitude aussitôt après. Il s'approcha du pompier, se pencha sur lui, glissa ses mains sous ses aisselles et le redressa. Ahanant sous le poids de l'obèse, il parvint à grand-peine à lui faire quitter son siège... et le sentit bouger : l'homme était groggy, mais conscient. Il agita un peu les bras, faiblement. Zahed passa alors à l'action avec une ardeur accrue. La situation se faisait urgente. Poussant et tirant tour à tour, il fit franchir au pompier le mètre et demi qui le séparait de la porte de la cabine, prêt à s'opposer à tout mouvement brusque. Qui ne se produisit pas. Une fois à proximité de la porte, il déposa le corps sur le plancher de la cabine et commença à le pousser.

C'est la tête de l'Italien qui, la première, sortit à l'air libre. Heurtée avec violence par le flux d'air, elle se tordit brutalement de côté, ramenant son propriétaire à la conscience et lui faisant recouvrer d'un coup toutes ses sensations – ce qu'il aurait sans doute préféré éviter. Ses yeux s'ouvrirent soudainement et, après un bref instant de confusion, il comprit ce qui était en train de lui arriver. Il regarda l'arrière de l'avion puis, luttant contre la force du vent, parvint à fixer son regard sur

l'intérieur de la cabine : de ses deux bras, Zahed enserrait ses jambes et continuait de le pousser vers
l'extérieur.

Leurs yeux se croisèrent l'espace d'une seconde, le
temps suffisant pour que Zahed lise la terreur la plus
absolue dans l'expression de l'homme avant de lui
administrer la poussée finale. Le corps du pompier
tomba en tournoyant sur lui-même avant de disparaître
aussitôt hors de vue sur un hurlement très bref. Zahed
tint bon tandis que le nez du Cessna piquait brutalement vers le bas, son centre de gravité s'étant
brusquement déplacé sur l'avant au moment précis où
le pompier disparaissait, exactement comme Steyl
l'avait imaginé. Ce dernier reprit le contrôle de l'appareil et le stabilisa.

Zahed regarda en direction du cockpit : le pilote était
tourné vers lui. Zahed lui adressa un petit signe de tête,
que Steyl lui rendit avant de reporter son attention sur
ses instruments de bord.

Zahed sentit alors le Cessna effectuer une légère
rotation vers la gauche, comme s'il était disposé sur
une table mobile que l'on aurait fait tourner dans le
sens contraire des aiguilles d'une montre. Comme
prévu, Steyl avait modifié l'angle d'attaque de l'avion,
l'éloignant légèrement de l'axe principal du fuselage.
Ce qui modifiait du tout au tout le flux d'air, dont
l'essentiel de la puissance pesait désormais sur le côté
au vent de l'appareil, et non plus sur son nez. Le
résultat étant que les panneaux de la porte étaient dès
lors poussés par l'arrière. Zahed se tenait prêt : lorsque
le vent repoussa les panneaux au point de les mettre en
position quasi horizontale, à portée de main donc,
Zahed tendit le bras vers le plus volumineux des deux,
la partie inférieure de la porte, l'attira violemment vers

lui et le referma complètement. L'opération fut plus aisée pour le panneau supérieur. À l'intérieur de l'appareil, le rugissement d'ouragan fit instantanément place au bruit qu'aurait pu faire une tondeuse à gazon. Zahed se détendit et inspira profondément, puis il se tourna vers l'avant et vit le visage de Steyl apparaître dans l'ouverture du cockpit. Le pilote lui montra son pouce levé. Il fit de même avant d'inhaler une nouvelle et profonde bouffée d'air.

Il regagna son siège tandis que le Cessna reprenait de l'altitude. Fermant les yeux, il se renversa contre l'appuie-tête en cuir, comme enivré par la sensation primitive qu'il sentait courir dans ses veines. Mansour Zahed avait connu des choses que la plupart des êtres humains ne pouvaient pas même concevoir, mais jamais auparavant il ne s'était trouvé dans cet état. Il en fallait beaucoup pour qu'il sente son pouls s'emballer, et Dieu sait qu'il galopait à cet instant. Il avait l'impression d'être littéralement électrisé. Une fois de plus, il inspira profondément pour permettre à cette sensation de s'ancrer plus intensément encore dans sa mémoire. Il éprouvait un plaisir à nul autre pareil à l'idée que même quelqu'un comme lui pouvait connaître des expériences inédites dans une existence qui lui avait pourtant permis d'en vivre de toutes sortes.

Il en avait discuté avec Steyl quelques années auparavant, quand l'Iranien avait pour la première fois embauché le Sud-Africain dans le cadre d'une de ses missions clandestines. Ils avaient envisagé l'éventualité d'un incident comme celui qui venait de se produire. Un soir, autour de quelques bières, Steyl avait parlé à Zahed de ses exploits en Angola, où il transportait des rebelles de l'UNITA à bord d'un vieux Cessna Caravan. Il lui avait en particulier expliqué que

L'un des passe-temps favoris de ses clients consistait à embarquer à bord un groupe d'hommes de la SWAPO – les forces gouvernementales, soutenues par les Soviétiques et les Cubains, qu'ils combattaient – et à les précipiter dans le vide avec force hurlements de joie avinés. Zahed avait été fasciné par le récit de Steyl, d'autant qu'il n'avait jamais eu l'occasion de faire ce genre d'expérience.

Jusqu'à aujourd'hui.

Cela avait valu la peine d'attendre…

Il ouvrit lentement les yeux en sortant de sa rêverie et son regard tomba sur l'homme en face de lui. Simmons était éveillé, et conscient, mais ses yeux étaient écarquillés et, à en juger par l'horreur qu'ils exprimaient, Zahed comprit que l'archéologue avait été témoin de la scène.

Zahed lui adressa un petit sourire, totalement dénué d'humour.

Savoir que l'Américain y avait assisté dans un état d'impuissance absolue rendait l'événement plus mémorable encore…

18

Istanbul, Turquie

Reilly repéra Vedat Ertugrul dès l'ouverture de la porte de l'Airbus d'Alitalia. L'attaché juridique du bureau auxiliaire du FBI à Istanbul, un Américain d'origine turque à la panse proéminente, aux joues de trompettiste et aux yeux bordés de cernes impressionnants, les attendait à l'entrée de la passerelle télescopique. Reilly l'avait rencontré brièvement, trois ans auparavant, dans la ville côtière d'Antalya, au sud de la Turquie, et avait eu alors l'occasion d'apprécier tant son efficacité que sa constante bonne humeur. En quittant l'appareil pour aller le saluer, Tess le suivant de près, il se prit à souhaiter que son collègue n'ait rien perdu de ces éminentes qualités.

Deux hommes à la peau plus mate accompagnaient Ertugrul, le premier en uniforme bleu marine d'officier de police, avec une veste aux épaulettes piquées d'une étoile dorée, l'autre en costume anthracite sur une chemise blanche. Tous deux avaient les cheveux coupés ras, des yeux marron foncé dépourvus de toute gaieté, une moustache stricte qui accentuait encore leur expression sévère.

Après les présentations d'usage, Ertugrul, le chef de la police et l'agent secret précédèrent Tess et Reilly dans le satellite à air conditionné, les firent sortir par une porte latérale qui, après quelques marches, donnait directement sur le tarmac. Bien que l'après-midi fût bien avancé, l'air était encore chaud et sec, rendu plus pénible encore par les lourds relents de kérosène.

Deux Chevrolet Suburban noires aux vitres teintées les attendaient à côté du train d'atterrissage avant de l'avion. Quelques instants plus tard, les deux 4 × 4 blindés franchissaient les portes de sécurité de l'aéroport, salués par les policiers en faction, et prenaient en trombe la direction de la Reine des villes.

Installé sur la rangée de sièges du milieu, juste devant Reilly, Ertugrul se retourna vers son collègue et lui tendit un pistolet dans son étui et une boîte de balles.

— Pour toi.

Reilly prit l'arme et la vérifia. C'était un Glock 22, pistolet standard du FBI, muni d'un chargeur de quinze balles. Récemment graissé, il était dans un état impeccable. Il accrocha le holster à sa ceinture et y glissa l'arme à feu.

— Merci, dit-il à son collègue.

— J'ai juste besoin d'une petite signature, fit ce dernier en tendant à Reilly un formulaire et un stylo. J'ai eu Tilden au téléphone avant l'arrivée de votre avion et, comment dire, ça ne se présente pas très bien, ajouta-t-il.

— Les empreintes n'ont rien donné ? s'enquit Reilly.

Ertugrul fit non de la tête.

— New York a contacté Langley, la NSA et le département de la Défense pour essayer d'identifier notre homme, mais sans résultat jusqu'à présent.

— Ce n'est pas possible, on a sûrement un dossier sur lui quelque part, grommela Reilly en rendant à Ertugrul le formulaire signé. Ce type est tout sauf un amateur. Il n'en est pas à son coup d'essai.

— Si c'est le cas, on peut dire qu'il se sera bien débrouillé pour échapper aux feux de la rampe.

Réprimant sa fureur, Reilly regarda le ciel sans nuages. Plusieurs avions se suivaient en approche finale, ligne de taches argentées qui s'étendait aussi loin que portait le regard. La saison touristique battait son plein à Istanbul et des troupeaux de visiteurs débarquaient de tous les coins du monde.

— Les contrôles aux frontières ont-ils bien été renforcés ?

Assis à côté d'Ertugrul, le chef de la police se tourna à son tour vers Reilly et le regarda d'un œil froid.

— Il va débarquer ici, lui dit l'Américain sans se laisser démonter. À moins que ce ne soit déjà fait.

— Tu pars du principe qu'il est déjà parvenu aux mêmes conclusions que les gars des archives du Vatican ? demanda Ertugrul.

— J'en suis sûr, confirma Reilly. Il détient toujours Simmons, qui est censé lui fournir toutes les clefs.

L'attaché juridique et le policier échangèrent quelques mots en turc, après quoi Ertugrul se tourna de nouveau vers son collègue.

— Nos amis ont placé le pays tout entier sous haute surveillance. Ici, la plupart des aéroports sont aussi des aérodromes militaires, et étant donné la situation avec les Kurdes, plus tout ce qui se passe en Irak, les consignes de sécurité sont toujours plutôt strictes. Le problème, c'est que nous n'avons pas grand-chose à nous mettre sous la dent concernant notre homme.

Nous ne savons même pas de quel genre de passeport il se sert.

Il farfouilla dans sa serviette et en sortit deux feuillets d'imprimante, qu'il tendit à Reilly.

— Le seul visage qu'on peut vraiment leur demander d'essayer de repérer est celui de Simmons.

Reilly prit connaissance de l'alerte, rédigée en anglais et en turc, qui avait été envoyée à tous les points d'entrée en Turquie : outre le lettrage en gros caractères gras et deux courts paragraphes décrivant les personnes recherchées, elle était illustrée de deux photographies : la première du terroriste, granuleuse, donc pratiquement inutile, prise par les caméras de surveillance du Vatican, l'autre de Simmons, format photo d'identité, montrant un beau jeune homme aux traits taillés à la serpe, aux cheveux ondulés à hauteur d'épaules et au regard scrutateur.

Un beau jeune homme aux traits taillés à la serpe…

C'était la première fois que Reilly voyait une photo de l'archéologue disparu. Surpris, il se tourna vers Tess, assise à côté de lui sur la dernière rangée de sièges.

— C'est lui, Jed Simmons ?

— Oui, pourquoi ?

Reilly la regarda fixement, perplexe, avant de répondre :

— Non. Rien.

— Mais si, explique-toi.

Voyant qu'Ertugrul et le policier conversaient en aparté, il se pencha légèrement vers sa voisine et lui glissa :

— Quand tu m'as dit que c'était un archéologue célèbre, qu'il était spécialiste des Templiers et tout ça… Je me suis représenté quelqu'un de plus vieux. Un peu plus intello. Peut-être un peu plus moche aussi, ajouta-t-il après une légère pause.

Tess émit un petit rire :

— Ça, on ne peut pas dire qu'il soit laid, fit-elle, taquine. Super sportif, en plus. Son grand truc en ce moment, c'est le kite-surf. Très impressionnant.

— Le professeur Jed Simmons, un grand cerveau doublé d'un super beau mec. Qui l'eût cru ? murmura Reilly avec un sourire pincé.

Tess le regarda l'espace d'un instant, l'air interrogateur, puis laissa fuser un rire.

— Seigneur, tu ne vas quand même pas me dire que tu es jaloux !

Avant qu'il ait pu répliquer, Ertugrul se tourna de nouveau vers eux.

— Nous avons en tout cas trouvé la femme et la fille de Behrouz Sharafi. Je suis allé les voir hier soir. Elles sont anéanties, comme vous pouvez l'imaginer. Nos amis turcs les ont placées sous protection policière.

— Que vont-elles faire ? demanda Reilly, les sourcils froncés.

— Difficile à dire. Elles ne peuvent pas retourner en Iran, compte tenu des personnages qui se trouvent sans doute derrière tout ça.

— Tu as discuté avec nos gens ?

Ertugrul hocha la tête.

— Oui. Le chef de station s'est entretenu avec l'ambassadeur et le consul. On devrait pouvoir leur obtenir sans problème le statut de réfugiées politiques. Mme Sharafi a des cousins à San Diego, cela devrait faciliter encore les choses.

— Et son assistant ?

— Aucun signe. On dirait qu'il a déjà quitté le pays. Sans doute à l'époque où Sharafi est parti en Jordanie.

Le cerveau de l'agent parut alors établir une nouvelle connexion, et il ajouta, soudain rembruni :

— Pauvre gars. Je me demande s'il était encore en vie quand...

Il jeta à Tess un regard en biais, comme hésitant, et n'acheva pas sa phrase. Puis il sembla se rappeler autre chose, ce qui l'amena à fouiller dans la liasse de documents qu'il tenait à la main avant de passer à Reilly un nouveau feuillet d'imprimante.

— Sur ce front-là, on a quelque chose, lui dit-il. La bombe désamorcée, celle qui se trouvait dans la voiture avec vous, madame Chaykin, fit-il avec un nouveau coup d'œil vers la jeune femme, d'excuse cette fois. Le rapport des spécialistes en explosifs vient d'arriver. C'était du sérieux. Vingt livres de C4 connectées à un téléphone portable.

Reilly prit rapidement connaissance du contenu du feuillet.

— Pas d'identifiants ?

— Aucun.

— Qu'est-ce qu'un identifiant ? demanda Tess.

— Les fabricants d'explosifs comme le C4 ou le Semtex sont obligés par les conventions internationales d'ajouter des marqueurs chimiques spécifiques à leurs produits, afin de permettre d'identifier leur provenance en cas de besoin, lui expliqua Ertugrul. Et le plus surprenant, c'est que le système fonctionne. On trouve rarement du matériel sans identifiant. Même si on en a vu pas mal ces dernières années dans un endroit précis : en Irak, dans des voitures piégées.

— Des voitures piégées attribuées à des insurgés soutenus par l'Iran, précisa Reilly.

Ertugrul se tourna une fois de plus vers son collègue.

— La conception de la bombe était identique à celle des dispositifs qu'on a observés là-bas : la façon dont le tableau du circuit était monté et amorcé. Les points de soudure sur le capuchon des détonateurs. Jusqu'au réseau de fils. Le gars qui a fabriqué ce joujou a dû avoir le même maître en djihad pour professeur. On n'a peut-être pas grand-chose, poursuivit-il en regardant Reilly avec attention, mais tout ce qu'on a semble pointer dans la même direction : Téhéran.

Reilly remarqua que cette mention entraînait un notable durcissement de la mâchoire de l'homme des services secrets turcs. Turcs et Iraniens n'étaient pas les meilleurs amis du monde. Les Iraniens, ce n'était pas un secret, apportaient depuis maintenant plus d'une vingtaine d'années leur soutien aux séparatistes du PKK, le Parti des Travailleurs du Kurdistan, leur fournissant armements et explosifs, participant à leurs opérations de trafic de drogue. Que les militants kurdes aient élargi le cadre de leurs opérations à l'intérieur même du territoire iranien au cours de ces dernières années n'avait apporté aux Turcs qu'une maigre consolation après une si longue période de tension. Si leur proie – un individu déjà recherché en Turquie pour avoir décapité l'institutrice de la fille de Sharafi – était un agent iranien, les Turcs voudraient à coup sûr lui mettre la main dessus et l'exposer en pleine lumière face à une communauté internationale indignée.

Après avoir gravi une pente assez raide, ils atteignirent l'échangeur de Karayolu, d'où l'on avait une vue de la ville dans toute sa splendeur. Ses sept collines s'élevaient au loin, dominée chacune par une mosquée monumentale dont les dômes massifs et trapus et les minarets fuselés donnaient à la cité impériale son cachet unique, d'un autre monde. Plus loin, sur leur droite, s'élevait Hagia Sophia, Sainte-Sophie, l'église de la sagesse divine, durant près d'un millénaire la plus grande basilique du monde avant d'être convertie en mosquée après la conquête de Constantinople par les Ottomans, en 1453. Jadis baptisée « la ville du désir du monde », capitale impériale ayant enduré plus de sièges et d'assauts que toute autre cité du globe, Istanbul est la seule ville de la planète à cheval sur deux continents. Depuis sa fondation, plus de deux mille ans auparavant, c'est un lieu de rencontre, et d'affrontement, entre Orient et Occident. Un double rôle qu'apparemment elle est destinée à continuer de jouer.

— Quelque chose m'intrigue, reprit Ertugrul. D'après toi, notre cible viendrait à Istanbul dans le but de retrouver l'emplacement d'un ancien monastère ?

— Le templier au cœur de toute cette affaire est un chevalier du nom de Conrad. On ne sait que très peu de chose sur son compte, mais les gars qui fouillent dans les archives du Vatican ont trouvé des références le concernant dans les microfiches du Registre, expliqua Reilly. C'est ce que recherchait notre cible. Le Conrad en question se trouvait à Chypre après que les croisés eurent été chassés d'Acre, en 1291. Simmons détenait déjà cette information. Mais le Registre en contenait d'autres, sur ce qui lui est arrivé après cet épisode.

Il passa le relais à Tess, qui s'en empara de bonne grâce.

— Dans les mois et les années qui ont suivi les mandats d'arrêt délivrés en 1307, dit-elle à Ertugrul, une petite armée d'inquisiteurs a été chargée d'appréhender les templiers fugitifs et de confisquer la totalité des biens que ces derniers avaient pu mettre de côté. L'un de ces inquisiteurs, un prêtre envoyé à Chypre pour retrouver la trace des templiers qui en avaient été expulsés, est retourné en bateau sur le continent et a passé une année à sillonner la région entre Antioche et Constantinople pour les traquer. Dans son journal, il rapporte être tombé sur un monastère en ruine perdu dans la montagne, à l'intérieur duquel il aurait retrouvé les squelettes des moines qui l'occupaient. Il ajoute qu'il aurait également trouvé non loin de là, dans une gorge encaissée, les tombes de trois templiers. Selon les inscriptions relevées sur les tombes en question, l'un des chevaliers enterrés là aurait été notre homme, Conrad.

— De quelle montagne s'agissait-il ?

— Du mont Argée, répondit la jeune femme. Un vieux nom latin. Vous le connaissez probablement comme étant le mont Erciyes.

Ertugrul hocha la tête.

— Erciyes Daği. Ce n'est pas une collinette, ajouta-t-il en les regardant d'un air dubitatif. C'est au cœur de l'Anatolie, en plein centre du pays. Une station de ski a été installée quelque part non loin.

Ertugrul réfléchit un moment avant de reprendre :

— C'est donc le monastère que vous souhaitez retrouver avec l'aide des membres du Patriarcat orthodoxe ?

Reilly acquiesça.

— Pour le moment, la piste de Conrad s'arrête à cette tombe. À mon avis, il y a de fortes chances pour que ce soit là que notre cible veuille se rendre, dans l'espoir d'y trouver un indice sur le lieu où sont planqués le ou les objets récupérés par les chevaliers auprès des moines. Mais nous ne savons pas exactement où se trouvent ces tombes, et notre homme pas davantage. Dans son journal, l'inquisiteur se contentait de décrire la fameuse gorge comme « dépendant du monastère », mais nous n'avons pas plus d'informations sur son emplacement.

— Ne pourrait-on pas extrapoler à partir de ses notes de voyage en essayant de quadriller le territoire qui borde cette montagne ?

— Toute cette région est sillonnée de gorges et de vallées encaissées. Sans savoir d'où est parti l'inquisiteur, ce serait nous lancer dans l'aventure au petit bonheur la chance, expliqua Tess. Nous avons besoin de découvrir où se trouve ce monastère, qui nous servira alors de point de départ et nous permettra de savoir dans quelle direction orienter nos recherches.

— Ce que nous savons, c'est que c'était un monastère dédié à saint Basile, précisa Reilly. Autrement dit, un monastère orthodoxe.

— Et s'il existe des archives le concernant, le premier endroit où l'on serait susceptible de les retrouver serait au cœur de l'Église orthodoxe, déduisit Ertugrul.

— Exactement, fit Reilly. Si nous localisons le monastère, nous serons alors en mesure de suivre à partir de là les indices laissés par l'inquisiteur pour atteindre les tombes des templiers. Et si nous y arrivons les premiers, nous pourrons peut-être y retrouver notre poseur de bombes, ainsi que Simmons, d'ailleurs.

— Je me suis entretenu avec le secrétaire de l'archevêque après notre conversation, l'informa Ertugrul. Ils nous attendent. Espérons qu'on aura un peu de chance, conclut-il avec un haussement d'épaules.

Reilly sentit la rage bouillonner en lui au souvenir de la perfection avec laquelle le terroriste avait joué son rôle, depuis le moment où il l'avait retrouvé à l'aéroport, à Rome, jusqu'à celui où il l'avait affronté, dans la papamobile. L'homme ne semblait rien laisser au hasard. Selon Reilly, un coup de chance quelconque était exclu. Il en faudrait beaucoup plus pour en venir à bout.

Ils quittèrent l'autoroute et se frayèrent un passage dans les rues chaotiques du centre d'Istanbul. Au milieu des gaz d'échappement des camions ou des autobus sans âge, et d'incessants concerts de klaxons émanant d'automobilistes furieux bloqués dans les embouteillages, ils traversèrent la ville en direction des murailles qui défendaient les rivages paisibles de la Corne d'Or. Les deux 4 × 4 négocièrent quelques virages avant de s'engager dans une étroite ruelle à sens unique qui montait en pente douce vers le sommet d'une colline, bordée à main gauche par un mur de haute taille.

— Le Phanar, expliqua Ertugrul tout en leur montrant par la vitre un grand ensemble de bâtiments.

Au-delà du mur s'étendait le Patriarcat orthodoxe de rite grec, qui était pour l'Église orthodoxe l'équivalent du Vatican pour les catholiques, en nettement moins grandiose toutefois. N'étant pas un mouvement unifié, l'Église orthodoxe n'était pas dirigée par un chef spirituel unique. Fragmentée, elle avait un patriarche différent partout où elle disposait d'une importante communauté de fidèles, comme en Russie, en Grèce ou à Chypre. Le patriarche œcuménique d'Istanbul était cependant considéré comme son chef honorifique – *primus inter pares*, le premier parmi ses égaux –, mais sa résidence, le Patriarcat, n'était rien de plus qu'un humble regroupement de bâtiments sans prétention.

Le complexe était concentré autour de ce qui avait été à l'origine un couvent, l'église Saint-Georges, un édifice très ordinaire, sans dôme ni clocher, qui aurait pu tenir sans problème dans la nef de Saint-Pierre. Elle n'en constituait pas moins le centre spirituel de l'orthodoxie. Superbement décorée, cette église abritait plusieurs reliques vénérées, comme ce morceau de la Colonne de la Flagellation, à laquelle Jésus avait été attaché pour être fouetté avant d'être crucifié. Ombragé, l'ensemble comprenait également un monastère, des bâtiments administratifs, sans oublier – ce que Tess et Reilly ne risquaient pas de faire – la bibliothèque du Patriarcat.

Une cinquantaine de mètres avant l'entrée principale, les véhicules qui précédaient les deux 4 × 4 blindés ralentirent soudainement. La voie qui y menait, et qui s'élevait jusqu'au sommet de la colline avant d'en redescendre en pente douce, était bordée par des voitures garées de chaque côté, ne laissaient qu'un étroit passage. Le ralentissement, puis l'arrêt total de la circulation déclenchèrent aussitôt quelques coups de klaxon impatients. Reilly se pencha nerveusement sur le côté pour mieux voir les raisons de ce bouchon. À une douzaine de voitures devant eux, une petite foule était rassemblée devant la porte principale du Patriarcat. Tout ce monde semblait fort agité et regardait à l'intérieur en pointant quelque chose du doigt. Un minibus de tourisme et un taxi qui venaient de décharger quelques visiteurs étaient également bloqués. Les chauffeurs avaient quitté leurs véhicules respectifs et regardaient dans la même direction.

Reilly suivit leurs regards et vit ce qu'ils observaient : un plumet de fumée noire qui s'élevait depuis l'angle le plus éloigné de l'un des bâtiments du complexe.

Puis il aperçut autre chose.

Un personnage solitaire, quittant le Patriarcat.

Un homme aux cheveux noirs coupés court, portant une soutane noire, marchant d'un pas normal, un peu rapide peut-être, mais pas au point d'attirer l'attention.

Reilly sentit le sang lui monter à la tête.

— C'est lui, lâcha-t-il, se dressant sur son siège et pointant le doigt devant lui. Ce prêtre, là. C'est notre homme. Ce salopard est là, sous notre nez.

19

Un vent de panique balaya le 4 × 4 de tête, ses six occupants scrutant avec intensité la foule massée devant l'entrée du Patriarcat.

— Où ça ? demanda Ertugrul en tournant le cou de tous côtés, puis en regardant droit devant lui. Où est-il ?

— Là, gronda Reilly, le corps penché en avant au point de donner l'impression qu'il voulait grimper sur le dos de son collègue du FBI.

Il faisait tout son possible pour ne pas perdre sa cible de vue, mais l'homme en soutane avait accéléré l'allure et disparaissait maintenant derrière la foule.

— On va le perdre, dit-il d'une voix rauque.

Puis, constatant que la circulation était toujours bloquée, il franchit la rangée de sièges du milieu, en passant par-dessus Ertugrul, ouvrit la portière à toute volée et bondit sur la chaussée.

Au moment où il quittait le véhicule, il entendit le chef de la police aboyer quelque chose au chauffeur, ce qui incita la jeune recrue à faire ce qui était probablement la pire des choses, à savoir klaxonner, se pencher par la fenêtre, hurler et faire signe au conducteur de la voiture qui se trouvait devant de lui laisser le passage.

Reilly courait à toutes jambes, déjà loin de la Suburban blindée, lorsqu'il vit devant lui l'individu qu'il pourchassait réagir à cette initiative malvenue. Sans ralentir le pas, l'homme regarda autour de lui, et leurs yeux se croisèrent.

Mauvaise pioche, pesta Reilly en accélérant encore et en sortant son pistolet. Mauvaise pioche, bordel !

En voyant Reilly sortir en trombe du 4 × 4 noir, Zahed se mit à courir. Il n'y avait pas une seconde à perdre. Reilly se rapprochait maintenant de lui, pistolet levé, à une douzaine de voitures de là. D'autres hommes sortaient précipitamment de la Suburban aux vitres teintées, et d'une autre qui suivait juste derrière.

Ce qui le prit par surprise.

Ils sont bons, tempêta-t-il intérieurement. Non, pas « sont », se corrigea-t-il aussitôt. Reilly. Il est bon, lui.

Il se força à oublier provisoirement ce sujet de préoccupation. Il avait d'autres priorités.

Sa voiture de location était garée un peu plus bas, assez loin des portes du Patriarcat, et il comprit aussitôt qu'il serait contraint de l'abandonner sur place : elle se trouvait à une cinquantaine de mètres, trop loin pour qu'il puisse l'atteindre en toute sécurité. De toute façon, il perdrait trop de temps à l'extraire de sa place de stationnement, coincée qu'elle était entre deux autres véhicules.

Il se décida pour une issue de secours beaucoup plus sûre.

Avec la froide efficacité de quelqu'un qui aurait pratiqué ce numéro une bonne centaine de fois pour préparer la finale d'un *reality show*, il pivota brusquement sur sa droite et revint sur ses pas pour se diriger vers le haut de la colline – traversant la foule, vers Reilly donc, mais plus précisément fonçant tout droit vers les voitures arrêtées devant la porte du complexe.

De sous sa soutane, il sortit son Glock. Et ouvrit le feu sans perdre une seconde.

Il tira les six premiers coups en l'air en criant « Poussez-vous ! Laissez passer ! Vite ! », et en agitant les bras comme un dément. L'effet fut immédiat : un concert de hurlements s'éleva tandis que les badauds terrifiés se bousculaient pour se mettre à l'abri, se ruant droit dans la direction de Reilly.

Progressant toujours d'un pas rapide, Zahed s'approcha du véhicule à l'origine du bouchon. Adossé à la portière de sa fourgonnette, le chauffeur demeurait planté là, apeuré et perplexe. Zahed pressa la détente presque à bout touchant avant que l'homme comprenne ce qui lui arrivait, la puissance de la balle calibre 380 lui déchiquetant la poitrine et le rejetant brutalement en arrière avec un craquement sinistre. Zahed ne s'arrêta pas pour autant. Sans se soucier du tohu-bohu qu'il avait déclenché, il contourna rapidement la portière ouverte de la fourgonnette et pointa de nouveau son arme, cette fois sur le taxi garé juste derrière. Le chauffeur, qui avait quitté son véhicule, regarda, terrifié, ce prêtre agitant un pistolet et leva les bras en l'air, jambes coupées. Une tache sombre, humide, apparut à son entrejambe, grossissant à vue d'œil. Zahed soutint une seconde le regard de l'homme, puis ses yeux dépourvus de toute émotion se détournèrent de lui tout comme la main qui tenait son arme, regard et pistolet s'arrêtant de concert sur la roue avant droite du taxi. Zahed pressa de nouveau la détente, une fois encore, et une troisième, faisant exploser le pneu et le réduisant en charpie. La voiture pencha sur la droite avant de retomber lourdement sur la jante.

Jetant un regard par-dessus le toit du taxi désormais immobilisé, il entrevit Reilly, qui luttait contre le flot des curieux paniqués. L'Américain se trouvait désormais à moins de trente mètres. Le terroriste leva son arme et tenta de prendre Reilly dans sa ligne de mire, mais le désordre qui régnait autour de l'agent était tel qu'il décida de ne pas tirer, certain de manquer son but.

Il était temps de s'éclipser.

L'arme toujours serrée dans son poing, il sauta dans la fourgonnette, se mit au volant, passa la première et appuya sur le champignon.

Reilly perdit sa cible de vue durant quelques secondes, le temps de respirer une ou deux fois, avant que les premiers coups de feu ne précipitent la foule dans sa direction.

Elle se ruait droit sur lui, des hommes et des femmes de tous âges et de toutes tailles, poussant des hurlements sourds ou stridents, courant à toutes jambes pour sauver leur vie. Il tenta de les éviter comme il le pouvait mais eut bien du mal à ne pas reculer sous la pression. De précieuses secondes s'écoulèrent tandis que des corps venaient indistinctement le heurter avant de poursuivre leur course haletante, laps de temps durant lequel il entendit une autre détonation, puis plusieurs, chacune d'elles l'incitant à poursuivre sa progression.

Il tenait son arme à hauteur de visage, se servant de sa main libre pour se frayer un passage au milieu de cette frénésie, faisant de grands signes en criant « Baissez-vous ! » tout en essayant d'aller de l'avant, jusqu'à ce qu'il entende le hurlement d'un moteur trop sollicité, le crissement strident de pneus torturés, tandis que les derniers fuyards lui permettaient à peine d'entrevoir la fourgonnette dévalant la rue.

Reilly courut le plus vite qu'il pouvait avant de s'arrêter d'un bloc, de lever son arme, de viser et de tirer un coup de feu, puis un deuxième, un troisième encore, mais en vain : il se trouvait beaucoup trop loin, et la fourgonnette disparaissait déjà. Il fit aussitôt demi-tour, son instinct procédant en un éclair à une estimation de la situation. Il enregistra les gros panaches de fumée noire sortant de la fenêtre située à un étage de l'un des bâtiments du complexe, les prêtres affolés évacuant le Patriarcat en toute hâte, Ertugrul et les policiers turcs courant vers lui, l'homme abattu étendu sur la chaussée, un autre immobile devant un taxi, pétrifié de peur, le véhicule gîtant tel un voilier sous le vent, bloquant la file de voitures derrière lui et donnant l'impression qu'il n'était pas prêt à aller où que ce soit, avant longtemps en tout cas.

Autrement dit, il ne lui restait plus qu'une option.

Courir, le plus vite possible, en escomptant un miracle.

Telle une flèche, il se rua à la poursuite de la fourgonnette qui disparaissait maintenant à un tournant, un peu en contrebas. Il respirait fort, les paumes de ses mains coupant l'air brûlant, ses épaules l'entraînant vers l'avant, les semelles de ses chaussures heurtant rudement l'asphalte en un staccato de plus en plus précipité. Il avait sans doute couvert un peu plus que l'espace d'une vingtaine de voitures lorsqu'il repéra le miracle qu'il attendait : une femme entre deux âges s'apprêtant à monter dans sa voiture, une petite Polo bordeaux.

Pas de temps pour de longues explications.

En quelques secondes, Reilly avait successivement lâché trois mots d'excuse, arraché les clefs des mains de l'automobiliste, pris place au volant et quitté la place de stationnement dans un hurlement de pneus, à la poursuite de sa proie, tandis que la femme, indignée, poussait des cris d'orfraie, qui se perdirent rapidement dans le lointain.

20

Mansour Zahed fixait avec une extrême concentration le chemin qu'il suivait au volant de la fourgonnette. Istanbul lui était plutôt familière, une ville où il s'était rendu de nombreuses fois à l'occasion de diverses missions. Mais le plan de ses rues ne l'était pas, lui, et il ne connaissait en tout cas pas assez bien les ruelles étroites du quartier du Phanar pour savoir où il allait. Mais il se moquait bien de savoir où il aboutirait. Il avait trouvé ce qu'il cherchait dans la Bibliothèque du Patriarcat. Tout ce dont il avait besoin désormais, c'était de laisser une bonne marge de sécurité entre lui et le complexe orthodoxe tout en s'assurant qu'il n'avait pas été suivi, et se débarrasser de la fourgonnette avant de sauter dans un taxi pour rejoindre Steyl et leur captif, l'archéologue américain.

Parvenu à une intersection, il tourna à droite, prenant la direction du bord de mer et de l'autoroute à quatre voies qui serpentait le long de la rive sud de la Corne d'Or. S'il réussissait à l'atteindre, il pourrait se considérer comme sauvé : c'était une grande artère qui lui permettrait d'accélérer et de distancer ainsi Reilly et sa bande. Il ne devait plus en être bien loin, pensa-t-il, sentant la tension dans son corps commencer à se dissiper. Quelques rues encore à franchir et...

Le crissement de pneus d'un véhicule tournant à toute allure à un coin de rue mit brutalement un terme à cet instant de répit.

Il regarda dans le rétroviseur : une petite voiture trois portes venait d'apparaître derrière lui, gagnant rapidement du terrain.

Ce qu'il entrevit de son conducteur lui confirma qu'il s'agissait bel et bien de Reilly.

Madar jendeh ! jura-t-il entre ses dents tout en enfonçant un peu plus la pédale d'accélérateur et en serrant le volant à s'en blanchir les jointures.

En arrivant à un carrefour très animé, il freina d'un coup sec avant de klaxonner à tout va et de passer en trombe. Il garda les yeux rivés sur son rétroviseur l'espace de deux battements de cœur avant d'entendre le son caractéristique, légèrement déformé par la distance, d'un avertisseur de voiture et de voir la Volkswagen émerger du chaos du carrefour et continuer à le pourchasser comme un fox-terrier en furie.

Il traversa sur le même rythme deux autres intersections, refusant la priorité à des automobilistes indignés, mettant à profit la masse de la fourgonnette pour les contraindre à lui céder le passage, et parvint à reprendre quelque peu ses distances avec son poursuivant. Puis il plongea sans crier gare dans une rue adjacente, juste devant un énorme camion, et mit toute la gomme, gardant un œil sur son rétroviseur extérieur pour calculer ce qu'il avait gagné en effectuant cette manœuvre. Et c'est alors qu'il constata l'étendue du désastre : il venait d'atteindre la rampe d'accès menant à la corniche côtière, deux fois deux voies courant sur un axe nord-sud, accolées les unes aux autres à certains endroits, très éloignées à d'autres. La bretelle sur laquelle il s'était engagé était bouchée par un embouteillage.

Il freina brutalement et balaya des yeux l'espace devant lui. La voie menant vers le nord, sur laquelle débouchait la bretelle, était totalement saturée. Il constata avec rage que celle se dirigeant au sud était dégagée, mais impossible de la rejoindre avec toutes ces voitures et ces camions le suivant à touche-touche, et ces glissières de sécurité en aluminium hautes de soixante bons centimètres de chaque côté.

Il était coincé. Pire encore : en regardant dans le rétroviseur, il aperçut, à sept voitures derrière lui, une petite Polo bordeaux dont la portière venait de s'ouvrir à toute volée, laissant apparaître Reilly.

Il fit une grimace, impressionné autant qu'irrité par l'acharnement de l'Américain, et sauta à son tour de la fourgonnette.

Courant à toutes jambes sur la voie d'accès, il escalada non sans mal l'une des glissières et, après avoir traversé un talus à l'herbe rabougrie, atteignit la route de corniche. Un coup d'œil en arrière lui apprit que Reilly n'avait pas abandonné. Il songea alors à sortir son pistolet et à lui tirer dessus, y renonça. Il reprit sa course, serpentant au milieu des voitures immobilisées, sautant de nouveau par-dessus une barrière, traversant à toute allure un autre talus, puis escaladant encore une glissière de sécurité avant de se retrouver sur la voie menant vers le sud, au trafic fluide mais néanmoins chargé.

Un nouveau coup d'œil derrière lui : Reilly s'était rapproché. Se retournant, Zahed examina les voitures qui arrivaient vers lui. Ayant repéré une berline blanche, il avança au milieu de la voie, étendant les bras et les agitant comme pour demander de l'aide.

D'après ses calculs, la soutane de prêtre qu'il portait devait l'aider – et en effet : la voiture ralentit et s'arrêta près de la glissière de sécurité. Les deux véhicules qui la suivaient pilèrent dans un furieux concert d'avertisseurs. Sans s'en préoccuper, Zahed s'approcha du conducteur de la berline blanche, l'air à la fois embarrassé et amène. L'automobiliste, un homme frêle, à la calvitie prononcée, commença à baisser sa vitre. Celle-ci n'avait été descendue que de quelques centimètres quand la main de Zahed s'engouffra dans l'espace ainsi pratiqué pour ouvrir la portière à toute volée. Cela fait, il tendit de nouveau la main, cette fois pour relâcher la ceinture de sécurité de l'infortuné conducteur, qu'il saisit aussitôt par le collet pour l'extirper sans ménagement de l'habitacle. Il le projeta sur l'asphalte comme s'il se débarrassait d'un vulgaire sac : l'homme boula jusqu'à la ligne discontinue séparant les deux voies, contraignant un camion qui arrivait à faire un brusque écart pour éviter de l'écraser. Zahed ne le remarqua même pas : il s'était déjà installé au volant de la Ford Mondeo du pauvre homme et fonçait à toute allure sur la route qui s'ouvrait devant lui.

Ayant franchi la dernière glissière de sécurité, Reilly rejoignit le lieu de l'incident, au bord de la route de corniche, juste à temps pour apercevoir les feux arrière de la voiture que Zahed venait de voler. Le souffle court, il vit le petit homme chauve, encore sous le choc, discuter avec animation avec les conducteurs de deux voitures qui s'étaient arrêtées, bloquant la circulation sur l'une des deux voies, à la grande fureur des automobilistes qui les suivaient et qui manifestaient leur courroux à grand renfort de cris et de coups de klaxon.

Pas question de le laisser s'enfuir à nouveau.

Se précipitant vers les trois hommes en pleine conversation, Reilly pointa la voiture de tête d'un doigt traduisant une urgence extrême.

— C'est votre voiture ? leur demanda-t-il.

Le chauve et l'un des deux autres le regardèrent d'un œil soupçonneux et reculèrent d'un pas, faisant signe de la tête que le véhicule ne leur appartenait pas, mais le troisième, un homme fortement charpenté, au cou épais et à la peau tannée comme du cuir, ne bougea pas d'un pouce et se mit à lâcher une tirade furibonde, en turc, tout en agitant les mains d'un air de défi.

Désolé, mais je n'ai pas le temps de discuter.

Reilly haussa les épaules et, passant la main dans son dos, dégagea son pistolet et le brandit en l'air. Il leva également son bras libre, tentant de convaincre l'homme de ne pas s'énerver.

— Calmez-vous, s'il vous plaît, ordonna-t-il au trio. Vous voulez que ce type s'échappe ? C'est vraiment ce que vous voulez ?

Le chauve paraissait sur le point de dire quelque chose, mais le malabar au sang chaud ne se laissa pas impressionner. Il lâcha ce qui était sans doute une nouvelle bordée de jurons en faisant de grands moulinets des bras pour montrer que son artillerie ne l'impressionnait pas.

Et puis merde, se dit Reilly en fronçant les sourcils. Sur quoi il baissa son arme et tira à trois reprises par terre, à côté des pieds du récalcitrant. Celui-ci fit un bond en arrière, comme s'il venait de marcher sur un serpent.

— Vos clefs ! cria Reilly, pointant de nouveau la voiture du doigt et fourrant le canon encore chaud du pistolet sous le nez du costaud. Passez-moi vos clefs, vous pigez ?

Le visage crispé, l'homme lui tendit ses clefs. Reilly les lui arracha, cracha un « Merci », puis fonça vers la voiture, un break d'origine indéterminée. Il se glissa au volant, réprima un haut-le-cœur devant la puanteur émanant de l'amas de mégots débordant du cendrier sur le tableau de bord, et s'inséra en hâte dans le trafic, à la poursuite de sa cible. Pendant les deux premiers kilomètres, il n'eut à dépasser que quelques rares véhicules, résultat du fort ralentissement qu'il avait laissé derrière lui. Apercevant un point blanc au loin, droit devant lui, il sentit une bouffée d'optimisme l'envahir, sans pouvoir toutefois tirer du moteur du break plus que celui-ci ne pouvait donner. Il venait de doubler en trombe un vieil autobus surchargé quand une sonnerie provenant de l'intérieur de sa veste le fit sursauter. Gardant une main bien serrée sur le volant, il pêcha de l'autre son BlackBerry.

La voix exubérante de Nick Aparo retentit à son oreille, aussi claire que s'il téléphonait de la voiture qui le suivait et non du siège new-yorkais du FBI, dans le sud de Manhattan.

— Alors, Clark, ça boume ? Tes vacances en Europe se passent comme tu veux, mon petit pote ?

Reilly se rappela vaguement que ce nom, Clark, avait un rapport avec un vieux film de Chevy Chase, mais il avait le cerveau en surchauffe et était bien trop concentré sur les feux arrière de la voiture blanche pour trouver la réplique adéquate.

— Là, je ne peux pas te parler, dit-il fébrile, les yeux droit devant lui.

— J'ai une bonne nouvelle à t'annoncer, mon vieux Clarkie, insista Aparo, sans se douter de ce qu'était en train de vivre son coéquipier. C'est à propos de ton mec mystère. On a trouvé qui c'était.

21

— Plus tard, fit Reilly. En attendant, je voudrais que tu appelles Ertugrul de ma part. Tout de suite. Dis-lui que je suis sur la route de corniche, dans un break, une Kia bleue. Notre cible roule dans une berline blanche, juste devant moi, et nous nous dirigeons…

Il s'interrompit, regarda par la vitre pour vérifier la position du soleil et fit un rapide calcul mental pour apprécier la direction qu'ils avaient prise.

— … vers le sud, je pense.

Fidèle à sa réputation, Aparo passa de la franche jovialité au sérieux le plus absolu, comme si un hypnotiseur venait de claquer dans ses doigts.

— Quelle cible ? demanda-t-il d'une voix tendue. Le poseur de bombes ?

— Oui. Magne-toi de passer ce coup de fil, s'il te plaît.

Le ton d'Aparo se fit survolté :

— Ne quitte pas, je l'appelle sur une autre ligne. Quelle voiture conduit ce salopard ?

— Je ne sais pas trop, je n'ai pas eu le temps de bien la voir. Mais on ne devrait pas avoir trop de mal à le repérer, à l'allure à laquelle il roule.

— OK. Ne quitte pas. Ça sonne.

Reilly pressa le bouton « haut-parleur » et jeta le portable sur le siège passager. De l'autre côté, sur la voie menant vers le nord, les véhicules pris dans l'énorme embouteillage défilaient à une vitesse vertigineuse. Tout en conservant approximativement un tracé en ligne droite, la route serpentait un peu, avec des virages vers la gauche et vers la droite, et Reilly sentit son pouls s'accélérer en voyant la berline blanche faire un brusque écart sur la gauche pour doubler un *dolmuş*, un de ces taxis collectifs très répandus en Turquie comme dans tout le Proche-Orient. Lent et bondé, celui-ci roulait à cheval sur la ligne discontinue séparant les deux voies. La manœuvre du terroriste réussit mais le taxi l'avait retardé. Cette ordure se trouvait désormais tout près. Reilly actionna les phares de la Kia, klaxonna et doubla à toute allure le *dolmuş*, gagnant un précieux terrain sur la berline blanche, dont il pouvait maintenant distinguer la marque : une Ford.

Ses doigts se raffermirent sur le volant : leur proie était dorénavant à portée. Devant, un peu plus loin, se profila le premier des deux ponts qui traversaient la Corne d'Or. Reilly s'approcha encore de la Mondeo lorsque celle-ci fut contrainte de ralentir pour aborder la bretelle de l'échangeur qui permettait de déboucher sur le pont Atatürk. Celui-ci était vieillot et évoquait plus une chaussée qu'un pont. Posé sur des piliers en béton, il était constitué de deux voies dans chaque sens, et d'un étroit passage pour piétons de chaque côté. Le trafic y était très dense, ce qui ralentit considérablement la Mondeo et permit à Reilly de pratiquement rejoindre le fuyard qui slalomait au milieu des voitures et camions au grand effroi de leurs conducteurs, obligés de lui dégager la route.

— On traverse un pont, je me trouve juste derrière lui ! hurla Reilly en se penchant vers le BlackBerry, avec un grand coup de volant pour éviter un véhicule plus lent. Je vois une vieille tour de l'autre côté, sur la droite, apparemment le vestige d'un vieux château…

— Bien reçu, répondit Aparo, dont la voix était assourdie par la position du téléphone portable, sur le siège passager. Ertugrul passe l'info à un flic du coin qui est avec lui. Ne quitte pas, mon pote.

Ça va trop vite, songea Reilly. Je vais devoir agir seul.

— C'est la tour de Galata, reprit Aparo, aussi hors d'haleine que son coéquipier. Ils ont repéré ta position. Tiens bon.

Pied au plancher, Reilly continua de foncer, toujours à quelques mètres des feux arrière de la Mondeo, jusqu'à la heurter rudement. La berline blanche oscilla de droite à gauche avant de reprendre son assiette.

Reilly enfonça une fois encore la pédale, prêt à recommencer.

La Kia était maintenant si proche que Mansour Zahed pouvait voir la haine qui étincelait dans les yeux de Reilly.

— *Madar jendeh !* jura-t-il une fois de plus en regardant le break bleu qui grossissait démesurément dans son rétroviseur.

Il accéléra et fit un brusque écart, s'insérant entre deux véhicules plus lents pour éviter d'être de nouveau tamponné par le break.

Il vit celui-ci perdre du terrain tandis que les voitures qui le suivaient ralentissaient pour rejoindre leurs voies respectives.

Cet Américain est littéralement possédé. Il ne va pas être facile à semer. Pas maintenant. Pas après tout ça.

Zahed savait que la circulation risquait fort de s'arrêter de nouveau une fois le pont quitté. Il devait prendre une initiative quelconque, et sur-le-champ s'il voulait éviter une nouvelle course-poursuite avec ce chien courant qui lui soufflait dans le dos.

Actionnant sans interruption le klaxon de la Ford, il se fraya un passage au milieu de plusieurs voitures, obligeant l'une d'elles à mordre le trottoir pour piétons qui longeait l'eau.

Cette vision, plus celle d'un antique autobus Mercedes des années 1970, au toit débordant de bagages et au tuyau d'échappement lâchant un épais nuage de fumée noire de diesel, lui inspira une idée.

Il continua de progresser jusqu'à se trouver tout à côté du bus, donna alors un coup de volant à gauche, puis à droite, pour aller cogner le flanc du vénérable véhicule. Avec des grincements effroyables, celui-ci bondit littéralement sur la droite. Les têtes affolées des passagers se pressèrent aux fenêtres, tandis que, s'affranchissant des liens qui les retenaient, caisses et valises dégringolaient du toit, en plein sur le chemin des voitures qui le suivaient. Zahed manœuvra de façon à rester collé au flanc de l'autobus, contraignant celui-ci à serrer encore sur la droite, à grimper sur le trottoir et, après avoir pulvérisé la fragile balustrade métallique, à poursuivre sa course dans le vide.

Zahed redressa sa trajectoire et jeta un coup d'œil dans son rétroviseur : à sa grande joie, l'agent du FBI faisait très précisément ce qu'il attendait de lui.

Le visage de Reilly se tendit lorsqu'il vit la Ford blanche pousser le vieil autobus, le forçant à franchir le trottoir et à s'envoler du pont.

Cela se passa presque sans bruit : l'Américain perdit le bus de vue une nanoseconde avant d'apercevoir une grande gerbe d'écume blanche exploser dans le détroit. Étant donné la montagne de bagages entassée sur son toit dans un équilibre précaire, Reilly se dit que, selon toute probabilité, le véhicule était bondé, bondé de passagers qui allaient très certainement être entraînés par le fond.

Le conducteur de la voiture qui le précédait pila brutalement et il fit de même. Derrière eux s'élevèrent crissements de pneus et froissements de tôle. Reilly constata qu'il avait tout juste la place de doubler les voitures qui le précédaient, mais ne put s'y résoudre. Pas avec tous ces gens très probablement en train de se noyer.

Il devait se porter à leur secours.

Quittant précipitamment le break, il se mit à courir vers le grand trou laissé par l'autobus dans la barrière de sécurité. Un peu plus loin, la Mondeo blanche quittait le pont et il se représenta l'espace d'un instant l'air béat de son gibier.

Fils de pute ! jura-t-il intérieurement, la fureur et la frustration le poussant à accélérer encore sa course vers le lieu du drame. Sortis de leur véhicule, d'autres automobilistes convergeaient vers le même endroit, regardant en contrebas, pointant l'eau du doigt, discutant avec animation.

Le vieil autobus n'était plus que partiellement visible : seul l'arrière de son toit émergeait de l'eau tel un iceberg miniature. Reilly balaya du regard la surface environnante : personne. Les fenêtres étaient sans

223

doute hermétiquement fermées, avec uniquement la partie supérieure qui devait pouvoir coulisser latéralement, sans laisser toutefois d'espace suffisant pour permettre à quiconque de sortir. Reilly observa la scène durant une ou deux interminables secondes, se demandant si le bus était muni d'un dispositif hydraulique permettant d'ouvrir les portières, si celles-ci étaient bloquées à cause de la défaillance du système électrique, si les passagers étaient trop choqués pour songer aux éventuelles sorties de secours. Il n'y avait personne dans l'eau. Tous les passagers étaient piégés à l'intérieur. Et, sur le pont, personne ne prenait la moindre initiative.

Reilly regarda les visages abasourdis des gens qui l'entouraient, hommes et femmes, jeunes et vieux, tous sous le choc, échangeant des commentaires et regardant en contrebas d'un air sombre. Il passa alors à l'action.

Les morts, ça va comme ça. Plus à cause de moi. Pas si je peux faire quelque chose.

Il se débarrassa de ses chaussures, quitta en toute hâte sa veste et sauta dans l'eau. Encore heureux que le drame ait eu lieu à l'extrémité du pont, où la hauteur était raisonnable.

Autour de lui flottaient des sacs, des valises, des cartons, qui gênaient sa progression. Il parvint toutefois à atteindre l'arrière de l'autobus et à agripper une extrémité de la galerie du toit avant que le véhicule ne soit englouti dans un ultime gargouillement.

Il tint bon tandis que le bus glissait lentement vers le fond. À travers l'eau trouble, il pouvait apercevoir les visages spectraux, paniqués, des passagers de l'autre côté de la vitre arrière du véhicule. Ils tiraient de toute leur force sur la poignée de secours censée déclencher son ouverture, mais celle-ci demeurait fermée et, de désespoir, certains d'entre eux frappaient la vitre du poing, de toutes leurs forces. Tenant toujours la barre de la galerie de toit d'une main, Reilly chercha de l'autre l'étui de son pistolet et en extirpa son arme avant de l'agiter devant les passagers le plus près de lui, espérant qu'ils comprendraient son geste. Ils ne s'effacèrent pas, mais Reilly poursuivit néanmoins son idée : il plaqua le canon de son arme contre l'extrémité supérieure de la vitre, visa le toit à l'intérieur du bus, puis tira, encore et encore. Cinq balles en tout, coup sur coup. Les coups de feu avaient suffisamment fragilisé le verre pour qu'il n'ait plus qu'à taper dessus avec la crosse de son arme pour qu'il cède. Lorsque la vitre se brisa, l'air que contenait encore l'autobus s'échappa dans un tourbillon si puissant que Reilly faillit lâcher la barre à laquelle il se retenait.

L'un après l'autre, les passagers pris au piège sortirent de l'autobus dans un désordre indescriptible, bras désespérément tendus vers Reilly, s'emparant de la main qu'il leur offrait, puis se donnant une impulsion pour remonter vers la lumière. L'Américain résista autant que ses poumons le lui permettaient, avant de lâcher prise et de les suivre vers la surface, la joie de savoir tous les occupants de l'autobus sains et saufs ne compensant cependant pas tout à fait la profonde frustration qui le tenaillait.

22

Lorsqu'il parvint enfin à regagner le Patriarcat, Reilly trouva le complexe dans un état de chaos indescriptible. L'artère qui y menait était bloquée par des voitures de police, ambulances et autres camions de pompiers. Des secouristes s'affairaient en tous sens, essayant de porter assistance à ceux qui en avaient besoin.

Il avait rejoint à la nage l'une des piles du pont et l'avait escaladée. Un policier avait fini par arriver sur les lieux de l'accident et, après de longues palabres, avait accepté de le conduire au Phanar. Il avait quitté sa chemise mouillée et enfilé la veste qu'il avait ôtée avant de sauter dans l'eau, mais son pantalon était trempé, ce qui n'avait guère amélioré son humeur.

Compte tenu de la confusion ambiante et du bouclage du quartier pour raisons de sécurité, il avait dû parcourir à pied les quelques centaines de mètres qui le séparaient du complexe, où il avait retrouvé Tess devant le portail. Ertugrul était à ses côtés, ainsi que deux jeunes soldats des forces paramilitaires qui paraissaient un peu trop prêts à tirer au moindre prétexte. Des policiers sur les dents avaient le plus grand mal à maintenir journalistes et curieux à l'écart alors qu'une armée de chats – révérés à Istanbul, où on les considérait comme des porte-bonheur – observaient tranquillement toute cette agitation depuis les murs ou les trottoirs ensoleillés.

Le visage de Tess s'épanouit dès qu'elle l'aperçut, avant d'afficher un étonnement incontestable à la vue de son pantalon trempé et de son absence de chemise.

— Tu ne peux pas garder ces vêtements, dit-elle en le prenant par le bras, après un rapide baiser.

— Mon sac est toujours dans la voiture ? demanda-t-il à Ertugrul.

— Oui, répondit l'attaché juridique. Elle est garée dans la rue, un peu plus bas.

Reilly regarda du côté du complexe, où des secouristes chargeaient un brancard dans une ambulance. Le corps qui y était allongé était recouvert d'une couverture grise. Un troupeau de prêtres l'entourait. Tous avaient l'air désespérés, les épaules tombant sous le poids de l'accablement.

Reilly interrogea Ertugrul du regard.

— Le père Alexios. C'était le grand archimandrite de la bibliothèque. Une balle, entre les deux yeux.

— Ils ont également trouvé le corps d'un prêtre, un peu plus bas dans la rue, ajouta Tess.

— Sans sa soutane, déduisit Reilly.

Tess hocha la tête.

— Et l'incendie ?

— Les pompiers l'ont éteint, mais la bibliothèque est dans un état épouvantable, comme tu peux t'en douter, répondit Ertugrul, ajoutant, dans un grognement furieux : J'imagine qu'il a obtenu ce qu'il était venu chercher.

— Une fois de plus, nota Reilly avec aigreur.

Bras ballants, les poings serrés de rage, il contempla la scène en silence un bon moment avant de lâcher un « Je reviens tout de suite » et de descendre la rue pour aller se changer.

Il se trouvait à mi-chemin de la Suburban lorsqu'il se rappela quelque chose. Il prit son BlackBerry dans sa poche, pressa un bouton. Aparo répondit à la première sonnerie.

— Alors, où t'en es ? demanda son coéquipier.

— Je l'ai paumé. Ce mec est un vrai dingue. Tu m'as dit que tu avais quelque chose pour moi.

— Ouais, confirma Aparo. On a eu une piste par les services secrets de l'armée. Il a fallu la leur extirper au forceps. Ah, on ne peut pas dire que ces gars-là soient des partageux.

— Accouche, qui c'est ?

— On n'a pas de nom. Juste des antécédents.

— À savoir ?

— Bagdad, il y a trois ans. Tu te rappelles cet expert en informatique, celui qui a été enlevé au ministère des Finances ?

Reilly connaissait cette histoire, qui avait fait pas mal de bruit en son temps, à l'été 2007. L'homme, un informaticien américain, avait été kidnappé dans le service technologique du ministère avec ses cinq gardes du corps. Ses ravisseurs s'étaient présentés en uniforme de la garde républicaine irakienne, étaient tranquillement entrés à l'intérieur du bâtiment et s'étaient emparés des six hommes en déclarant qu'ils étaient « en état d'arrestation ». Le spécialiste en question n'avait débarqué à Bagdad que vingt-quatre heures plus tôt, pour une mission consistant à installer un nouveau logiciel sophistiqué qui permettrait de suivre les milliards de dollars d'aide internationale et de revenus du pétrole qui transitaient par les différents ministères ira-kiens – milliards qui disparaissaient aussi vite qu'ils arrivaient. Par des sources diverses, les services secrets n'ignoraient pas qu'une bonne partie de cette manne était détournée vers des groupes de miliciens irakiens sous la dépendance de l'Iran, pays disposant par ailleurs de nombreux hommes placés à des postes gou-vernementaux élevés et qui, à n'en pas douter, n'hésitaient pas à prélever au passage de confortables commissions. Personne ne souhaitait voir mettre un terme à la corruption, ni même que celle-ci soit dénoncée. Le ministère des Finances avait ainsi scan-daleusement résisté, deux années durant, à la mise en place du fameux logiciel. Ainsi, donc, l'homme qui avait finalement été envoyé des États-Unis pour essayer de mettre un terme à ces détournements de fonds avait été enlevé vingt-quatre heures après avoir mis les pieds dans la capitale irakienne, devant son cla-vier d'ordinateur, au cœur même du ministère des Finances.

Méticuleusement préparé et exécuté, le rapt avait été attribué au groupe Al-Quds – mot arabe désignant Jéru-salem –, une unité spéciale de la Garde révolutionnaire iranienne chargée des opérations secrètes à l'étranger. Quand on avait retrouvé les cadavres du spécialiste américain et de ses gardes du corps, une quinzaine de jours plus tard, les attaques contre l'Iran en provenance de la Maison-Blanche s'étaient intensifiées. Une demi-douzaine de responsables iraniens avaient été capturés et emprisonnés dans le nord de l'Irak par les forces américaines. Trop heureux de profiter de l'occasion pour attiser sans vergogne les flammes de la discorde, les responsables iraniens, par l'intermédiaire d'un groupe de miliciens incontrôlable, censé ne pas dépendre d'eux, baptisé Asaïb Ahl Al-Haq, la Ligue des vertueux, s'étaient lancés dans une offensive plus audacieuse encore, cette fois contre le quartier général de la province de Kerbala, en pleine rencontre de haut niveau entre officiels américains et irakiens. Une opération plus téméraire, plus cynique encore que le rapt qui l'avait précédée : une douzaine d'agents d'Al-Quds s'étaient présentés aux portes de la base avec une flotte de Suburban noires identiques à celles utilisées dans le pays par les auxiliaires sous contrat avec l'armée américaine. Habillés très exactement comme les mercenaires en question et parlant un anglais parfait, à tel point que les Irakiens de garde aux portes, convaincus qu'ils avaient affaire à des Américains, les avaient laissés entrer. Une fois dans la place, le commando s'était déchaîné : ses hommes avaient tué un soldat américain et en avaient fait prisonniers quatre autres, qu'ils avaient exécutés peu après avoir quitté le QG. Au final, cette journée avait compté comme la troisième plus meurtrière pour les troupes américaines en Irak. Chose stupéfiante, aucun Irakien n'avait été blessé au cours du raid.

— Il était là. Ta cible. C'était l'un des mecs qui ont attaqué la base, lui apprit Aparo. Ses empreintes digitales correspondent à celles que nos gars ont trouvées sur l'une des bagnoles qu'ils ont abandonnées derrière eux. Et selon les infos qu'on a reçues, comme les deux opés ont été réalisées par la même équipe, il est possible, et même probable, qu'il ait été impliqué dans l'enlèvement de l'informaticien.

— On sait quelque chose sur lui ?

— Non, avoua Aparo. Rien du tout. Les mecs qui avaient organisé le raid se sont évanouis dans la nature. Tout ce que je peux te dire, c'est qu'apparemment il en était. Mais ça nous donne une petite idée de ce à quoi peut ressembler le reste de son CV. Qui sait dans quelles autres affaires tordues ce pourri a été impliqué ? Si tu veux mon avis, c'est sans doute l'homme auquel ils recourent pour les opérations hors norme.

Reilly plissa le front.

— C'est bien notre veine.

Il était conscient du fait que, pour peu que l'on puisse se fier à l'histoire, tout cela ne prêtait guère à l'optimisme : dans chacune des confrontations qui avaient opposé l'Iran et les États-Unis depuis l'arrivée au pouvoir de Khomeiny, en 1979, dans chacun des incidents majeurs entre les États-Unis et l'Iran, c'était toujours l'Iran qui avait eu le dessus.

— Il faut lui faire la peau, Sean. Trouve-nous cette pourriture et envoie-le griller au fin fond de l'enfer.

Le bruit d'une sirène fit sursauter Reilly. Il se retourna pour voir une ambulance dévaler la rue et fit un bond de côté pour la laisser passer.

— Mettons-lui d'abord la main dessus, dit-il à son coéquipier. Une fois que ça sera fait, crois-moi, je n'ai pas vraiment l'intention de partager une bière avec lui.

23

Compte tenu des tensions politiques, tant nationales qu'internationales, qui agitaient le pays, les Turcs prenaient très au sérieux tout ce qui avait trait à leur sécurité intérieure, et l'affaire en cours n'y fit pas exception. Moins d'une heure après son retour au Patriarcat, Reilly, accompagné de Tess et d'Ertugrul, se retrouvait installé dans une salle de conférences aux parois en verre, dans les locaux de la police nationale turque, au cœur du quartier d'Aksaray, échangeant questions et réponses avec une demi-douzaine de responsables des services de sécurité du pays.

Une question irritait tout particulièrement Reilly.

— Mais comment diable a-t-il pu entrer dans votre pays ? demanda-t-il, toujours furieux de ce cafouillage. Je croyais que vos aéroports étaient équipés de dispositifs de sécurité de niveau militaire.

Aucun de ses interlocuteurs ne parut avoir de réponse immédiate à lui offrir.

Suleyman İzzettin, le capitaine de la police qui l'avait accueilli à l'aéroport avec Ertugrul, décida de se jeter à l'eau et de rompre un silence qui devenait pesant.

— Nous menons une enquête sur ce point. Mais n'oubliez pas, ajouta-t-il, tout aussi furieux que Reilly de cette défaillance, que nos services de police aux frontières n'avaient ni photo nette ni pseudo. J'ajouterai qu'il n'est peut-être pas entré chez nous par les airs.

— Impossible, affirma Reilly, catégorique. Jamais il n'aurait eu le temps d'arriver ici par la route, pas depuis Rome. Il est arrivé en avion. C'est une certitude.

Il fit des yeux le tour de la pièce, parlant avec un débit un peu plus lent qu'à son habitude et articulant avec une netteté un peu forcée, pour être sûr d'être compris par tous.

— Ce type a réussi à faire passer ses otages de Jordanie en Italie sans problème. Maintenant il est ici, et il en détient toujours un. Nous devons absolument découvrir comment il se débrouille pour sauter d'un pays à l'autre. Et savoir dans quel aéroport il a réussi à passer à travers les mailles du filet nous serait d'une grande aide.

Ces mots déclenchèrent chez les responsables de la sécurité un bref mais vif débat, en turc. À l'évidence, ils n'appréciaient guère d'être mis dans l'embarras devant un collègue étranger.

İzzettin sembla réclamer une sorte de temps mort, avant de se contenter de répéter à Reilly ce qu'il lui avait déjà dit :

— Nous allons enquêter là-dessus.

— OK. Nous devons également découvrir comment il se déplace maintenant qu'il est là, insista Reilly. Si nous voulons retrouver sa trace, nous devons savoir précisément ce qu'on cherche. Commènt est-il arrivé au Patriarcat ? Disposait-il d'une voiture qu'il aurait garée quelque part dans le coin et qu'il aurait abandonnée quand il nous a vus arriver ? Ou bien a-t-il tout simplement pris un taxi ? À moins que quelqu'un ne l'ait attendu ? Il n'est pas impossible qu'il ait sur place des agents en soutien...

— Autre question, intervint Ertugrul : si l'on part du principe qu'il a emmené Simmons avec lui, où l'a-t-il laissé en attendant ?

— Nous avons pris le contrôle de la zone sitôt après la fusillade, répliqua İzzettin. Je suis sûr qu'il n'y avait pas de chauffeur qui l'attendait, car personne n'a quitté les lieux.

— L'assistant à l'université, dit Tess en se tournant vers Ertugrul, le mouchard qui a déclenché tout ce bazar en balançant Sharafi ? Vous êtes sûr qu'il a quitté le pays ?

— Il est parti depuis longtemps.

— Ce type se déplace trop vite pour faire ça tout seul, reprit Reilly. Il doit bénéficier d'un appui quelconque. N'oubliez pas qu'il ignorait que la piste menait à Istanbul jusqu'à hier soir, quand il s'est enfui du Vatican avec le Registre. Autrement dit, il n'avait pas vraiment le temps de planifier tout ça. Il improvise. Il réagit à mesure que l'information lui parvient, tout comme nous, mais avec un coup d'avance. Ce monastère... poursuivit-il en se tournant vers Ertugrul. À qui d'autre pourrait-on s'adresser pour essayer de le localiser ?

— J'ai eu une brève conversation à ce sujet avec le secrétaire du patriarche, après le drame, répondit Ertugrul. Il n'avait pas vraiment l'esprit à ça, mais il m'a clairement dit qu'il n'en avait jamais entendu parler.

— Ce qui n'a rien de surprenant, remarqua Tess. L'inquisiteur qui est tombé dessus a écrit qu'il était abandonné, et cela remonte au début du XIVe siècle.

Sept cents ans plus tard, il n'en reste sans doute plus que des décombres, quelques ruines perdues au milieu de nulle part.

— Le secrétaire m'a promis d'en parler aux autres prêtres, expliqua l'attaché juridique. L'un d'eux saura peut-être quelque chose.

Désappointé, Reilly se tourna vers ses hôtes.

— Vous devez quand même avoir des experts, des universitaires qui connaissent leur histoire !

Le chef de la police eut un haussement d'épaules.

— Il s'agit d'une Église orthodoxe, agent Reilly. Et non seulement orthodoxe, mais orthodoxe grecque. Or la Turquie est un pays musulman. Ce qui signifie que, pour nos universitaires, ce sujet ne constitue pas une priorité. Si personne ne sait rien au Patriarcat...

Reilly hocha la tête, la mine sombre. Il savait pertinemment qu'entre Grecs et Turcs, ce n'était pas le grand amour, en tout cas pas depuis l'aube de l'ère seldjoukide et, par la suite, de l'Empire ottoman. Cet antagonisme aux racines profondes remontait à plus de mille ans, et il demeurait vivace aujourd'hui encore, ne demandant qu'à se raviver à l'occasion de problèmes épineux comme celui de Chypre, cette île divisée en deux.

— Donc, pour nous résumer, tout ce que nous savons, c'est que ce monastère se trouve dans les environs du mont Argée, ce que vous appelez les monts Erciyes. Vous avez une idée de la superficie de la région concernée ?

Ertugrul échangea trois ou quatre phrases avec leurs hôtes, sur quoi l'un d'eux décrocha le téléphone et murmura quelques mots en turc. Peu après, un jeune policier fit son entrée, apportant une carte routière qui fut dépliée sur la table. Après un nouvel échange avec les responsables turcs, Ertugrul se tourna vers Reilly.

— En fait, il ne s'agit pas d'un ensemble montagneux, mais d'une unique montagne, là, expliqua-t-il, désignant du doigt une vaste zone de couleur un peu plus sombre, au centre du pays. C'est un volcan éteint.

Reilly vérifia l'échelle en bas de la carte.

— C'est une zone qui fait environ quinze kilomètres de long sur autant de large.

— Une sacrée botte de foin, commenta Tess.

— Énorme, confirma Ertugrul. Par ailleurs, ce n'est pas la région la plus facile à prospecter. Le volcan fait quelque chose comme trois mille neuf cents mètres de haut, et ses flancs sont truffés de gorges encaissées et de vallons difficiles d'accès. Rien d'étonnant à ce que le monastère ait réussi à survivre toutes ces années, même après la victoire des Ottomans. Il pourrait se trouver dans n'importe lequel de ces replis. Il faudrait pratiquement trébucher dessus pour le trouver.

Reilly était sur le point d'intervenir mais Tess le devança :

— Pensez-vous pouvoir vous procurer une carte détaillée de la région ? demanda-t-elle à Ertugrul. Une carte d'état-major peut-être ? Comme celles dont se servent les alpinistes.

— Ça devrait pouvoir se faire, répondit l'attaché juridique après quelques secondes de réflexion, sur un ton qui montrait le peu d'intérêt qu'il accordait à cette requête.

Il la transmit en turc à leurs hôtes, et l'un d'eux décrocha de nouveau le téléphone, a priori pour tenter de trouver la carte demandée.

Reilly jeta à sa compagne un coup d'œil interrogatif, puis se replongea dans l'étude de la carte.

— C'est loin ? demanda-t-il.

— D'ici ? Huit cents kilomètres à peu près.

— Dans ce cas, comment notre homme pourrait-il y accéder ? Par la route ? Les airs ? Un petit avion, ou un hélicoptère, peut-être.

Leurs hôtes turcs échangèrent quelques mots, puis secouèrent vigoureusement la tête.

— Il pourrait parfaitement se rendre là-bas en avion, expliqua Ertugrul. La ville de Kayseri est toute proche, et elle dispose d'un aéroport. Il y a deux vols par jour depuis Istanbul. Mais je ne crois pas qu'il le fasse. En fonction de la densité du trafic et de la route empruntée, le trajet prend onze, douze heures en voiture, contre un peu moins de deux en avion, mais c'est beaucoup moins risqué, surtout avec les aéroports en alerte maximale.

Ce qu'ils étaient censés être hier soir, pourtant ce n'est pas ça qui l'a arrêté, eut envie de dire Reilly.

— Il y a également un train Istanbul-Kayseri, se rappela le chef de la police. Mais s'il a un otage avec lui, ce n'est guère faisable.

— Bien, reprit Reilly. S'il décide de se rendre là-bas en voiture, où pourrait-il s'en procurer une ? Que savons-nous des voitures dont il s'est servi à Rome ? Celles où l'on a retrouvé Tess et Sharafi.

L'attaché juridique feuilleta ses documents et finit par trouver le rapport idoine.

— Tout ce qu'on sait, c'est que leurs plaques étaient fausses. Les premières vérifications effectuées sur celle dans laquelle Mme Chaykin était enfermée montrent qu'elle n'avait pas fait l'objet d'une déclaration de vol, mais même si cela avait été le cas, la déclaration en question aurait pu mettre du temps à parvenir aux personnes compétentes. Quant à l'autre, il est trop tôt pour savoir quoi que ce soit à son sujet, les recherches préliminaires viennent tout juste de commencer.

— On a utilisé pour piéger ces voitures le même mode opératoire que celui observé en Irak et au Liban, fit remarquer Reilly, qui écumait de rage. Les bagnoles sont volées, ou achetées en liquide avec de fausses pièces d'identité. Dans un cas comme dans l'autre, on le découvre uniquement après qu'elles ont explosé. Il faut absolument que l'on sache au volant de quel genre de voiture il se trouve.

— Nous allons avoir besoin de la liste de tous les véhicules déclarés volés depuis… disons depuis hier, dit Ertugrul à İzzettin. Il nous faudra également une information en temps réel concernant toutes les nouvelles plaintes susceptibles de vous parvenir.

— Entendu, répondit le policier.

— Combien de routes mènent à cette montagne ? s'enquit Reilly. Pouvez-vous installer des barrages ? Nous savons que c'est là qu'il se rend.

Le chef de la police secoua la tête et se pencha sur la carte routière.

— Même en sachant qu'il vient d'ici, il peut choisir pas mal d'itinéraires différents pour aller là-bas. Tout dépend du côté de la montagne qu'il souhaite atteindre, et même là, il y a plusieurs voies d'accès.

— Par ailleurs, ajouta Ertugrul, n'oublions pas que nous aurions le même problème que les gars des aéroports : nous n'avons ni photo potable, ni nom ou pseudo à fournir aux barrages routiers. Il n'y a guère que Simmons qu'ils pourraient repérer.

— Ce n'est pas possible, conclut İzzettin. La région alentour est très appréciée des touristes. La Cappadoce est bondée à cette période de l'année. On ne peut pas se permettre d'arrêter tout le monde.

— Bon, fit Reilly avec un haussement d'épaules frustré, l'œil sombre.

La voix de Tess perça soudain l'atmosphère pesante qui s'était installée :

— Puisque vous dites qu'il travaille sans doute pour les Iraniens, ne pensez-vous pas que ceux-ci ont à Istanbul des gens susceptibles de lui donner un coup de main ? Ils pourraient tout à fait lui trouver une voiture. Un refuge discret. Des armes.

— C'est bien possible, admit Reilly.

Il s'était posé la même question, mais il savait le terrain glissant.

— De quel dispositif de surveillance disposons-nous autour de leur ambassade ? demanda-t-il à Ertugrul.

Ce dernier marqua une hésitation, puis éluda :

— L'ambassade ne se trouve pas ici, mais dans la capitale, Ankara. Ils n'ont qu'un consulat à Istanbul.

Il s'en tint là. Aucun responsable de services secrets n'aimait révéler les identités de ceux que lui et ses collègues surveillaient, ou ne surveillaient pas, devant des homologues étrangers, à moins d'avoir la certitude absolue qu'il pouvait leur faire confiance – autant dire jamais.

— Et ses membres sont sous surveillance ? insista Reilly.

— Je ne suis pas en mesure de te répondre. Ceci est du ressort de l'Agence, répondit l'attaché juridique, rappelant à son collègue que c'était la CIA qui avait la main en matière de collecte de renseignements à l'étranger.

Reilly comprit le message et laissa tomber. Toujours très mécontent, il se tourna alors vers l'un des responsables turcs assis à la table, un certain Mourat Çelikbilek, du MIT, le Milli İstihbarat Teşkilati, autrement dit l'organisation nationale du renseignement turque.

— Et vos hommes ? lui demanda-t-il. Vous devez bien avoir mis en place un système de surveillance quelconque...

Çelikbilek le considéra un moment avec impassibilité avant de répondre :

— Ce n'est pas une question à laquelle on peut répondre comme cela, en particulier en présence de... d'un civil, conclut-il avec un mouvement du menton dédaigneux en direction de Tess.

— Écoutez, je n'ai pas besoin de savoir dans le détail la façon dont vous êtes organisés, reprit Reilly avec un petit sourire désarmant. Mais si vous les tenez à l'œil, et en particulier si vous surveillez leur consulat, l'un de vos hommes a peut-être vu quelque chose à même de nous aider.

Il soutint un moment le regard de Çelikbilek. L'officier de renseignements finit par cligner des yeux avant d'adresser à Reilly un petit signe de tête.

— Je vais voir si on a quelque chose.

— Ce serait super. On doit agir vite, insista Reilly. Il a déjà tué trois personnes dans votre pays, et il pourrait bien ne pas en rester là. Il est sans doute déjà en route pour le monastère et, à moins qu'on ne découvre quel genre de voiture il conduit ou l'endroit précis vers lequel il se dirige, il a le champ libre.

Il fit une pause suffisamment longue pour être sûr que chacun autour de la table avait bien compris, puis, se tournant vers Ertugrul, dit en baissant le ton :

— Il va falloir qu'on ait une discussion avec les gars de l'Agence. Et pas plus tard que tout de suite.

24

Avec le soleil couchant qui transformait son rétroviseur en lampe à incandescence, Mansour Zahed se glissa dans le trafic, longues files de voitures quittant Istanbul pare-chocs contre pare-chocs à cette heure de pointe, et se concentra sur sa conduite.

Il jeta un coup d'œil vers sa droite : Simmons était assis sur le siège passager, la tête légèrement affaissée, le regard à peu près dénué d'expression, comme d'habitude désormais : les sédatifs avaient une fois de plus sapé sa vitalité et l'avaient transformé en créature docile. Zahed savait qu'il devrait le maintenir dans cet état un certain temps encore : un long trajet les attendait, bien plus long que celui qu'ils avaient couvert plus tôt dans la journée.

Zahed n'appréciait guère de devoir reprendre le volant : il n'était pas homme à traîner en chemin, surtout pas après ses exploits au Vatican. Il aurait nettement préféré se rendre à Kayseri en avion, tout comme il aurait préféré rejoindre depuis l'Italie un aérodrome proche d'Istanbul. Mais Steyl avait écarté cette idée : l'un comme l'autre savaient pertinemment que l'armée turque maintenait sous étroite surveillance tous les terrains d'aviation du pays. Le Sud-Africain avait rappelé à Zahed que les risques étaient trop grands, en particulier après Rome, et Zahed n'avait pas contesté, sachant que, lorsqu'il s'agissait d'entrer dans un pays ou d'en sortir sans attirer indûment l'attention sur la cargaison illicite, quelle qu'elle fût, qui se trouvait à bord, Steyl savait ce qui était faisable et ce qui ne l'était pas. On pouvait compter sur lui pour transporter à peu près n'importe quoi dans à peu près n'importe quel pays, et pour franchir sans encombre les contrôles douaniers, comme on pouvait également compter sur lui pour qu'il ne vous débarque pas en terrain miné, métaphoriquement parlant. Ils avaient donc mis le cap un peu plus au nord et s'étaient posés en Bulgarie, précisément à Primorsko, petite station balnéaire au bord de la mer Noire. La ville disposait d'un modeste aérodrome civil – surtout pas militaire –, du genre de ceux où la question de savoir précisément qui arrivait et dans quel appareil n'était pas la préoccupation première des responsables locaux. L'endroit présentait en outre l'avantage de se trouver à une trentaine de kilomètres à peine de la frontière turque, soit à environ cinq heures de route d'Istanbul, ce qui n'avait rien d'insurmontable.

Le trajet vers leur nouvelle destination leur prendrait en revanche deux fois plus de temps, mais il n'y avait pas d'alternative. Zahed se serait volontiers épargné le cauchemar permanent de la circulation à Istanbul aux heures de pointe. Le chaos ambiant rappelait à l'Iranien les aspects les moins séduisants d'Ispahan, sa ville natale, autre cité dont les merveilles architecturales étaient passablement gâchées par le comportement dément de ses automobilistes. À la différence de son premier périple en voiture ce jour-là, lorsqu'il avait dû échapper à Reilly, il avait veillé à respecter toutes les

242

limitations en quittant la ville, évitant de se mesurer bêtement aux chauffeurs de taxis, collectifs ou non, qui ne demandaient pourtant que cela, les laissant le doubler à des vitesses folles, conscient que le moindre accrochage pouvait avoir des conséquences désastreuses, dans la mesure où il conduisait une voiture volée et transportait un captif drogué jusqu'aux yeux.

Bien que s'étirant maintenant dans une région de collines plutôt douces, l'autoroute n'en présentait pas moins une série de virages assez serrés, et Zahed avait du mal à se détendre. Jamais il n'avait vu autant d'autobus et de camions, mastodontes surchargés fonçant à toute allure sur l'axe Istanbul-Ankara, l'*otoyol*, pour reprendre le terme turc désignant l'autoroute à deux fois trois voies, sans se soucier de son revêtement souvent dangereusement inégal et ignorant avec superbe la limitation de vitesse, fixée à cent vingt kilomètres à l'heure. La Turquie avait l'un des pires taux d'accidents au monde, et la voiture qu'on lui avait louée, une Land Rover Discovery noire, idéale pour les parties hors piste de l'expédition, se révélait beaucoup trop haute pour une conduite confortable. Tel un léger voilier pris dans un coup de vent, le 4 × 4 était constamment ballotté par les poids lourds autour de lui, ce qui obligeait Zahed à donner en permanence des coups de volant pour éviter au maximum les turbulences et conserver une trajectoire rectiligne.

Comme il le faisait toujours après chaque étape d'une mission, l'Iranien passa mentalement en revue les événements qui avaient marqué celle qu'on lui avait confiée. Jusqu'à présent, il n'avait pas à se plaindre de la façon dont elle se déroulait. Il avait réussi à entrer en Turquie sans se faire remarquer. Il avait obtenu du Patriarcat les informations qu'il recherchait. Il avait échappé à Reilly qui, pourtant – mais comment ? –, avait réussi à retrouver sa trace avec une efficacité déconcertante. Son attention s'arrêta sur les épisodes de la veille, au Vatican, ce qui lui évoqua une réjouissante série d'images. Un profond sentiment de plaisir l'envahit au souvenir de la poussée d'adrénaline qui l'avait électrisé lorsqu'il avait vu à la télévision et lu dans les journaux la couverture des événements. D'autres suivraient, à coup sûr, après sa brève visite au Patriarcat. Il songea à sa quête et puisa un grand réconfort dans le fait que, même s'il ne parvenait pas à découvrir ce que Sharafi avait mis au jour, ou si le ou les objets en question se révélaient sans valeur, son aventure aurait déjà été une entreprise méritant qu'on s'y lance. Ses résultats étaient d'ores et déjà meilleurs que ceux qu'il avait obtenus à Beyrouth ou en Irak. Et de loin. Elle lui avait donné l'occasion de frapper ses ennemis au cœur même de leur foi. Leurs médias, toujours avides de nouvelles fraîches, en feraient leur miel durant des jours, enfonçant le clou dans l'esprit des masses qu'il souhaitait impressionner. Les marchés financiers jouaient déjà leur rôle en mettant un peu plus de sel sur la plaie : brutale et considérable, leur baisse amputait de quelques milliards de dollars les avoirs dormant dans les coffres de l'ennemi. Non, ses actions ne seraient pas oubliées de sitôt, il en avait la certitude. Et avec un peu de chance, se dit-il, ce ne serait là que le début : il s'imaginait déjà éveillant la vocation d'un millier d'autres guerriers et leur montrant ce que l'on pouvait faire.

Il se remémora d'autres commencements, à une autre époque, et le visage de ses frères et de sa sœur, ses cadets, s'imposa à lui. Il avait l'impression de les entendre courir, jouer dans leur maison d'Ispahan, non loin de leurs parents. Ceux-ci lui apparurent à leur tour : ils auraient à coup sûr été fiers de lui, s'ils avaient été en vie pour pouvoir être témoins de ses exploits. Le souvenir de ce jour maudit l'assaillit brutalement, attisant les flammes de cette rage qui ne l'avait plus quitté depuis – souvenir de ce dimanche 3 juillet 1988, d'une chaleur humide accablante, une journée qui avait vu l'anéantissement de sa famille, de son univers d'adolescent de quatorze ans, une journée qui avait marqué le début de sa nouvelle vie. Pas le moindre regret de leur part, songea-t-il en revoyant les cercueils vides qu'ils avaient mis en terre, la bile lui montant dans la gorge. Rien. Rien qu'un peu d'argent, l'argent du sang, pour lui et pour tous ceux qui avaient également perdu des êtres chers. Et des médailles, pensa-t-il avec rage. Y compris la Légion du mérite, pas moins, pour le capitaine du navire américain et pour le reste des impies, auteurs de ce massacre.

Réfrénant sa fureur, il avala une longue goulée d'air et tenta de recouvrer son calme. Inutile de se lamenter sur ce qui était arrivé ou, comme ses compatriotes le lui disaient volontiers, ce qui était destiné à arriver. Après tout, comme on ne cessait de le répéter, tout était écrit. Il ricana à cette idée, à la fois naïve et arriérée. Non, sa seule certitude, c'était que ses parents et ses frères et sœur n'avaient pas perdu la vie en vain. Après tout, sa vie à lui avait été marquée par des perspectives nettement plus grandioses que si les choses s'étaient déroulées différemment. Il avait juste besoin de s'assurer qu'il atteindrait tous les objectifs qu'il s'était fixés. Ne pas y parvenir reviendrait à déshonorer leur mémoire, et de cela, il n'était pas question.

En pensant au proche avenir, il sut qu'il allait devoir s'arrêter d'ici quelques heures. Il ne voulait pas conduire la nuit, le trafic serait moins dense, et il cour-rait le risque de tomber sur un contrôle de police. Pas question non plus de descendre dans un hôtel. Trop risqué. Un motel aurait fait l'affaire, mais, en Europe, impossible d'y trouver l'anonymat qu'offrait aux États-Unis ce genre d'établissement. Non, lui et Simmons passeraient la nuit dans la Land Rover. D'ici quelques centaines de kilomètres, autrement dit après avoir cou-vert environ la moitié du trajet, il s'arrêterait sur une aire de stationnement quelconque, garerait le 4 × 4 entre deux énormes poids lourds et attendrait le jour après avoir administré à Simmons une nouvelle dose de sédatifs. Au matin, il reprendrait la route, frais et dispos, cap à l'est sur l'*otoyol* jusqu'à Aksaray, via Ankara, avant d'emprunter l'antique route de la soie en direction de Kayseri et du but qu'il désirait si passion-nément atteindre.

25

— Le problème, c'est qu'avec une zone aussi étendue, on va avoir du mal à trouver quelque chose qui pourra faire l'affaire, expliquait le chef de station de la CIA à Reilly et à Ertugrul.

Ils étaient installés dans une pièce aveugle, au cœur du consulat américain, un carré en béton ressemblant à un bunker défendu par des murailles fortifiées et plusieurs points de contrôle de sécurité. Situé à une vingtaine de kilomètres au nord d'Istanbul, il évoquait davantage une prison moderne que le fier symbole de la nation qu'il représentait. On était loin de la majestueuse élégance du palais Corpi, le précédent consulat, imbriqué dans les bazars et mosquées du centre animé de la vieille ville. Ce dernier, qui évoquait si fort ce que les Américains appelaient « le Vieux Monde », appartenait, hélas, à une époque révolue. Si le nouveau bâtiment, construit sur une solide éminence rocheuse peu après le 11-Septembre, ressemblait à une prison, il y avait à cela une bonne raison : il devait être en mesure de résister à tout. C'était effectivement le cas, au point que, après avoir été capturé à la suite d'attaques à la bombe contre le consulat de Grande-Bretagne et une banque britannique, l'un des terroristes avait avoué aux autorités turques que ses compagnons et lui avaient eu à l'origine l'intention de s'en prendre au consulat des États-Unis, mais qu'ils l'avaient trouvé si bien défendu que, pour reprendre ses propres termes, « là-bas ils ne laissent même pas les oiseaux se poser ».

Trois hommes avaient bien tenté d'attaquer le bâtiment quelques années plus tard, mais tous trois avaient été abattus avant même d'arriver au portail d'entrée.

— Que voulez-vous dire ? demanda Reilly.

— Eh bien, que l'on sera probablement en mesure de charger un satellite espion de passer au-dessus de la zone dans le laps de temps adéquat, mais qu'on ne pourra pas obtenir de vidéo en temps réel ni de surveillance constante : on verra uniquement ce qui se passe pendant le court moment où il survolera la région à chacune de ses orbites. Autrement dit, ça ne va pas le faire pour ce qui vous concerne.

— En effet, fit Reilly avec un hochement de tête. On ignore quand notre homme va se pointer.

— Une meilleure solution consisterait à emprunter un de nos drones basés au Qatar pour sillonner la zone depuis le ciel, mais…

— Non, il le repérerait, l'arrêta Reilly.

— Je ne parle pas d'un Predator, mais d'un de nos nouveaux joujoux, un RQ-4 Global Hawk. Ces petites merveilles surveillent ce qui se passe au-dessous d'elles depuis une altitude de quarante mille pieds. Votre gus n'a quand même pas une vision bionique, si ?

Reilly fronça les sourcils. Cela ne lui souriait guère.

— Même depuis cette altitude… Ce type connaît son boulot, il sait à quoi ressemblent ces trucs, aussi sophistiqués soient-ils. Le ciel sera sans doute sans nuages à cette période de l'année. Il serait tout à fait capable de le repérer. On ne pourrait pas obtenir un des gros oiseaux ?

Tout comme le chef de station, Reilly savait que les satellites de surveillance les plus couramment utilisés – de type Keyhole, largement popularisés par le cinéma et les séries télévisées – ne pourraient pas faire l'affaire dans ce cas précis. Ils étaient plus adaptés pour surveiller la construction d'une centrale nucléaire, par exemple, ou ce qui pouvait ressembler à des lanceurs de missiles. Mais ils étaient incapables de fournir une surveillance constante, en temps réel, d'un lieu fixe. Pour cela, Reilly avait besoin de quelque chose que le National Reconnaissance Office essayait de soustraire à l'observation radar, pour ainsi dire. Un satellite de surveillance pouvant demeurer en orbite géostationnaire au-dessus d'un point précis sur la surface de la Terre et retransmettre ce qu'il voyait en direct. Une performance très difficile à obtenir : la position des satellites était sujette à toutes sortes de perturbations : variations du champ gravitationnel terrestre en partie dues à la Lune et au Soleil, vent solaire, pression des radiations... Des propulseurs et des logiciels particulièrement complexes, dits « de maintien stationnaire », étaient indispensables pour garder le satellite au-dessus de son objectif pendant de longues périodes de temps. Et comme ces oiseaux d'un genre nouveau devaient être déployés à une altitude de trente-cinq mille kilomètres pour que cette tâche puisse être exécutée, ils devaient être équipés d'une technologie extraordinairement avancée dans le domaine de l'imagerie. Ce pourquoi ils étaient plus gros qu'un autobus et coûtaient plus de deux milliards de dollars pièce, à en croire la rumeur – pour peu qu'ils existent, bien sûr. Et ce aussi pourquoi la demande excédait largement l'offre.

La demande de Reilly fit grimacer le chef de station.

— Aucune chance. Avec tout ce qui se passe dans cette région du monde particulièrement idyllique, ils fonctionnent à plein régime. Impossible d'en obtenir un. Et d'ailleurs, je ne crois pas qu'on pourrait les réorienter dans le laps de temps que vous venez d'évoquer.

— On doit trouver quelque chose, insista Reilly. Ce type a déjà fait de sérieux dégâts et il a bien l'intention d'en provoquer d'autres.

Le chef de station écarta les mains en signe d'apaisement.

— Pour ça, faites-moi confiance. Un RQ-4 vous donnera toute satisfaction, et plus encore. Nos gars en Irak et en Afghanistan ne jurent que par eux. Et d'ailleurs... vous n'avez pas d'autre solution. Donc, si vous voulez mon avis, sautez dessus et croisez les doigts.

L'homme de la CIA minimisait sciemment les talents du Global Hawk. Il s'agissait d'une étonnante merveille de la technologie. Sorte de gros avion avec une envergure de plus de trente mètres, ce drone sans pilote, contrôlé à distance, était capable de franchir près de cinq mille kilomètres jusqu'à la zone qu'on lui avait fixée pour objectif, où il était en mesure de demeurer en « longue résidence », autrement dit de passer plusieurs heures à surveiller le même endroit, et en « couverture large ». Il pouvait transporter toutes sortes de dispositifs d'imagerie et de radars – électro-optiques, infrarouges, à ouverture synthétique – et renvoyer des images de la cible, jour et nuit, quel que soit le temps. D'un coût unitaire de trente-huit millions de dollars, c'était un outil extraordinairement efficace et bon marché permettant d'obtenir ce que les Américains baptisaient l'IMINT – Imagery Intelligence, autrement dit le renseignement par imagerie – sans courir le risque de se retrouver avec une catastrophe à la Gary Powers sur les bras.

Le chef de station étudia de nouveau la carte de la montagne.

— Bien. Maintenant, en partant du principe que nous allons en obtenir un, il nous reste un certain nombre de problèmes à régler. Pour commencer, il y a beaucoup trop de voies d'accès pour qu'on puisse les surveiller toutes en permanence. La zone qui nous intéresse est trop vaste pour être observée vingt-quatre heures sur vingt-quatre avec une résolution suffisante à tout moment. À moins que nous ne puissions la réduire, nous devrons tourner autour. Auquel cas nous risquons de rater notre cible.

— C'est toute l'information dont nous disposons jusqu'à présent, grommela Reilly.

Le chef de station réfléchit un moment avant de conclure, en hochant la tête :

— OK. Je vais contacter Langley et voir si les gars de Beale peuvent nous en libérer un vite fait.

— Nous n'en aurons besoin que pour un jour ou deux, lui rappela Reilly. Mais il nous le faut tout de suite. Autrement, ça ne vaut même pas la peine.

— On va donner quelques coups de pied bien sentis là où je pense, ça devrait faire l'affaire, réaffirma l'homme de la CIA. Cela dit, on ne sait toujours pas ce qu'on cherche exactement, hein ?

— Trouvez-moi de bons yeux, fit Reilly. Je veillerai à ce qu'ils aient quelque chose à rechercher.

Il retrouva Tess dans une salle d'interview vide, installée à une table recouverte de grandes cartes. Son ordinateur portable était ouvert à côté d'elle et elle semblait plongée dans de profondes réflexions. Elle ne remarqua sa présence que lorsqu'il se planta à sa droite.

— Alors ? demanda-t-elle en levant les yeux vers lui. Comment ça s'est passé ?

D'après le ton de sa question, les préoccupations de Reilly se lisaient sur son visage. Il haussa les épaules.

— Impossible d'obtenir le satellite que je voulais, mais je crois qu'on va pouvoir nous procurer un drone d'observation. Le problème, c'est que la zone à surveiller est trop vaste... La fenêtre de couverture ne sera pas aussi resserrée que je l'aurais souhaité.

— Ce qui signifie ?

— Ce qui signifie qu'on risque de rater quelque chose, répondit-il d'un ton grave, où perçait la fatigue.

Il tira une chaise à lui et s'y laissa tomber.

— Je peux peut-être t'aider, dit Tess avec un sourire.

Le front de Reilly se plissa, mais il trouva la force de lui adresser à son tour un petit sourire.

— Tu choisis bien ton moment pour me proposer un massage...

Tess le fusilla du regard.

— Je parle sérieusement, crétin, rétorqua-t-elle en attrapant une carte de la Turquie qu'elle posa sur la carte d'état-major du mont Erciyes, avant de tapoter de l'index la zone représentant Istanbul, dans le coin supérieur gauche. Tiens, regarde.

Il se rapprocha.

— Bien, commença-t-elle. Constantinople est ici. C'est là qu'Everard et ses joyeux drilles, les premiers templiers à avoir visité le monastère, ont entamé leur périple.

Elle jeta un coup d'œil à Reilly pour s'assurer qu'elle avait bien son attention. De la tête, il lui fit signe qu'il était tout ouïe.

— Ils essayaient de retourner là, à Antioche, la forteresse templière la plus proche, poursuivit-elle en désignant l'emplacement de la ville, en Méditerranée orientale, près de la frontière syrienne. Mais, comme nous le savons, ils n'ont réussi à aller que jusque-là, au mont Argée, où se trouve le monastère.

— Ça alors, tu m'en bouches un coin, la taquina-t-il.

— Regarde donc cette montagne, patate ! Elle est toute ronde. Ronde comme doit l'être tout volcan éteint qui se respecte. Ils auraient pu facilement en faire le tour, non ?

Par dérision, elle fit tournoyer son doigt autour de la zone en question, sur la carte.

— Ce n'est pas comme s'ils avaient eu à franchir une muraille ou un obstacle majeur. Et pourtant, quelque chose les a incités à la gravir.

Reilly réfléchit un moment.

— Cela ne semble pas logique, en effet – à moins qu'ils n'aient voulu continuer à ne pas se faire remarquer.

Elle eut une moue d'admiration feinte.

— Ah, on ne peut pas dire que tu aies perdu ton temps à Quantico, dit-elle, sarcastique. Rien ne t'échappe, jusqu'aux connexions les moins évidentes... Tu m'en vois baba.

— Eh bien, essaie de t'en remettre et dis-moi à quoi tu penses.

— Everard et son groupe essayaient bel et bien de ne pas se faire remarquer, dit-elle, retrouvant son sérieux. Ils y avaient intérêt : tout cela se passait en 1203, à une époque où les Turcs seldjoukides s'étaient emparés d'un bon morceau de cette région, fit-elle en encerclant du doigt la zone en question. Pour les templiers, il s'agissait d'un territoire ennemi, grouillant de bandes errantes de guerriers ghazis fanatiques. Autrement dit, pour peu qu'ils aient eu un peu de plomb dans la cervelle, notre petite équipe de templiers avait certainement le très vif désir d'éviter de s'avancer en terrain découvert. Donc celui de s'en tenir aux sentiers de montagne, chaque fois que ça leur était possible. D'où leur petite escale au monastère.

— Attends… Un monastère chrétien en territoire musulman ?

— Les Seldjoukides toléraient la chrétienté. Les chrétiens étaient libres d'exercer leur foi ouvertement. Ils n'étaient pas l'objet de persécutions. Mais ça, c'était avant les sultans et l'Empire ottoman. En fait, cette région, c'était un peu le Far West, avec toutes ces bandes armées qui la sillonnaient, assoiffées de sang, comme ces groupes de soldats sudistes après la guerre de Sécession. Ils étaient dangereux, ce qui explique pourquoi les églises et les monastères étaient dissimulés dans des grottes ou dans des recoins montagneux, et non exposés à la vue de tous.

— D'accord, mais cela ne nous aide pas vraiment, objecta Reilly. Une fois qu'Everard et ses hommes ont commencé leur escalade, ils ont pu l'entreprendre dans le sens des aiguilles d'une montre, ou dans l'autre, non ? Ce qui signifie qu'on est toujours obligés de surveiller la totalité de la montagne.

— Peut-être bien. Mais regarde donc ça, dit-elle, reprenant la carte d'état-major du mont Argée et la reposant sur l'autre. Regarde les courbes de niveau, là et là, poursuivit-elle d'une voix dont l'intensité s'était élevée d'un cran, sous l'effet de l'exaltation, désignant du doigt une zone à l'ouest du côté septentrional de la montagne, à onze heures. Tu vois comme elles sont resserrées ?

Les courbes de niveau qui indiquaient la progression en altitude – dans ce cas précis, à des intervalles réguliers de cinquante mètres – étaient de plus en plus proches les unes des autres, jusqu'à pratiquement se chevaucher, ce qui indiquait que la zone en question était extrêmement abrupte. Voire plus encore : carrément verticale.

— C'est une falaise, expliqua Tess, les yeux brillant d'excitation. Et pas une petite. Ils ont dû la voir quand ils ont commencé à gravir la montagne, et ils ont alors certainement décidé de la prendre par l'autre côté, dans le sens contraire des aiguilles d'une montre, donc. Ce qui, en fin de compte, s'est révélé être pour eux la voie la plus directe.

Reilly se pencha en avant pour mieux voir, sa curiosité piquée.

— Et s'ils s'étaient approchés de cet endroit depuis l'est, un peu plus loin ? Ils auraient atteint la montagne de l'autre côté de cette falaise et ils l'auraient contournée par l'autre versant...

— J'en doute fort, répliqua Tess. Regarde la région, là, au nord de la montagne. Kayseri a été fondée il y a plus de cinq mille ans. C'était l'une des villes seldjoukides les plus importantes. Si nos templiers souhaitaient passer inaperçus, ils ont dû s'en tenir largement à l'écart. Et comme ils venaient du nord-ouest, ils ont probablement contourné la ville par l'ouest, en passant sans doute par les vallées de la Cappadoce, où ils ont très certainement été abrités par les communautés chrétiennes qui, depuis les premiers jours de leur foi, avaient trouvé refuge dans les grottes et les cités troglodytes du coin. J'ai un peu fouillé la question, si tu me passes l'expression. Tu vois cette zone, là ? demanda-t-elle en indiquant le versant nord-ouest de la montagne. C'est un coin qu'adorent les alpinistes, en toute saison. J'en suis venue à me dire que si les ruines du monastère se trouvaient par là, j'en aurais trouvé mention sur un site Internet quelconque. Quant à ce côté, le versant nord, c'est celui où est située la station de ski. Même remarque que précédemment. Toute cette partie a dû être explorée dans ses moindres recoins. S'il y avait eu les ruines d'un monastère, quelqu'un les aurait remarquées et signalées.

Elle s'interrompit et fixa Reilly droit dans les yeux, sûre de ce qu'elle avançait.

— Tu veux restreindre la zone de recherches ? Alors oublie le côté droit de la montagne, Sean. Concentre-toi sur la partie occidentale.

Reilly étudia la carte un moment, puis leva les yeux vers Tess.

— Si tu te trompes, on le rate.

Tess hocha la tête après quelques secondes de réflexion.

— On risque de le rater de toute façon si on est obligés de surveiller la montagne toute entière. Non, je pense vraiment que ce serait la bonne décision.

Il soutint son regard, appréciant à sa juste valeur le rayonnement de son visage, sentant son enthousiasme et son assurance le gagner.

— OK, dit-il enfin. Je vais faire passer l'info.

La jeune femme sourit, visiblement satisfaite de sa réaction.

— Il faudrait qu'on y soit, tu ne crois pas ? lança-t-elle alors qu'il quittait son siège. On devrait aller l'attendre là-bas.

Reilly se tourna, s'apprêtant à dire quelque chose, mais elle le devança.

— Non.

— Non quoi ? demanda-t-il, perdu.

— Ne commence pas. Avec ton baratin.

— Quel baratin ?

Il avait sincèrement l'air de ne rien y comprendre.

— Mais si, tu sais très bien, le baratin qui consiste à dire que tu vas aller là-bas, mais que moi je dois rester ici parce que c'est beaucoup trop dangereux ; à quoi je réponds non, tu as besoin de moi là-bas parce que je comprends tout ce machin truc autour des Templiers ; tu insistes : il n'en est pas question ; j'insiste à mon tour : sans moi, tu risques de passer à côté de l'unique indice susceptible de te conduire jusqu'à lui ; tu décides alors de me prendre par les sentiments : tu me dis que je devrais peut-être penser un peu à Kim, être pour une fois une bonne mère, et je me mets à te détester pour avoir recouru à ce genre d'argument et insinué que je suis une mère indigne…

Elle le regarda, d'un air à la fois interrogateur et taquin.

— Sérieusement, Sean, faut-il qu'on en arrive là ? Car tu sais pertinemment qu'au bout du compte je finirai par y aller avec toi. Tu le sais aussi bien que moi.

Reilly se contenta de la regarder fixement, désarçonné, sa fusillade verbale ricochant encore à l'intérieur de son crâne. Puis, sans un mot, il se contenta de lever la main en signe de reddition, tourna les talons et se dirigea vers la porte.

Elle souriait toujours quand il quitta la pièce.

26

Jed Simmons reprit progressivement conscience, la bouche sèche et la tête lourde comme après une nuit blanche trop arrosée. La vision qui se précisa peu à peu dissipa toutefois rapidement toute illusion, aussi vague fût-elle, qui aurait pu lui faire croire que ces sensations étaient la conséquence d'activités tant soit peu plaisantes : il était installé dans le siège passager d'un 4 × 4 roulant en territoire inconnu, des plaines inondées de soleil qui semblaient s'étendre à l'infini. La sensation que lui envoya son poignet droit confirma ce sentiment d'inconfort : il était attaché à l'accoudoir de la portière, retenu par une menotte en plastique.

La voix de l'homme au volant redonna corps à son cauchemar :

— Allez, allez, on se réveille ! Il y a une bouteille d'eau et des barres chocolatées dans le sac, à vos pieds. Je vous conseille de taper dedans. J'imagine que vous devez avoir plutôt soif à l'heure qu'il est.

Simmons était trop las – et trop furieux – pour résister. Après tout ce temps dans le désert, en Jordanie, il savait à quel point il était crucial de demeurer correctement hydraté, tant pour le corps que pour l'esprit, l'un comme l'autre étant pour l'heure dans un état lamentable.

Il tendit vers le sac son bras libre et, en se penchant en avant, sentit quelque chose d'inconfortable qui le serrait à la taille, une sensation encore jamais éprouvée. Il s'agita sur son siège, regardant vers le bas, tâtant l'endroit suspect de son bras non entravé, se demandant de quoi il pouvait bien s'agir. Il y avait bien quelque chose, sous sa chemise.

Il s'apprêtait à relever son vêtement quand l'homme lui lança :

— Moins vous y toucherez, mieux cela vaudra.

Simmons suspendit son geste et regarda son ravisseur.

Ce dernier gardait les yeux sur la route, devant lui, concentré sur sa conduite, le visage de marbre.

— Que... C'est vous qui avez fait ça ?

L'homme fit oui de la tête.

Simmons avait terriblement peur de poser la question qui venait de lui traverser l'esprit, et pourtant les mots sortirent de sa bouche, lentement, comme s'il était incapable de les contrôler :

— Qu'est-ce que c'est ?

Après avoir gardé un moment le silence, le conducteur du 4 × 4 jeta un rapide coup d'œil à son passager et lui dit :

— À la réflexion, vous devriez peut-être regarder.

Simmons le dévisagea, se demandant s'il avait vraiment envie de voir de quoi il s'agissait. Puis, n'y résistant plus, il releva sa chemise.

Il avait quelque chose autour de la taille, juste au-dessus de son pantalon. Une espèce de ceinture, large d'environ cinq centimètres, confectionnée dans un matériau brillant et résistant, comme de la toile à voile.

Cela semblait parfaitement inoffensif – jusqu'à ce qu'il relève un peu plus sa chemise et repère le petit cadenas reliant deux œillets en laiton, qui maintenait la ceinture fermement serrée. Il vit ensuite quelque chose de plus alarmant : un renflement, sur l'avant de la ceinture ; cousu à l'intérieur, se trouvait un objet dur, pas plus gros qu'un paquet de cartes. Impossible de voir comment y accéder, en l'absence de poche, de fermeture Éclair ou Velcro. Il faisait corps avec la ceinture.

Un frisson d'effroi le parcourut.

— Qu'est-ce que c'est ? s'enquit-il, ses tempes battant soudain plus fort. Qu'avez-vous fait ?

— C'est une minibombe. Oh, rien de bien compliqué. Un peu de Semtex et un détonateur. Contrôlée à distance, expliqua le ravisseur en lui montrant son portable avant de le remettre dans sa poche. Juste assez puissante pour faire dans votre ventre un trou de la taille de ma main, fit-il, doigts écartés pour bien faire comprendre à son passager ce que cela représentait. Si elle explose, il est probable qu'elle ne vous tuera pas instantanément. Vous survivrez encore une minute, peut-être un peu plus, ce qui vous permettra de voir le cratère qu'elle aura creusé. Pas très sympa, ajouta-t-il. Je ne vous le conseille pas.

L'archéologue eut un haut-le-cœur. Il ferma les yeux et essaya d'inspirer une bouffée d'air, pour constater qu'il avait du mal à respirer. Il ne comprenait pas ce que cette chose faisait sur son corps mais un faible « Pourquoi ? » fut la seule réaction dont il fut capable.

— Une bonne raison, fit le conducteur.

Simmons ne put que le regarder d'un air stupide, le cerveau paralysé par la peur.

— Une bonne raison de rester sage, précisa l'homme. Nous allons faire un peu de tourisme et j'ai besoin d'avoir l'assurance que vous ne ferez pas de bêtises. J'espère donc que la crainte de voir vos tripes exploser sera une motivation assez puissante pour que vous fassiez exactement ce que je vous dirai de faire. D'habitude, ce genre de joujou fait l'affaire, fit-il avec un nouveau regard de côté, apparemment pour jauger la réaction de Simmons, avant d'ajouter : Oh, et n'essayez surtout pas de détacher la ceinture. Elle est fermée avec un verrou. Un peu comme une ceinture de chasteté, si vous voulez, ajouta-t-il avec un sourire. Pour réprimer les désirs ardents qui pourraient vous agiter.

Totalement désespéré, l'Américain se laissa retomber en arrière sur son siège et regarda fixement devant lui. Une voiture les croisait de loin en loin, mais la circulation était peu dense sur cette route étroite et au revêtement inégal.

— Où nous emmenez-vous ? demanda-t-il enfin, sans savoir vraiment si la réponse présentait un intérêt quelconque.

— À la montagne. Un bon bol d'air vous fera le plus grand bien, répliqua l'homme avec un semblant de sourire. Vous m'avez l'air un peu pâlot.

Une étincelle raviva soudainement la mémoire de Simmons.

— Vous savez où se trouve le monastère ?

— Plus ou moins, répondit son ravisseur, sans autre précision.

Le guide les attendait à l'endroit prévu qui, pour finir, ne s'était pas révélé si difficile à trouver. Le navigateur GPS dont était équipée la Land Rover représentait un atout majeur, qui lui avait permis à la fois d'éviter les grandes routes passant par Kayseri et donc de tomber sur un éventuel contrôle routier, mais également de trouver sans mal quelqu'un qu'il n'avait jamais rencontré auparavant, dans un lieu obscur dont il ignorait tout.

La route sinueuse qu'il avait choisie, un détour qui augmentait le trajet d'une bonne heure mais permettait de contourner la ville et d'aborder la montagne par l'ouest, traversait de rares bourgs endormis ainsi que le parc national et la réserve naturelle des Marais du Sultan, avant d'aborder la série d'éminences au pied du volcan éteint aux contours déchiquetés.

Cette montagne offrait un spectacle imposant. Depuis que sa silhouette était apparue, loin devant, Mansour Zahed avait eu du mal à en détacher son regard : son aspect majestueux, digne d'une carte postale, se faisait de plus en plus impressionnant au fil des kilomètres. Comme le Kilimandjaro et d'autres volcans éteints, il se présentait dans une fière solitude avec son cône rocheux au sommet aplati, de proportions considérables, dominant fièrement les hauts plateaux d'où il était issu. Et alors même qu'on était au cœur de l'été et que le thermomètre du tableau de bord indiquait une température proche des quarante degrés, une couronne neigeuse ornait toujours sa cime.

Il fit halte au lieu de rendez-vous fixé, une station-service fatiguée dans les faubourgs de la ville de Karakoyunlu. Le guide, Suleyman Toprak, les y attendait, appuyé contre un 4 × 4 Toyota cabossé, qui avait de toute évidence passé l'essentiel de son temps à se faire maltraiter sur les sentiers de montagne, dans le genre d'excursions hors piste bien cahoteuses pour lesquelles il avait été conçu.

Zahed s'arrêta derrière lui, tendit la main vers la banquette arrière et y pêcha un pistolet qu'il glissa dans une poche de sa veste, sous les yeux de Simmons.

Regardant son prisonnier, il lui fit signe du doigt de ne surtout rien tenter, tout en prenant soin de ne pas être vu par le guide, qui s'approchait maintenant de leur voiture.

— N'oubliez pas : vous devez vous en tenir au scénario prévu. Votre vie et la sienne en dépendent, précisa-t-il en désignant le nouveau venu.

Les mâchoires de Simmons se durcirent, et il hocha la tête à contrecœur pour montrer qu'il avait bien reçu le message.

— OK, fit Zahed qui, après l'avoir regardé un moment avec une attention toute particulière, sortit de la voiture.

Le Turc, un homme approchant la trentaine au visage affable, avait des cheveux très longs, très noirs, très épais, séparés par une raie au milieu, et sa petite barbiche, parfaitement triangulaire, semblait avoir été taillée pour s'adapter à son menton. Il portait un bermuda kaki, une chemise sans col, ouverte jusqu'au nombril, et des sandales de randonnée. De multiples colliers en cuir pendaient à son cou, plus qu'à moitié dissimulés sous la toison luxuriante qui couvrait sa poitrine.

— Professeur Sharafi, lança-t-il à Zahed.

Ce dernier lui adressa un petit salut de la main et fit « oui » de la tête.

— Suleyman Toprak, mais appelez-moi Sully, fit le guide en souriant de toutes ses dents, avec un accent quasi yankee qui devait plus à un visionnage assidu des séries télévisées américaines qu'à des séjours plus ou moins prolongés aux États-Unis.

Les deux hommes échangèrent une poignée de main.

— Ali Sharafi, se présenta Zahed, jaugeant rapidement l'autochtone de son regard expert pour constater que rien ne clochait. Je suis ravi que vous ayez pu vous rendre disponible dans un si bref délai.

Il l'avait choisi parmi plusieurs guides locaux disposant de sites Internet où ils vantaient la qualité de leurs services, et l'avait retenu avant de quitter Istanbul.

— Je suis content que vous m'ayez appelé, répondit Sully. Votre programme m'a l'air plutôt sympa.

Zahed désigna Simmons d'un geste de la main.

— Voici mon collègue, Ted Chaykin.

Il avait choisi des noms que son prisonnier n'était pas près d'oublier, mais continuait d'éprouver in petto un plaisir pervers à observer la réaction de Simmons chaque fois qu'il les prononçait.

— Ravi de faire votre connaissance à tous les deux, fit le Turc. J'espère que vous avez fait bon voyage.

— Sans encombres, sinon que Ted a eu quelques problèmes digestifs. Nous avons dû nous arrêter plusieurs fois en route, répondit Zahed avec une grimace de compassion parfaitement imitée. D'habitude, il a l'œil beaucoup plus pétillant.

— Ce sont des choses qui arrivent, remarqua Sully, philosophe. Mais un bon verre de raki est le meilleur des remèdes. Et il se trouve que, par chance, j'en garde une bouteille dans ma voiture. Pour notre retour, bien sûr.

Il arbora de nouveau son sourire étincelant et, après avoir adressé un clin d'œil complice à Simmons, se tourna vers Zahed.

— Vous m'avez donc dit que vous étiez à la recherche d'un monastère, et que vous aviez trouvé d'autres renseignements sur son emplacement.

L'Iranien sortit de sa poche un petit carnet sur lequel il avait noté les informations que le père Alexios, le grand archimandrite de la bibliothèque, avait trouvées et traduites pour lui avant qu'il ne lui troue le front d'une balle.

— Nous recherchons des indices supplémentaires mais, pour le moment, tout ce dont nous disposons pour aller de l'avant, c'est le journal d'un évêque d'Antioche qui y a décrit sa visite au monastère, au XIIIe siècle.

— Super, attendez une seconde…

Le Turc plongea dans sa voiture et en sortit une grande carte d'état-major, qu'il déplia sur le capot de la Toyota.

— Nous sommes ici, et cette zone, là, représente la montagne, dit-il à ses nouveaux clients, indiquant les lieux sur la carte.

— Bien. Voilà donc les informations en notre possession : l'évêque raconte qu'il est parti vers le nord, depuis Sis, à l'époque capitale du royaume arménien de Cilicie, expliqua Zahed avec une tranquille assurance, comme si tout cela était pour lui une seconde nature. Et, comme vous le savez sans doute, Sis est le nom ancien de la ville de Kozan.

Une lueur brilla dans les yeux du guide : ce nom lui était familier.

— Oui, Kozan. Ça se trouve là, fit-il en montrant l'emplacement de la ville sur la carte. À une centaine de kilomètres au sud d'ici.

— Exactement, poursuivit Zahed. L'évêque a ensuite visité la forteresse de Baberon avant de passer en territoire seldjoukide par les Portes de Cilicie.

— Aujourd'hui le col de Gülek, ici, dit Sully en désignant l'endroit du doigt. C'est la seule voie d'accès commode pour traverser les monts du Taurus.

— Il raconte ensuite qu'il a pris la direction du nord-est, vers le mont Argée. Là, je cite : « Avec les hommes qui m'accompagnaient, nous nous sommes aventurés dans la montagne, avons traversé des vergers riches en pommiers, cognassiers et noyers, puis des prés ou paissaient chèvres et moutons, avant de gravir une pente abrupte et de traverser une petite forêt de peupliers. Là, poursuivant notre ascension, nous sommes passés devant une merveilleuse chute d'eau avant d'atteindre le plus pieux des monastères voués à saint Basile. »

La mine du guide se rembrunit. Il se pencha de nouveau sur la carte, de toute évidence passant mentalement en revue les différents sites qu'il avait croisés dans la région au fil des années, avant de lâcher au bout d'un moment :

— Bon. S'il est parti de Baberon, il a probablement suivi ce chemin, c'est une voie commerciale utilisée depuis des siècles, fit-il en montrant les zones qu'il mentionnait. Et sur ce versant de la montagne, je pense à trois, peut-être quatre cascades spectaculaires qui, chacune, pourraient bien être celle dont il parle. Même chose pour les arbres, on les trouve à plusieurs endroits dans le coin, expliqua-t-il d'une voix qui avait perdu de son entrain. Vous n'avez rien d'autre ?

— Voyons voir… Il décrit le coucher de soleil à l'horizon, au loin, ce qui nous indique qu'il se trouvait quelque part par là, sur l'une des crêtes de la montagne orientées à l'ouest. Mais il y a plus, une référence intéressante à quelque chose qu'il aurait vu en chemin, ajouta Zahed. Quelque chose qu'il décrit avec des mots exprimant un profond respect : une pierre provenant du vaisseau de Dieu, sur laquelle auraient été gravés des croix et le signe de Nemrod.

— Le signe de Nemrod ?

— Un losange, expliqua Zahed. Nemrod. De la Bible des Hébreux. L'arrière-petit-fils de Noé, le premier roi après le Déluge.

Le visage du guide s'éclaira.

— Une grosse pierre avec des croix gravées dessus. Provenant de l'Arche.

— Cela vous dit quelque chose ? interrogea Zahed.

Sully hocha la tête, les pièces du puzzle trouvant peu à peu leur place dans sa cervelle, avant de lancer avec un sourire entendu :

— Allez, on part retrouver votre fichu monastère.

Il replia la carte et partit au trot vers sa voiture.

— Vous me suivez, OK ? cria-t-il en se retournant vers ses clients. La première partie du trajet ne pose pas de problèmes !

— Très bien, on vous suit ! répondit Zahed.

Il regarda le guide démarrer la Toyota, puis se tourna vers Simmons et lui adressa un petit signe de tête satisfait.

— Allons retrouver ce fichu monastère, « Ted ».

Quelques minutes plus tard, les deux 4 × 4 se lançaient à l'assaut de la montagne.

27

Sous les rayons du soleil matinal, les eaux du Bosphore étaient nimbées de merveilleux éclats mordorés quand le petit jet survola Istanbul avant de faire passer Reilly, Tess et Ertugrul d'un continent à l'autre, d'Europe en Asie. L'appareil, un Cessna Citation VII blanc de l'armée de l'air turque, avait pour destination la ville de Kayseri, au cœur du pays. Là, une unité des forces spéciales turques les attendrait pour les conduire dans les montagnes.

Tandis que l'avion grimpait pour atteindre son altitude de croisière, Reilly regardait sans vraiment le voir le paysage de dômes et de minarets qui filait au-dessous de lui. Il avait du mal à garder les yeux ouverts. Il n'aurait su dire combien de tasses de café il avait absorbées au cours des dernières vingt-quatre heures, un nombre qu'il aurait fallu en toute logique multiplier par deux ou trois pour tenir compte de la puissance du café turc. N'empêche, il lui faudrait rapidement prendre un peu de repos, s'il voulait se montrer efficace au cours de l'opération à venir.

Tous trois avaient travaillé jusqu'à une heure tardive au consulat, et, plutôt que de se préoccuper de trouver des chambres d'hôtel, ils avaient décidé de finir la nuit sur place. Tess avait passé son temps à essayer de deviner la destination finale de Conrad et de ses hommes, tandis que Reilly et Ertugrul avaient épluché durant des heures tous les rapports transmis à leurs supérieurs par les correspondants locaux des services secrets turcs et de la CIA, à l'affût d'une information sortant de l'ordinaire, susceptible d'être rattachée au poseur de bombes du Vatican. Ils avaient par ailleurs passé nombre de coups de fil à leurs propres supérieurs à New York, Langley, et à Fort Meade, siège de la NSA, où l'on analysait toutes les conversations téléphoniques, pour trouver toute information susceptible d'aider à répondre à la question la plus pressante du moment : par quel moyen le terroriste pouvait-il se rendre d'Istanbul à sa destination supposée ?

Alors que le soleil s'élevait au-dessus de l'horizon, ils n'avaient aucune réponse à leurs interrogations. Chou blanc sur toute la ligne. Tout ce dont ils disposaient, c'était la dernière mise à jour de la *polis* locale donnant le nombre, la marque et l'immatriculation des voitures volées à Istanbul et dans ses environs au cours des dernières quarante-huit heures. Ils ne furent pas surpris d'apprendre que ce nombre, cinquante-sept, était relativement limité, compte tenu du court laps de temps écoulé. En étudiant attentivement la liste, Reilly et Ertugrul avaient pu en éliminer plus de la moitié en partant du principe que celles-ci n'étaient guère adaptées pour un périple d'une durée variant entre dix et douze heures. Ils avaient ensuite attendu que les données soient transmises au réseau d'information et de sécurité de la police, dispositif reliant plus d'un millier de caméras de surveillance disséminées dans la ville à un centre permettant de localiser les voitures et de lire leurs plaques minéralogiques. Plusieurs des véhicules répertoriés par leurs soins avaient été repérés par la vidéosurveillance dans des endroits divers ; et dans la mesure où Reilly et Ertugrul connaissaient la destination de leur cible, ils avaient été à même de réduire encore à quatorze le nombre des voitures susceptibles de retenir vraiment leur intérêt. Peu après l'aube, ils avaient appris par l'Air Combat Command que les autorités compétentes avaient donné leur feu vert pour qu'un Global Hawk soit mis à leur disposition.

Basé à Al Udeid, au Qatar, dans le golfe Persique, l'appareil était en cours d'équipement et serait en position au-dessus de l'objectif vers le milieu de la matinée. La liste des voitures suspectes avait été transmise aux contrôleurs des drones de la 9e escadrille de reconnaissance de l'US Air Force basée à Beale, en Californie, dont les ordinateurs analyseraient les bandes vidéo transmises par le drone pour repérer le véhicule qu'ils recherchaient.

Dès lors, il ne leur restait plus qu'à attendre. En croisant les doigts et, dans le cas de Reilly, en essayant de ne pas ressasser les événements récents et les erreurs éventuelles qu'il aurait pu commettre.

Il releva la tête vers le siège en face de lui. Tess sentit le poids de son regard et quitta des yeux son ordinateur portable. Même après une quasi-nuit blanche dans l'inconfort d'une salle de travail du consulat, la lueur qui brillait dans ses yeux et le petit sourire malicieux qui relevait le coin de ses lèvres étaient toujours là. Il se sentit obligé de sourire à son tour, un pâle sourire qui ne gagna pas ses yeux.

La jeune femme s'en rendit compte.

— Qu'est-ce qu'il y a ? demanda-t-elle.

Trop fatigué pour engager une conversation, Reilly préféra éluder la question en en posant une à son tour :

— Alors, tu as trouvé quelque chose ?

Elle le fixa un long moment, se demandant si elle devait ou non le pousser dans ses retranchements. Puis elle baissa les yeux vers son écran et répondit :

— Je crois. Je ne suis pas sûre que cela suffise à nous permettre de retrouver la tombe de Conrad sans savoir sur quel versant de la montagne se trouve ce monastère, mais ce n'est pas impossible.

— Montre-moi, dit-il en se penchant en avant.

Tess tourna son ordinateur de façon qu'il puisse voir l'écran, et pointa du doigt la carte qui l'occupait.

— Dans la lettre qu'il écrit avant de mourir, le moine dit qu'il a appris que Conrad et ses hommes se rendaient à Corycus, qui se trouve là, sur la côte, dit-elle en montrant l'emplacement d'une petite bourgade, sur la côte sud du pays. La ville s'appelle aujourd'hui Kizkalesi.

— Son information était peut-être erronée, objecta Reilly. Les templiers ont très bien pu lui mentir.

— C'est possible, mais je ne le pense pas. Ça se tient. En fin de compte, ils n'avaient guère le choix. En 1310, l'Ordre avait été aboli depuis un certain temps. Les templiers qui n'avaient pas été arrêtés étaient recherchés en Europe occidentale, ils étaient donc dans l'incapacité d'y retourner. Impossible d'aller vers l'est, non plus : les musulmans s'étaient emparés de la côte dans sa totalité et avaient démantelé leurs forteresses.

— Mais alors, quelle pouvait bien être leur destination ?

— La seule qui était logique pour eux : le retour à Chypre. Conrad avait probablement conservé des amitiés dans l'île, où les hommes du pape ne disposaient que d'un pouvoir limité. Il aurait pu y trouver une sécurité relative et préparer l'étape suivante. Ce qui veut dire que, quel que soit l'endroit où ils se trouvaient dans ces montagnes, ils devaient absolument se diriger vers le sud, vers l'un de ces cols permettant de traverser les monts du Taurus, pour arriver jusqu'à la côte. Mais lequel ? *That is the question.*

Reilly hocha la tête, pas vraiment concentré sur ce que racontait Tess.

Celle-ci le dévisagea un instant avant de lâcher :

— Tu sais que tu m'as fichu la frousse, hier.

— Comment ça ? demanda-t-il en plissant le front.

— Devant le Patriarcat. La façon dont tu t'es rué sur ce type, dont tu l'as poursuivi comme si tu étais une armée à toi tout seul. Et puis, sauter comme ça du haut d'un pont... Ce n'est pas ta faute, tu sais, Sean.

— Qu'est-ce qui n'est pas ma faute ?

— Ce qui s'est passé au Vatican. Les bombes et tout ça. Bon sang, Sean, je suis beaucoup plus responsable que toi dans cette histoire, fit-elle en lui prenant la main. Je sais que tu veux retrouver ce salopard. Et je souhaite qu'il soit mis hors d'état de nuire plus que toi encore. Mais tu ne peux pas continuer à te mettre dans des états pareils. Il faut que tu parviennes à contrôler ta rage sous peine de te faire du mal. Beaucoup de mal. Et ça me fiche les jetons. Je ne veux pas que ça t'arrive.

Reilly fit signe qu'il avait compris le message. Quelque part, il savait qu'elle était dans le vrai. Il laissait sa colère brouiller son jugement. Mais avec des individus comme ce terroriste, il savait que des demi-mesures se révéleraient à coup sûr insuffisantes. S'il voulait avoir une chance de lui mettre la main dessus, il devait dépasser les limites de la prudence. Cela faisait partie intégrante du job. Mais ça n'était pas forcément quelque chose qu'il avait envie de répéter à Tess à tout bout de champ.

— Il n'y a franchement pas de quoi s'inquiéter, dit-il avec un petit sourire. Je t'assure. On m'a entraîné à pratiquer ce genre de sport, tu sais.

L'expression de la jeune femme ne se radoucit pas pour autant. Elle n'était pas dupe.

— Je parle sérieusement, Sean, dit-elle en retirant sa main. Je ne veux pas te voir mourir pour moi. Pas ici. Pas maintenant. Pas du tout. On a encore pas mal de choses à faire ensemble, toi et moi, tu ne crois pas ?

Cette remarque le prit de court et il se remémora ce qu'ils avaient vécu quelques mois plus tôt.

— Ne t'en fais donc pas, dit-il après un temps. Je ne vais pas m'en aller.

Les traits de Tess s'assombrirent brusquement.

— C'est ce que j'ai fait, moi. Je t'ai fait faux bond, et j'en suis désolée. Pour de vrai. Mais tu me comprends, non ? Tu comprends pourquoi j'ai eu besoin de prendre mes distances, hein ?

Le souvenir de leur ultime conversation avant le départ de Tess résonnait encore à ses oreilles.

— Est-ce que quelque chose a vraiment changé ?

Tess inspira longuement et tourna la tête vers le hublot. Ce n'était pas une question à laquelle elle avait envie de réfléchir pour le moment.

— Et si ça s'arrête là, entre nous ? lança-t-elle enfin. Est-ce qu'on sera capables de dépasser ça, toi et moi, ou est-ce que ça creusera dans ta vie un trou que je ne serai jamais en mesure de combler ?

Après avoir réfléchi un moment, il haussa les épaules.

— Étant donné ce qu'on est en train de faire, et ce qui nous a conduits là où nous en sommes une fois de plus, j'en viens à me demander si nous avons eu raison ne serait-ce que de tenter le coup.

Le visage de Tess refléta un mélange de surprise et de trouble.

— Tu veux dire que tu en es à te demander si on a eu raison d'essayer de faire un bébé ? s'étonna-t-elle.

— Le problème n'est plus à l'ordre du jour, si ?

— Et justement, s'il l'était ?

Il s'accorda un instant de réflexion et se surprit lui-même en se rendant compte qu'il n'était plus sûr de rien.

— Je ne sais pas. C'est à toi de décider. Ce que je veux dire, c'est qu'on fait, toi et moi, de drôles de métiers. Toi, avec tes polars sur des périodes oubliées qui ont tendance à faire sortir du bois toutes sortes de cinglés. Et moi, chargé d'alpaguer des gus qui, dans leurs rêves les plus lubriques, envoient des avions s'écraser contre des gratte-ciel. Quels parents aurait-on fait, je te le demande ?

La jeune femme balaya l'objection d'un geste de la main.

— Qu'est-ce qu'on va faire, dans ce cas ? Tout laisser tomber et jouer au Scrabble tous les soirs en sirotant notre camomille ? Comme tu viens de le dire, on est comme ça, toi et moi. On fait notre job. Et avec ou sans ça, on ferait des parents super, je n'en doute pas un instant, ajouta-t-elle avec un sourire en lui reprenant la main. Écoute, ne t'en fais pas. Tu es un mec, tu n'es donc pas censé comprendre ce genre de chose. Pour ça, tu me laisses faire, OK ? Tout ce que j'attends de toi, c'est que tu me dises que, si ça ne marche pas pour nous sur ce plan, on ne se quittera pas pour autant... et que, en attendant, tu ne laisseras pas cet affreux faire un carton sur toi. On marche comme ça ?

Reilly sentit soudain la fatigue s'abattre sur ses épaules. Il fit « oui » de la tête et adressa à Tess un petit sourire, avec l'impression que ses paupières étaient lourdes comme du plomb.

— On marche comme ça.

En dépit des paroles de Tess et de son état d'épuisement, les images du carnage au Vatican ne cessaient de hanter les replis les plus obscurs de son cerveau. Il ferma les yeux et, décidant qu'un petit somme ne lui ferait pas de mal, se laissa aller contre l'appuie-tête. Il avait absolument besoin de dormir, mais le sommeil continua de le fuir, et il savait qu'il ne viendrait pas avant longtemps.

Pas avant la fin de la battue.

28

Les alpages, les vastes vergers et les vignobles cédaient la place à des espaces plus rudes, plus rocailleux au fur et à mesure que Zahed et Simmons s'élevaient en altitude, en suivant toujours la Toyota toute cabossée de leur guide.

La route asphaltée, avec son macadam fissuré et ses nids-de-poule dus aux intenses variations de température, était à peine plus large que leurs deux véhicules. Après quelques kilomètres, elle se transforma en une piste plus étroite encore, que des mules auraient eu beaucoup de mal à gravir, mais cela ne sembla pas décontenancer Sully. Le Turc continua d'avancer sans mollir, le diesel fatigué de son 4 × 4 peinant dans la pente aussi raide que cahoteuse, les ressorts de sa suspension se tendant et se comprimant comme quatre gros Yo-yo. Ils continuèrent de monter péniblement ces pentes désolées, jusqu'à ce que la piste s'arrête en cul-de-sac devant une petite clairière, au pied d'un gros escarpement rocheux.

Le guide leva les yeux vers le soleil, pratiquement au zénith, puis consulta sa montre.

— On va laisser les tentes et tout le barda ici, et voyager léger. Comme ça on pourra couvrir plus de terrain. Mais il faut qu'on soit revenus au coucher du soleil, ce qui nous laisse à peu près huit heures.

— J'espère que vous nous avez apporté tout le matériel de randonnée nécessaire, dit Zahed.

— Je crois que j'ai tout ce qu'il vous faut, répondit Sully en sortant de sa voiture un gros sac. Tee-shirts, shorts, polaires, chaussettes, chaussures. Messieurs, servez-vous. La montagne nous attend.

Après qu'ils eurent parcouru l'étroit sentier serpentant au flanc de l'abrupt escarpement rocheux qui dominait la clairière, ils progressèrent sans rencontrer de difficulté majeure durant la première heure, traversant plusieurs *yaylas*, ces pâturages de haute montagne qui bordaient le volcan dans une série d'ondulations de terrain. Malgré le soleil d'août, l'air devenait plus vif et plus sec à mesure que les randonneurs gagnaient en altitude, contraste frappant après la fournaise saturée d'humidité qui régnait au pied de la montagne. Çà et là, des troupeaux – de moutons, de bovins et de ces chèvres angoras qui faisaient la réputation de la région – broutaient paisiblement les herbages arides tandis que, dans le ciel, des volées de pinsons roses piquaient sur les intrus pour voir à qui ils avaient affaire avant de reprendre leur ballet aérien.

En dépit de la quiétude toute pastorale qui l'entourait, Zahed ne se sentait pas tranquille. Le temps filait à toute allure, temps qui permettrait peut-être à Reilly et à ses autres ennemis de retrouver sa trace et de resserrer leur étau autour de lui, et voilà qu'il se retrouvait là, dans ces montagnes, lancé dans une randonnée décidée sur la base d'informations plus que parcellaires et avec guère plus que l'espoir que le guide étranger qu'il avait sélectionné à la hâte sache ce qu'il faisait.

Simmons n'avait pratiquement pas ouvert la bouche depuis qu'ils avaient entamé leur ascension, ce qui était très exactement ce que Zahed lui avait enjoint de faire. À la grande irritation de l'Iranien, l'incessant bavardage de Sully compensait en revanche plus que largement le mutisme de l'archéologue. À l'évidence, le Turc souffrait d'une forme particulière de diarrhée...

Le terrain devint plus difficile à mesure que la pente se faisait plus raide, et les prairies cédèrent la place à des éboulis d'origine volcanique qui ralentirent leur progression. Loin au-dessus d'eux, des aiguilles rocheuses déchiquetées délimitaient le sommet de la vallée. Ils grimpaient depuis deux heures quand le guide suggéra de faire une halte à l'abri d'un bouquet d'arbres. Il leur tendit des bouteilles d'eau et des sandwichs au *sujuk*, très épicés, ainsi que des barres énergisantes ; ils avalèrent le tout sans se faire prier tout en admirant le panorama, à couper le souffle.

Le plateau anatolien s'étirait loin en contrebas, plaine sans limites apparentes, aux saisissantes nuances beige mordoré, piquetées d'une série d'ombres. Des montgolfières dérivaient lentement dans le vent, boules de gomme multicolores, survolant les lointains vallons et les gorges invisibles à l'œil.

Même à cette distance, on distinguait les caractéristiques si particulières qui faisaient que cette contrée offrait certains des paysages les plus insolites et les plus spectaculaires de la planète.

Plus de trente millions d'années plus tôt, au milieu de l'ère cénozoïque, la région tout entière avait été ensevelie sous les cendres issues des éruptions volcaniques du mont Argée et de deux autres volcans. Ceux-ci avaient craché leur lave et l'avaient répandue alentour à de multiples reprises durant des dizaines de milliers d'années. Lorsque les éruptions s'étaient faites moins fréquentes, les intempéries, les rivières et les tremblements de terre s'étaient ligués pour passer à l'offensive contre ces dépôts volcaniques, qu'ils avaient transformés en tuf, roche de faible densité, très malléable, mélange de lave, de boue et de cendre. Des siècles d'érosion avaient par la suite sculpté dans la plaine vallées et gorges profondes, les enserrant au sein d'un paysage étonnant constitué de formations rocheuses aux ondulations quasi sensuelles évoquant de gigantesques coulées de crème fouettée, d'espaces illimités parsemés de massifs cônes rocheux et de cheminées de fée, étranges aiguilles de tuf d'un blanc éclatant ressemblant à des pointes d'asperge qui auraient été coiffées de chapeaux en basalte brun-rouge défiant les lois de la gravité. Et comme si l'œuvre de la nature n'avait pas encore été assez fantasmagorique, l'homme y avait apporté sa contribution en creusant le tuf tendre partout où il en avait eu la possibilité. Dans les formations rocheuses, de petites cavités de toutes formes et de toutes tailles s'ouvraient, fenêtres des habitations humaines les plus improbables, vallées entières transformées en labyrinthes de cités souterraines, de cellules d'ermites, d'églises taillées dans le roc, et de monastères.

— C'est beau, hein ? fit Sully.

— Très, répondit Zahed.

— Vous êtes iranien, non ? demanda le guide après avoir bu une rasade à sa gourde.

— D'origine. Ma famille a quitté le pays quand j'avais sept ans.

Il mentait avec aisance. C'était là un profil dont il avait déjà usé.

— Le nom de cette région, Cappadoce, est aussi d'origine perse, vous savez, expliqua Sully. Ça vient de Katpatuka.

— La terre des beaux chevaux, traduisit Zahed.

Sully acquiesça de la tête.

— Jadis, il y en avait partout. Plus maintenant, hélas. Mais ça devait être quelque chose, de tomber sur des troupeaux de chevaux sauvages galopant en liberté dans un site pareil.

Il laissa son regard vagabonder sur le paysage insolite qui s'étendait au-dessous d'eux, respirant lentement, à longues goulées, avant de demander :

— Vous avez eu l'occasion d'explorer les vallées ?

— On n'avait pas vraiment prévu de faire ce voyage, et nous devons retourner sous peu à l'université.

— Oh, mais vous devez absolument trouver le temps de faire cette balade ! s'enthousiasma Sully. Jamais vous n'avez vu quoi que ce soit de semblable. C'est une autre planète. Et tout cela existe grâce à ce monstre, là, dit-il en montrant du doigt le sommet du volcan éteint qui les dominait de toute sa hauteur.

— On essaiera, dit Zahed en feignant le regret.

Sully fit un signe d'approbation, puis son visage s'éclaira d'un sourire malicieux.

— Vous n'avez rien remarqué à propos de l'endroit où on se trouve ? demanda-t-il.

Zahed regarda autour de lui, ne comprenant pas bien où le guide voulait en venir. Il capta le regard de Simmons : celui-ci avait les yeux levés vers les arbres.

— Des peupliers, dit l'archéologue. Ce sont des peupliers.

— Ouais, fit Sully, content de lui. Et si vous voulez bien me suivre, il y a ce rocher que j'aimerais vous montrer.

Ils l'atteignirent une demi-heure plus tard.

C'était un gros rocher, très droit, rectangulaire, d'une forme évoquant grossièrement une énorme stèle funéraire. Haut de près de trois mètres, il se dissimulait dans une vallée suspendue séparant deux crêtes. Plusieurs croix avaient été gravées sur la paroi antérieure, de même qu'un losange, sur sa partie inférieure droite. Près de son sommet, un trou d'environ vingt centimètres de diamètre avait été foré à l'aide d'un outil quelconque.

Zahed l'examina longuement, intrigué.

— Qu'est-ce que c'est ?

Simmons étudiait lui aussi de près la structure, dont la vision semblait lui avoir redonné un coup de fouet.

— On a trouvé pas mal de rochers semblables un peu plus à l'est, près de la frontière avec l'Arménie. Certains prétendent qu'il s'agirait d'ancres de pierre que les marins de l'Antiquité traînaient derrière leurs bateaux pour les ralentir et préserver leur stabilité lorsqu'ils étaient pris dans une tempête. Mais dans la mesure où on ne les trouve que profondément à l'intérieur des terres… elles proviendraient de l'Arche de Noé. Elles auraient été jetées par-dessus bord avant que celle-ci ne s'échoue sur le mont Ararat, précisa-t-il d'un ton chargé de moquerie et de compassion.

— Et vous n'êtes pas d'accord ? demanda Zahed.

Simmons le regarda d'un air surpris.

— Parce que vous pensez que je pourrais l'être ? Allons, ajouta-t-il avec un petit rire. On dirait presque que vous ne me connaissez pas, *Ali.*

Ce nom avait été lancé avec une certaine aigreur.

Avant même que Zahed ait pu tenter de calmer le jeu, Sully se mit de la partie, sans avoir conscience du manège de Simmons :

— Vous ne croyez pas à l'existence de l'Arche ?

L'archéologue poussa un soupir.

— Bien sûr que non. Cette histoire de l'Arche, il n'a jamais été question de la prendre au sens littéral. Elle se trouve dans le livre de la Genèse, bon sang, et…

Il haussa les épaules, comme s'il était en train de se demander par quel bout aborder le sujet, avant de poursuivre :

— Tenez, prenez ce rocher, par exemple. C'est du basalte. Une roche volcanique. *Qui vient d'ici.* Or l'Arche, à en croire l'Ancien Testament, est censée avoir eu la Mésopotamie pour point de départ. Le hic, c'est qu'il n'y a pas de volcans là-bas. Les ancres de pierre devaient être fabriquées à partir d'un matériau originaire de l'endroit d'où partaient les bateaux, et non de celui où ils arrivaient, vous ne croyez pas ?

— Mais alors, de quoi s'agit-il, selon vous ? s'enquit Sully.

— De pierres dressées par les païens, longtemps avant la naissance du christianisme. On en trouve beaucoup, disséminées un peu partout, en Arménie et dans l'est de la Turquie. Les croix y ont été gravées beaucoup plus tard, quand le christianisme a supplanté le paganisme. C'est à partir de là que s'est répandue la conception chrétienne de la pierre tombale gravée d'une croix. D'abord chez les païens. Puis chez les chrétiens.

— Et les trous ?

— De simples niches, pour les lampes votives.

Zahed regarda attentivement autour de lui avant de demander :

— OK. Et la cascade, alors ?

— Je crois savoir de laquelle il s'agit, fit le guide. C'est la seule possible, à condition qu'il soit vraiment passé par là.

Ils atteignirent rapidement la fameuse chute d'eau. Et une heure plus tard, ils exploraient les ruines du monastère.

Même s'il ne restait plus grand-chose à explorer.

Après sept siècles d'abandon, seuls de rares indices laissaient entendre qu'on était en présence de quelque chose de plus que d'une série de grottes primitives, de forme cubique et aux parois présentant des ouvertures plus ou moins rectangulaires. L'endroit était infesté d'herbes hautes et d'épais buissons qui les dissimulaient à la vue, et lorsque les trois hommes finirent par y pénétrer après s'être frayé un passage dans la végétation envahissante, ils ne trouvèrent que des murs nus et froids, ainsi que les fantômes de fresques depuis longtemps passées représentant sans doute, estimèrent-ils, des scènes de la Bible.

Il ne s'agissait pourtant en aucun cas d'une déception. Ce qu'ils étaient venus chercher ici, c'était le monastère, et rien d'autre.

Ils firent une pause, perchés sur de gros rochers ronds en surplomb, en face du monastère, tout en haut de la pente rocheuse assez raide qui y menait. Dans le ciel de cette fin d'après-midi, une buse solitaire planait paresseusement, se laissant porter par un courant ascendant tandis qu'en contrebas les vallées encastrées offraient à la vue une palette de pourpres et de gris d'un romantisme échevelé. À l'aide de son couteau multifonction, Sully coupait des morceaux de *halva* à la pistache qu'il tendait à ses clients. Sa carte d'état-major était étalée à côté de lui ; il y avait déjà marqué l'emplacement du monastère.

— Donc vous voudriez maintenant suivre une autre direction à partir d'ici ? demanda-t-il à Zahed entre deux bouchées.

— Oui. Celle qu'aurait prise un voyageur qui serait passé par cet endroit au XIVe siècle.

L'Iranien sortit de sa poche une feuille de carnet pliée, la tendit au guide. Il y avait noté les détails du voyage de l'inquisiteur que Simmons avait dénichés dans le Registre des Templiers.

— Nous devons trouver la gorge qu'il mentionne là-dedans.

Sully regarda la feuille de papier puis leva les yeux vers Zahed.

— Qu'est-ce que c'est que cette histoire ? fit-il avec un sourire effronté, comme s'il ne demandait qu'à entrer dans le jeu. C'est une chasse au trésor, ou quoi ?

Zahed eut un ricanement méprisant.

— Une chasse au trésor ? Est-ce qu'on a des gueules de chasseurs de trésor ? dit-il en regardant Simmons, pointant Sully du doigt, tournant en dérision cette hypothèse d'un hochement de tête moqueur. Vous regardez trop de films à la télé, mon vieux.

Simmons parvint à émettre un faible petit rire, qui ne remonta pas jusqu'à ses yeux.

— De quoi s'agit-il, alors ? insista Sully. Pourquoi tant de hâte ?

— Je vous le répète, nous n'avions pas prévu ce voyage. Nous sommes en train de mettre la dernière main à un bouquin sur les croisades, et ces tombes pourraient apporter la preuve que certains chevaliers ont survécu dans le coin plus longtemps que nous ne le pensions, ce qui contredirait un certain nombre d'hypothèses que nous avançons dans notre livre. Mais nos moyens financiers sont limités et on ne peut pas rester là éternellement. En fait, nous devons être de retour à l'université dans deux jours.

— Il n'y a pas de trésor, alors ? fit Sully, manifestement déçu.

Zahed haussa les épaules.

— Désolé. Mais nous nous ferons un plaisir de vous envoyer un exemplaire dédicacé de notre livre.

— Ce serait super, dit Sully, cachant sa déception sous un grand sourire avant de se pencher sur la note que lui avait passée Zahed.

Il prit connaissance de son contenu, son regard passant de la note à la carte et inversement, à l'évidence passionné par ce challenge.

Au bout d'un long moment, il parut avoir pris une décision.

— La description est un peu trop vague pour qu'on puisse avoir des certitudes, mais étant donné ce qu'il y a là-dedans... Si je devais faire une supposition, je dirais qu'ils essayaient de rejoindre le col de Gülek, celui que l'évêque a également emprunté lors de son voyage vers le nord. C'était à l'époque le seul moyen de traverser les monts du Taurus. Ce qui voudrait dire que la gorge qu'il évoque se trouve au sud d'ici, dans cette zone, fit-il en dessinant du doigt un cercle autour de l'endroit en question. Le seul problème, c'est que, des gorges, il y en a des tas dans le coin. Impossible de dire, pour autant que j'aie raison sur la première partie de ma supposition, de laquelle il pourrait bien s'agir, à moins de faire nous-mêmes le voyage, en suivant sa trace.

Zahed hocha pensivement la tête.

— Eh bien, c'est très exactement ce qu'on va faire. Demain matin, à la première heure.

Il fit une pause, avant d'ajouter avec un sourire :

— Il faut absolument qu'on y arrive avant les autres chasseurs de trésors.

Sully rit de bon cœur.

— Aucun problème. Vous savez quoi ? s'exclama-t-il, le visage illuminé. On va appeler mon oncle, Abdülkerim. C'est un spécialiste de Byzance, il était prof d'université à Ankara et il travaille maintenant comme guide pour les groupes de touristes. Il va vous plaire. Il habite à Yahyali, tout près des gorges dont je viens de parler. Il les connaît comme sa poche, et si quelqu'un peut nous aider à trouver celle que vous recherchez, c'est bien lui.

Il sortit son téléphone de sa poche, y jeta un bref coup d'œil, puis parut soudain se rappeler quelque chose.

— Zut, j'avais oublié, fit-il, le portable à bout de bras, la mine penaude. On est trop haut pour capter un signal.

Les nerfs de Zahed se tendirent comme des câbles d'acier. Il savait comment ces mots seraient reçus, et il se tourna aussitôt vers Simmons.

La lueur qui brillait dans le regard de l'archéologue lui apporta toute la confirmation dont il aurait pu avoir besoin.

29

Pas de réseau pour les téléphones portables. La remarque de Sully embrasa les neurones de Simmons.

Pas de signal.

Pas de réseau.

Pas de détonateur.

Pas de bombe.

C'était maintenant ou jamais – il en eut d'autant plus la certitude quand il vit son ravisseur plonger la main droite dans son sac à dos, où Simmons savait qu'il avait fourré un pistolet.

— Il a une arme ! cria-t-il en se ruant sur Zahed.

Il percuta l'Iranien au moment précis où celui-ci sortait son pistolet. Saisissant de sa main gauche le poignet droit de l'Iranien, il parvint à repousser l'arme. Le fracas de la détonation explosa dans les tympans de l'archéologue, se réverbérant sur la falaise, dans leur dos, sans pour autant l'empêcher d'expédier son coude droit dans le visage du tueur. Des années d'entraînement permirent à l'Iranien de limiter l'impact au maximum en se jetant en arrière, mais le coude de l'archéologue le heurta dans un craquement sinistre qui se répercuta dans l'épaule de Simmons.

Sous le choc, les deux hommes dégringolèrent du surplomb, Simmons serrant toujours la main de Zahed qui tenait le pistolet et essayant désespérément de le lui arracher. Inextricablement enchevêtrés, ils roulèrent ainsi jusqu'à heurter rudement le sol.

La tête de l'Iranien percuta avec force un des rochers disséminés un peu partout, et il poussa un hurlement de douleur. Galvanisé, Simmons, agrippant maintenant des deux mains le poignet de son adversaire, l'abattait avec force, une fois, deux fois, et encore, contre les cailloux. Il sentit la prise de l'homme se relâcher encore un peu plus... et aussitôt après une douleur intense irradier dans son flanc droit : le poing de Zahed venait de le frapper avec la force d'un marteau-pilon. Un coup d'une puissance terrible. Sous l'impact, Simmons poussa un grognement sourd mais parvint à frapper une fois encore le poignet de son adversaire contre le sol. Le pistolet jaillit de la main de l'Iranien, dévalant la pente qui s'ouvrait juste derrière eux.

Simmons crut que son cœur s'arrêtait de battre à la vue de l'arme glissant hors de portée. Les ongles profondément enfoncés dans le poignet de Zahed, plaqué contre les rochers, cette vision le désarçonna complètement et il se demanda ce qu'il devait faire. Apercevant au-dessus de lui le visage abasourdi de Sully, il se mit à hurler, « Faites quelque chose, aidez-moi à récupérer le pist... », quand une intense douleur éclata dans sa poitrine : ses poumons expirèrent violemment l'air qu'ils contenaient, tandis que Zahed lui assénait un nouveau coup, cette fois du tranchant de sa main libre. Simmons fit un bond en arrière, essayant de retrouver son souffle, avec l'impression que sa cage thoracique avait été remplie de napalm et qu'on venait d'y mettre le feu. Tandis qu'il chancelait, Zahed se releva, prit son élan et se jeta sur lui avec un hurlement de fureur à glacer les sangs. Ses doigts se tendirent vers la gorge de son adversaire, tels les crocs d'un cobra, l'enserrant avec une force bestiale. L'Américain secoua violemment la tête, de gauche à droite, pour tenter d'échapper à l'étreinte mortelle de Zahed, agitant les bras en tous sens pour lui donner des coups qui se soldaient par des tapes insignifiantes. L'Iranien avait maintenant réussi à plaquer une joue de son adversaire contre le sol, écrasant son orbite gauche contre le rebord aigu d'un rocher, décidé à en finir. Simmons sentit sa vision s'assombrir et ce qui lui restait de forces le quitter peu à peu. Il en était à se dire que, à tout prendre, mieux valait peut-être mourir de cette manière plutôt qu'en regardant ses boyaux s'échapper d'un trou béant dans son ventre, quand quelque chose attira vaguement son attention, quelque chose sur le sol, à portée de main : une pierre, de la taille d'une mangue, juste à la périphérie de son champ de vision. Il avait presque perdu toute sensation dans les membres, mais parvint néanmoins à lancer son bras en direction de la pierre, à convaincre ses doigts de se serrer autour et à ordonner à ses muscles d'asséner à son adversaire un ultime coup.

Celui-ci atteignit Zahed au-dessous de l'oreille. Sous le choc, les lèvres de l'Iranien frémirent et s'ouvrirent, crachant de la salive rougie de sang. Les poumons en feu, Simmons le repoussa loin de lui. Zahed tomba en arrière, sur le côté, puis inspira une grosse goulée d'air, secouant la tête, les paupières mi-closes, sa main rouge de sang pressant la blessure que l'Américain venait de lui infliger. Ses yeux se fixèrent sur son adversaire avec une lueur de rage bestiale, et il se releva presque d'un bond, comme possédé.

Simmons recula, le souffle court, toutes sortes d'alarmes résonnant dans sa tête, lui intimant l'ordre de ne surtout pas insister, ni de tenter d'engager un nouveau *mano a mano*. Pas avec un homme comme celui-là.

Lui suggérant de se tirer au plus vite, tant qu'il était encore en mesure de le faire.

Il se lança dans la pente pour rejoindre Sully qui, de là-haut, regardait toujours ce qui se passait en contrebas, stupéfait, le visage luisant d'une suée soudaine, les yeux reflétant un mélange d'horreur et de désarroi.

— Qu'est-ce que vous f... commença le guide.

Ses mots s'arrêtèrent dans sa gorge quand il vit que Simmons n'écoutait pas. Le cerveau de l'archéologue tournait autour d'une unique pensée : ses yeux parcouraient le sol frénétiquement, il devait à tout prix le retrouver... Jusqu'au moment où il le repéra, là où il l'avait vu pour la dernière fois. Toujours dans la main du guide.

Le couteau multifonction.

— Passez-moi votre couteau, dit-il d'une voix rauque.

Sans même attendre une réaction, il sauta sur Sully et le lui arracha.

Il regarda autour de lui, essayant de se repérer, puis, sentant quelque chose bouger sur sa droite, se tourna pour voir Zahed apparaître en bas de l'éboulis.

L'Iranien tenait quelque chose à la main. Son pistolet. Ce salopard avait réussi à remettre la main dessus.

— Courez ! cria-t-il au guide en l'attrapant par le collet et en l'entraînant vers le côté de l'éboulis le plus éloigné du monastère.

Zahed sentait sa tête résonner encore sous l'effet du coup qu'il avait reçu, mais il savait comment oublier la douleur jusqu'à ce qu'il en ait terminé avec ce qu'il avait à faire. Pas question qu'un petit archéologue de merde vienne gâcher ses plans. Il allait le dresser, lui montrer de quel bois il se chauffait, lui apprendre le respect et veiller à ce qu'il n'oublie pas de sitôt la leçon.

Mais il devait d'abord lui mettre la main dessus.

Il arriva en haut de l'éboulis juste à temps pour voir Simmons commencer à dévaler la pente à une centaine de mètres de là, essayant de ne pas trébucher sur ce terrain glissant. Le guide le talonnait de près, mais ses mouvements semblaient moins assurés. Et puis il y avait autre chose : il perdait du temps à regarder sans arrêt derrière lui, pour voir si Zahed les suivait. À la différence de Simmons, tout ce qui se passait était nouveau pour lui, la scène qui venait de se dérouler l'avait pris complètement au dépourvu ; de surcroît, il n'était pas encore bien sûr de ce qu'il fallait en penser, et cette hésitation, pour minime qu'elle fût, contribuait également à le freiner.

Pour Zahed, c'était là plus qu'il n'en fallait.

Il s'empara de son sac à dos, y fourra son arme et le jeta sur son épaule avant de se mettre à courir aussi vite que possible dans leur direction, scrutant avec attention le terrain, veillant à choisir pour ses pieds les appuis les plus appropriés tandis qu'il dévalait la pente à leur poursuite. Son cerveau était focalisé sur les tâches immédiates, essentielles, à accomplir dans l'instant : veiller à ne pas faire de faux pas au risque de se fouler une cheville, respirer profondément, régulièrement, pour conserver au maximum son énergie, observer les changements de parcours de ses adversaires et ajuster au mieux sa direction pour gagner sur eux de précieuses secondes.

Une stratégie efficace.

Alors que les deux hommes franchissaient à grand-peine une zone caillouteuse, puis dégringolaient en diagonale une pente assez raide avant de rejoindre une large crête recouverte d'herbe, il grignotait du terrain à chaque enjambée. Sully se trouvait maintenant à une dizaine de mètres derrière Simmons et, lorsqu'il se retourna une énième fois pour regarder derrière lui, Zahed se trouvait assez près pour pouvoir lire la peur dans ses yeux. Il en tira une bouffée d'adrénaline supplémentaire qui lui permit d'accélérer encore le rythme, au point que le guide se retrouva bientôt à sa portée.

Il le fit tomber dans un creux de l'éboulis. Les deux hommes roulèrent dans la pente, Zahed enserrant le cou de Sully. Il maintint son étreinte jusqu'à ce qu'ils arrivent tous les deux en bas. Là, l'Iranien modifia rapidement la position de ses mains autour de la tête du guide, puis effectua un brutal mouvement de torsion afin de lui rompre le cou. Celui-ci céda aussitôt, dans un craquement sonore d'os et de cartilages. La tête du guide pencha sur le côté tandis que son corps sans vie s'effondrait sur le sol caillouteux.

Sans perdre une seconde, Zahed fouilla rapidement les poches du Turc, trouva son téléphone portable et le mit dans son sac à dos. Il s'empara également de ses clefs et de son portefeuille. Il regarda ensuite autour de lui et, apercevant un amas de rochers à une dizaine de mètres, y tira par les chevilles le corps sans vie, d'où il serait moins facilement repérable. Les secondes qu'il perdait augmenteraient la distance qui le séparait de

Simmons, mais il était certain d'être en mesure de le rattraper à temps. Et comme il lui restait par ailleurs pas mal de choses à faire en Turquie, il estimait préférable de ne pas laisser trop de cadavres visibles dans son sillage.

Puis il reprit sa course.

Simmons n'était plus désormais qu'une petite silhouette, au loin, mais cela n'avait pas d'importance. Il n'était pas vraiment pressé de le rattraper. L'endroit où ils avaient laissé les voitures se trouvait encore à plusieurs heures et, pour sa part, plus vite ils y parviendraient, mieux cela vaudrait. Il lui suffirait pour cela de ne pas perdre de vue sa proie et de la motiver assez pour qu'elle coure le plus vite possible. Ce qu'il fit en lui donnant la chasse tout en maintenant entre eux une distance raisonnable.

Au bout d'une heure de course, Zahed estima qu'il était temps de passer à la curée. Simmons avait ralenti, ses mouvements manquaient maintenant de coordination, et l'Iranien devina ce qu'il avait l'intention de faire.

Il le rattrapa près d'un petit col dominant une vallée. Constatant qu'il allait être rejoint, Simmons cessa de courir. Le couteau de Sully à la main, il était penché sur sa ceinture explosive, s'efforçant de la couper avec l'énergie du désespoir.

Zahed se contenta de le regarder faire, sans un geste, à une dizaine de mètres de distance, respirant profondément afin de faire baisser son rythme cardiaque, s'essuyant le front.

Simmons leva les yeux vers lui, haletant. Les mouvements de ses mains s'accélérèrent encore, frénétiques.

Rien à faire. Le tissu était trop solide.

— Inutile de vous obstiner ! lui cria Zahed. C'est de la toile à voile. En Kevlar. Impossible de la couper. Pas avec ça, en tout cas.

Simmons lui jeta un regard furieux, la sueur dégoulinant sur son visage, une lueur d'affolement au fond des yeux. Il se laissa brusquement tomber à genoux, essayant désespérément de trancher le tissu avec des efforts décuplés.

— Et d'ailleurs, vous savez quoi ? lança Zahed en tirant son téléphone du sac à dos et en le regardant d'un air entendu avant de le tendre en direction de l'archéologue, sachant pertinemment que ce dernier était trop éloigné pour distinguer ce qu'il y avait sur l'écran, mais appréciant fort sa petite plaisanterie. J'ai de nouveau du réseau.

Simmons le regarda, hors d'haleine, les traits déformés par l'épuisement et la détresse.

— À vous de voir, reprit Zahed. Vous voulez rester en vie, ou vous êtes prêt à passer l'arme à gauche ?

L'archéologue ferma les yeux et s'immobilisa. Puis il lâcha son couteau, qui tomba en cliquetant sur les cailloux. Sans ouvrir les yeux, il demeura pétrifié, effondré, tête basse, menton rentré dans la poitrine, bras serrés autour de lui, tremblant de tout son corps.

— Ça, c'est un bon garçon, fit Zahed en s'approchant de lui.

Il le fixa un moment, tel un torero dominant sa victime résignée, puis il tendit le bras en arrière et, du revers de la main, asséna à Simmons une gifle magistrale, qui le souleva de terre et l'envoya bouler un peu plus loin.

30

— Ici Hawk Command. Repli dans un peu moins de trente minutes.

La voix du contrôleur du drone retentit dans l'oreillette de Reilly avec une clarté qui aurait pu faire oublier que l'homme aux commandes était confortablement installé à quelques milliers de kilomètres de là, dans les vertes collines de la Californie du Nord. Cette annonce n'avait rien de surprenant : le drone avait survolé la zone toute la nuit. Il jouissait d'une autonomie considérable, mais pas illimitée, et le bel oiseau avait encore de longues heures de vol à couvrir avant de rejoindre son nid.

Reilly fronça les sourcils.

— Bien reçu. Attendez une seconde, fit-il en levant les yeux des deux petits points orange sur l'écran de son ordinateur portable pour consulter du regard le chef du commando, un colosse blotti dans un coin à quelques mètres d'Ertugrul et lui. Combien de temps avant l'assaut ? lui demanda-t-il à voix basse, par précaution.

Le capitaine Musa Keskin, de l'Ozel Tim, la section des forces spéciales de la gendarmerie turque, consulta sa montre et leva les yeux vers le ciel nocturne. L'aube n'allait pas tarder. Le soleil devrait franchir le sommet de la majestueuse montagne qui leur faisait face avant qu'ils puissent le voir, mais son éclat illuminerait les environs bien avant. De la tête, Keskin fit signe à Reilly qu'on y était presque, puis lui montra sa main doigts écartés – le signal qu'il restait environ cinq minutes – avant de se tourner vers ses hommes et de leur adresser le même geste.

Reilly fit signe qu'il avait compris avant de dire au contrôleur :

— On y va dans cinq minutes.

— Bien reçu. Bonne chance, fit la voix. On restera en veille.

Reilly eut un frisson d'appréhension. S'ils se trouvaient ici, c'était davantage faute d'autre option que par conviction d'être au bon endroit. Avant le coucher du soleil, le drone avait repéré un véhicule correspondant à la description et à la couleur d'une voiture signalée comme volée, la veille, à Istanbul. Et, ce qui avait son importance, il n'avait remarqué dans la zone surveillée aucun autre véhicule correspondant à l'un de ceux figurant sur leur liste. La nature du terrain, très accidenté, n'avait pas permis au drone de zoomer sur les plaques d'immatriculation de la voiture, ce qui aurait permis de confirmer ou non qu'il s'agissait bien de celle qu'ils recherchaient, mais le véhicule, une Land Rover Discovery de couleur noire, était garé à côté d'un autre 4 × 4 au pied du volcan, dans une zone que ne fréquentaient guère les amateurs d'escalade et à l'intérieur du quadrant qui, selon Tess, était le plus susceptible d'être le bon. Ils n'avaient en aucun cas la certitude qu'il s'agissait bien de leur cible, mais c'était tout ce dont ils disposaient.

Le poseur de bombes du Vatican – si c'était bien lui – ne leur avait pas facilité la tâche. Aucune chance pour un tireur d'élite ou un guetteur de savoir qui se trouvait là-haut. Les deux 4 × 4 étaient garés dans une clairière protégée par un grand éperon rocheux et impossible à surveiller d'où que ce soit sans risquer de signaler sa présence. Les seules images sur lesquelles travailler étaient infrarouges et thermiques, et leur étaient fournies depuis une altitude de trente-trois mille pieds par l'intermédiaire des opérateurs du drone depuis la base de Beale de l'US Air Force.

L'emplacement de la clairière avait représenté une difficulté supplémentaire. Son unique voie d'accès était un étroit chemin muletier, tortueux et semé de gros blocs de pierre qui réduisaient pratiquement à néant les chances d'y parvenir sans donner l'alerte. Le bruit des moteurs trahirait à coup sûr leur présence longtemps avant qu'ils arrivent à destination. Reilly, Ertugrul et l'unité de paracommandos turcs avaient été contraints, ainsi que Tess, d'abandonner leurs véhicules près de deux kilomètres plus bas et de finir le chemin à pied. Ils se trouvaient maintenant à couvert dans un fourré de jeunes tilleuls et de broussailles, au bord d'une petite *yayla*, à moins de cent mètres et légèrement en contrebas de la clairière.

Les deux taches orange sur l'écran de Reilly étaient totalement immobiles. À en juger par leur forme, oblongue, les deux hommes qu'elles représentaient semblaient couchés, endormis, ce qui n'avait rien de surprenant compte tenu de l'heure. Le microphone directionnel à longue distance dont ils étaient équipés n'avait capté aucune conversation, pas le moindre ronflement. La question n'en demeurait pas moins. Qui étaient ces hommes ? L'un d'eux était-il leur cible, ou s'agissait-il simplement de randonneurs dormant à la belle étoile ? Et si l'un était le poseur de bombes, qui pouvait bien être l'autre ? Simmons ? Ou le propriétaire du second 4 × 4 ? Et dans ce cas, où était passé Simmons ?

Le plan consistait à passer à l'action juste avant le lever du soleil. Avec l'avantage de disposer de l'équipement adéquat et de l'aide du drone, tout en sachant que, si les choses ne se déroulaient pas comme prévu, l'aube était proche. Reilly regarda autour de lui : les hommes de l'Ozel Tim procédaient aux ultimes préparatifs, vérifiant leurs armes et ajustant les sangles de leurs lunettes de vision nocturne. Ils étaient seize en tout, trois en contrebas, avec Tess, les autres, sous le commandement de Keskin, non loin de la clairière, avec Reilly et Ertugrul. Tous issus des rangs de l'armée, ils avaient reçu un entraînement spécifique dans le domaine de la contre-guérilla. Bien équipés, lourdement armés, ils donnaient l'impression de savoir ce qu'ils faisaient, en tout cas à en juger par ce que Reilly avait pu voir jusque-là.

L'Américain s'efforça de relâcher la tension qui lui nouait la nuque : les choses ne se présentaient pas si mal. Si son type se trouvait bien dans les parages, le salopard était coincé : il trouverait en face de lui des adversaires supérieurs en nombre et incomparablement mieux armés. D'un autre côté, il détenait peut-être un otage. Et Reilly savait que, dans ce genre de cas, la situation ne se réglait généralement pas sans casse.

Il croisa le regard de Keskin. Ce dernier hocha la tête, porta un mégaphone à sa bouche et le dirigea vers les deux 4 × 4 garés juste au-dessus.

— *Dikkat, dikkat !* Attention, attention ! Vous, là-haut, près des voitures ! poursuivit-il en turc. Ici la *jan-*

darma ! Vous êtes cornés ! Sortez de là avec vos mains bien en vue !

Il répéta sa phrase avant de la beugler une troisième fois, dans un anglais approximatif, teinté d'un fort accent.

Reilly essaya de percer l'obscurité avant de se rabattre sur son écran. Les deux formes fantomatiques de couleur orangée s'animèrent soudain, tournicotant autour des deux voitures, se fondant l'une dans l'autre avant de se séparer de nouveau. Les tendons de son cou se contractèrent tandis qu'il tentait de se représenter ce qui était en train de se passer un peu plus haut. Les secondes passèrent, jusqu'à franchir le seuil de la minute, sur quoi Keskin leva son mégaphone et lança une fois de plus sa mise en demeure.

Les deux formes demeurèrent entremêlées pendant pas loin d'une minute de vive tension, sur quoi Keskin se tourna vers Reilly et Ertugrul, ses traits rudes dénotant une assurance manifeste.

— S'il s'agissait de simples civils en train de faire une randonnée, ils nous auraient répondu, leur expliqua-t-il. Je crois bien que c'est votre homme.

— Le problème est de savoir qui est avec lui, s'interrogea tout haut Reilly. Simmons ou un complice ?

— Quoi qu'il en soit, il essaie peut-être de nous faire croire qu'il s'agit d'un otage, fit remarquer Ertugrul, avant de se tourner vers le capitaine et de lui demander : Comment voyez-vous la suite ?

— On leur laisse une minute supplémentaire, pas plus. Après quoi on les arrose de grenades incapacitantes et on fonce.

Il se tourna vers un de ses hommes, à qui il jeta quelques mots en turc. Le militaire opina de la tête et s'éloigna sans bruit, avant de faire signe à ses collègues de se tenir prêts.

Reilly se pencha à nouveau sur son écran : les deux taches n'en faisaient toujours qu'une, dans la même position que précédemment, derrière la Land Rover. Puis elles commencèrent à se déplacer, passant derrière l'arrière du 4 × 4, avant de se séparer. L'une d'entre elles resta derrière la Land Rover tandis que l'autre s'arrêtait un instant, avant de se remettre en mouvement. À découvert.

Reilly porta à ses yeux ses jumelles de vision nocturne tandis que des ordres brefs et secs étaient lancés autour de lui. Derrière la Discovery, il distingua une forme solitaire, d'un vert très pâle dans une mer noire comme le jais. Il plissa les yeux pour accommoder. La forme était maintenant indiscutablement celle d'un homme. Celui-ci marchait dans leur direction, lentement, comme à contrecœur. Reilly consulta une fois de plus son écran : l'autre tache orange se trouvait toujours derrière la Land Rover, carrément collée à elle.

— Qui est-ce ? questionna Ertugrul en suivant lui aussi l'approche de l'homme dans ses jumelles infrarouge.

— Sais pas encore, répondit brièvement Reilly, sans perdre le personnage des yeux.

L'homme s'engagea sur l'étroit sentier qui menait jusqu'à eux et, très vite, les lentilles à fort grossissement permirent de l'identifier à coup sûr : son visage désormais net, ses cheveux longs, sa carrure athlétique.

— Ne tirez pas, siffla Reilly. C'est Simmons.

De brefs ordres en turc parcoururent la file de paracommandos. Simmons se trouvait maintenant à moins de cinquante mètres, et Reilly le distinguait nettement : il portait un coupe-vent, avait les mains derrière le dos et lorsqu'il se retourna pour regarder derrière lui, Reilly put voir qu'elles étaient liées par plusieurs tours d'épais ruban adhésif, le même qui lui obturait la bouche.

L'autre tache orange restait blottie derrière la Land Rover.

Simmons ne se trouvait plus qu'à une trentaine de mètres quand Keskin aboya un ordre. Une demi-douzaine d'hommes en tenue de camouflage, cagoulés et équipés de lunettes de vision nocturne, surgirent de derrière les arbres et les rochers bordant le sentier, convergèrent sur lui, l'entourèrent et l'entraînèrent à l'écart, en lieu sûr.

Reilly n'avait cessé de fixer intensément Simmons. L'archéologue avait l'air affolé, dans un état de panique indicible. Il se tordait en tous sens, secouant violemment la tête d'un côté et de l'autre, tentant de résister aux commandos, une plainte suraiguë, étouffée, sortant de derrière le sparadrap.

Une sirène d'alarme retentit soudain à l'intérieur du crâne de Reilly.

Pourquoi se débat-il comme ça ? Pourquoi ne saute-t-il pas de joie ?

Son regard se porta alors sur le fin coupe-vent : il était fermé jusqu'au col et paraissait beaucoup plus rembourré qu'il n'aurait dû l'être, même sur le torse d'un athlète confirmé.

Oh merde !

Un afflux de sang lui monta au cerveau et il se rua en avant, faisant des moulinets avec les bras, hurlant de toute la force de ses poumons :

— Non, écartez-vous de…

Et Simmons explosa.

31

La nuit s'illumina d'un éclair de lumière aveuglante qui interdit de distinguer quoi que ce soit à la ronde une demi-seconde avant que l'onde de choc n'atteigne Reilly. Elle lui coupa le souffle, comme un coup de poing à l'estomac, et le projeta en arrière, l'envoyant s'étaler sur le sentier caillouteux. En un clin d'œil, tous ses réflexes sensoriels se bloquèrent, et il se retrouva enfermé à l'intérieur d'une bulle où régnaient silence et obscurité.

Le tueur avait changé son dispositif : rien à voir avec la faible charge contenue dans la ceinture.

S'il ne s'était agi que d'elle, Simmons aurait été l'unique victime, elle aurait épargné les autres, à moins que ceux-ci ne l'aient protégé de leurs corps.

Non, c'était de tout autre chose qu'il était question.

Dans ce cas précis, d'une charge de plastic de quelque quinze kilos fixée à la taille de l'archéologue. Toute la panoplie d'un kamikaze en bonne et due forme. À l'effet dévastateur.

Lorsqu'il reprit connaissance, Reilly eut l'impression que ses oreilles avaient été enfoncées à l'intérieur de son corps : il n'entendait rien, sinon sa propre respiration, très irrégulière, sa tête était terriblement lourde et il avait perdu toute notion d'équilibre. Ses yeux avaient du mal à accommoder mais, d'après les vagues formes qu'il parvenait à distinguer, il tira la conclusion qu'il était allongé sur le dos. Il essaya de mouvoir bras et jambes, sans obtenir de réaction. Serrant les dents, il trouva la force de rouler lentement sur le flanc droit, histoire de s'assurer qu'aucun de ses membres ne manquait, paniqué à l'idée de découvrir le contraire. Il leva les mains en l'air, ce qui lui permit de constater qu'elles au moins étaient toujours là. Sa droite se posa sur son pistolet, qui n'avait pas quitté son étui, une fraction de seconde avant qu'il la retire précipitamment tant le métal était brûlant.

Il se redressa alors sur un coude et jeta un coup d'œil autour de lui.

Le bucolique paysage de montagne s'était transformé en vision d'enfer.

Tous les arbres environnants étaient en feu, vomissant une âcre fumée noire qui collait désagréablement au palais. Les hurlements et les gémissements des blessés ou des mourants s'élevaient de toutes parts. Dans un semi-brouillard, il distingua des membres épars : un bras, une jambe. Gisant au sol, des paracommandos appelaient à l'aide, mains pressées sur leurs blessures. L'explosion avait littéralement réduit Simmons en miettes avant de déchiqueter les hommes qui tentaient de le mettre en sécurité.

Les yeux de Reilly observèrent le carnage, avant de se poser sur deux corps en train de brûler à côté du bosquet, l'odeur écœurante de la viande carbonisée empuantissant l'air. L'un d'eux, encore en vie, rampait lentement. Puis Reilly aperçut Ertugrul, non loin de lui, à une dizaine de mètres sur sa gauche. Assis par terre, immobile, silencieux, il fixait sur Reilly un regard stupéfait, abasourdi. Il posa sa main droite sur sa joue et ses doigts remontèrent lentement jusqu'à un gros trou dans son crâne, une blessure qui pissait le sang.

— Vedat… articula Reilly.

Les mots suivants restèrent coincés dans sa gorge et il se mit à tousser.

Il essaya de se relever pour venir en aide à son compagnon, n'y parvint pas, fit une seconde tentative, celle-ci couronnée de succès, quand deux événements se produisirent.

D'abord, d'autres explosions retentirent non loin, moins importantes que la précédente, mais qui suffirent néanmoins à le déséquilibrer. Il réalisa qu'il s'agissait des grenades dont les paracommandos étaient équipés, et qui explosaient sous l'effet des flammes.

Puis il entendit le grondement lointain d'un moteur de voiture. Et celle-ci fonçait dans leur direction.

Il se tourna en chancelant, l'esprit toujours confus, sentant soudain qu'un filet de sang provenant de son oreille gauche coulait sur son cou. À travers la fumée, il aperçut la calandre de la Land Rover, illuminée par les flammes, dévalant à toute allure le sentier muletier dans un rugissement de moteur. Il vit alors un commando solitaire se précipiter fusil levé vers le 4 × 4, côté conducteur, déterminé à arroser le véhicule d'une pluie de balles, puis une main armée d'un pistolet sortir de la fenêtre de la voiture. Il entendit presque simultanément trois coups de feu fendre l'air avec une détonation sèche. Le commando chancela avant de s'effondrer, tête la première, son visage heurtant le sol avec un bruit mat.

La Land Rover était maintenant si proche de lui que Reilly pouvait presque distinguer les traits de l'Iranien derrière le pare-brise teinté. Secouant la tête de gauche à droite, il essaya de reprendre ses esprits, d'inspirer un peu d'air, s'efforçant de se concentrer sur ce qu'il fabriquait là, sur l'individu qui se trouvait au volant de cette voiture, sur son violent désir de lui faire la peau. Il tendait la main vers son pistolet quand une silhouette surgit devant lui : le chef de l'Ozel Tim, Keskin. Couvert de sang, il avançait en boitant bas, un énorme trou à la cuisse, un autre à l'épaule, mais il semblait imperméable à la douleur, comme sous l'emprise de la drogue. Le regard hanté, un automatique au poing, il avançait en titubant, droit sur le chemin du 4 × 4 poussé à plein régime.

Le colosse s'arrêta, leva son arme, visa…

Reilly vit alors de nouveau le bras sortir de la fenêtre de la voiture côté conducteur, à ceci près que, cette fois, il était pointé vers l'avant.

— Non ! hurla Reilly, en se ruant vers Keskin.

Il sentit le corps de l'homme tressauter sous l'impact des balles au moment précis où il le projetait sur le côté, pour lui éviter d'être écrasé. Étroitement enlacés, tous deux roulèrent au sol tandis que le 4 × 4 noir passait à l'endroit même où ils se trouvaient une fraction de seconde auparavant, poursuivant sa course folle sur le sentier muletier avant de disparaître à un tournant, un peu plus bas.

Le souffle coupé, Reilly était sur le point de perdre connaissance. Le cerveau embrumé, il regarda Keskin. Celui-ci le contemplait, les yeux grands ouverts, vomissant des flots de sang. Un sentiment d'impuissance submergea l'Américain, suivi d'une rage viscérale, comme il n'en avait jamais connu, la haine bouillonnant au plus profond de son être. Il sentit le peu de forces qui lui restait s'évanouir, et l'idée de sombrer dans un sommeil sans fond lui parut terriblement attirante. Jusqu'au moment où un mot perça sa carapace de rage et d'hébétude, venant lui rappeler qui se trouvait sur le chemin du terroriste.

Tess.

Tess bondit en entendant l'explosion.

Celle-ci ne faisait pas partie du plan. Pis : elle était trop violente, beaucoup plus terrible à l'évidence que celle qu'auraient pu provoquer Reilly et les paracommandos avec l'armement dont ils disposaient. Seule conclusion possible : c'était l'œuvre de quelqu'un d'autre. Ce qui était de bien mauvais augure, surtout si l'on tenait compte de la virtuosité de l'homme qu'ils pourchassaient en matière d'explosifs.

Elle éteignit la lampe torche dont elle se servait pour consulter la carte qu'elle avait apportée avec elle et regarda vers l'amont. Une dizaine de secondes s'écoulèrent, interminables, suivies d'autres explosions. Moins puissantes, différentes, plus sourdes, un peu comme des coups de tonnerre lointains, mais bel et bien des explosions, dont l'écho résonnait dans le cirque de montagnes. Elle entendit ensuite une série de coups de feu, assez espacés, et sentit alors la peur l'envahir.

Les paracommandos qui l'entouraient étaient tout aussi troublés qu'elle. Ils échangèrent nerveusement quelques mots en turc, qu'elle ne comprit pas, mais leur comportement était assez éloquent pour qu'elle n'ait pas besoin de traduction. L'un d'eux prit son walkie-talkie et, contrôlant le ton de sa voix, appela ses camarades. Pas de réponse. Il essaya de nouveau, cette fois sans cacher son inquiétude. Toujours rien.

Puis leur parvint le vrombissement d'un diesel, le frein moteur empêchant le lourd 4 × 4 de dévaler trop vite la forte déclivité. Malgré ses efforts, Tess ne distinguait pas la moindre lumière en mouvement sur le flanc de la montagne, jusqu'au moment où, à la faible lueur d'une lune sur le point de disparaître, elle entrevit une forme sombre qui négociait un lacet avant de disparaître. Les trois commandos l'avaient aperçue eux aussi, et ils passèrent en mode action, tenant leurs armes prêtes et abaissant sur leurs yeux leurs lunettes de vision nocturne tout en s'interpellant à grand bruit.

L'un d'eux entraîna Tess en lieu sûr, derrière un blindé léger, se mettant en devoir de la protéger de son corps. Ses camarades se tapirent derrière les deux gros Humvee Cobra garés là, et attendirent.

Une dizaine de secondes s'écoulèrent encore, mettant les nerfs à rude épreuve, tandis que le 4 × 4 dévalait le sentier muletier, le rugissement de son moteur se faisant plus ou moins aigu dans les virages ou les rares portions de ligne droite. La forme sombre apparut, se dirigeant droit sur eux.

Les commandos hésitèrent, se demandant s'ils devaient ouvrir le feu, quand les phares du véhicule s'allumèrent brusquement, plein pot.

Les aveuglant totalement.

Ils ôtèrent précipitamment leurs lunettes, mais le mal était fait : leurs rétines étaient brûlées comme au fer rouge, et le temps qu'ils parviennent à accommoder de nouveau, ils se trouvèrent largement exposés. Atteint de plusieurs balles, l'un des commandos fut projeté violemment sur le côté, comme frappé par un fouet. Une autre volée de balles atteignit le flanc du Humvee derrière lequel son camarade s'était mis à couvert, perçant des trous dans la carrosserie et la bâche de toile qui le recouvrait.

Recroquevillée du mieux qu'elle le pouvait, Tess se boucha les oreilles tandis que l'homme qui la protégeait se penchait en avant et lâchait de courtes rafales de mitraillette. Les balles du MP5 fracassèrent l'un des phares de la Land Rover et transpercèrent sa calandre, ce qui ne l'empêcha pas de continuer d'avancer, et de foncer maintenant sur le Humvee. Le 4×4 accrocha l'aile avant gauche de l'énorme véhicule tout-terrain, qui, sous le choc, fit une embardée sur la droite, heurtant violemment le second commando, qui fut projeté au sol. Avec une célérité et une précision diaboliques, Zahed freina brutalement, sauta du 4×4, le contourna et fit feu à deux reprises sur le commando toujours à terre.

Un hurlement d'effroi accompagna chaque coup de feu, aussitôt suivi par de lancinants gémissements de douleur. Tess tourna la tête vers l'homme qui la protégeait, se demandant ce qui se passait, avant de comprendre... Le terroriste n'avait pas achevé sa cible. Il s'amusait avec sa victime, pour narguer ce qu'il restait de ses adversaires, et les désarçonner complètement. Ce qu'il ignorait, c'est qu'il n'avait plus en face de lui qu'un seul homme. Un seul homme, et Tess...

Le commando blessé gémit durant encore une longue minute, puis le silence se fit. On n'entendait plus que le ronronnement du moteur de la Land Rover à l'arrêt. Tess se tourna vers l'homme chargé de la protéger, l'interrogeant du regard. Il porta un doigt à ses lèvres, puis pencha prudemment la tête sur côté pour jeter un rapide coup d'œil tandis que Tess se plaquait davantage contre la coque fraîche du blindé. Baissant les yeux, elle prit soudain conscience de l'importante garde au sol du véhicule, et se rapprocha encore de son ange gardien, tous les deux maintenant blottis derrière l'un des énormes pneumatiques. Son protecteur tendit de nouveau le cou, concentré, le front plissé, une unique goutte de sueur glissant le long de sa joue.

Il avait maintenant l'air aussi effrayé qu'elle.

Tous deux entendirent en même temps un petit claquement métallique rompre le silence, suivi par le bruit d'un objet fendant l'air.

Comprenant de quoi il s'agissait, les yeux du commando s'écarquillèrent de terreur. Il saisit Tess, la renversa à terre et se coucha sur elle, l'écrasant de tout son poids. L'objet projeté par leur adversaire invisible passa au-dessus d'eux avant d'atterrir de l'autre côté du Cobra, de rebondir à deux reprises et d'exploser. Le commando avait reconnu le bruit d'une grenade que l'on dégoupille, mais celle-ci avait été projetée trop loin pour faire des dégâts. Tess vit alors une paire de bottes se ruer vers eux, puis sentit le poids du commando la libérer. Le militaire eut juste le temps de se relever, avant que des balles ne criblent son corps et le projettent à terre.

Le terroriste n'avait pas voulu les tuer avec sa grenade. Il n'avait cherché qu'à faire diversion.

Tess leva la tête.

L'homme la dominait de toute sa hauteur, ses yeux glissant rapidement sur elle avant de balayer les environs, à l'affût d'une menace quelconque. Tess savait qu'il n'en restait plus aucune.

Le terroriste s'empara de la mitraillette du paracommando qu'il venait d'abattre et ordonna :

— Levez-vous.

Sa voix n'avait pas changé. Toujours aussi sèche, monocorde, dépourvue de toute espèce d'émotion.

Tess se redressa, bras et jambes tremblant à la vue de cet homme qui, après l'avoir enlevée en Jordanie, l'avait enfermée dans le coffre d'une voiture en compagnie d'un gros paquet d'explosifs. Et voilà qu'elle se trouvait seule avec lui, au milieu de nulle part. À sa merci.

Une fois de plus.

Espérant qu'il n'allait pas prononcer ces mots qu'elle souhaitait ne plus jamais entendre sortir de sa bouche.

Pas de chance…

— Allons-y, lâcha-t-il.

Elle pensa à s'enfuir, ou à se jeter sur lui et à lui lacérer le visage pour les actes monstrueux qu'il venait de commettre, mais, consciente que cela ne servirait à rien, elle se laissa mener jusqu'à la Land Rover. Impuissante, elle le regarda tirer plusieurs balles de mitraillette dans les pneus des Humvee Cobra afin de les mettre hors d'usage, avant qu'il lui donne l'ordre de monter dans le 4 × 4, où il la rejoignit. Elle garda un silence obstiné tandis qu'il se mettait au volant et redémarrait, quittant les lieux du massacre et descendant vers le plateau anatolien avant les premières lueurs du jour qui s'annonçait.

32

Le simple fait de se relever exigeait des efforts surhumains. Reilly se sentait dans la peau du boxeur qui, se retrouvant au tapis une fois de trop, n'a d'autre recours que de rester allongé sur le ring en attendant que l'arbitre le déclare K-O. Mais il ne pouvait pas rester dans cet état. Surtout pas alors que Tess était en danger.

Il parvint non sans mal à se remettre debout. Autour de lui, des brasiers épars faisaient rage, illuminant de leurs flammes des tableaux macabres montrant des êtres humains tourmentés par la souffrance. L'âcre puanteur de la mort flottait, omniprésente, sur la terre ravagée par le feu. Keskin était toujours là, à ses pieds. Le colosse ne bougeait plus.

Reilly se secoua, s'obligea à mettre un peu d'ordre dans ses pensées afin d'échafauder un plan un tant soit peu cohérent. Il repéra Ertugrul, à une trentaine de mètres de là. Maintenant allongé sur le dos, son collègue et ami semblait inerte, lui aussi. Un peu plus loin, il distingua deux paracommandos, qui, apparemment indemnes, s'occupaient des blessés. Il entreprit de se diriger vers eux, dans l'espoir qu'ils étaient restés en contact radio avec leurs camarades restés en arrière-garde, avec Tess, puis, se rappelant qu'il disposait de son propre système de communication, porta la main à son oreille. Son oreillette avait disparu, sans doute soufflée par la déflagration. Il tâta ses poches : son émetteur n'était plus là, lui non plus. Il s'arrêta et scruta le sol avec attention, dans l'espoir de l'y retrouver, avant de conclure rapidement que c'était sans espoir. Il s'était pas mal déplacé depuis la première explosion et les chances de l'apercevoir dans l'obscurité étaient minces. Il reprit péniblement sa progression en direction des commandos, de l'autre côté de la clairière, s'arrêta devant le corps d'Ertugrul. Une large flaque de sang avait noirci le sol autour de la tête de l'attaché juridique, qui ne donnait pas l'impression de respirer, semblant simplement fixer le néant, sans un seul clignement d'yeux. Reilly se pencha et porta deux doigts à son cou. Sa carotide ne battait plus. Il était mort.

Reilly posa une main sur son épaule et laissa échapper un long soupir. Il parcourut des yeux la clairière, le regard noir de fureur, cloué sur place par la frustration. C'est alors qu'il aperçut à quelques mètres du corps d'Ertugrul un objet éclairé par les flammes : l'oreillette de son collègue. Il alla la récupérer et l'examina entre ses doigts encore tremblants, maculés de sang et de boue : elle paraissait intacte. Il la fixa à son oreille, espérant qu'elle fonctionnait toujours, murmura d'une voix rauque, à peine audible :

— Hawk Command ? Répondez, Hawk Command.

La voix du contrôleur résonna bruyamment dans son oreille :

— Qu'est-ce qui vous est arrivé, bon sang ? Ça va, vous ?

— Moi oui, mais Ertugrul est mort, répondit Reilly.

Tout en parlant il était retourné près du corps de son collègue et, avec le vague sentiment d'être un vautour, fouillait dans ses poches, à la recherche de son émetteur.

— Il y a d'autres victimes. Ça va mal. Très mal. On va avoir besoin d'appareils d'évacuation sanitaire. Et le plus tôt possible.

— Bien reçu. Restez en contact, fit le contrôleur. Je vais vous passer mon supérieur.

— Attendez, l'interrompit Reilly. L'oiseau, il est toujours là ?

— Affirmatif. Repli dans sept minutes.

Reilly ferma les yeux, avec force, essayant d'oublier la scène de carnage alentour et de se concentrer sur les initiatives à prendre sans délai.

— Le véhicule de la cible ? Vous l'avez suivi ?

— Affirmatif. Il s'est mis à descendre juste après l'explosion. Qu'est-ce que c'était ?

Reilly savait que la déflagration avait été enregistrée par les détecteurs à infrarouges du drone sous la forme d'un gros éclair, mais il choisit d'ignorer la question.

— Et après ? Il est allé où ?

— Il a rejoint le détachement qui se trouvait un peu plus bas et a semble-t-il heurté un des Humvees. Une seule personne en est sortie. Nous supposons qu'il s'agit de votre cible, correct ?

Reilly sentit ses entrailles se nouer.

— Et après ?

— Apparemment un échange de tirs. Et ensuite du mouvement. Trois des nôtres seraient restés au tapis.

Le nœud se resserra encore tandis que son cerveau battait la campagne, essayant de se rappeler combien d'hommes étaient restés avec Tess.

— Trois ? Vous en êtes sûr ?

— Affirmatif. Puis deux silhouettes sont remontées dans le véhicule de la cible, qui est reparti.

Deux silhouettes. Le cœur de Reilly eut un raté.

— Et maintenant, où se trouve-t-il ?

— Restez en ligne, dit la voix avant de reprendre, quelques secondes plus tard : A quatre kilomètres environ au sud de votre position, il se dirige vers une ville appelée Cayirozu.

— Essayez de suivre sa trace le plus longtemps possible. Je crois que notre cible a pris Tess Chaykin avec lui et…

Le contrôleur l'interrompit et annonça, de sa voix lointaine et mécanique :

— Repli dans moins de cinq…

— Restez sur eux, vous m'entendez ! explosa Reilly. Surtout ne les perdez pas. Contactez l'état-major de la *jandarma* et informez-les de leur position. Je quitte les lieux.

Ses doigts trouvèrent enfin l'émetteur d'Ertugrul, qu'il empocha et, après un dernier hommage silencieux à son collègue, il se releva et se lança dans la descente du sentier muletier.

À Beale, Reilly ne l'ignorait pas, on allait rapidement perdre le contact avec la Land Rover. Autrement dit, dès que le drone aurait été contraint d'arrêter sa surveillance pour rejoindre sa base, au Qatar, avant d'être à court de carburant. Personne en Californie ne donnerait l'autorisation de laisser s'écraser un appareil d'une valeur de plusieurs millions de dollars représentant le dernier cri, top secret qui plus est, de la haute technologie, juste pour continuer à suivre la cible de Reilly. Même avec la meilleure volonté du monde, il faudrait attendre un bon moment avant que les autorités acceptent d'affecter un nouveau drone à cette mission.

D'ici là, la Land Rover aurait disparu depuis long-temps, et Tess avec elle.

Inutile de penser à ça pour le moment.

Mieux valait se concentrer sur l'interminable des-cente qui l'attendait, dans une quasi-obscurité, sur ce sentier semé d'embûches, avec des jambes qui le sou-tenaient à peine.

Il lui fallut vingt minutes pour atteindre la clairière où il avait laissé Tess. Les premières lueurs du jour pointaient derrière les montagnes, colorant les environs de douces nuances mordorées. Le spectacle qui l'atten-dait n'avait toutefois aucun rapport avec cette atmosphère agreste. Trois paracommandos sur le car-reau. Trois véhicules inutilisables. Et aucun signe de Tess.

Il s'adossa au Humvee près duquel il l'avait vue pour la dernière fois et reprit haleine. La *jandarma* avait probablement envoyé des renforts mais, même déjà en route, il leur faudrait du temps pour arriver. Il devait prendre une décision quant à la suite des événe-ments. S'il restait à les attendre, il se retrouverait plus que probablement embringué dans un redoutable bras de fer juridique et mis sur la touche : le massacre met-trait très certainement les Turcs hors d'eux, et ils ne souhaiteraient sans doute pas avoir dans les pattes un étranger susceptible de se mêler de leur chasse à l'homme. Le problème de la langue était également à prendre en considération. Le temps de tirer quelques ficelles lui permettant de rester dans la partie, de pré-cieuses heures seraient perdues sans retour.

Plus grave encore : il lui semblait évident que la pre-mière priorité des militaires turcs ne consisterait pas à

315

récupérer Tess saine et sauve. Ils mettraient tout en œuvre pour s'emparer du terroriste. Tel serait leur principal objectif. Tess arrivait loin, très loin derrière. Et s'ils en venaient à devoir sacrifier la jeune femme pour mettre la main sur leur homme, Reilly ne se faisait aucune illusion : elle figurerait pour eux sur la liste des dommages collatéraux. Tout comme lui, d'ailleurs. Ce qui pouvait se comprendre : lui non plus ne s'était guère montré efficace quand il s'était agi de préserver la vie de Simmons. Non, il ne pouvait compter sur personne pour tenter de la sauver.

Il devait continuer d'agir. Seul. En avant-garde, sans attendre les renforts.

Rester dans la course.

Lorsqu'ils interviendraient après avoir suivi sa piste, ils seraient les bienvenus. En fait, il ferait appel à eux et les inviterait à lui donner un coup de main, mais uniquement *après* qu'il l'aurait mise en sécurité.

Quelque chose sur le siège du Humvee attira son regard : une lampe torche, à côté de ce qui ressemblait à une carte repliée à la hâte. Il la reconnut : lorsqu'il l'avait quittée, Tess essayait d'y retracer le chemin pris par l'inquisiteur, maintenant qu'ils connaissaient l'emplacement du monastère.

Il déplia la carte. Effectivement, Tess y avait noté la position approximative du lieu, d'après l'endroit où étaient garés les 4 × 4 et en partant du principe que Simmons et son ravisseur l'avaient effectivement découvert. Elle y avait indiqué différents itinéraires possibles en ajoutant en marge des notes manuscrites, utilisant les contours du terrain pour tenter de respecter celles de l'inquisiteur. L'itinéraire principal se subdivisait à deux reprises en plusieurs routes envisageables et était annoté de plusieurs points d'interrogation. L'une des routes avait cependant été soulignée d'un trait plus marqué, la désignant comme la plus vraisemblable.

Il l'étudia un moment, la replia.

— Pas bête, cette petite, murmura-t-il pour lui-même.

Ses réserves d'adrénaline, plus que largement entamées jusqu'alors, venaient de recevoir un petit complément.

Il inspecta l'intérieur des véhicules, s'empara d'une gourde remplie d'eau, d'une paire de puissantes jumelles de campagne, d'un pistolet et de trois chargeurs pleins, fourra le tout dans un sac à dos et se remit en route.

33

Glacée de terreur, Tess était tassée au fond du siège passager de la Land Rover, tandis que celle-ci traversait une ville endormie. Les routes étaient encore désertes à cette heure matinale. Il y avait bien quelques signes de vie ici ou là – un vieillard sur sa charrette brinquebalante tirée par un cheval aussi vieux que lui progressant lentement à la limite du bas-côté, un homme et son fils dans les vignes –, mais rien qui pût s'enregistrer durablement dans son cerveau. Toutes ses pensées étaient focalisées sur les scènes atroces qu'elle venait de vivre, sur tous ces hommes qui avaient perdu la vie, et ceux qui avaient peut-être survécu. Elle avait vu de très près son ravisseur infliger la mort, savait donc à quel point l'homme était efficace dans ce domaine. Et même si elle s'efforçait autant que possible de se rassurer en se disant que tout espoir n'était pas perdu, l'idée que Reilly était peut-être en train de perdre son sang là-haut, voire pire encore, la déchirait.

Elle vit son ravisseur consulter sa montre avant de fixer de nouveau la route. À l'évidence, il réfléchissait aux prochaines étapes.

— On est en retard pour quelque chose ? s'enquit-elle, essayant d'apparaître stoïque et évitant de poser la question qui lui brûlait les lèvres.

Il ne réagit pas sur le coup, puis se tourna vers elle, impassible comme à son habitude, et ses lèvres s'entrouvrirent sur un sourire totalement dépourvu d'humour, mélange de pitié et de condescendance.

— Est-ce que je vous ai manqué ?

Les muscles de Tess se contractèrent, et elle fit en sorte que rien dans son expression ne la trahisse. Une ou deux répliques bien senties lui passèrent par la tête, mais elle ne voulait surtout pas s'engager avec lui sur ce terrain, préférant de loin conserver une certaine distance. En fin de compte, succombant à son besoin désespéré de savoir, elle lui demanda :

— Que s'est-il passé là-haut ?

Il l'ignora un moment avant de lâcher :

— J'ai dû improviser.

Son impassibilité la rendait folle. Elle eut envie de lui prendre la tête et de la cogner encore et encore contre le volant, ressentant un certain plaisir à s'imaginer la scène. Elle songea également à une ou deux autres initiatives délirantes – s'emparer du volant et contraindre la voiture à quitter la route, attendre un virage un peu serré, ouvrir la portière à la volée et se laisser tomber –, mais les rejeta. Cela ne marcherait pas. Elle se résigna donc à l'idée que la seule option consistait à faire preuve de patience en attendant qu'une meilleure occasion se présente.

Elle s'obligea à recouvrer son calme, puis demanda :

— Et Jed ?

Il la regarda avec curiosité.

— Vous vous inquiétez pour lui et pas pour votre petit copain ? Malgré tout ce que Reilly a fait pour vous récupérer ?

Elle ne voulait surtout pas lui donner la satisfaction de constater qu'il pouvait jouer ainsi avec ses émotions, mais avant tout elle voulait savoir.

— Ils sont vivants tous les deux ?

Il haussa les épaules.

— Peut-être. Peut-être pas. Il faisait assez sombre, là-haut. Mais ne vous faites donc pas trop de souci pour eux. Pensez plutôt à vous et à ce que vous pouvez faire pour rester en vie.

Il s'arrêta une seconde avant de poursuivre :

— Vous pourriez peut-être commencer par m'expliquer comment ils m'ont retrouvé.

Tess se figea, des pensées contradictoires lui traversant l'esprit. Ne pouvant différer davantage une réponse, elle se contenta de dire « Je ne sais pas », se rendant compte à quel point ces mots pouvaient sonner de façon peu convaincante avant même qu'ils soient sortis de sa bouche.

Son ravisseur lui jeta un regard entendu puis farfouilla dans sa ceinture et en sortit un pistolet, qu'il tendit dans sa direction.

— S'il vous plaît, dit-il en posant le canon sur sa joue. C'est votre petit copain qui mène la danse et vous n'êtes pas exactement une potiche. Je vous le demande donc une dernière fois : comment m'avez-vous retrouvé ?

L'acier froid du canon s'enfonça un peu plus dans sa joue.

— On… on a fait des supputations.

Elle espéra que la pause qu'elle venait d'observer et la réplique qu'elle attirerait inévitablement lui permettraient de gagner un peu de temps.

— Des supputations ?

— Oui. Sur la base de données concrètes, en réalité. Nous avons estimé l'itinéraire probable emprunté par les templiers depuis Constantinople, et sur quel versant de la montagne ils avaient le plus de chances de se trouver avant de tomber sur le monastère. Nous avons ensuite étudié des cartes topographiques détaillées de la région et avons essayé de retracer le chemin qu'ils avaient suivi d'après les notes de l'inquisiteur trouvées dans le Registre. Et on a tapé dans le mille.

— C'est une grande montagne, insista l'homme. Comment avez-vous pu nous localiser avec une telle précision ?

— Ils ont eu recours à un satellite, mentit-elle. On lui a transmis les coordonnées des voitures récemment volées, transmises par la police d'Istanbul.

Elle espérait qu'il était au courant de ce qu'elle avait appris récemment de Reilly, à savoir la différence entre les capacités d'observation d'un satellite et celles d'un drone. Si c'était le cas, et s'il avalait son mensonge, il ne s'inquiéterait pas à l'idée qu'un drone était peut-être en train de les surveiller.

L'homme médita un certain temps sur ce qu'elle venait de dire puis ôta son pistolet de la joue de la jeune femme et le remit dans sa ceinture. Il regarda attentivement la route, devant lui, et, au virage suivant, leva sérieusement le pied pour se diriger vers un bosquet de pins.

Il gara la Land Rover à l'abri sous les arbres et ôta la clef de contact.

— Attendez-moi là, ordonna-t-il.

Elle le suivit du regard tandis qu'il se dirigeait vers l'orée du petit bois. Il se contenta de rester là, immobile, les yeux levés vers le ciel en direction de la montagne.

Zahed scrutait le ciel, à l'affût de la tache noire qui confirmerait ses soupçons.

Elle était très bonne, il devait bien le reconnaître. Capable de distordre un tout petit peu la vérité afin de conserver un léger avantage. Mais c'était là son domaine d'expertise à lui, pas à elle. Par ailleurs, compte tenu des exigences, de l'urgence de la situation, et de ce qui était immédiatement réalisable, l'Iranien savait qu'il y avait beaucoup plus de chances qu'ils aient mobilisé un drone d'observation sans pilote qu'un satellite.

Et, de fait, il le repéra assez vite, petit point croisant haut dans le ciel virginal de ce tout début de journée, suivant le moindre de ses mouvements. Il volait à une altitude élevée mais, avec l'envergure d'un Boeing 737, il n'était pas exactement invisible. Il le suivit des yeux d'un air renfrogné, étudiant sa trajectoire. Échapper à sa surveillance ne serait pas une mince affaire, surtout avec une prisonnière en remorque.

Ce qu'il vit ensuite était nettement moins prévisible : le drone se lança dans une longue manœuvre, opérant un virage avant de glisser en silence en direction de l'est, vers la montagne. Zahed le suivit des yeux jusqu'à le perdre de vue, puis se remit à scruter le ciel, à l'affût d'un autre point lumineux.

Rien.

L'Iranien sourit intérieurement. Le drone avait sans doute atteint la limite de son autonomie de vol, et ses adversaires n'avaient probablement pas prévu qu'ils auraient besoin de faire appel à un engin de remplacement pour poursuivre la mission. Il resta là dix minutes encore, juste à la limite des arbres, observant le ciel avec la plus grande attention, s'assurant qu'un second drone ne prenait pas le relais du premier. Une fois quasi sûr que ce n'était pas le cas, il sortit son téléphone portable de sa poche et pressa à deux reprises la touche d'appel, recomposant automatiquement le dernier numéro appelé. Un numéro qu'il avait pris sur l'appareil de Sully.

Une voix ensommeillée répondit au bout de deux sonneries.

— Abdülkerim ? fit-il avec affabilité. Bonjour, ici Ali Sharafi, le client de Suleyman. Je vous ai eu au téléphone hier soir, vous vous rappelez ?

Abdülkerim, l'oncle de Sully, cet expert que le guide lui avait proposé de contacter alors qu'ils exploraient les ruines du monastère, avait à l'évidence été tiré de son lit. Après quelques secondes de silence, il sembla enfin avoir enregistré ce que venait de lui dire son correspondant.

— Bien sûr, dit-il d'une voix traînante, à l'évidence surpris par cet appel matinal. Bonjour à vous.

— Désolé de vous déranger à cette heure indue, poursuivit Zahed, mais nous avons modifié nos plans depuis hier soir et nous sommes arrivés plus tôt que prévu. J'espérais que nous pourrions nous rencontrer rapidement, dans l'heure qui suit si cela vous convient. Histoire de ne pas perdre de temps. La durée de notre séjour ici est malheureusement limitée et en fait, pour nous, plus tôt nous nous y mettrons, mieux cela vaudra.

Abdülkerim toussota avant de répondre :

— Bien sûr, bien sûr. Pas de problème. Autant démarrer tôt, en effet. Le soleil sera moins cuisant.

— Parfait, fit Zahed. À tout de suite, donc. Et merci de vous montrer aussi arrangeant.

Il nota l'heure et l'endroit de leur rendez-vous et raccrocha, satisfait. Puis il retourna vers la voiture et jeta un coup d'œil à l'intérieur par la vitre arrière. Il distingua la silhouette de Tess, plus précisément sa nuque. Sa bonne humeur s'envola. Il lui restait quelque chose d'autre à faire.

Soulevant le hayon de la Land Rover, il pêcha un objet dans le coffre avant de le refermer avec un claquement sec, puis contourna la voiture pour aller ouvrir la portière côté passager.

— Sortez, ordonna-t-il.

Tess le regarda un moment, surprise, et s'exécuta. Elle resta debout devant lui, silencieuse. Il se contenta de la fixer, sans dire un mot puis, à la vitesse de l'éclair, sa main vola et lui administra une gifle d'une violence inouïe.

Sous l'impact, la tête de la jeune femme tourna violemment, l'entraînant dans une chute inévitable. Tess resta au sol, comme clouée, muette. Au bout d'un moment, elle finit par se relever et, frottant ses mains l'une contre l'autre pour se débarrasser de la terre qui les souillait, elle se tourna vers lui. Ses yeux étaient pleins de larmes, mais elle le défiait du regard. Sa joue était marbrée de rouge, la main et les doigts de son ravisseur y ayant clairement laissé leur empreinte.

— Ne me racontez plus de mensonges, siffla-t-il. C'est compris ? Plus jamais.

Devant son absence de réaction, il leva de nouveau la main, menaçant, prêt à la frapper de nouveau. Elle ne cilla pas mais, cette fois, hocha légèrement la tête.

Il leva son autre main. Celle-ci tenait une large ceinture de toile, qu'il lui tendit en disant :

— J'aurais besoin que vous mettiez ça.

34

Reilly avançait à grandes enjambées, aussi vite que ses jambes fatiguées le lui permettaient. Sa progression était plus aisée maintenant que le sentier muletier avait cédé la place à une piste en terre moins raide et moins accidentée. Malgré cela, il tenait à peine debout. L'agglomération la plus proche, un hameau au pied du volcan, se trouvait encore à près d'un kilomètre. Il avait absolument besoin de trouver un moyen de transport quelconque lui permettant de reposer un peu ses muscles sous peine de voir son corps déclarer forfait pour protester contre le traitement infernal qui lui était infligé. Et il lui fallait faire vite.

Le drone était reparti depuis longtemps, il le savait.

Chaque seconde comptait.

Il venait de franchir une petite crête quand il distingua quelque chose qui bougeait, à une centaine de mètres devant lui. Quelqu'un, à califourchon sur quelque chose. Cette vision lui donna un coup de fouet. En se rapprochant, il constata qu'il s'agissait d'un vieillard sur un cheval, plus précisément une haridelle. L'animal, qui n'avait que la peau sur les os, portait sur ses flancs deux énormes paniers et avançait tranquillement, sans se soucier des nuages de mouches qui l'assaillaient.

Accélérant le pas, Reilly héla son propriétaire, agitant les bras frénétiquement. Il vit l'homme tourner la tête vers lui, nonchalamment, sans ralentir son allure. Il cria, « Hé ! », à deux reprises encore, sur quoi, cette fois, le vieillard tira sur les rênes et arrêta sa monture.

— Votre cheval, lui dit Reilly, désignant l'animal du doigt et faisant de grands gestes, sa voix essoufflée le rendant sans doute plus incompréhensible encore aux oreilles de l'autochtone abasourdi. Il me faut votre cheval.

Le visage tanné de l'homme se crispa brusquement lorsque ses yeux tombèrent sur l'arme que Reilly portait à la ceinture. Mais, au lieu de s'en alarmer et de paniquer, il se mit à vociférer, lui reprochant visiblement cette offense avec des mots bien sentis. Jeunes ou vieux, frêles ou costauds, les Turcs que rencontrait Reilly ne se laissaient décidément pas facilement intimider. L'Américain lui fit un signe de tête et mit ses bras en croix en signe d'apaisement, essayant comme il le pouvait de calmer le vieil homme.

— Je vous en prie, écoutez-moi. Vous m'avez mal compris. Il faudrait que vous m'aidiez, OK ? J'ai besoin de vous emprunter votre cheval, expliqua-t-il, toujours avec de grands gestes, à la fois pour se faire comprendre et pour manifester son respect et sa déférence.

L'homme le regardait toujours d'un air soupçonneux puis il parut légèrement se détendre.

Se rappelant quelque chose, Reilly porta la main à une poche intérieure, en sortit son portefeuille.

— Voilà, dit-il en y pêchant tout l'argent liquide qu'il contenait.

Cela ne représentait pas une fortune, mais c'était assurément toujours plus que ce que valait la vieille jument fatiguée. Il tendit les billets au vieillard.

— Prenez ça, je vous en prie. Allez, ne m'obligez pas à sortir mon arme.

Il savait que l'homme ne comprendrait pas ces derniers mots, si tant est qu'il ait saisi le reste. Le vieux Turc le fixa un moment d'un air interrogateur, marmonna quelque chose dans sa barbe puis, après avoir pris sa décision, sauta de son cheval avec une légèreté surprenante et tendit les rênes à Reilly.

Ce dernier lui sourit, avec une gratitude qui devait se lire sur son visage, car l'expression du vieil homme se radoucit sensiblement. Reilly regarda à l'intérieur des paniers. Ils étaient remplis de grappes de raisin.

— Ça, vous le gardez, dit-il en dénouant les lanières qui les tenaient en place, puis en aidant le vieil homme à les porter jusqu'au bord du chemin.

Après quoi il grimpa sur les couvertures loqueteuses qui tenaient lieu de selle, sortit la carte de Tess et se plongea dans son étude.

Il songea bien à demander au vieil homme de confirmer sa direction, mais il savait que les renforts de la *jandarma* allaient sous peu envahir la montagne, et il n'avait pas envie de les laisser prendre les devants. Il étudia plutôt la position du soleil afin de s'orienter. La route entre l'endroit où il se trouvait et la zone indiquée par Tess, un lieu appelé vallée d'Ihlara, semblait tortueuse. C'était certainement celle que le terroriste avait empruntée. Un trajet plus direct en terrain vierge, à vol d'oiseau, serait à coup sûr beaucoup plus court d'autant qu'aucun obstacle majeur – rivière ou montagne – ne semblait le couper. Et dans la mesure où le cheval n'était pas exactement un pur-sang, Reilly se dit que s'il pouvait prendre un raccourci, aussi minime soit-il, ce serait pain bénit.

Il replia donc sa carte, la rangea dans son sac, salua le vieux Turc d'un signe de tête et d'un geste d'adieu, et éperonna sa monture d'un léger coup de talon, la poussant vers la prairie tout en priant le ciel que le pauvre animal ne meure pas sous son poids avant qu'il arrive à destination.

35

Les kilomètres défilaient sous les roues de la Discovery, qui filait plein sud sur la route sinueuse, trouée de nids-de-poule. Le paysage désolé contribuait à accentuer encore la torpeur qui envahissait tant le corps que l'esprit de Tess, engourdissement que seules venaient secouer certaines questions douloureuses restées sans réponse.

Elle jeta un coup d'œil de côté sur son ravisseur. Ce dernier sentit le poids de son regard et tourna la tête vers elle.

— Nous devrions atteindre le lieu du rendez-vous dans une dizaine de minutes, lui dit-il avant de lui dévoiler la couverture dont ils useraient, la même que celle dont il s'était servi avec Sully, lorsqu'il avait prétendu s'appeler Ali Sharafi, professeur d'université.

Le visage de Tess se crispa lorsqu'elle l'entendit prononcer avec une telle désinvolture le nom de l'historien iranien dont il s'était débarrassé quelques jours plus tôt.

— Vous n'avez vraiment aucune pudeur, dit-elle. Utiliser son nom, comme ça. Après ce que vous lui avez fait.

Ce n'était pas une question, et il ne réagit pas.

— Et d'abord, pourquoi suis-je là ? poursuivit-elle. À quoi puis-je bien vous servir ? Les Turcs ne vont pas marchander avec vous sous prétexte que vous me détenez. Pas après tout ce que vous avez fait.

Zahed haussa les épaules.

— Vous n'êtes pas là en tant qu'otage, Tess. Vous êtes là au titre d'expert, ou d'experte, comme vous voulez. Je ne peux pas me débrouiller seul dans cette affaire. Et comme j'ai été obligé de laisser tomber votre cher ami Jed, j'ai besoin de vous pour le remplacer.

Elle s'interrogea sur le sens de ses paroles : cela signifiait-il que Jed était sain et sauf ? Après ce qui s'était passé à Rome, elle en doutait. Cette pensée la laissa légèrement nauséeuse.

— Quand vous affirmez que vous ne pouvez pas vous débrouiller seul, que voulez-vous dire par là ?

Il lui jeta un coup d'œil amusé.

— Allons, allons, Tess. Vous avez lu la confession du moine. Vous avez vu les termes qu'il utilisait pour décrire ce… ce *trésor*. Ces moines, ces aimables et pieux serviteurs de Dieu, ont en fait eu recours au crime pour qu'il ne soit pas découvert. Alors dites-moi donc, Tess… Que croyez-vous que je recherche ?

Inutile de jouer les idiotes.

— L'œuvre du démon ? Quelque chose susceptible d'ébranler les fondations mêmes sur lesquelles est bâti notre monde ?

Il sourit.

— Ça vaut le coup de chercher, non ?

— Pas de cette façon, grommela-t-elle. Qui êtes-vous ? Qu'est-ce que vous voulez en faire ?

Il garda le silence, se contentant de regarder la route, droit devant lui, avant de lâcher au bout d'un moment :

— Mon pays et le vôtre… Ils mènent tous les deux une guerre non déclarée, une sale guerre depuis maintenant plus d'un demi-siècle. Je ne suis qu'un simple patriote qui essaie de faire gagner mon camp.

— Et votre camp, c'est l'Iran, avança-t-elle.

Il la regarda fugitivement, avec un sourire énigmatique.

— Nous ne sommes pas en guerre avec vous, reprit-elle. Et quels que soient vos problèmes, nous n'en sommes pas responsables.

Il leva les sourcils, dubitatif.

— Ah non ?

— Dites donc, ce n'est quand même pas nous qui finançons les terroristes, ce n'est pas nous qui menaçons d'effacer d'autres pays de la surface de la terre.

Ces paroles semblèrent glisser sur lui. Plutôt que de répliquer, il lui demanda avec une décontraction provocante :

— Dites-moi, Tess, êtes-vous au courant de l'opération Ajax ?

— Non, répondit-elle avec franchise.

— C'est bien ce que je pensais. Ça fait partie de votre problème, voyez-vous. Vous autres Américains, vous n'avez aucune notion de l'Histoire. Vous passez votre temps à surfer sur Tweeter ou sur Facebook, ou encore à vous demander qui est la dernière conquête de Tiger Woods. Et lorsqu'on passe aux choses sérieuses, à ces guerres qui font des milliers de morts et détruisent des millions de vies, vous ne vous donnez jamais la peine d'aller au-delà des gros titres des journaux, vous ne prenez pas le temps de vous renseigner sur le pourquoi des choses, de rechercher la vérité derrière le baratin de vos hommes politiques ou la logorrhée hystérique des soi-disant spécialistes qui encombrent vos écrans de télé…

Tess eut un petit rire moqueur.

— Ça alors, c'est la meilleure ! J'ai droit à un cours sur les subtilités de l'Histoire et les pires échecs de notre démocratie, et de qui ? D'un homme qui a décapité une innocente juste histoire d'appuyer son propos. Décidément, vous avez encore beaucoup de choses à nous apprendre…

Il se tourna une fois de plus vers elle mais, cette fois, il y avait quelque chose de profondément inquiétant dans son regard. Des lueurs très noires, sinistres, qu'elle ne lui avait encore jamais vues. Sa main glissa sur le côté et vint se poser sur sa cuisse. Elle sentit aussitôt une onde de panique traverser son corps tout entier. Il laissa sa main là un moment, gardant le silence pendant plusieurs secondes, interminables. Puis il lui pinça légèrement la cuisse avant de lui asséner une petite tape condescendante.

— Vous êtes une femme très attirante, Tess. Attirante et intelligente. Mais vous avez vraiment besoin de réviser vos classiques, lança-t-il, lui jetant un coup d'œil en biais sans pour autant perdre la route de vue. Intéressez-vous donc à l'opération Ajax. C'est un événement marquant dans l'histoire de nos deux pays. Et, pendant que vous y serez, apprenez donc ce qui s'est passé le matin du 3 juillet, en 1988. Ce qui s'est *réellement* passé ce jour-là.

Son visage se rembrunit encore. L'évocation de cette date semblait avoir attisé le brasier de haine qui brûlait au fond de son âme. Il la fixa longuement, les lèvres pincées, avant de se concentrer de nouveau sur sa conduite.

Le cœur de Tess battait follement dans sa poitrine. Elle s'obligea à ne pas laisser voir son trouble tout en fouillant dans les recoins de sa mémoire pour essayer d'en tirer des bribes de souvenirs en relation avec ce qu'il venait d'évoquer, sans résultat. Ce qui la rendit furieuse. Furieuse de ne pas savoir à quoi il faisait allusion, furieuse de ne pas être en mesure de lui faire ravaler ses assertions pleines d'arrogance.

— Je crois que nous y sommes, annonça-t-il enfin, en pointant le doigt. Et voilà sans doute notre homme. Espérons qu'il connaît son affaire.

Tess suivit la direction de son doigt. Un peu plus loin devant eux, au carrefour de trois routes poussiéreuses, elle vit un étal précaire de fruits et légumes juste à côté d'une petite station-service. Un homme attendait là, à côté d'une Jeep Cherokee couleur moutarde. Il paraissait dans les cinquante-cinq, soixante ans, et avait une allure qui détonnait dans ce cadre, avec son pantalon cargo, sa chemise en jean et son chapeau de brousse kaki. Ce devait être leur contact, Abdülkerim, l'oncle de Sully spécialiste de Byzance. Ils en eurent confirmation quand l'homme leur fit un signe de la main en les voyant approcher.

L'Iranien ralentit et, en se garant, regarda Tess d'un air dur.

— Il n'est pas écrit que tout cela doive se terminer mal pour vous, lâcha-t-il. Vous l'avez compris, j'espère.

— Tout à fait, répondit-elle avec un signe de tête, en veillant à prononcer ces trois mots sur un ton sarcastique, et non angoissé.

Abdülkerim connaissait assurément son affaire.

Les repères mentionnés dans le journal de l'inquisiteur étaient on ne peut plus lacunaires : ils faisaient référence à des sites naturels qui, s'ils n'avaient pas tout bonnement disparu, s'étaient forcément érodés avec le temps – quelque sept siècles ! Mais, non content de connaître comme sa poche la région et ses caractéristiques géographiques et géologiques uniques, l'homme n'ignorait rien de son histoire. Ce qui lui permit de resituer très vite les écrits de l'inquisiteur dans leur contexte historique particulier – les principales villes de l'époque, l'emplacement des grandes voies commerciales, les vallées qui étaient peuplées et celles qui ne l'étaient pas – et de retrouver sa piste.

Ils progressaient en mode tout-terrain, à bord de la Jeep du Turc. La proposition de celui-ci d'utiliser son propre véhicule avait été reçue avec enthousiasme par Zahed, qui en avait profité pour se débarrasser de la Land Rover volée, donc nécessairement signalée à toutes les forces de police, surtout après l'hécatombe de la matinée. Il l'avait cachée dans un endroit discret derrière la station-service. Ce départ plus matinal que prévu leur permettrait de progresser à un bon rythme dans leur recherche. Ils avaient ainsi une longue journée devant eux, sans compter qu'Abdülkerim menait sa Cherokee à un train soutenu. Ils cahotèrent ainsi sur la piste de leur fantôme vieux de sept cents ans, traversant des séries de hauts plateaux entrecoupées d'éminences qu'ils gravissaient puis dévalaient, s'arrêtant à deux reprises pour s'orienter et vérifier que la direction adoptée était la bonne, avant de remonter dans la Jeep et de poursuivre leur route.

Le soleil était presque au zénith dans le ciel d'un bleu que ne troublait aucun nuage quand Abdülkerim s'arrêta au pied d'une crête abrupte et coupa le contact. Après qu'ils eurent avalé quelques morceaux de pain sans levain, du *lahmacun*, arrosés d'eau minérale, il les précéda le long d'une piste étroite et sinueuse dans un paysage d'aiguilles rocheuses aux formes étranges qui débouchait au fond d'une vallée – l'ouverture de la gorge qui, de l'avis du spécialiste de Byzance, abritait sans doute les tombes des templiers.

Serpentant en suivant un axe nord-sud, le canyon s'élargissait et se resserrait tour à tour, bordé de chaque côté par une falaise haute de près de six cents mètres, symphonie de calcaire sculptée dans la terre par des rivières depuis longtemps asséchées. À cette période de l'année, le fond de la gorge était sec et poussiéreux, mais des touffes de verdure et de riches bosquets de saules et de peupliers aidaient à adoucir cette nudité quelque peu rébarbative.

— Ces vallées ne sont pas peuplées comme peuvent l'être celles qui se trouvent plus au nord, expliqua Abdülkerim.

Sa façon de parler était assez particulière : son anglais était excellent pour quelqu'un dont ce n'était pas la langue maternelle, son seul défaut étant d'user du présent à la place du passé, comme si ce dernier temps n'existait pas.

— Elles sont trop au sud, trop près des cols qu'empruntent les pillards musulmans. On ne trouve pas beaucoup d'églises troglodytes ni de villes souterraines dans le coin, ce qui explique qu'il n'est guère fréquenté par les touristes. Ils sont tous concentrés autour de Göreme et de Zelve, qui sont, il est vrai, des sites beaucoup plus spectaculaires.

— C'est ce qu'on nous a dit, confirma Zahed en admirant le paysage d'une beauté sauvage. Mais si nos Templiers s'efforçaient de rejoindre la côte sans se faire repérer par les pillards ghazis, il était logique qu'ils ne quittent pas ces gorges ?

— Absolument. Certaines d'entre elles dépassent les quinze kilomètres de long, ce qui permet de rester longtemps à couvert. Mais ce sont aussi des endroits rêvés pour des embuscades.

Ils se séparèrent, Zahed demeurant d'un côté de la gorge avec Tess, tandis qu'Abdülkerim suivait l'autre bord. Ils progressèrent ainsi lentement, inspectant avec soin chaque côté de la paroi rocheuse, à la recherche des repères auxquels s'était référé l'inquisiteur. Le soleil était maintenant plus brûlant que jamais, sa chaleur pesait lourdement sur les organismes et chaque pas supplémentaire devenait une épreuve. Ils longèrent tour à tour le côté ombragé de la gorge, du moins à chaque fois qu'un peu d'ombre se présentait, mais même dans ces conditions la touffeur écrasante ne leur laissait guère de répit.

Au bout de deux heures de marche, leur progression devint moins pénible : le soleil était passé derrière les falaises et le canyon tout entier se trouvait désormais à l'ombre. Au cours des quelques kilomètres qui suivirent, ils tombèrent sur deux petites chapelles taillées dans le roc, en fait deux cellules creusées des siècles auparavant dans le tuf. Leurs murs et leur plafond étaient ornés de fresques naïves, aujourd'hui à peine visibles. Mais rien de plus. Jusqu'à ce que leur guide ne les hèle.

— Par ici ! leur cria-t-il depuis l'autre côté de la gorge.

Zahed et Tess le rejoignirent en courant.

Courbé en deux, Abdülkerim avait les yeux rivés sur un roc au pied de la falaise, et le caressait doucement de sa main gantée. Ce qui avait retenu son attention n'avait rien d'évident, jusqu'à ce qu'apparaissent des petites marques, sculptées dans la pierre lisse, aux rebords érodés par le passage du temps.

La représentation sculptée qu'époussetait le Turc occupait une surface de six centimètres carrés environ.

Aussi grossièrement exécutée fût-elle, elle n'en était pas moins reconnaissable : c'était une croix, ce qui n'avait rien de surprenant compte tenu de l'importante présence chrétienne dans la région tout au long du premier millénaire qui avait suivi les débuts du christianisme. On en trouvait un peu partout dans les environs. Mais l'emplacement de celle-ci – au pied d'une falaise, sans église rupestre en vue – sortait de l'ordinaire, de même que sa forme. Ce n'était pas une croix quelconque : ses branches étaient plus larges à leur extrémité qu'à leur base, trait distinctif de cette *croix pattée* utilisée par plusieurs sectes au cours de l'Histoire, et en particulier par les Templiers.

— Ça pourrait bien être ça, fit le spécialiste de Byzance, tout excité à cette idée.

Il continua de brosser avec soin la surface qui entourait la croix, puis celle qui se trouvait au-dessous. D'autres signes gravés apparurent, à peine discernables au début, puis de plus en plus nets à chaque passage du gant.

Il s'agissait de lettres. Rien de très recherché, assurément pas l'œuvre d'un maître artisan. Elles semblaient avoir été façonnées à la hâte, à l'aide des outils que le sculpteur avait eus sous la main. Mais elles étaient bel et bien là.

Tess se pencha à côté de l'historien, les yeux fixés sur le roc. Elle sentait sa peau frémir d'excitation à mesure que les lettres gagnaient en netteté. Et tout en lisant les mots qu'elles formaient – il y en avait trois en tout, disposés l'un au-dessus de l'autre –, son esprit tournait à plein régime, essayant d'en décrypter le sens.

Hector… Miguel… et Conrad.

36

L'Iranien examina les sculptures, le front plissé, concentré.

— Donc, dit-il enfin avec un hochement de tête, notre Templier repose là.

— Pas seulement un, fit Abdülkerim, les yeux luisant d'excitation. Tous les trois. Ils sont peut-être tous enterrés ici, sous nos pieds.

Il recula de deux pas et étudia avec attention le sol, à la base de la falaise. Le terrain y était uniformément plat, à l'exception d'un petit monticule. Il examina rapidement le paysage, en amont et en aval de la gorge, puis leva les yeux vers la paroi quasi verticale qui la dominait.

— C'est merveilleux, commenta-t-il. Nous marchons peut-être sur les tombes de trois chevaliers templiers, ici, dans une région où la présence templière n'a jamais été attestée.

Tess ne lui prêta pas attention. Elle était en train de réfléchir au sens de leur découverte, et un coup d'œil furtif en direction de l'Iranien lui montra que c'était également son cas.

L'expression ravie du spécialiste de Byzance se changea en stupéfaction navrée devant l'absence d'euphorie – voire l'évidente tension – manifestée par ses clients.

— C'est bien ce que vous recherchez, n'est-ce pas ?

La jeune femme l'ignora.

— S'il est bien enterré ici, dit-elle à son ravisseur, cela signifie que nous arrivons au bout de nos peines, non ?

Elle marqua une hésitation, se demandant si cette conclusion n'était pas lourde de périls pour elle comme pour le Turc, avant d'ajouter :

— Notre quête est terminée, vous ne croyez pas ?

Zahed n'en avait pas l'air persuadé.

— Qui les a mis en terre ? Nous savons que trois chevaliers ont quitté le monastère. Ils devaient être accompagnés par quelqu'un. Qu'est-ce qui a pu leur arriver à cet endroit ? Comment sont-ils morts ? Et, qui les a enterrés ? Qui a gravé leurs noms dans la roche ?

— Ça a de l'importance ? rétorqua Tess.

— Bien sûr. Parce que la piste ne s'arrête pas là. Quelqu'un a quitté cet endroit après ce qui s'y est déroulé. Nous devons absolument savoir de qui il s'agissait.

Abdülkerim paraissait totalement dépassé.

— Que voulez-vous dire par « ils devaient être accompagnés par quelqu'un » ? Je crois qu'on cherche seulement ces tombes. Que savez-vous de plus sur ces chevaliers ?

La jeune femme continua d'ignorer les questions du Turc.

— Mais comment faire ? lança-t-elle à l'Iranien. Ils sont morts il y a sept cents ans, bon sang ! Et tout ce dont nous disposons, ce sont ces marques sur cette paroi. Rien de plus. Comment pourrions-nous aller de l'avant sur la base de ces seules données ? Il n'y a rien dans le Registre des Templiers, rien dans le journal de l'inquisiteur. Nous sommes dans une impasse.

L'Iranien fit la moue, retournant cette conclusion dans sa tête.

— Mais non, absolument pas, dit-il enfin. Nous ne savons pas ce qui, ou qui, est enterré là. Et tant que nous l'ignorons, nous ne sommes pas au bout de notre quête. Nous devons les exhumer, conclut-il d'un ton décidé. D'après tout ce qu'on sait, il aurait très bien pu être enterré avec eux.

À cette idée, Tess sentit son cœur chavirer. L'homme manifestait plus que de l'entêtement : une véritable obsession.

Le spécialiste de Byzance ouvrit lui aussi de grands yeux :

— Les exhumer ? Nous ?

Zahed se tourna vers lui, les yeux durs.

— Pourquoi ? Ça vous pose un problème ?

— Non, bien sûr que non, répondit Abdülkerim. Il faut sans doute le faire. Mais il y a une procédure à suivre. Nous devons demander une autorisation au ministère ; c'est un processus très compliqué, et je ne suis pas sûr que...

— Pas question de demander une autorisation, l'interrompit l'Iranien. On va s'en occuper nous-mêmes. Et tout de suite.

Le Turc le regarda fixement, bouche bée.

— Maintenant ? Vous voulez... ? Mais non, c'est impossible. Nous devons respecter des règles très strictes dans la région. On ne peut pas se lancer comme ça dans des fouilles...

Zahed haussa les épaules, plongea négligemment la main dans son sac à dos et en sortit un automatique gris graphite, qu'il arma avant de le diriger droit sur le visage d'Abdülkerim.

— Si vous refusez, libre à vous.

Il tint l'arme pointée à quelques millimètres du front du Turc, exactement entre les deux yeux. Le front de l'homme se couvrit aussitôt de sueur. Il leva instinctivement les mains en l'air et fit trois pas en arrière, mais l'Iranien s'avança à son tour et lui colla le canon de l'arme sur le front.

— On creuse, on regarde et on s'en va sans faire de mal à personne. OK ? fit Zahed d'un ton égal, imperturbable comme à son habitude.

Le guide turc opina nerveusement du chef.

— Bien, fit alors l'Iranien, se reculant de quelques mètres. Et maintenant, plus vite nous commencerons, plus tôt nous quitterons les lieux.

Il glissa l'automatique sous sa ceinture, fouilla dans son sac et en sortit une bâche en toile vert bouteille qu'il ouvrit. Elle contenait un ustensile de camping repliable comprenant une pelle d'un côté, un pic de l'autre.

Il allongea la poignée au maximum, mit les deux outils en position et tendit le tout à Tess.

— C'est vous la spécialiste, non ?

Elle le fusilla du regard, puis, de très mauvaise grâce, s'empara de l'instrument.

— Ça risque de me prendre un certain temps, dit-elle en regardant l'objet d'un air ironique.

— Pas nécessairement. Vous avez à côté de vous un assistant tout à fait capable, qui ne rêve que de vous donner un coup de main, répondit Zahed avec un sourire, avant de se tourner vers Abdülkerim et de l'inviter à passer à l'action d'un geste de la main.

Le Turc fit « oui » de la tête puis rejoignit Tess.

Tous deux s'agenouillèrent, contemplèrent le sol avec résignation... et se mirent au travail.

Tess se servit du pic pour attaquer la couche de terre superficielle, sèche et compacte, Abdülkerim se chargeant de charrier les blocs d'argile séchée qu'elle dégageait et de les entasser à l'écart. Il ne leur fallut que peu de temps pour mettre au jour une zone d'un peu plus d'un mètre carré, après quoi Tess creusa plus profondément.

Le pic heurta la pierre. Rien de bien considérable, juste un rocher de la taille d'une grosse balle. Elle déblaya la terre autour, aidée par Abdülkerim. D'autres morceaux de roc se trouvaient à côté, d'autres encore en dessous : deux couches de pierres bien denses, soigneusement disposées, qui empêchaient de distinguer ce qui se trouvait au-dessous.

— Ces pierres ne se trouvent pas là naturellement. Regardez la façon dont elles sont disposées. C'est quelqu'un qui les a apportées ici, remarqua Tess avant d'ajouter après une hésitation : Pour empêcher les bêtes sauvages d'atteindre les corps et de les déterrer.

— Bien, approuva Zahed avec un hochement de tête. Dans ce cas, les ossements devraient toujours être au même endroit.

Il lui adressa un regard qui l'incitait vivement à ne plus perdre de temps en bavardages, et elle se remit à la tâche, dégageant les pierres et les tendant au guide turc, qui les jetait ensuite au loin. Ils travaillèrent ainsi en tandem, à un rythme soutenu. Jusqu'à ce que quelque chose vienne interrompre la fluidité de leurs gestes.

Un coup d'œil du Turc, un regard interrogateur, inquiet.

Il venait de remarquer la ceinture à explosifs, ainsi que son cadenas, sous la chemise flottante que portait Tess.

La jeune femme le fixa alors longuement, avec intensité, et lui adressa un infime signe de tête, essayant de lui faire comprendre qu'il ne fallait surtout pas poser de questions, priant par ailleurs pour que leur ravisseur n'ait pas remarqué la réaction du Turc. Si c'était le cas, il n'en souffla mot. Elle vit la mâchoire d'Abdülkerim se contracter, et le Turc lui adressa à son tour un petit signe de tête indiquant qu'il avait compris le message puis se remit au travail.

Les pierres furent dégagées avant longtemps et, de nouveau, le pic ne rencontra plus que de l'argile, à un peu plus de cinquante centimètres de profondeur. C'est alors qu'apparut le premier ossement. Un fémur. Autour de lui, épars, d'autres, plus petits : les os d'une main, à l'extrémité d'un bras gauche.

Abandonnant son outil, Tess entreprit de déblayer soigneusement la terre à mains nues.

Le reste du squelette apparut alors rapidement.

Ses os étaient d'un marron terne, de la couleur de la terre dans laquelle ils reposaient depuis des siècles. Et même si le sol de la région ne souffrait pas d'une acidité particulièrement forte, Tess ne s'attendait guère à trouver grand-chose d'autre. Rares étaient les objets qui pouvaient survivre à sept siècles sous terre. Des armées de vers avaient fait leur ouvrage. Ses doigts butèrent sur plusieurs boucles en alliage de cuivre, uniques débris d'une ceinture et de bottes dont le cuir avait été depuis longtemps rongé, mais rien d'autre. Impossible de savoir avec certitude si les restes qu'elle avait sous les yeux étaient ceux d'un homme ou d'une femme ; cependant, à en juger par la longueur et l'épaisseur des principaux os des jambes et des bras, elle estima qu'il s'agissait plus probablement du squelette d'un individu de sexe masculin.

— Impossible avec ça de savoir de qui il s'agit, fit-elle remarquer en se relevant et en s'essuyant le front d'un revers de manche.

Elle était vannée, les efforts intenses qu'elle venait de fournir ayant épuisé le peu de forces qu'il lui restait après sa nuit blanche de la veille, là-haut dans la montagne. Comble d'inconfort, la ceinture piégée frottait contre ses côtes et pénétrait dans sa chair à chacun de ses mouvements, meurtrissant l'extrémité de sa cage thoracique. Mais à cela, elle ne pouvait rien.

Debout à côté d'elle, l'Iranien observait les restes humains. Il consulta sa montre avant de déclarer :

— Super. Beau boulot. Continuez comme ça.

Tess secoua la tête dans un mélange de mépris et de désespoir, avala une gorgée d'eau à la gourde que lui avait passée Abdülkerim, puis se remit à genoux et reprit le travail.

Une heure plus tard, avec l'aide du spécialiste de Byzance, elle avait exhumé les restes d'un autre corps.

Un, et pas deux…

Elle creusa deux petits trous de contrôle de chaque côté de la fosse commune, sans résultat. Ceux-ci ne révélèrent en effet aucune présence de pierres, confirmant que personne d'autre n'avait été enterré là, en tout cas pas à proximité immédiate des deux corps.

Ce qui voulait dire que cette piste ne finissait pas en cul-de-sac.

Ce qui signifiait également que son calvaire n'était pas terminé.

Elle se redressa, baignée de sueur, et s'adossa à la paroi rocheuse, inspirant et expirant profondément pour retrouver un rythme cardiaque plus normal. Abdülkerim fouilla dans son sac à dos et partagea avec elle le dernier de ses gâteaux au miel. Elle mâcha longuement la pâtisserie ruisselante de sucre, avec délectation, sentant une onde de plaisir se propager dans son corps tout entier, essayant l'espace d'un instant de ne plus penser aux implications de leur découverte.

— Deux corps, et non trois… Et pourtant trois noms sont gravés sur la tombe, remarqua l'Iranien, visiblement satisfait du résultat de la fouille. Ce qui soulève un certain nombre de questions, vous ne pensez pas ? ajouta-t-il, fixant Tess avec une curiosité amusée.

Elle était trop épuisée pour jouer avec lui au chat et à la souris, mais elle se devait de tenter quelque chose.

— Du genre : qui peuvent bien être ces deux-là ? lança-t-elle. Tout ce que je peux vous dire, c'est que si vous voulez jouer aux *Experts* pour trouver une réponse à cette question, ne vous gênez surtout pas pour moi.

Sans se départir de son petit sourire condescendant, il lui demanda :

— Vraiment, Tess ? Vous ne pouvez vraiment pas m'en dire plus ?

Abdülkerim intervint, volant au secours de la jeune femme :

— Ces squelettes sont vieux de sept cents ans. Comment pourrions-nous savoir de qui il s'agit ?

L'Iranien ne lui prêta aucune attention, se concentrant sur Tess, qu'il contemplait d'un regard dubitatif. Se demandant s'il était déjà au courant, celle-ci sentit un frisson d'effroi la parcourir en songeant aux conséquences qui en résulteraient si elle était, une fois de plus, percée à jour.

Ignorant jusqu'à quel point Jed s'était lâché avec l'Iranien, elle jugea préférable de jouer franc jeu :

— Je ne crois pas que Conrad soit l'un des deux.

— Et pourquoi pas ? s'enquit Abdülkerim.

Elle regarda Zahed, qui lui fit signe qu'elle pouvait parler.

— Ces squelettes… ils sont complets. Tous les deux.

Le Turc eut l'air perdu.

— Et alors ?

— Conrad a été blessé au cours de la bataille d'Acre. Gravement blessé.

Un sentiment d'échec inexorable se lut sur son visage, son moral s'effondrant à l'idée que l'histoire à laquelle elle était mêlée ne trouvait pas son point final avec la tombe qu'elle venait d'exhumer.

— Ce n'est pas lui.

37

Cappadoce, mai 1310

Après avoir quitté le monastère, ils passèrent leur première nuit dans une vallée resserrée, en contrebas de la montagne, installant leur campement à l'abri d'un grand rocher de forme rectangulaire sur lequel avaient été gravés des croix et d'autres signes à caractère religieux. Ils se remirent en route tôt le lendemain, veillant à conserver un certain écart entre eux : Hector allait en tête, Conrad suivait avec le chariot lourdement chargé, et Miguel s'était placé en retrait, surveillant leurs arrières : parfaitement conscients des dangers qu'ils encouraient, tous trois avaient hâte de rejoindre au plus vite les territoires relativement sûrs qui s'étendaient plus au sud.

Conrad hésitait quant à la marche à suivre. Tout s'était déroulé trop vite et jamais il n'aurait imaginé se retrouver en pareille situation. Il avait un certain nombre de décisions à prendre, toutes de la plus haute importance. Tout d'abord trouver un lieu où entreposer leur précieuse cargaison. Puis, ce problème réglé, évaluer la meilleure méthode pour s'en servir, l'objectif étant d'amener le pape à relâcher ses frères et à annuler les charges retenues contre l'Ordre.

Il envisagea un moment de convoyer leur chargement en France. Tout comme le roi Philippe, leur
ennemi juré, le pape, lui aussi français, résidait dans ce
pays, en Avignon. Les frères de Conrad y étaient également emprisonnés. Toute démarche auprès du pape
devait donc être entreprise là. Mais la France représentait un risque majeur : les sénéchaux du roi y étaient
omniprésents. Il serait délicat de sillonner le pays avec
un chargement aussi peu discret, et par ailleurs, Conrad
ignorait à qui il pouvait encore se fier sur place. Chypre
offrait une solution de rechange : il avait des amis sur
l'île et la présence franque, pour mineure qu'elle fût
désormais, n'en était pas moins réelle. Ils pouvaient
tout à fait envisager d'y cacher leur trésor, sur lequel
veilleraient Hector et Miguel pendant que lui-même se
rendrait en France, seul, pour y abattre son atout
maître. Mais, dans un cas comme dans l'autre, ils
devaient commencer par atteindre un port, si possible
celui par lequel ils étaient arrivés après leur départ de
Chypre : Corycus. Le choix de cette ville offrait un
autre avantage : une fois franchi les monts du Taurus,
ils se retrouveraient dans le royaume arménien de
Cilicie, territoire chrétien.

Le problème, c'était qu'ils progressaient avec une
lenteur désespérante : les deux chevaux peinaient à
tirer leur lourde charge. Et ce d'autant plus qu'ils ne
pouvaient pas emprunter la route la plus rapide. De
peur de tomber sur une bande de guerriers ghazis, ils
étaient contraints de sortir des sentiers battus et se
voyaient donc obligés d'avancer à grand-peine sur des
chemins rocailleux, cahoteux, et de traverser des forêts
épaisses, qui limitaient d'autant leur progression.

Le lendemain soir, ils arrivèrent dans une vaste
plaine s'étendant jusqu'à la lointaine chaîne de mon-

tagnes qu'ils devaient traverser pour atteindre leur destination. Ils se trouvaient donc à découvert, sans le moindre abri visible, ce qui ennuyait fort Conrad. L'autre option, les gorges longues et étroites qui sillonnaient le plateau avec leurs nombreux méandres, comme si celui-ci avait été creusé par de gigantesques griffes, n'était guère plus séduisante. Compte tenu de leur cargaison et du fait qu'ils ne disposaient ni de cottes de mailles ni d'armes de guerre, un affrontement avec une horde de bandits dans l'un de ces canyons se solderait inéluctablement par leur défaite. D'un autre côté, le risque de tomber sur une telle bande paraissait plus faible que celui d'être repéré en terrain découvert. Après une brève concertation, les trois chevaliers optèrent donc pour la gorge ; ils établirent leur campement sur une crête à l'entrée de celle qu'ils estimaient être la plus sûre, se mettant à couvert sous des éperons rocheux à la forme étrange.

Leur raisonnement était bon, à ceci près que la menace vint d'ailleurs.

Les premières volées de flèches s'abattirent le lendemain matin, deux heures après qu'ils furent repartis. Hector, en tête, menait le petit convoi dans le canyon lorsqu'un carreau l'atteignit à la poitrine, juste au-dessous de l'épaule, lui transperçant le poumon. Deux autres traits frappèrent sa monture, dont l'un en haut de la jambe, ce qui eut pour effet de la faire tomber brutalement. Hector essaya de tenir bon tandis que sa jument, hennissant de douleur, s'effondrait dans un épais nuage de poussière et de sang.

Conrad repéra deux archers tout au bout de la gorge, loin devant, et tira rudement sur les rênes de son destrier pour l'obliger à faire demi-tour, anticipant ce qui allait suivre tout en espérant avoir tort.

Mais il avait raison.

Quatre cavaliers se ruaient vers eux, des cavaliers ne lui étaient pas inconnus.

ehmet, son fils et deux des hommes qu'ils avaient nés avec eux.

Le chevalier franc sentit son estomac se tordre. Il savait que le négociant était cupide. Ils avaient pourtant pris soin de couvrir leurs traces, et avaient chargé Miguel de veiller à ce qu'ils ne soient pas suivis.

De toute évidence, ils ne s'étaient pas montrés assez prudents.

Vingt ans plus tôt, dans la fièvre du combat, Conrad n'aurait pas hésité une seconde. Avec un heaume, une cotte de mailles, une épée à deux tranchants ou une masse d'armes et un destrier bien caparaçonné, n'importe quel templier serait venu à bout de quatre ennemis.

Cette fois, c'était différent.

Il ne se trouvait plus vingt ans auparavant. Mais au moment présent. Après Acre.

Après la défaite qui lui avait coûté une main.

Il l'avait perdue en pleine bataille, tranchée net au poignet par le cimeterre d'un guerrier mamelouk, ce qui avait bien failli lui coûter la vie. Jamais il n'avait ressenti une douleur comparable à celle qu'il avait endurée lorsque la plaie avait été cautérisée à l'aide d'une lame portée au rouge. Il avait perdu de pleins setiers de sang et, tandis que lui et ses frères fuyaient à force de voile la ville tombée aux mains de l'ennemi, il était resté de longs jours au bord du trépas jusqu'à ce qu'un souffle de vie le pousse loin de l'ultime précipice. Durant sa longue convalescence, à Chypre, il avait essayé de puiser quelque réconfort dans le fait que c'était sa main gauche qu'il avait perdue, et non celle avec laquelle il tenait son épée, mais avec un succès des plus mitigés. Il savait que jamais plus il ne serait le guerrier formidable qu'il avait été.

Peu de temps après, il était tombé sur un forgeron chypriote particulièrement talentueux qui avait affirmé pouvoir l'aider : l'homme lui avait façonné une prothèse en cuivre, une fausse main qui s'adaptait parfaitement au moignon de son avant-bras et qui tenait en place grâce à des lanières de cuir. Superbement réalisée, elle était munie de cinq doigts qui rappelaient fort convenablement ceux qu'il avait perdus. Fixés en position recourbée, ils remplissaient de nombreuses fonctions, en particulier celles consistant à tenir les rênes de sa monture, à soulever une cruche d'eau, à porter un bouclier ou encore à fracasser la mâchoire de quiconque lui cherchait noise.

Pour l'heure, compte tenu de son handicap, il savait que sa cote et celle de son frère Miguel n'étaient pas au plus haut. Elles ne firent que s'effondrer un peu plus lorsqu'une autre flèche atteignit l'Espagnol en plein dos et le désarçonna.

Voyant Mehmet et ses hommes se rapprocher à bride abattue, Conrad s'empara de son cimeterre tout en essayant de contrôler les chevaux de son chariot. Les deux hommes de main, au grand galop, passèrent à côté de lui à le toucher, l'un sur sa gauche, l'autre sur sa droite. D'un large geste en demi-cercle, il frappa de sa lame l'un d'eux au visage, l'entaillant profondément sous l'oreille dans une gerbe de sang, mais le second cavalier le heurta de plein fouet et le blessa à la cuisse, le faisant tomber de son siège.

Il tomba rudement sur le sol, amortissant le choc de ses deux bras mais perdant son cimeterre dans sa chute. Les trois chevaliers étaient désormais à terre : Hector, coincé sous son cheval blessé, crachait du sang et respirait avec difficulté ; Miguel avait réussi à se remettre debout mais titubait comme un ivrogne sous l'effet de sa blessure ; quant à Conrad, boitant bas, du sang coulant le long de sa jambe, il venait de se redresser juste à temps pour voir le négociant et son fils s'apprêter à finir le travail.

Kacem s'approchait de lui au grand galop. Conrad regarda autour de lui, scrutant le sol à la recherche de quelque chose, n'importe quoi, susceptible de lui servir d'arme. Mais il n'y avait rien, absolument rien. Réagissant alors de façon purement instinctive, il bondit sur le Turc alors que celui-ci arrivait sur lui à toute allure : la main gauche, ou plus exactement sa prothèse en métal, tendue en avant, il laissa celle-ci recevoir de plein fouet le choc de la lame de son adversaire tandis que sa main droite agrippait Kacem par la ceinture et le désarçonnait à son tour.

Les deux hommes s'empoignèrent alors dans une mêlée confuse, en un affrontement dont Conrad savait qu'il ne sortirait pas vainqueur. Un coup violent sur sa blessure à la cuisse diffusa dans son corps tout entier une souffrance à peine supportable, qui le fit tomber à genoux. Après quoi, un coup de coude à la pommette le terrassa définitivement. Il se tordit de douleur sur le sol brûlant de la gorge, retrouvant dans sa bouche le goût métallique du sang, souvenir d'une époque depuis longtemps révolue, qui, elle aussi, s'était soldée par une déroute.

Il leva les yeux : Mehmet avait mis pied à terre et s'approchait sans se presser de son fils, qui dominait fièrement, de toute sa hauteur, son ennemi terrassé. Derrière les deux hommes, il distingua le corps de Miguel, mort selon toute apparence, aux pieds des deux cavaliers qui l'avaient assailli, et, un peu plus loin, celui d'Hector, inerte lui aussi.

— Je vous avais bien dit que ces contrées étaient peu sûres, fit le négociant avec un petit rire. Vous auriez dû m'écouter.

Conrad cracha un jet de salive mêlée de sang, qui atterrit sur les bottes de Kacem. Celui-ci étira sa jambe droite en arrière, prêt à lui donner un coup de pied en plein visage, mais le cri de son père l'arrêta net.

— Non ! ordonna ce dernier, foudroyant son fils du regard. J'ai besoin qu'il ait toute sa conscience.

Il tourna alors les yeux vers un point en aval de la gorge et eut un sourire de satisfaction.

Conrad suivit son regard : les deux archers avaient quitté les hauteurs dominant la gorge, où ils étaient postés en embuscade, et revenaient avec le chariot.

Mehmet leur adressa un signe de la main.

— C'est donc ainsi que vous traitez vos partenaires ? lança-t-il au chevalier blessé. Vous faites appel à moi pour vous assister dans vos petites combines et lorsqu'une grosse affaire se présente, vous décidez de la garder pour vous et de me renvoyer comme un vulgaire serviteur ?

— Ceci ne vous regarde pas, siffla Conrad entre ses dents.

— Si « ceci », comme vous dites, vaut de l'argent, cela me regarde, répliqua le commerçant en faisant un pas de côté pour examiner le chargement. Et j'ai le sentiment que cela en vaut beaucoup.

Il monta à bord du chariot, adressa un petit signe de tête à ses hommes de main, qui retirèrent la toile, détachèrent le premier coffre et l'ouvrirent.

Mehmet jeta un coup d'œil à l'intérieur puis se tourna vers Conrad, son visage reflétant l'incompréhension.

— Qu'est-ce que c'est que ça ?

— Cela ne vous regarde pas, répéta le chevalier franc.

Mehmet lança alors quelques ordres en turc, d'une voix rogue, en agitant les mains dans tous les sens, fort mécontent. Ses hommes s'empressèrent aussitôt d'ouvrir les deux autres coffres.

Le négociant scruta un par un leur contenu, son expression s'assombrissant au fur et à mesure, après quoi il sauta à bas du chariot, se précipita sur Conrad et lui administra un violent coup de pied qui le fit rouler sur le côté. Puis il sortit une dague de sa ceinture, s'accroupit devant le chevalier franc et, le saisissant par les cheveux, lui tira la tête en arrière avant de poser la pointe de sa lame contre son cou.

— Qu'est-ce que c'est que cette histoire ? rugit-il. Quel genre de trésor est-ce là ?

— Cela n'a aucune valeur pour vous.

Mehmet accentua sa pression.

— Dites-moi de quoi il s'agit. Et pourquoi vous teniez tant à tout cela.

— Va au diable, répliqua le chevalier.

Ce disant, il se détendit tel un ressort, sa main droite repoussant le poignard du négociant tandis que sa prothèse en cuivre lui assénait un coup terrible au visage.

Le Turc s'écroula avec un cri de douleur, sa bouche et son nez dégoulinant de sang. Conrad se jeta alors sur lui, mais Kacem intervint aussitôt et l'arracha du corps de son père, avant de le rouer de coups, non sans que les deux hommes de main soient entrés à leur tour dans la curée.

Au bord de l'inconscience, incapable du moindre geste, Conrad vit alors, en dépit de sa vision brouillée, le fils du négociant s'approcher de lui, un poignard à la main, pour lui administrer ce qui, selon toute probabilité, allait être le coup de grâce. Tout son corps se tendit dans cette attente, mais ce qui suivit n'était pas prévu : Kacem ne l'étripa point, ne l'égorgea pas plus, mais, se penchant sur lui, le maintint fermement en place en lui plantant un genou dans la poitrine avant de trancher les lanières qui maintenaient sa prothèse et d'arracher celle-ci d'un coup sec. Cela fait, il l'arbora triomphalement, exultant, la regardant comme il l'aurait fait d'un trophée de prix avant de la montrer fièrement aux autres.

Mehmet se redressa péniblement et fit quelques pas trébuchants avant de s'appuyer sur son fils, crachant toujours le sang, ses yeux étincelant d'une rage indicible.

— Tu as toujours été un entêté bâtard, hein ? siffla-t-il.

Poignard brandi, Kacem se pencha vers le chevalier franc.

— Je vais faire parler l'infidèle, dit-il à son père.

Ce dernier l'arrêta d'un geste.

— Non, dit-il, foudroyant toujours du regard le chevalier terrassé. Il peut dire ce qu'il veut, je ne le croirai pas. D'ailleurs, on n'a plus besoin de lui. Le contenu de ces coffres vaut certainement beaucoup d'argent. Et je suis sûr qu'à Konya nous trouverons quelqu'un qui pourra nous dire de quoi il retourne.

— Et lui ? demanda Kacem.

Fronçant les sourcils, le négociant fit des yeux le tour du canyon désert. Tout était calme, si l'on exceptait les râles des chevaux abattus. Le soleil était sorti depuis quelque temps de l'ombre offerte par les parois de la gorge et les accablait de toute sa puissance.

Conrad le vit lever les yeux vers le ciel : trois vautours volaient en cercles au-dessus d'eux, attirés par les corps étendus sur le sol : ceux qui bougeaient encore et ceux qui ne remuaient plus. Puis il le vit abaisser son regard vers le cheval blessé, rouge de sang, se tourner vers son fils et lui adresser ce qui se voulait un sourire.

Conrad se représenta alors le sort qui l'attendait et se prit à regretter qu'une flèche ne l'ait pas abattu lui aussi.

La chaleur était étouffante, mais le soleil n'en était pas l'unique responsable.

Le cheval y était pour beaucoup.

Celui à l'intérieur duquel on l'avait cousu…

Après avoir achevé la jument d'Hector, les Turcs l'avaient éventrée puis étripée avant de placer Conrad à l'intérieur et de suturer le tout. Le chevalier franc était donc allongé sur le dos, sa tête ressortant par l'anus de l'animal. Ses quatre membres étaient également à l'air libre, des trous ayant été pratiqués dans les flancs du cheval, mais, à l'exception du moignon de son bras gauche, ils étaient solidement attachés à des pieux enfoncés dans la terre durcie par la chaleur.

Les Turcs l'avaient abandonné ainsi, crucifié sur le sol du canyon, avant de repartir au petit trot avec les chevaux et le chariot plein de son étrange chargement.

Il faisait insupportablement chaud là-dedans. Mais l'odeur était plus terrible encore. Et les insectes. La chair en putréfaction pourrissait au soleil. Kacem et ses hommes n'avaient pas encore disparu au fond de la gorge que des essaims de mouches, de guêpes et autres insectes volants bourdonnaient déjà autour de lui et des cadavres de ses frères, se repaissant de cette manne, se posant en vrombissant sur les blessures ouvertes dans ses lèvres et sur le reste de son visage.

Et ce n'était encore qu'un début.

Les choses sérieuses commenceraient vraiment avec les trois vautours qui survolaient le carnage en cercles concentriques. Ils se poseraient en ouvrant leurs larges ailes, enfonceraient leurs serres dans la carcasse du cheval et entreprendraient de la déchiqueter de leur bec acéré. Jusqu'au moment où, inévitablement, ils transperceraient la peau dure de la bête et commenceraient à dévorer le corps de Conrad, morceau après morceau, se délectant de sa chair avant de s'attaquer à ses organes internes.

La mort serait lente à venir.

Conrad avait entendu parler de cette forme de torture baptisée « scaphisme », un terme dérivé du grec *skaphe* signifiant « vaisseaux ». À l'origine, elle consistait à enfermer une victime à l'intérieur d'un petit bateau à rames ressemblant à un canoë. La victime en question avait le corps enduit de miel et se voyait contrainte d'absorber de grandes quantités de lait abondamment allongé de miel jusqu'à ce qu'elle ne puisse plus retenir ses intestins, après quoi on poussait la barque sur une étendue d'eau stagnante, étang ou mare de quelque importance. Le résultat ne pouvait qu'attirer des nuées d'insectes. Dans d'autres variantes, on abandonnait le malheureux en plein soleil, dans le tronc d'un arbre creux ou à l'intérieur de la carcasse d'un animal. Conrad savait que les Turcs et les Perses appréciaient beaucoup ce genre de divertissement ; on lui avait raconté à quel point le spectacle était horrible lorsqu'on retrouvait les restes, mais jamais il n'avait eu l'occasion d'en être le témoin direct. Dans un sens, il avait de la chance que des charognards soient sur place. Dans les cas où seuls les insectes étaient présents pour dévorer le supplicié, la mort pouvait prendre des jours entiers. Conrad avait entendu parler d'un prêtre grec qui avait tenu dix-sept jours, la vermine qui grouillait dans son ventre se repaissant de sa chair gangrenée, avant que son cœur finisse par céder.

Quelle fin effroyable, se disait-il en regardant les vautours planer en cercles de plus en plus resserrés, conscient qu'ils cesseraient vite de voler.

Il en eut rapidement la confirmation.

Deux d'entre eux se posèrent l'un après l'autre, lourdement, sur le cadavre du cheval, le troisième s'étant décidé pour le corps du chevalier espagnol. Ils se mirent aussitôt à attaquer la chair exposée, avec frénésie, comme s'ils n'avaient rien avalé depuis des semaines. Conrad essaya bien de se tortiller en tous sens afin de les déranger dans leur festin, mais ses gestes, limités par ses entraves, ne parurent pas gêner le moins du monde les charognards. L'ignorant superbement, ils continuèrent à dévorer la carcasse de la bête, déchiquetant, tirant, déglutissant, faisant voler des morceaux de viande dégoulinante dont ils aspergeaient le chevalier prisonnier. Jusqu'au moment où l'un d'eux, celui qui se trouvait le plus près de sa tête, se tourna vers lui, le fixa un moment de son œil rond et lui donna un coup de bec. Secouant violemment la tête, Conrad poussa un hurlement sauvage, mais le vautour savait ce qu'il faisait et il poursuivit ce qu'il avait entamé. Conrad essaya bien de rentrer la tête à l'intérieur de la carcasse, mais sans grand résultat : il avait les yeux rivés sur le bec grand ouvert du volatile qui s'apprêtait à poursuivre son repas quand quelque chose vint heurter la bête avec un bruit sourd, l'envoyant valser au loin. Cela s'était déroulé trop rapidement pour qu'il ait pu voir ce qui l'avait atteint, ses sens émoussés étant incapables d'appréhender ce qui venait de se passer.

Il entendit les ailes de l'oiseau frapper le sol à plusieurs reprises, à l'agonie, mais sans qu'il puisse voir la scène, le vautour maintenant caché par la carcasse du cheval. Le deuxième ne se laissa pas impressionner pour autant : il sautilla jusqu'au flanc de la bête pour prendre la place de son défunt congénère mais, là encore, quelque chose vint le heurter et le projeta par terre. Cette fois pourtant, la scène s'était déroulée juste à côté de Conrad, presque sous ses yeux, et il comprit.

Le corps du gros oiseau était percé d'une flèche.

Conrad tourna de nouveau sa tête en tous sens, son cœur battant à se rompre, ses sens retrouvant soudain toute leur acuité, essayant désespérément de voir qui pouvait bien être cette personne qui venait de lui sauver la vie – et c'est alors qu'il la vit, accourant vers lui, une arbalète dans ses mains fines.

Maysoun.

Une vague d'allégresse le submergea.

Il la suivit des yeux alors qu'elle se précipitait vers lui, la vit lâcher son arbalète et sortir un gros poignard au moment précis où il sentit l'air vibrer soudain, juste à côté de lui, avant que quelque chose de piquant ne frôle son visage. Le troisième vautour s'apprêtait à plonger le bec dans sa chair, quand il vit Maysoun sauter sur l'oiseau telle une panthère et lui trancher le cou.

Elle rejeta au loin le corps pantelant et se tourna vers le chevalier franc, le souffle court, le visage baigné de sueur, les yeux brillant d'une détermination farouche. Elle agita l'air de la main à plusieurs reprises pour chasser les nuées d'insectes, puis se pencha en avant et coupa les liens qui le maintenaient au sol avant de se mettre en devoir de le libérer de son effroyable cercueil.

Il la regarda découper les sutures. Le regard de la jeune fille rencontra le sien et ses yeux restèrent fixés sur lui, sans ciller, ses mains s'affairant de façon experte, le visage concentré. Déshydraté, affaibli, choqué, il avait du mal à croire qu'elle était vraiment là, qu'il était encore en vie, alors même qu'elle l'aidait à s'extirper de la carcasse du cheval et à se remettre debout.

Il demeura un bon moment sans bouger, le souffle court, dégoulinant de sang et de tripaille, la regardant avec un mélange d'admiration et de gêne.

— Comment… Que faites-vous là ?

Les lèvres de la jeune fille se relevèrent sur un sourire malicieux.

— Je vous sauve la vie.

Il secoua la tête, encore sous le choc.

— Mais encore ? demanda-t-il en souriant à son tour, ce qui lui fit mal aux lèvres, meurtries et desséchées. Comment êtes-vous arrivée ici ?

— Je vous ai suivis. Vous, mon frère, mon père. Je vous ai suivis depuis votre départ de Constantinople.

Il mettait beaucoup plus de temps qu'à l'ordinaire pour organiser ses pensées et les formuler.

— Pourquoi ?

— J'ai surpris leur conversation. Ils vous soupçonnaient d'être à la recherche de quelque chose d'important et avaient le sentiment que vous n'étiez pas prêt à en partager les bénéfices. Ils ont donc décidé de tout garder pour eux. Je voulais vous mettre en garde, mais je n'ai pas pu m'échapper. Vous savez comment ils sont, avec moi.

— Mais ce sont… votre père. Et votre frère…

Elle haussa les épaules.

— Ce sont de méchants hommes. Je savais que vous ne leur céderiez pas sans combattre ce que vous étiez venu chercher. Et je savais ce qu'ils étaient prêts à faire pour s'en emparer.

— Vous les avez donc suivis… pour moi ?

Ses yeux toujours rivés à ceux du chevalier franc, elle fit oui de la tête.

— Vous auriez fait la même chose pour moi, n'est-ce pas ?

La franchise sans fard de sa réponse alla droit au cœur de Conrad. Bien sûr qu'il aurait fait la même chose. Sans l'ombre d'une hésitation. Un lien s'était tissé entre eux, une attirance mutuelle qui n'avait fait que croître au fil de semaines et de mois de rencontres frustrantes. Conrad en avait une conscience aiguë, mais le fait qu'elle ait risqué ainsi sa vie pour lui allait au-delà de tout ce qu'il aurait pu imaginer. Elle lui tendit une outre en cuir.

— Vous avez besoin d'eau. Buvez.

Il avala une longue rasade.

— Alors, de quoi s'agissait-il ? demanda-t-elle sans cesser de l'observer. Qu'y avait-il de si intéressant dans ce monastère ?

Il lui rendit l'outre, la regarda pensivement, un long moment, puis l'entraîna à l'ombre d'une corniche et lui raconta tout.

Depuis le début.

Toute la vérité, et rien que la vérité.

L'origine de l'Ordre. Ce que les Gardiens s'étaient mis en tête de faire. Comment tout s'était bien passé. Comment tout avait mal tourné. Everard et ses hommes

361

à Constantinople. La défaite à Acre. La disparition du *Faucon-du-Temple*. Les années perdues à Chypre. L'agression du roi de France contre l'Ordre. Sa renaissance à Constantinople. Sa rencontre avec elle. Les épées. Le monastère. Les textes. L'embuscade.

C'était le moins qu'il pût faire pour elle.

Durant tout le temps de son récit, elle l'écouta avec une attention extrême, ne l'interrompant qu'à deux reprises pour clarifier quelques points de détail. Et lorsqu'il en eut terminé, elle demeura silencieuse pendant longtemps, assimilant toutes ces informations tandis que, de son côté, il s'efforçait d'appréhender la situation et de décider de ce qu'il convenait de faire dans l'immédiat.

Elle le regarda frotter son moignon, qu'elle indiqua d'un mouvement de tête :

— Ils l'ont pris ?

— Oui.

Elle le dévisagea sans mot dire durant une longue seconde, puis :

— Je sais ce que vous pensez.

Il poussa un profond soupir.

— Il faut que j'essaie de le récupérer.

— Ils sont six, et nous sommes deux...

— Un et demi, corrigea-t-il dans un excès de modestie en montrant son moignon. Ce n'est d'ailleurs pas la seule chose que j'ai besoin de récupérer, fit-il avec un froncement de sourcils. Votre père a dit qu'il transporterait à Konya le chargement qu'il m'a volé. Vous savez où cela se trouve ?

— Bien sûr. C'est la ville dont ma famille est originaire, j'y ai passé toute mon enfance.

— Et c'est loin ?

Elle réfléchit un moment.

— À quatre jours de route d'ici, à peu près. Peut-être trois si nous poussons nos montures.

— Ils vont être ralentis par le chariot. Nous avons toute chance d'être plus rapides qu'eux. Et ils vont avoir besoin de trouver un abri pour la nuit, hors de vue. Pas si facile, avec tous ces chevaux.

Il se tut, plongé dans ses pensées, regarda autour de lui et sembla prendre une décision.

— J'ai besoin que vous m'aidiez à faire quelque chose.

— Quoi ?

— Il faut que j'enterre mes amis.

— Très vite, alors. Nous ne devons pas leur laisser trop d'avance.

— « Nous » ?

Elle lui adressa un regard entendu.

— Je vous ai sauvé la vie, vous vous rappelez ? lança-t-elle sur un ton légèrement ironique.

— Il s'agit de votre père, et de votre frère.

Une ride vint soudain barrer le front de la jeune fille. Le dilemme ne lui avait pas échappé.

— Vous ignorez presque tout de moi.

— Et si ce n'était pas le cas ?

— Vous comprendriez mieux, rétorqua-t-elle d'un ton égal, ferme, et qui ne laissait guère de place à la discussion. Ne perdons plus de temps. Nous pourrons parler chemin faisant. Mais vous devrez chevaucher sous le vent par rapport à moi. En attendant que vous ayez pris un bain, en tout cas, conclut-elle avec un sourire.

— Ils ont également volé nos montures. Ce me sera impossible si nous partageons la même selle.

— Je suis venue avec deux chevaux. Pour le cas où l'un d'eux se blesserait. Le chemin est long depuis Constantinople.

Conrad hocha la tête, puis se tourna vers le cadavre d'Hector.

— Hector fait plus ou moins ma taille. Je vais prendre ses vêtements. Jusqu'à ce que nous ayons trouvé un ruisseau pour m'y laver.

À l'aide du poignard de Maysoun et de leurs mains nues, ils creusèrent une fosse rectangulaire, au pied de la paroi rocheuse. Ils y déposèrent les corps d'Hector et de Miguel, côte à côte, avant de les tapisser d'une couche de cailloux afin de les protéger des vautours et autres charognards qui hantaient la vallée, et de recouvrir le tout d'une couche de terre. Conrad se servit du poignard pour graver leurs noms dans la paroi rocheuse derrière la tombe, ajoutant au-dessus une croix pattée.

Cela fait, il se redressa et regarda longuement la terre aplanie et ce qu'il venait de graver dans le roc : il aurait préféré pour ses frères une tombe plus digne d'eux, mais il ne pouvait guère faire mieux.

Maysoun lut la peine qui marquait son visage.

— « Cela peut ressembler à la fin, dit-elle. Cela peut ressembler à un crépuscule mais c'est en réalité une aurore. Car c'est lorsque la tombe se referme sur vous que votre âme est libérée. »

Il lui lança un coup d'œil interrogateur, auquel elle répondit par ce simple mot :

— Rumi.

Il ne comprenait toujours pas.

— Je vous expliquerai plus tard, dit-elle. Nous devons partir.

— Très bien.

Il contempla la tombe une dernière fois, un long moment, mais avant de se détourner décida de faire une dernière chose.

Il alla graver son propre nom sur la paroi. Au-dessous de celui de ses deux frères.

Ce fut au tour de Maysoun de le questionner du regard.

— Pour le cas où quelqu'un viendrait me rechercher, expliqua-t-il.

Puis ils partirent au galop, atteignant très vite la sortie de la gorge pour déboucher sur le plateau, suivant les traces que le Turc et ses hommes avaient laissées derrière eux.

Ils n'allèrent pas bien loin en ce premier jour. Le soleil était déjà bas sur l'horizon lorsqu'ils arrivèrent à un petit ruisseau qui serpentait dans des collines couvertes de forêts. Un emplacement sûr et plaisant où passer la nuit. Ils rattraperaient le lendemain ceux qu'ils poursuivaient.

Conrad se lava avec délice, se délectant du contact de l'eau fraîche sur ses blessures. L'espace de quelques minutes, il songea aux événements des derniers jours, au tournant abrupt qu'avait pris son existence, aux multiples coups du sort qu'il venait de connaître et, au bout du compte, de surmonter. Mais il n'eut guère le temps d'aller plus avant dans ses réflexions : la vision de Maysoun quittant sa robe pour le rejoindre dans l'eau du ruisseau leur fit prendre un tout autre cours. Il décida alors sur-le-champ d'en terminer une fois pour toutes avec ces affreux dilemmes qui l'avaient jusqu'alors tourmenté et qui avaient noms serments, depuis longtemps prescrits, et sacrifice de soi.

Il attira la jeune fille à lui et l'embrassa avec une ardeur fébrile. Puis il s'anéantit en elle, enterrant du même coup les ultimes vestiges de sa vie de moine-soldat.

De ce moment, la partie monastique de son existence s'achevait. À jamais.

Il n'était plus désormais qu'un soldat.

38

— Les mains. Elles sont toutes là, toutes les quatre, grommela Tess. Aucun de ces deux squelettes n'est celui de Conrad. Il n'est pas mort ici.

Abdülkerim la regarda avec perplexité.

— Dans ce cas, pourquoi son nom est-il gravé sur le mur ?

Tess l'ignora et s'accroupit, le visage entre ses mains en coupe, tentant de se déconnecter du monde environnant l'espace d'un instant. Elle aurait voulu pouvoir tout effacer. Elle n'aspirait qu'à une chose : être chez elle, à New York, avec Kim et sa mère non loin, passant ses journées à remplir avec des mots, des paragraphes, des chapitres, l'écran blanc de son ordinateur portable, et ses soirées avec un verre de sauvignon bien frais, Melody Gardot en fond sonore et Reilly à côté d'elle sur le canapé. Jamais la vie quotidienne dans toute sa banalité ne lui avait semblé aussi séduisante, ni plus hors d'atteinte, et elle se demanda si elle aurait un jour l'occasion de l'apprécier de nouveau, à sa juste valeur.

— Tess ? Notre ami vient de vous poser une question.

La voix étrangement désincarnée de l'Iranien la ramena aux dures réalités, plus précisément à l'environnement austère du canyon.

Elle leva les yeux, un peu étourdie, s'efforçant d'ordonner ses pensées. Ils étaient toujours là, bien sûr : l'Iranien la fixant de toute sa hauteur, l'air impatient, le spécialiste de Byzance assis en face d'elle sur un gros bloc de pierre.

— Pourquoi le nom de Conrad est-il gravé dans le roc ? répéta-t-elle d'une voix exaspérée. Comment diable pourrais-je le savoir ?

— Réfléchissez, répliqua sèchement Zahed.

Tess eut l'impression que les parois rocheuses se resserraient autour d'elle. Elle se demanda si son intérêt était de demeurer pour lui d'une certaine utilité, doutant fort qu'il la laisse tranquillement reprendre sa liberté si la quête qu'il avait entreprise débouchait sur une impasse. Mais son cerveau refusait de coopérer. Pas la plus petite lueur d'espoir à l'horizon, proche ou lointain.

— Aucune idée.

— Faites un effort.

L'Iranien n'était visiblement pas décidé à lâcher prise.

— Aucune idée, réitéra-t-elle avec colère. Je n'en sais pas plus que vous là-dessus. Dieu sait ce qui s'est passé ici, bon sang ! Nous ne sommes même pas sûrs que ces squelettes soient réellement ceux des autres templiers.

— Eh bien, dans ce cas, passons en revue les diverses hypothèses. S'il s'agissait bien d'eux ?

Elle haussa les épaules.

— S'il s'agit vraiment des ossements des chevaliers qui ont visité le monastère avec Conrad, c'est le seul qui leur ait survécu. Et si c'est bien le cas, je dirais que c'est lui qui a enterré ici ses petits camarades et gravé les noms dans le roc, le sien y compris.

— Et pourquoi cela ?

Une réponse vint immédiatement à l'esprit de Tess. Elle n'avait pas du tout envie d'en faire part à son ravisseur, mais elle n'avait guère le choix :

— Pour gagner un peu de temps. Pour retarder celui ou ceux qui étaient à ses trousses.

— Ce qui était logique s'il transportait quelque chose d'important, qu'il souhaitait protéger.

— Peut-être, lâcha Tess d'une voix rageuse. Mais, sauf erreur de ma part, ce quelque chose n'est pas là. Et s'il n'est pas mort à cet endroit, son squelette peut se trouver n'importe où... Même si je ne vois guère un individu solitaire, manchot qui plus est, aller bien loin en territoire ennemi, fût-il un chevalier du Temple.

— Il aurait pu trouver refuge dans l'une des communautés chrétiennes établies au nord d'ici, avança l'Iranien.

À cet instant précis, un détail accrocha l'attention de la jeune femme : une réaction, infime mais néanmoins perceptible, dans l'expression de l'historien turc.

Celle-ci n'avait pas échappé non plus à l'Iranien.

— Alors ? demanda-t-il.

— Moi ? Non, rien, bredouilla Abdülkerim, pas très convaincant.

La main de l'Iranien vola à une telle vitesse que ni Tess ni le Turc ne la virent arriver. La gifle frappa de plein fouet la mâchoire du guide, dont la tête fut projetée sur le côté. Éjecté de son perchoir, il alla s'écraser lourdement sur le sol en soulevant un nuage de poussière.

— Je ne vous le demanderai pas deux fois, fit l'Iranien.

Abdülkerim demeura prostré sur le sol, tremblant de tous ses membres. Au bout d'un moment, il leva des yeux terrifiés sur Zahed.

— Il y a peut-être quelque chose, balbutia-t-il. Pas loin d'ici. Vous savez quelle main lui manque ? demanda-t-il à Tess.

— La gauche. Pourquoi ?

Abdülkerim plissa le front, soupesant si ce qu'il s'apprêtait à dire était opportun.

— Il y a une fresque dans l'église rupestre de la vallée de Zelve. Elle est en ruine, comme toutes les autres, mais… la peinture est toujours visible. Elle montre un homme, un guerrier. Quelqu'un que les villageois respectent beaucoup. Un protecteur.

— Mais quel rapport avec Conrad ? le pressa l'Iranien.

— Le guerrier est décrit sur la fresque comme « la seule vraie main » repoussant les païens. L'une de ses mains est visible alors que l'autre, la gauche, est absente. Je pense toujours que c'est une métaphore, vous savez, l'une de ces légendes un peu folles du temps des croisades.

Il s'arrêta, avant d'ajouter, d'une voix plus ferme :

— L'homme de la fresque est enterré dans la crypte de l'église. Je crois qu'il peut s'agir de votre Conrad.

— La seule vraie main… répéta l'Iranien d'un ton rêveur. J'ai bien envie d'aller voir cette église.

Le cheval de Reilly ralentit en atteignant la crête qui bordait la *yayla* qu'il venait de traverser. Des champs de lavande sauvage et des buissons d'armoise recou-

370

vraient entièrement la pente au-delà de laquelle s'ouvrait une vaste plaine qui s'étendait plein sud jusqu'aux montagnes, au loin. L'Américain s'arrêta pour s'orienter, le dos et les cuisses endoloris par sa longue et inconfortable chevauchée. Sa monture, haletant après cette course ininterrompue, avait elle aussi bien besoin d'un répit.

L'air était calme, la vallée silencieuse. Sentant quelque chose, ou quelqu'un, bouger sur sa gauche, Reilly braqua les yeux dans cette direction : sous le couvert d'un bosquet d'amandiers, une vieille femme frappait les branches d'un des arbres à l'aide de sa canne. Des feuilles fraîches en tombaient, aussitôt dévorées par un petit troupeau de moutons. Après des siècles d'un tel traitement, les fruitiers étaient tous légèrement tordus. Sentant qu'elle avait attiré l'attention de Reilly, la paysanne le fixa un instant du regard puis sembla s'en désintéresser et se remit à sa tâche.

Reilly sortit sa carte, la compara au paysage qui s'offrait à lui. La vallée faisait songer à une toile beige bordée par des formations rocheuses aux douces ondulations, et piquetée de boqueteaux de pins, d'abricotiers et de vignes. Il se concentra sur le flanc gauche, ses yeux faisant le tour de la zone que Tess avait encerclée sur la carte. Il pouvait distinguer les craquelures sombres signalant des gorges étroites creusées dans le lit de la vallée, mais aucun signe de vie. Rien que la nature paisible, épargnée par l'activité humaine, à des kilomètres à la ronde.

Puis il remarqua quelque chose.

Quelque chose qui ne cadrait pas dans ce décor.

Quelque chose qui bougeait, à moins d'un kilomètre de là, au bord d'un des canyons.

Il sortit ses jumelles de leur étui.

Ils étaient loin, mais pas d'erreur possible, ces silhouettes étaient familières. C'étaient eux. Tess, l'Iranien et quelqu'un d'autre, une personne qu'il n'avait encore jamais vue.

Il eut le sentiment que son cœur était libéré du piège qui l'enserrait. La vue de la jeune femme lui fit l'impression d'une bouffée d'air frais : elle n'était ni libre ni en sécurité, mais au moins elle était là. Il l'avait retrouvée.

Les trois silhouettes minuscules arrivèrent à un bouquet d'arbres où Reilly entrevit un véhicule, un 4 × 4 beige dont il reconnut la marque : c'était une Jeep Cherokee, d'un modèle relativement ancien, plus petit et plus carré que ceux des générations plus récentes. Il s'intéressa de plus près à l'inconnu, se demandant s'il s'agissait d'un ennemi ou d'un allié, puis vit les trois personnages monter dans le véhicule. Le « troisième homme » s'installa au volant, Tess prenant place à ses côtés, l'Iranien à l'arrière. Rien dans cette disposition ne permettait de dire si l'inconnu était un ami du terroriste ou quelqu'un d'autre, peut-être un chauffeur embauché pour l'occasion ou un guide spécialiste de la région. Dans l'ignorance, Reilly se dit qu'il devait partir du principe que l'homme était un adversaire. D'ailleurs, pour le moment, cela n'avait guère d'importance. Il sentait l'angoisse monter à l'idée de ce qui allait se produire.

Car ils étaient bel et bien en train de partir à toute allure vers une destination inconnue, alors que lui se trouvait à près d'un kilomètre de là, juché sur un canasson à moitié mort.

Il éperonna l'animal, poussant des hurlements et lui claquant la croupe pour le faire avancer. Épuisée, la pauvre bête avança un sabot hésitant, visiblement peu désireuse de se risquer dans une pente trop abrupte à son goût.

— Allez, vas-y, bon sang ! cria son cavalier, essayant de la convaincre en serrant les cuisses et en lui flattant le haut des jambes.

Le cheval prit un peu de vitesse, avec des hennissements de protestation, soulevant des nuages de poussière en dévalant la butte clopin-clopant.

Tout en guidant sa monture, Reilly essayait de ne pas perdre de vue les mouvements de la Jeep : celle-ci tressautait sur le sol accidenté, cap à l'ouest. Il fit obliquer son cheval sur la droite dès que celui-ci eut atteint le bas de la pente, puis lui fit prendre une trajectoire en diagonale par rapport à la direction du 4 × 4, mais il se trouvait encore à plusieurs centaines de mètres du véhicule tout-terrain. Celui-ci atteignit une petite route, qu'il emprunta, toujours en direction de l'ouest, s'éloignant davantage à chaque tour de roue, au grand désespoir de Reilly. Son cœur se crispa lorsqu'il comprit qu'il ne pouvait plus rien faire pour le rattraper.

Il n'en maintint pas moins la pression, talonnant sa monture. Le 4 × 4 avait disparu de sa vue lorsqu'il atteignit enfin la route. Il poussa son cheval en direction de l'asphalte craquelée, conscient qu'il avançait beaucoup trop lentement pour avoir la moindre de chance de rattraper Tess. Il devait absolument trouver un autre moyen pour la rejoindre. Une voiture, un camion, une moto, n'importe quoi disposant d'un moteur. Même un vieux pick-up menaçant ruine et aux amortisseurs couinant sous le poids de la montagne de pastèques qu'il transportait. Car c'est bel et bien ce qu'il vit apparaître, cahotant dans sa direction et l'invitant à lui laisser le passage à grand renfort de coups d'avertisseur.

Il n'avait guère le choix.

Il engagea son cheval sur la route, puis tira brutalement sur les rênes pour obliger l'animal à stopper net, bloquant le passage. La camionnette s'arrêta dans un dérapage à quelques mètres d'eux. Deux hommes se trouvaient dans la cabine. Le conducteur klaxonna rageusement tandis que son passager passait la tête par la fenêtre, les deux hommes poussant des cris de fureur et faisant signe à Reilly de dégager le terrain.

La suite ne prit que quelques secondes.

Le seul fait de brandir un pistolet suffit à régler le problème avec une efficacité impitoyable. Quelques secondes plus tard, Reilly reprenait la route, bien décidé à rattraper la Jeep, depuis longtemps disparue, avec cette fois plusieurs quintaux de pastèques sur la plate-forme arrière.

39

Telle une somnambule, Tess suivait sans les voir Zahed et Abdülkerim dans un paysage d'un autre monde. Elle avançait comme si ses pieds étaient de plomb, son esprit fuyant de plus en plus la rude réalité qui l'environnait, ne sachant plus où elle se trouvait. Les épreuves incessantes des derniers jours, auxquelles venaient s'ajouter la chaleur étouffante et le manque de sommeil, prélevaient leur dîme. Ses yeux avaient du mal à accommoder, mais le pire des mirages était celui de Reilly. Son souvenir l'obsédait. Son souhait le plus cher était qu'il soit sain et sauf, qu'il n'ait pas péri dans la montagne, mais elle savait qu'elle n'en aurait pas la confirmation avant longtemps, si elle l'avait jamais. Cette incertitude accentuait encore le sentiment de désorientation qui l'accablait, et que le paysage sidérant alentour ne diminuait en rien.

La vallée qu'ils traversaient était très différente de la gorge où ils avaient découvert la tombe des templiers. Jamais elle n'avait vu d'endroit comparable. Beaucoup plus large, elle était constituée d'étranges amas de cônes et de tourelles de pierre rose pâle. Des cheminées de fée s'élevaient un peu partout dans la plaine, comme si quelqu'un les y avait disposées au petit bonheur la chance. Bordant cette gigantesque scène un peu sur-réelle, des pentes douces menaient jusqu'à une falaise verticale, corniche de tuf surplombant l'ensemble. Et si la vallée faisait songer de façon aussi déconcertante à un gigantesque plateau de meringues, c'est la gorge encaissée dans laquelle ils progressaient, l'un des trois canyons parallèles creusant la vallée, qui stupéfiait Tess plus encore que tout le reste. Où qu'elle pose le regard, des ouvertures sombres dans les formations rocheuses semblaient la suivre des yeux. Les parois de la gorge, qui abritait l'antique village de Zelve, aujourd'hui abandonné, étaient criblées d'habitations, d'ermitages, d'églises et de monastères excavés dans un site éminemment improbable. De la plus étroite des cheminées de fée aux falaises bordant les ravins, il n'y avait pas un pan de roc qui ne fût percé d'une ouverture quelconque. La région tout entière était parsemée de centaines de sanctuaires creusés dans le roc, dissimulés dans le secret de ses vallons et de ses ravins, leurs parois recouvertes d'un inestimable trésor de fresques byzantines.

Depuis les premiers jours de la foi chrétienne, la Cappadoce avait été un important foyer de la chrétienté orthodoxe, le second juste après Constantinople. Paul de Tarse, saint Paul, avait prêché dans cette région en l'an 53, vingt ans exactement après la Crucifixion. La Cappadoce était ainsi devenue un asile pour les pre-miers adeptes de la Croix qui, fuyant les persécutions des Romains, trouvaient dans ce paysage labyrinthique un refuge naturel propre à les abriter du danger. Au IVe siècle, Basile le Grand, évêque de la ville toute proche de Kayseri et l'un de ces prélats baptisés « pères de la foi en Cappadoce », avait découvert le mona-chisme à l'occasion d'un voyage en Égypte et en avait introduit le concept de retour dans son pays. Les moines avaient alors entrepris de coloniser la région, taillant dans le roc des structures allant des cellules de prière individuelles creusées dans des aiguilles hautes de quelques mètres à peine jusqu'à des églises rupestres d'une taille impressionnante ou des monastères à plusieurs étages s'élevant haut dans les falaises.

De telles excavations ne se trouvaient pas uniquement au-dessus du sol. Au cours des invasions et des conquêtes mongoles et musulmanes, elles s'étendirent également au sous-sol. Des dizaines de cités souterraines, dont certaines remontaient aux Hittites, parsemaient la région, au point que beaucoup n'avaient pas encore été explorées en totalité. Plusieurs se superposaient sur une douzaine d'étages, voire plus, en dessous de la surface du sol, dédales de tunnels, de quartiers d'habitation et d'entrepôts divers. Avec leurs conduits d'aération ingénieusement conçus et leurs plaques de pierre pouvant peser jusqu'à une tonne en forme de roue de moulin destinées à en interdire l'accès aux intrus, ces cités avaient fait office de sanctuaires pour des communautés entières chaque fois que des hordes hostiles hantaient la région, permettant ainsi aux tenants de la foi chrétienne orthodoxe de demeurer dans les vallées et de subir des siècles de domination seldjoukide et ottomane sans trop de dégâts.

L'ironie veut que ce ne soit qu'en 1923, dans les premières années de la République turque, qui avait érigé le laïcisme en dogme, que les chrétiens aient été en fin de compte expulsés de la région. En fonction des accords dits de rapatriement forcé conclus entre la Turquie et la Grèce à la suite des quatre années de conflit ayant opposé les deux pays, la population orthodoxe de la région avait été déplacée en Grèce, des Turcs de religion musulmane venant s'installer à sa place dans les vallées. À la suite de cet exode, la plupart des monastères et des églises avaient sombré dans le délabrement du fait de l'absence d'entretien et du vandalisme rampant, une bien triste fin pour ces derniers témoignages de la gloire de Byzance, un âge d'or né plus de quinze siècles plus tôt.

Alors qu'ils traversaient une sorte de forêt de cônes rocheux d'une dizaine de mètres de hauteur, Tess dut presque se pincer pour garder à l'esprit que cet endroit avait jadis été colonisé par des humains. Exténuée, elle avait le sentiment qu'il eût été beaucoup plus approprié pour des trolls ou autres djinns, et son cerveau fonctionnant au ralenti évoquait des images inquiétantes de créatures des sables, tout droit sorties des univers de *Dune* ou de *La Guerre des étoiles*, surgissant de leurs repaires enténébrés pour s'emparer d'elle et l'entraîner dans leur antre.

La voix de Zahed interrompit son semi-cauchemar.

— Mais où sont donc passées les foules de touristes ? demanda-t-il à Abdülkerim. Cet endroit ressemble à une ville fantôme.

Bien que la vallée eût le statut de parc national, ils n'avaient pas rencontré plus d'une demi-douzaine de groupes de randonneurs, chacun ne rassemblant guère plus d'une poignée de personnes.

— Cette gorge et les deux situées de part et d'autre sont considérées comme peu sûres dans les années 1950, expliqua le spécialiste de Byzance. Des éboulements ont souvent lieu dans les grottes, mettant en grand danger ceux qui les visitent ou les occupent. Les villageois sont relogés dans une ville nouvelle, à quelques kilomètres d'ici, et aujourd'hui les touristes préfèrent s'en tenir à des zones plus sûres, comme celle qui entoure Göreme.

— Moins on est de fous, plus on rit, commenta l'Iranien, scrutant le fond du canyon, devant lui. On est encore loin ?

— Nous sommes presque arrivés.

Quelques minutes plus tard, après avoir franchi la forêt de cônes, ils s'arrêtèrent devant une paroi dépourvue de signes particuliers. Le soleil était maintenant beaucoup plus bas, baignant le paysage lunaire environnant de différents tons de rose et de bleu particulièrement spectaculaires.

— Nous y sommes, annonça l'historien.

L'endroit n'avait rien de bien frappant, jusqu'à ce que le Turc montre du doigt le haut de la falaise. Tess fixa des yeux ce qu'il indiquait : à une quinzaine de mètres au-dessus de sa tête, sur le côté, elle distingua dans la paroi une ouverture, de forme carrée. Une salle, ou plus précisément une pièce, ouverte à tous les vents, taillée dans le roc.

— La paroi extérieure de l'église s'effondre dans un glissement de terrain il y a plusieurs siècles, expliqua Abdülkerim. Elle entraîne avec elle l'entrée du tunnel et l'escalier qui y mène.

— Mais alors comment va-t-on y accéder ? s'enquit Zahed.

— Par là, répondit le Turc en l'entraînant au pied de la falaise et en lui montrant les marches taillées dans le tuf tendre.

— À vous l'honneur, fit Zahed avec un geste du bras.

Abdülkerim passa donc le premier, suivi de Tess, l'Iranien fermant la marche. Ils gravirent précautionneusement les marches friables, jusqu'à atteindre un petit palier. D'autres marches, assez raides, érodées par la pluie et le vent, menaient à la pièce. Sans le moindre parapet, celle-ci donnait directement de l'autre côté de la falaise, sur le vide.

Tess regarda en contrebas, ce qui lui donna le tournis.

— Je comprends maintenant pourquoi cet endroit ne regorge pas de touristes, commenta-t-elle.

Le Turc haussa les épaules.

— C'est auparavant une église, avant de n'en être que le vestibule. La nef se trouve par là.

Il les précéda dans un étroit passage et alluma sa lampe torche.

La salle dans laquelle ils se retrouvèrent était étonnamment grande, d'une douzaine de mètres de profondeur et large de la moitié. Chacun de ses côtés était bordé par une allée, séparée de la nef par des colonnes exclusivement décoratives puisqu'elles ne soutenaient rien, l'église tout entière ayant été taillée dans la roche tendre. La nef s'élevait jusqu'à une voûte en berceau et donnait sur ce qui ressemblait à une abside en forme de fer à cheval.

— La fresque est par là, dit Abdülkerim en les précédant un peu plus loin, et la crypte se trouve sous nos pieds.

Tess le suivit, ses yeux balayant rapidement les peintures byzantines ornant chaque centimètre carré des parois et du plafond de la vaste salle. À la lueur mouvante de la lampe torche, elle distingua des scènes tirées de la Bible qui lui étaient familières, comme l'Ascension du Christ ou la Cène, mais aussi une iconographie religieuse plus propre à la région, comme une fresque représentant Constantin le Grand et sa mère, sainte Hélène, celle-ci tenant la « Vraie Croix », celle sur laquelle Jésus avait été crucifié, qu'elle affirmait avoir découverte à l'occasion d'un pèlerinage effectué à Jérusalem, en 325, dans le but d'en rapporter des reliques.

Les parois étaient également riches en représentations tout à fait troublantes. Ainsi, une fresque dépeignait un monstre tricéphale, au corps de serpent, dévorant les damnés, une autre des femmes nues attaquées par des reptiles, une autre encore une sauterelle géante exorcisée par deux croix. Le sentiment de malaise qu'elles suscitaient était d'autant plus grand que les yeux, et parfois tout le visage, de la plupart des personnages représentés avaient été effacés, rayés, mutilés par les envahisseurs musulmans, qui croyaient par ce biais les éradiquer une bonne fois pour toutes. Les fresques en hauteur, ainsi que celles qui ornaient le plafond, avaient toutefois été épargnées, sans doute parce que difficiles d'accès. Des visages graves, impressionnants, aux yeux en amande intacts, aux sourcils noirs très soulignés, aux bouches anguleuses et sévères, contemplaient Tess de toute leur hauteur, le support dépourvu de relief donnant l'impression que c'était leur peau elle-même qui avait été plaquée sur la paroi.

Abdülkerim s'arrêta à l'extrémité de la nef, près de l'abside. Tess découvrit alors que l'obscurité l'avait empêchée de voir que la nef débouchait en fait sur trois absides, et non une seule. À côté de l'une d'elles s'ouvrait une porte, au-delà de laquelle la jeune femme put entrevoir un couloir.

De sa lampe torche, le spécialiste de Byzance éclaira une fresque sur la voûte en berceau d'une des absides. C'était une œuvre d'une grande richesse de détails, finement réalisée, où dominaient des teintes pastel à base d'ocre rouge et de vert. Elle était parfaitement intacte. Et elle représentait un homme, à pied, engagé dans un combat contre quatre guerriers. Il ne portait ni heaume ni cotte de mailles, et n'avait pas de cheval. Derrière lui, l'auteur de la fresque avait peint plusieurs villageois cachés dans des embrasures sombres taillées dans une paroi rocheuse.

Avec leurs turbans et leurs cimeterres, les quatre guerriers étaient de toute évidence des musulmans. Le personnage qui se mesurait à eux les affrontait avec une épée à double tranchant, qu'il tenait dans sa main droite. Son bras gauche était levé haut, en signe de défi.

Tess s'approcha pour mieux voir.

La main gauche du personnage était absente, et cela n'était pas dû à quelque écaillure de la peinture. Elle n'avait tout bonnement pas été représentée.

Un texte figurait sur la fresque. Il était écrit en grec, en lettres onciales grasses. Elle s'apprêta à essayer de le traduire, en faisant appel à sa connaissance de cette langue, même si elle n'avait pas eu à y recourir depuis des lustres, mais Abdülkerim lui épargna cette peine :

— « La seule vraie main décharge son courroux sur les pillards païens »…

Tess regarda l'Iranien. Si celui-ci attendait la suite avec impatience, il n'en laissait rien paraître. Elle se retourna alors vers la fresque. Une autre inscription, en caractères plus petits, courait au-dessus et à droite des personnages en train de s'affronter.

— Et que dit celle-ci ? interrogea-t-elle.

— « Quant à la douleur, comme une main coupée au combat, considère ton corps comme une robe que tu portes. Les actes inquiets, héroïques, d'un homme et d'une femme sont nobles pour le drapier, là où les derviches savourent la brise légère de l'esprit. » C'est tiré d'un poème. Un poème soufi, écrit par le grand Rumi en personne.

Tess en resta bouche bée.

— Un poème soufi. Ici ? Écrit en grec ?

Le spécialiste de Byzance hocha la tête.

— Cela ne se voit pas fréquemment, mais ce n'est pas si surprenant. Rumi vit et meurt à Konya, à quelques centaines de kilomètres d'ici, à l'ouest. Konya est le cœur du soufisme, et le reste toujours, sur le plan spirituel en tout cas. Les soufis et les chrétiens occupant ces vallées sont sans doute en quelque sorte des alliés, des gens « autres », adeptes de fois différentes vivant au milieu d'un océan de musulmans sunnites.

— Allons voir la tombe, intervint Zahed, d'une voix teintée d'une certaine impatience, pour une fois.

Abdülkerim le regarda avec une tranquille résignation, puis haussa les épaules avant de murmurer :

— Par ici.

Tous trois empruntèrent en file indienne l'étroit passage à côté de l'abside latérale. La lumière naturelle venant de l'extérieur était maintenant réduite à presque rien, mais le faisceau de la lampe était assez puissant pour éclairer le plafond, travaillé d'un réseau complexe de croix sculptées en bas-relief à l'intérieur d'une grille de losanges encastrés, avant que le tout ne disparaisse dans l'ombre.

Le passage aboutissait à un escalier en colimaçon menant en contrebas. Là, un petit vestibule ouvrait sur cinq pièces. Il faisait trop sombre pour que l'on distingue quoi que ce soit au-delà du seuil. Abdülkerim les éclaira l'une après l'autre de sa lampe torche pour se repérer, puis indiqua :

— C'est celle-là.

Il les précéda dans la crypte, longue salle basse de plafond. Sur le sol à la surface plane, Tess remarqua, disposées parallèlement de part et d'autre de la salle, deux rangées de rectangles en creux. Difficilement visibles, ils n'en étaient pas moins là, creusés dans ce tuf où l'église elle-même avait tout entière été taillée. Chacun semblait juste assez grand pour accueillir un corps humain, et les parois derrière portaient des inscriptions séparées par des intervalles plus ou moins réguliers. En y regardant de plus près, Tess constata qu'il s'agissait de noms.

— Les anciens de l'église, et les donateurs, expliqua Abdülkerim. Pour sculpter et décorer ces églises, il faut beaucoup d'argent. À elle seule, la peinture coûte une petite fortune à l'époque. En payant pour l'église, ces gens achètent un billet pour le paradis. Et un endroit où être enterré.

Tess étudia les noms gravés et s'arrêta devant l'une des tombes.

— La voilà.

Zahed et Abdülkerim la rejoignirent.

— « La seule vraie main », lut-elle.

Elle se tourna pour regarder l'Iranien, se demandant ce que celui-ci lui réservait. Et, comme de juste, l'homme sortait déjà de son sac l'outil pelle-pic, qu'il lui tendit avec ces mots :

— Et maintenant, au boulot.

40

La tombe se révéla encore plus pénible à creuser que les précédentes, mais au moins n'y en avait-il qu'une…

Déjà intense dans cet espace exigu, la sensation d'étouffement était encore accentuée par les nuages de poussière soulevés par l'excavation, sous la lumière faiblissante de la lampe torche. Le travail de Tess n'en était que plus dur, et la jeune femme ne pensait plus qu'à deux choses : en terminer et sortir de là le plus vite possible.

Le corps était enveloppé dans des bandes de lin blanc d'une cinquantaine de centimètres de large, comme une momie, et recouvert de graines depuis longtemps fossilisées. La jeune femme et l'historien turc s'agenouillèrent près de la dépouille et entreprirent de détacher avec précaution le tissu raidi. Les ossements qu'il enveloppait étaient épars et en vrac, mais une évidence s'imposa : le squelette qui se trouvait là n'avait qu'une seule main.

Et il y avait autre chose.

Une prothèse. Une main de cuivre. Corrodée et oxydée, d'un brun terne avec des taches vert-de-gris. Elle était étonnamment bien faite, compte tenu de l'époque à laquelle elle avait été fabriquée, sept cents ans auparavant.

— C'est Conrad, fit Tess en la tendant à l'Iranien et en le regardant d'un air interrogateur, l'air de dire : « Et maintenant, que fait-on ? »

Zahed demeura songeur un moment, puis lâcha :

— S'il l'avait emporté avec lui, il doit se trouver quelque part, non loin. Peut-être même enterré avec lui.

Après une minute de réflexion supplémentaire, il ajouta :

— Sortez-le. Voyons s'il y a autre chose là-dedans.

Tess et le spécialiste de Byzance soulevèrent avec soin le cocon de lin et le déposèrent dans l'allée centrale. Après quoi Tess revint sur ses pas, s'accroupit devant la fosse et entreprit de creuser un peu plus. Après seulement quelques coups, le pic heurta quelque chose de dur, ce qui déclencha dans son corps une décharge d'adrénaline. Avec une ardeur renouvelée, elle se mit à dégager à mains nues la terre qui entourait l'objet.

— Éclairez-moi un peu plus, demanda-t-elle à Abdülkerim.

Le Turc s'exécuta, le faisceau de sa torche concentré sur les mains de la jeune femme, qui continua de gratter la terre pour faire apparaître une forme ronde, de couleur sombre. Elle redoubla d'efforts et finit par mettre au jour un pot en terre cuite destiné à la cuisson des aliments. Assez large et évasé, il mesurait dans les cinquante centimètres de diamètre.

Retenant son souffle, elle examina le récipient une minute, puis l'extirpa précautionneusement de la fosse et le déposa sur la partie plane de la tombe.

Elle l'inspecta avec soin. Sans décoration, il n'avait rien de remarquable, à part l'espèce d'assiette creuse, scellée à la poix, qui lui tenait lieu de couvercle.

Les yeux d'Abdülkerim allaient de Tess à l'ustensile de cuisine, puis à l'Iranien.

— Qu'y a-t-il là-dedans, à votre avis ? demanda-t-il.

— Il n'y a qu'un moyen de le savoir, répondit Zahed.

Sur quoi, il arracha le pic des mains de Tess et l'abattit sur le pot sans que la jeune femme puisse s'y opposer. Une fois le couvercle fracassé, l'Iranien ôta un à un les morceaux qui restaient en place. Il prit ensuite la lampe des mains d'Abdülkerim et, orientant son faisceau vers l'intérieur du récipient, se tourna vers Tess et lui dit, avec un geste de la main :

— À vous l'honneur. Votre tâche a été rude, vous le méritez bien.

Elle lui jeta un coup d'œil soupçonneux avant de se pencher sur le pot. Ce qu'elle y vit accéléra les battements de son cœur. Tendant la main, elle en retira le contenu : deux codex, deux ouvrages reliés de cuir, à l'évidence très anciens, approximativement de la taille d'un livre de poche.

Elle les tint entre ses doigts tremblants, avec d'infinies précautions, comme s'ils étaient faits de la porcelaine la plus fragile, et les admira un moment. Puis elle posa l'un des deux dans son giron avant d'étudier l'autre.

— Qu'est-ce que c'est ? demanda Abdülkerim d'une voix à peine audible.

Tess dénoua avec le plus grand soin la lanière de cuir qui entourait les couvertures du premier codex. Celle du dos, la quatrième, était dotée d'un rabat qui se repliait sur le devant de l'ouvrage. Elle souleva ledit rabat puis, lentement, ouvrit le livre.

Les feuilles de papyrus d'un brun doré qu'il contenait étaient manifestement très friables, leurs bords émiettés par endroits. Elle n'osa pas tourner la première page, de crainte d'endommager le manuscrit, mais les caractères grecs qu'elle y aperçut suffirent à lui donner une bonne idée de ce qu'elle avait entre les mains.

— Des lettres de type alexandrin, dit-elle d'une voix empreinte de respect. Comme celles des manuscrits coptes d'Égypte ou ceux de Nag Hammadi.

— Qu'est-ce que ça raconte ? demanda l'Iranien.

Tess lut la première page, puis leva les yeux vers Abdülkerim et la lui montra. L'écriture grecque ancienne, la *koinè*, n'avait apparemment pas de secrets pour lui, c'était de toute évidence son domaine d'expertise.

— « L'Évangile de la Perfection »... Je n'en ai jamais entendu parler, dit-il en regardant Tess. Pourquoi est-il là ? Comment êtes-vous au courant ?

— Et l'autre, c'est quoi ? intervint Zahed, ignorant la question d'Abdülkerim.

Tess reposa le premier codex et saisit le second. Elle l'ouvrit, là encore avec un soin extrême. Bien que les deux codex fussent très similaires en apparence, celui-ci était fort différent du premier en ce qu'il contenait des feuilles reliées de parchemin, et non de papyrus, ce qui indiquait qu'il était probablement plus récent que l'autre. Le lettrage était toutefois identique, et il était lui aussi écrit en *koinè*.

— « L'Évangile des Hébreux », lut-elle. Vous vous rendez compte de ce que c'est ? C'est l'un de ces évangiles « perdus » qu'évoquent les Pères de l'Église dans leurs écrits. C'est l'unique exemplaire jamais découvert.

Le cœur battant, la jeune femme parcourut lentement les premières pages, déchiffrant les lettres minuscules, essayant de comprendre ce qu'elles racontaient, jusqu'à ce qu'elle aperçoive quelque chose d'autre. Un feuillet de parchemin plié, inséré entre les pages du livre.

Elle le retira, constata alors qu'il ne s'agissait pas simplement d'un feuillet, mais de quatre, pliés ensemble. Sans doute un document officiel quelconque, car les feuillets avaient été scellés à l'aide d'une cire d'un brun-rouge assez sombre, qui avait laissé sa marque sur les pages du codex entre lesquelles ils avaient été intercalés. Elle approcha la lampe torche d'Abdülkerim un peu plus près, afin de mieux y voir, et souleva légèrement un coin du premier feuillet, sans pouvoir toutefois distinguer grand-chose d'autre que les lettres qui y étaient inscrites. Et qui ne ressemblaient en rien à celles des codex.

— Je crois que c'est du latin, mais je ne peux pas voir ce qu'il y a à l'intérieur sans briser le sceau, dit-elle à Zahed.

— Eh bien, allez-y, répliqua ce dernier.

Tess lâcha un soupir exaspéré. Inutile de discuter avec cet homme. Gardant sa fureur pour elle, elle glissa les doigts sous le feuillet supérieur de la liasse. Avec autant de délicatesse que possible, elle décolla le sceau du parchemin sans toutefois pouvoir l'empêcher de se briser en deux. Plusieurs centaines d'années après qu'on l'eut mis en place, le sceau avait rempli son office.

Tess déplia ensuite les feuillets, toujours avec un grand luxe de précautions afin qu'ils ne se craquellent pas.

L'écriture était en effet différente de celle des ouvrages. Le texte était en écriture cursive propre au romain littéraire, autrement dit en latin, et non en grec.

— Qu'est-ce que c'est ? demanda Abdülkerim.

— On dirait une lettre, répondit Tess en plissant les yeux pour mieux étudier le texte. Mon latin n'est pas génial, dit-elle, tendant la liasse de feuillets au Turc. Vous arrivez à lire ?

Le spécialiste de Byzance fit non de la tête.

— Pour le grec, pas de problème, mais le latin n'est pas ma spécialité.

Tess parcourut rapidement le texte, puis porta son attention sur le bas du dernier feuillet.

— « *Osius ex Hispanis, Egatus Imperatoris et Confessor Beato Constantino Augusto Caesari* », lut-elle tout haut.

Elle s'arrêta, la tête en feu à l'idée de ce que signifiait très probablement ce qu'elle tenait d'une main tremblante. Perdue dans un univers qui n'appartenait qu'à elle, elle finit par dire à voix basse :

— Osius, évêque de Cordoue, commissaire de l'Empire et confesseur de l'empereur Constantin...

Zahed leva les sourcils, exceptionnelle manifestation de curiosité.

— Osius, l'un des pères fondateurs de l'Église, commenta Abdülkerim.

— L'homme qui a présidé au concile de Nicée, précisa Tess.

Une pensée lui vint à l'esprit, qu'elle exprima aussitôt :

— Nicée est tout près d'ici, non ? demanda-t-elle à Abdülkerim.

Ce dernier fit oui de la tête, les sourcils froncés, troublé.

— C'est plus près d'Istanbul, mais, en effet, on ne peut pas dire que ce soit bien loin, répondit-il. La ville s'appelle aujourd'hui Iznik.

Tess voyait bien qu'il brûlait de lui poser mille questions et qu'il avait grand-peine à les réfréner. Nicée était un nom mythique lorsqu'il était question des tout débuts de la chrétienté, et les historiens n'avaient toujours pas résolu un grand nombre de questions concernant ce qui s'était réellement déroulé lors du concile historique qui avait eu lieu en l'an 325 dans cette ville, où Constantin le Grand avait convoqué les évêques les plus respectés de toute la chrétienté pour les obliger à se mettre d'accord sur les croyances censées être communes à tous.

La jeune femme regarda Zahed.

— Il faudrait qu'on fasse traduire cela.

L'Iranien semblait lui aussi perdu dans ses pensées.

— Plus tard, répondit-il. Passez-moi ces feuillets.

Tess jeta un dernier coup d'œil au document, puis le replia avant de le replacer à l'intérieur du codex, à l'endroit précis où elle l'avait trouvé. Elle lui tendit les deux ouvrages, qu'il glissa dans son sac à dos.

— Voyons s'il y a autre chose dans cette tombe, dit-il en lui passant de nouveau le pic.

Elle n'en crut pas ses oreilles : l'homme ne semblait pas ému le moins du monde par ce qu'ils venaient de mettre au jour. Elle faillit s'en étonner à voix haute mais, décidant de n'en rien faire, se remit sans mot dire à fouiller et à sonder le reste de la tombe.

Pour découvrir au bout d'un moment qu'il n'y avait plus rien à y trouver.

Elle interrogea l'Iranien du regard. Celui-ci n'avait pas l'air content.

— Il nous manque quelque chose.

Incapable de se contenir plus longtemps, Tess laissa libre cours à son exaspération :

— Comment ça, « il nous manque quelque chose » ? Et quoi précisément ? lança-t-elle avec rage. On a fait tout ce qui était en notre pouvoir, bon sang ! On a trouvé sa tombe. On a trouvé ces livres et, vu ce qu'ils contiennent, c'est déjà une sacrée trouvaille. Ces évangiles, c'est quelque chose d'unique. Et cet homme, Osius, c'était le conseiller spirituel de l'empereur, de Constantin le Grand. Il était là quand celui-ci a décidé de se convertir au christianisme. Il était à Nicée, quand tous les débats sur la nature réelle de Jésus ont été résolus et quand la chrétienté est devenue celle que nous connaissons encore aujourd'hui. Sa lettre peut nous révéler un nombre incroyable de choses sur ce qui s'est réellement produit. Qu'est-ce que vous voulez de plus ? Qu'est-ce qu'on fout encore là, d'ailleurs ? Qu'est-ce que vous espérez trouver d'autre ?

— L'œuvre du démon, bien sûr, répondit l'Iranien avec un sourire. Toute son œuvre.

— L'œuvre du démon n'existe pas. Ce sont d'antiques évangiles.

À peine avait-elle fini sa phrase qu'elle grimaça. Car une étincelle venait de surgir de l'obscurité et de la poussière.

— Vous n'avez rien compris, Tess, on dirait. Ces écrits et le reste de ce que transportaient les templiers ont terrifié ces moines au point qu'ils étaient prêts à tuer pour les garder secrets. Puis ils se sont suicidés quand ils en ont perdu le contrôle. Pour eux, ces écrits étaient bel et bien l'œuvre du démon. Ils s'y réfèrent comme à une chose susceptible d'anéantir leur monde, leur monde *chrétien*. *Votre* monde, ajouta Zahed d'un ton acerbe.

— Et c'est pour cette raison que vous voulez vous en emparer ?

Le sourire de l'Iranien s'élargit.

— Bien sûr. Votre monde est déjà en train de s'écrouler. Et j'ai le sentiment que cela pourrait contribuer à accélérer cette spirale d'échec. Venant après tous ces scandales de pédophilie que le Vatican a si spontanément contribué à éradiquer, le timing ne pourrait être plus favorable.

Tess sentit un frisson la parcourir, mais elle essaya de n'en rien laisser paraître.

— Et vous pensez pouvoir ébranler si aisément la foi des gens ?

— Absolument, répondit l'Iranien avec un haussement d'épaules. Je suis persuadé que vos compatriotes sont beaucoup plus croyants que vous ne le pensez. Ce qui les rend d'autant plus vulnérables.

— Je sais à quel point ils sont religieux. Mais je suis convaincue qu'ils ne s'attachent guère aux points de détail.

— Peut-être pas tous… mais beaucoup si. Assez, en tout cas, pour causer des problèmes. Et cela me suffit amplement. Car c'est tout l'objet du débat, et vous ne l'avez pas encore compris. Cette bataille, cette guerre entre nous… ce « choc des civilisations », ainsi que vous l'appelez. C'est un affrontement à long terme. Qui ne consiste nullement à détenir le plus gros fusil, ou à porter le coup prétendument décisif. Il s'agit d'éprouver petit à petit le corps de l'adversaire, avec des directs, des crochets et des uppercuts bien placés. Cela veut dire user l'adversaire, lui miner le moral chaque fois que l'occasion s'en présente. Et à l'heure actuelle, votre pays est dans une mauvaise passe. Votre économie est en ruine. Votre environnement l'est tout

393

autant. Plus personne ne fait confiance à vos hommes politiques ni à vos banquiers. Vous perdez toutes les guerres dans lesquelles vous êtes engagés. Vous êtes plus divisés que jamais et en faillite sur le plan moral. Vous êtes à genoux sur tous les fronts. Et chaque coup susceptible d'accélérer votre déclin vaut la peine d'être porté. En particulier quand cela touche à la religion, car vous êtes des gens religieux. Tous, pas seulement ceux d'entre vous qui vont à l'église. Vous êtes encore plus croyants que nous.

— Ça, j'en doute, fit Tess avec un petit rire moqueur.

— Eh bien, vous avez tort et moi raison. Plus que vous ne pouvez l'imaginer.

Il réfléchit quelques secondes avant de poursuivre :

— Tenez, je vais vous donner un exemple : vous vous rappelez ce tremblement de terre qui a tué des centaines de milliers de personnes à Haïti il y a quelques mois ? Avez-vous remarqué comment vos responsables ont réagi ?

Tess ne voyait pas le rapport, mais répondit néanmoins :

— Ils ont envoyé de l'argent et des troupes, et ils...

— Mais oui, bien sûr, l'interrompit l'Iranien. Tout comme le reste du monde. Non, ce dont je veux vous parler, c'est de leurs sentiments. En particulier ceux de l'un de vos prêcheurs les plus populaires, qui a déclaré sur l'une de vos grandes chaînes de télévision que ce désastre était dû au fait que les Haïtiens avaient conclu un pacte avec le diable. Un pacte avec le diable, fit-il en éclatant de rire, pour les aider à se débarrasser des tyrans français qui leur avaient imposé leur règne durant tant d'années. Et il ne s'est pas ridiculisé, loin de là. Il n'a pas été chassé avec pertes et fracas, il est toujours respecté dans votre pays alors qu'il s'est contenté de débiter les mêmes sermons ridicules que ses semblables dégoisent depuis des siècles, chaque fois que se produit un tremblement de terre ou tout autre désastre. Mais il y a mieux : ce que je trouve particulièrement révélateur, c'est que cet homme n'a pas été le seul de son espèce. Votre propre président, si libéral, si intellectuel, si moderne, a fait un discours à ce sujet pour dire que « Sans la grâce de Dieu » un tremblement de terre du même ordre aurait pu frapper l'Amérique. Vous vous rendez compte ? Que peut bien signifier ce « Sans la grâce de Dieu » ? Voulait-il dire par là que la grâce de Dieu a protégé les Américains et que Sa grâce a plutôt choisi d'anéantir quelques centaines de milliers d'Haïtiens ? Quelle différence entre ce qu'il a dit ce jour-là et le sermon de votre télévangéliste préféré ? Vous pensez vraiment que votre président est moins pieux, moins superstitieux que ce fou frénétique ?

— C'était une façon de parler, riposta Tess. Les gens qui ont échappé à quelque chose de terrible se disent : Dieu veillait sur moi. Ils ne prennent pas cela au pied de la lettre.

— Bien sûr que si. Ils le pensent profondément. Ils y croient, tout comme votre président. Vous êtes tous persuadés que votre Dieu est le seul, l'unique, et que, au titre de peuple élu du Christ, Il vous apportera sa protection. Vous êtes aussi arriérés que nous, dit-il avec un ricanement. Ce qui explique pourquoi ce que nous faisons est si important pour moi. Et pourquoi il n'est pas question que je laisse tomber avant d'achever ce que nous avons commencé.

Tess sentait le sang battre à ses tempes. Cet homme n'était en effet pas près d'abandonner. Et même dans le cas contraire, il n'allait certainement pas lui rendre sa liberté.

L'Iranien la fixa durement du regard, en silence, ses yeux s'étrécissant jusqu'à devenir des fentes.

— C'est une remarquable entrée en matière. Vous vous êtes très bien débrouillée. Mais l'histoire ne s'arrête pas là. Maintenant, nous savons que Conrad est venu jusqu'ici. Il semblerait qu'il ait affronté plusieurs combattants musulmans. C'est peut-être à cet endroit qu'il a trouvé la mort. Peut-être. La seule chose que nous sachions avec certitude, c'est que lorsque lui et ses hommes ont quitté le monastère du mont Argée ils emportaient avec eux trois gros coffres. Trois gros coffres qui devaient contenir autre chose que deux modestes bouquins. La question est : où est passé le reste ?

41

Cappadoce, mai 1310

Ils les rattrapèrent le lendemain, dans la soirée.

Maysoun savait bien lire le terrain. Le fait d'avoir passé son enfance dans la région représentait à cet égard un véritable atout. Ce qui ne l'était pas, c'était qu'ils avaient en face d'eux six hommes, dont cinq pleins de vigueur et de malignité, qui escortaient un chargement que Conrad souhaitait récupérer sans courir le risque de lui faire subir le moindre dommage.

Compte tenu de ce désavantage, ils n'avaient qu'un choix possible : tendre une embuscade. Cela avait bien fonctionné pour les Turcs, il faudrait que ça fonctionne pour Conrad et Maysoun, pour peu qu'ils choisissent l'endroit adéquat.

Ils firent ce qu'il fallait pour cela.

Après les avoir traqués plusieurs heures, ils retrouvèrent leur piste avant le coucher du soleil et poursuivirent quelque temps leur chevauchée afin d'estimer le chemin que leurs adversaires couvriraient le lendemain. Maysoun expliqua à Conrad qu'il leur faudrait passer à l'action au matin, à défaut de quoi le convoi atteindrait les vastes étendues herbeuses qui menaient à Konya. Celles-ci étaient totalement plates, et il serait donc pratiquement impossible de les prendre par surprise. Ils étaient en conséquence contraints de frapper au moment où leurs adversaires en seraient encore à traverser la zone où ils se trouvaient actuellement, une région de collines couvertes de forêts et de vallons baignés de soleil.

Mais même dans ces conditions, le choix des emplacements était des plus limités. Si tant est qu'on pût parler de choix… Le paysage environnant était trop exposé et ne présentait aucune caractéristique naturelle favorable à ce genre d'opération. Au surplus, dans la mesure où il n'y avait aucune piste, pont ou gué présentant un quelconque rétrécissement que les Turcs auraient été obligés d'emprunter, Maysoun n'était pas capable de prévoir avec certitude leur futur itinéraire. Ce qui signifiait que même l'embuscade la mieux préparée du monde risquait de déboucher sur un fiasco, faute de combattants.

Il ne leur restait donc qu'une option : passer à l'action à la faveur de la nuit, à l'endroit où les Turcs allaient établir leur campement. Ce qui n'était pas nécessairement une mauvaise solution. Ils devraient simplement planifier leur attaque dans les moindres détails.

Un et demi, contre six…

Il leur fallut un bon moment pour les retrouver.

Leurs adversaires s'étaient installés dans une petite forêt en pente douce donnant sur une vallée sinueuse. Après avoir attaché leurs montures un peu plus loin, Conrad et Maysoun s'approchèrent en rampant à une vingtaine de mètres, guidés par la flamme vacillante du petit feu allumé pour le repas. Éclairés par la lune dans son troisième quartier, ils évaluèrent avec soin le périmètre, prenant note de la position relative de ce qu'ils avaient sous les yeux : les chevaux attachés à des arbres en bas de la pente. Un homme, assis en tailleur, adossé à un tronc, chargé de veiller sur eux. Le chariot, auquel ses deux chevaux étaient toujours attelés, la forme caractéristique des coffres sous leur toile. Les hommes, assoupis autour du feu. Un autre garde, à l'autre extrémité du petit campement, qu'ils n'auraient certainement pas vu s'il n'avait fortuitement changé de position dans un léger froissement d'étoffe.

Conrad fit un signe de tête à Maysoun : il avait vu tout ce qu'il avait besoin de voir.

Une fois à couvert, Conrad expliqua son plan à la jeune fille : ils avaient quantité de choses à préparer et ne disposaient que d'un laps de temps limité. Conrad souhaitait passer à l'action juste avant l'aurore, au moment où leurs agresseurs seraient plongés dans un profond sommeil.

Aux premières lueurs de l'aube, ils étaient fin prêts.

Après avoir dissimulé leurs chevaux loin du campement, Conrad et Maysoun traversèrent sans bruit les bois et les taillis, transportant les fagots de branches sèches liées par une corde qu'ils avaient rassemblés durant la nuit, et rejoignirent leur poste d'observation surplombant l'endroit où étaient attachées les montures des Turcs. À croupetons, ils examinèrent les lieux. L'homme de faction n'avait pas changé de place. Il était en revanche toujours éveillé. Ce qui n'était pas idéal, mais pas franchement désastreux non plus. Conrad avait un plan le concernant, consistant pour l'essentiel à s'approcher de lui sans bruit, à le bâillonner de son avant-bras mutilé et à lui trancher la gorge à l'aide du poignard de Maysoun.

Un plan qui fonctionna au-delà de toute espérance.

Sa tâche accomplie, il siffla doucement pour signaler à sa complice que tout allait pour le mieux, et celle-ci le rejoignit près des chevaux.

Ils se mirent aussitôt à l'œuvre, rapidement et sans bruit, arrimant fermement un fagot sur le dos de chacune des montures.

Conrad jeta un coup d'œil en direction du chariot : celui-ci se trouvait à une quarantaine de mètres, mais Maysoun devrait emprunter un trajet un peu plus long, en arc de cercle, pour l'atteindre en restant à distance de son père, de son frère et de leurs sbires.

Conrad adressa un signe de tête à la jeune fille, qui plongea la main dans la sacoche de cuir qu'elle portait à l'épaule et en sortit le matériel dont elle avait besoin : un briquet, petite pièce d'acier en forme de C munie d'une sorte de manche droit et pointu ; une pierre à feu présentant en son centre une rainure apparente ; une petite boule d'herbe sèche de la taille d'un œuf ; un morceau d'amadou, cette matière inflammable à base de champignon séché, trempé et bouilli dans l'urine.

Courbée en deux, Maysoun tourna le dos au groupe d'hommes endormis au centre du campement et ouvrit largement sa tunique pour abriter ses mains du vent. Elle entreprit alors de battre le briquet à petits coups rapides et précis, tout en maintenant l'amadou contre la pierre à feu. Avant longtemps, une étincelle atteignit l'amadou, où une braise rougeoyante apparut bientôt. D'une main experte, la jeune fille inséra alors l'amadou dans le nid d'herbe sèche et commença à souffler dessus, très doucement, jusqu'à ce que des flammes en jaillissent. Elle le glissa alors sous un tas de petit bois, qui prit feu presque instantanément.

L'herbe sèche et les branchages se mirent à crépiter dans la nuit.

Dès lors, il n'était plus question de perdre une seconde.

— Vas-y, souffla Conrad à la jeune fille. Je serai juste derrière toi.

— Tu as intérêt, répliqua-t-elle sur le même ton.

Elle déposa un baiser ferme, mais rapide, sur ses lèvres avant de s'éclipser.

Il attendit qu'elle soit à mi-chemin du chariot, puis s'approcha des chevaux et les détacha, tranquillement, l'un après l'autre, tous sauf un, le seul que Maysoun et lui n'avaient pas chargé du fardeau très particulier que portaient les autres. Il patienta un moment puis, lorsqu'il vit la jeune fille grimper sur le banc du chariot, sortit un faisceau de branchages du petit foyer qu'elle avait allumé et, passant rapidement d'un cheval à l'autre, mit le feu aux fagots fixés au dos des bêtes. Des flammes s'élevèrent aussitôt, paniquant les chevaux qui lancèrent des ruades et poussèrent des hennissements affreux, que Conrad encouragea encore en leur claquant violemment la croupe tout en hurlant comme un possédé.

La nuit paisible ne fut soudain plus qu'un lointain souvenir.

Les chevaux s'élancèrent à travers bois, galopant furieusement, les fagots enflammés tels des lumignons d'arbres de Noël, les flammes venant leur lécher la croupe. Conrad se détourna aussitôt pour regarder le chariot s'ébranler avant de prendre de la vitesse et de s'éloigner à toute allure du campement, Maysoun tenant les rênes et maniant le fouet en cavalière accomplie, tandis que, près du foyer, les Turcs s'étaient levés précipitamment et regardaient autour d'eux, en proie à la plus extrême confusion.

Des cris hystériques et des hennissements affolés retentirent autour de lui, tandis que les boules de feu disparaissaient dans la forêt. Il était temps de décamper. Conrad se mit alors à courir vers la monture qu'il avait laissée attachée un peu plus loin. Il en était à quelques mètres quand un homme se dressa devant lui pour lui barrer le passage. C'était l'un des sbires de Mehmet. L'homme brandissait un cimeterre. Conrad ne cilla pas. Sans ralentir, il feignit de le frapper à gauche et se pencha sur sa droite, évitant ainsi le large coup d'estoc de l'homme de main tout en lui plongeant son poignard dans la poitrine. Il ne s'arrêta que le laps de temps nécessaire pour l'en extraire et se saisir du cimeterre de sa victime, avant de se précipiter vers le cheval, de sauter sur son dos et de l'éperonner pour rejoindre au plus vite Maysoun et le chariot.

La jeune fille fonçait à travers la vallée, sans regarder en arrière, uniquement préoccupée de faire avancer au plus vite les deux chevaux qui les tiraient, elle et son chariot lourdement chargé.

Elle avait l'impression que tous ses os s'entrechoquaient tandis que le chariot filait en brinquebalant sur la piste accidentée. Elle devait absolument mettre le plus de distance possible entre elle et la bande de son père. Ils allaient se lancer à sa poursuite, elle en avait l'absolue certitude, même s'ils ignoraient que c'était elle qui conduisait le chariot. Ils auraient beaucoup de mal à récupérer leurs chevaux, mais ils y parviendraient. Les fagots enflammés sur le dos des malheureuses bêtes finiraient par s'éteindre et elles s'arrêteraient toutes seules. Peut-être se mettraient-elles d'elles-mêmes à la recherche de leurs maîtres. Maysoun continuait en conséquence de pousser son attelage à grands coups de fouet. Conrad, plus rapide, la rattraperait. Cela fait – à condition qu'il y parvienne –, ils continueraient en direction du sud, vers une terre chrétienne, en prenant le temps de couvrir leurs traces.

Jusque-là, tout allait bien…

C'est alors que deux mains grassouillettes la saisirent par-derrière et la renversèrent de son siège.

Dans les faibles lueurs de l'aube naissante, malmenée par les cahots, il lui fallut un certain temps pour comprendre qui était son agresseur. Puis un coup de vent écarta ses cheveux de son visage et son cœur manqua un battement lorsqu'elle vit à qui elle avait affaire.

Son père.

Il s'était endormi à l'arrière du chariot, derrière les coffres.

Et il semblait tout aussi surpris qu'elle, sinon plus.

— Espèce de catin, gronda-t-il en resserrant encore sa prise autour du cou de sa fille, la plaquant en arrière contre le banc. Espèce de sale traîtresse. Ainsi tu as décidé de voler ton propre père ?

Maysoun pouvait à peine respirer. Elle essaya bien de repousser ses bras, mais il n'eut aucun mal à écarter ses mains d'une simple tape, avant de lui administrer une gifle magistrale et de recommencer à l'étrangler dans les règles de l'art.

— Ah, tu veux voler ton propre père, répéta-t-il, fou de rage. Me voler, moi ?

Maysoun luttait désespérément pour trouver un peu d'air. Les chevaux galopaient toujours à bride abattue, suivant les courbes naturelles de la vallée, et le vieux chariot tanguait dangereusement, ses roues de bois tressautant sur le sol accidenté. Elle sentit soudain ses paupières se faire lourdes, un voile noir passer devant ses yeux, le monde se refermer lentement autour d'elle.

À cet instant, l'une des roues dut heurter un caillou particulièrement gros car le chariot sauta pratiquement en l'air, penchant brutalement à gauche, puis à droite, avant de se redresser et de poursuivre sa course folle. Le négociant, violemment projeté sur le côté, desserra son étreinte : ses doigts quittèrent le cou de la jeune fille, libérant sa trachée. Elle inspira à longues goulées et s'écarta de lui avant de pivoter pour l'affronter, le dos tourné aux chevaux.

Mehmet se redressa, se retenant d'une main au dos du banc pour conserver son équilibre.

— Je me demande comment tu as pu croire que tu pourrais t'en tirer comme ça ! aboya-t-il.

De son autre main, il fouilla dans sa ceinture et en extirpa un poignard à lame courbe. Il le tendit vers elle, tenant la lame horizontalement, à hauteur des yeux de la jeune fille.

— Mais je vais faire en sorte que plus jamais des idées de ce genre ne te passent par la tête…

Sur ces mots, il fondit sur elle, fit mine de la frapper de son poignard, au lieu de quoi il asséna à la jeune fille un terrible coup de poing qui l'atteignit à l'oreille, l'attrapa par les cheveux et l'envoya s'écraser sur la toile qui recouvrait les coffres.

Puis il lui sauta dessus, la clouant sur le plancher, une main lui serrant la gorge, à l'étrangler, l'autre tenant son poignard contre la joue de la jeune fille.

— Quelle honte ! Une si jolie fille, gronda-t-il en levant son arme au-dessus d'elle.

C'est alors qu'il vit une étincelle de vie jaillir dans le regard de sa proie et que lui parvint aux oreilles le fracas des sabots d'un cheval qui galopait juste à côté du chariot. Il tourna la tête pour voir de quoi il s'agissait, et le spectacle qui s'offrit à lui le tétanisa : Conrad, vivant et indemne, à dos de cheval, le regardait droit dans les yeux. Il tenait les rênes entre ses dents serrées, ce qui ne faisait qu'ajouter à la lueur démoniaque qui brillait dans son regard. Le négociant n'en vit pas beaucoup plus, sinon un cimeterre, effectuant un demi-cercle parfait, dont la lame alla frapper la chair grasse de son cou.

Mehmet, une expression choquée sur le visage, lâcha son poignard et porta les mains à son cou, d'où jaillissaient des flots de sang. Il les contempla un moment, incrédule, puis un nouvel obstacle fit rebondir une fois encore le chariot lancé à pleine vitesse.

Celui-ci fut projeté en l'air, avant de gîter fortement sur le côté. Ses forces l'abandonnant, Mehmet perdit l'équilibre et fut éjecté.

Maysoun poussa un cri strident quand le chariot quitta le sol avant de retomber avec un bruit sourd. Elle était incapable de distinguer ce qu'il venait de heurter, mais, quoi que ce soit, cela avait fait à l'évidence de sérieux dégâts car il brinquebalait de gauche à droite tout en vibrant de façon alarmante.

Sa monture toujours au grand galop, Conrad s'écarta de quelques mètres du chariot, tout en demeurant à sa hauteur. Maysoun le vit se pencher, puis il leva la tête et croisa son regard.

— Le moyeu s'est détaché ! La roue est cassée, elle va se décrocher d'un moment à l'autre... Tu peux prendre les rênes ? Il faut absolument que tu arrêtes ces chevaux !

Maysoun opina du menton, passa dans un équilibre instable au-dessus des coffres et rejoignit le banc. Là, elle chercha les rênes sans résultat, avant de les apercevoir qui traînaient à terre sous le timon, entre les deux chevaux.

Elle se tourna vers Conrad et lui cria en secouant la tête :

— Impossible de les atteindre !

Avant qu'elle ait pu dire un mot de plus, la roue avant gauche se détacha. La jeune fille essaya de s'accrocher du mieux qu'elle le pouvait, tandis que la guimbarde penchait violemment sur la gauche avant de changer brutalement de direction : des entretoises sautèrent, des goujons se détachèrent, et le jardier finit par basculer complètement. Maysoun tenta bien de se retenir à une ridelle, mais elle se sentit projetée en l'air tandis que le véhicule se couchait sur le flanc, labourant le sol desséché avant que le timon ne se détache à son tour. Enfin, le chariot s'immobilisa, et les chevaux, affolés mais, désormais libérés de leur charge, poursuivirent leur course folle.

Maysoun tomba lourdement sur le sol durci, roulant plusieurs fois sur elle-même avant de finir par s'arrêter, allongée sur le dos. À demi inconsciente, elle vit Conrad accourir, sauter de cheval et se précipiter vers elle.

— Maysoun ! cria-t-il en s'agenouillant à côté de la jeune fille. Tu vas bien ?

Elle n'aurait su le dire. Elle resta allongée un bon moment, la tête pesante, le corps meurtri, la respiration hachée. Elle essaya bien de se relever mais sa main ne parvint pas à la soulever et elle retomba en arrière.

— Mon poignet, gémit-elle. Je crois qu'il est cassé.

Une fois debout avec l'aide de Conrad, elle tenta de bouger la main mais sentit une onde de douleur se propager dans son avant-bras. Elle était soit foulée, soit cassée, en tout état de cause hors d'usage.

Elle la tendit vers lui.

— Nous sommes maintenant deux moitiés, dit-elle avec un petit sourire doux-amer.

Il la lui prit doucement, la baisa tendrement, puis se pencha vers elle et l'embrassa longuement, passionnément.

La vallée était calme et silencieuse : pas un souffle de vent, pas un mouvement. Le soleil venait juste de se montrer au-dessus d'une petite éminence dépourvue d'arbres, sur leur droite. Sous peu, la chaleur commencerait à se faire sentir.

Le chariot reposait sur le flanc à quelques mètres de là, en morceaux. Les coffres en étaient tombés. Maysoun et Conrad s'approchèrent pour constater l'étendue des dégâts. Deux étaient intacts, mais le troisième s'était ouvert sous le choc, et son contenu s'était répandu alentour.

Quant aux chevaux, ils semblaient avoir disparu.

— Il faut qu'on les récupère, dit la jeune fille.

— Ils sont partis depuis longtemps, rétorqua Conrad, abattu. Et ils n'ont aucune raison de revenir.

La jeune fille était sur le point de répliquer quand elle aperçut quelque chose, à une centaine de mètres derrière lui. Une masse ayant la forme d'un corps humain. Les sourcils froncés, elle l'indiqua à Conrad d'un signe de tête.

Ils s'en approchèrent de concert. Il s'agissait du cadavre de Mehmet, disloqué et couvert de poussière. Une fois qu'ils l'eurent atteint, ils demeurèrent immobiles, Maysoun se contentant de fixer en silence la dépouille malmenée de son père. Au bout d'un long moment, elle poussa un profond soupir et lança à son compagnon :

— À mon tour maintenant de te demander de m'aider à enterrer quelqu'un.

— Bien sûr, souffla Conrad en passant sa main autour de la taille de la jeune fille.

Il se servit du cimeterre pour creuser le sol, Maysoun l'aidant de sa main valide. Elle paraissait plongée dans ses pensées, et il prit soin de ne pas la déranger. Au début en tout cas. Puis, au bout d'un moment, il se décida à poser la question qui lui brûlait les lèvres :

— Hier, quand je t'ai demandé pourquoi tu faisais ça, tu m'as répondu que je comprendrais si je te connaissais mieux. Que voulais-tu dire ?

Elle resta un instant silencieuse, avant de se décider :

— Mon père, mon frère… Nos relations n'ont pas toujours été celles-là. Quand j'étais petite, à Konya, nous avions une vie agréable. Mes parents étaient de bons soufis. Ma mère, en particulier. Grâce à elle, l'amour et le respect mutuels régnaient chez nous. Et je crois bien que mon père était différent à l'époque, lui aussi. J'ai de bons souvenirs d'eux, ensemble. Mais après qu'elle est tombée malade et a disparu, tout a changé. Nous avons quitté Konya, sans nous fixer dans un endroit précis. Mon père est devenu plus aigri, plus méchant, de jour en jour. Quant à mon frère, il est tombé sous l'influence des ghazis, au point de vouloir rejoindre leurs rangs : l'idée de répandre la foi à la force du glaive le séduisait beaucoup. Et mon père était tout sauf bête : il a compris de quel côté soufflait désormais le vent. Il a deviné qu'ils finiraient par conquérir tous ces territoires, et a veillé à faire en sorte de se retrouver du côté des gagnants.

— Et cela ne te convenait pas ?

— Tu ne sais rien de Rumi. Tu ignores ce que c'est que d'être soufi. Les voir tourner le dos à quelque chose de si noble, de si sublime... Je n'ai pas pu me résoudre à les regarder sans rien dire se transformer en ces monstres qu'ils sont devenus.

— Et ils n'ont pas accepté que tu leur tourne le dos ?

Elle secoua la tête, les traits soudain assombris.

— Non, pas du tout.

— Mais alors, pourquoi n'es-tu pas partie ? Tu aurais pu t'enfuir, retourner à Konya...

— Tu crois peut-être que je n'ai pas essayé ?

Il se rappela alors ses bleus, ses ecchymoses, et fit signe qu'il avait compris. Puis il tendit la main vers elle et lui caressa doucement le visage.

— Je suis navré qu'on ait dû en arriver là.

Elle ferma les yeux, pencha la tête sous sa caresse, profitant du moment présent, avant de lui embrasser la main et de la repousser délicatement.

— Allez. Nous n'avons pas que cela à faire.

La tombe n'était pas très profonde, mais cela suffirait. Et Maysoun avait raison. Ils avaient encore du pain sur la planche.

En tout premier lieu, ils devaient s'occuper des coffres et de leur contenu.

Impossible de les emporter avec eux. Ils ne disposaient plus que d'un cheval, celui avec lequel Conrad avait rejoint le chariot. Impossible également de les abandonner là. Et quoi qu'ils décident d'en faire, ils devaient le faire vite. À un moment donné, Kacem et ses hommes récupéreraient leurs montures. Après quoi ils parcourraient la vallée à bride abattue et finiraient par les retrouver.

Ils ne disposaient donc que d'un laps de temps restreint.

C'est alors que Conrad distingua quelque chose, loin sur l'éminence, désormais plus discernable sous le soleil déjà assez haut.

La colline était criblée de cavités noires.

Des grottes.

Des centaines de grottes.

Il faudrait qu'elles fassent l'affaire.

Cela leur prit des heures, mais ils finirent par en venir à bout : Conrad avait découpé des morceaux de toile dont il s'était servi pour envelopper un certain nombre d'ouvrages et, avec l'aide de Maysoun, en faire des ballots dont le poids restait supportable pour qu'un homme pût les transporter. Il avait porté son choix sur une des grottes les plus élevées, assez vaste pour qu'on pût y pénétrer sans trop de contorsions mais néanmoins pas trop visible de l'extérieur. Après quoi, il avait charrié les ballots sur ses épaules jusqu'à la caverne, un par un. Il avait été contraint de faire ainsi neuf allers-retours, mais au bout du compte, la totalité du contenu des coffres avait été entreposée en lieu sûr, protégée par une toile bien solide, et hors de vue.

Conrad n'aimait pas l'idée de laisser le chariot dans cet état, avec ses coffres vides. Si Kacem et ses hommes tombaient dessus, ou plus exactement quand ils tomberaient dessus, ils risquaient fort de soupçonner que son chargement était dissimulé quelque part dans les parages. D'un autre côté, les Turcs n'avaient aucun moyen de savoir qui les avait attaqués, et quel était le nombre de leurs agresseurs. L'assaut avait eu lieu durant la nuit, et aucun d'eux ne les avait vus d'assez près pour être en mesure de les identifier. Dans la mesure où les coffres avaient disparu, Conrad estimait qu'il y avait de bonnes chances qu'ils pensent que leurs assaillants, quels qu'ils soient, étaient venus avec un nombre de chevaux suffisant pour emporter la totalité de la cargaison.

À condition de se débarrasser des coffres...,

Ce à quoi il s'employa à l'aide de son précieux cimeterre. Une fois qu'ils furent en morceaux, il les transporta dans une autre grotte. Puis il se servit d'une poignée d'herbes sèches pour effacer toutes ses traces.

Dès lors, ils pouvaient continuer à faire ce qu'ils avaient à faire.

— Tu te rappelleras comment revenir ici ? demanda-t-il à Maysoun.

La jeune fille fit des yeux le tour de la vallée, gravant dans sa mémoire les repères qui lui permettraient de s'y retrouver le moment venu. Son regard s'arrêta sur le monticule qui servait désormais de sépulture à son père.

— Ne t'inquiète pas, dit-elle. Je n'oublierai pas cet endroit. Je ne suis pas près de l'oublier.

Conrad l'aida à monter à cheval, puis grimpa à son tour en selle derrière elle.

— Dans quelle direction allons-nous ? demanda-t-il.

Il leur fallait trouver de la nourriture, un lieu où se réfugier, ainsi que des chevaux, des chameaux ou des mules, un moyen de transport quelconque afin de récupérer les ouvrages et de mener à bonne fin ce qu'ils étaient venus faire.

Un objectif qui, compte tenu de la mort de Miguel et d'Hector, semblait désormais très aléatoire.

Maysoun montra de la tête la plaine qui s'étendait devant eux.

— Vers le nord, répondit-elle. Nous y trouverons des communautés chrétiennes, des petits villages et des monastères creusés à flanc de falaise. Ils nous accueilleront.

Conrad la regarda d'un air dubitatif.

— Ils n'auront pas besoin de savoir ce que tu as caché dans ces grottes, dit-elle.

Le chevalier franc haussa les épaules. Elle n'avait pas tort...

Il éperonna son cheval.

Ils s'éloignèrent ainsi tous deux, au petit trot, laissant derrière eux la tombe du père de la jeune fille ainsi que le trésor pour lequel tant d'hommes avaient péri, hésitant sur ce qu'il conviendrait d'en faire.

42

S'efforçant de rester dans l'ombre des falaises, Reilly progressait prudemment le long du canyon.

Il avait repéré la Jeep Cherokee, couverte de poussière, garée dans une petite clairière non loin de la route, un peu à l'écart d'une poignée d'autres voitures. Un panneau rouillé expliquait en trois langues qu'il s'agissait d'un point de départ pour les randonneurs désireux d'explorer les grottes de Zelve, ce qui avait mis tous ses sens en éveil.

Il balayait du regard le paysage environnant, qui aurait à coup sûr inspiré les surréalistes : des formes insolites, auxquelles il n'était pas habitué, projetaient des ombres qui ne l'étaient pas moins, et la région tout entière était criblée d'orifices sombres, sinistres, autant d'yeux qui semblaient épier chacun de ses mouvements. Il avait l'impression d'avoir été littéralement aspiré dans une toile de Dalí, et dans l'incapacité de tout surveiller à la fois il avait choisi de se concentrer sur ce qu'il avait devant lui, veillant toutefois à maintenir sa vision périphérique en état d'alerte.

Il louvoya au milieu d'un groupe de cheminées de fée et atteignit une forêt de cônes rocheux massifs, au pied d'une haute falaise. Chacun d'eux était piqueté de petites ouvertures qui étaient autant de fenêtres, vestiges d'une communauté troglodyte depuis longtemps disparue. La paroi de la falaise obliquait sur la droite, disparaissant à la vue derrière un bosquet d'amandiers. Un calme un peu inquiétant régnait dans la vallée, ajoutant au malaise que Reilly sentait monter en lui à chaque pas supplémentaire dans la ville fantôme.

Il était sur le point de quitter l'ombre du dernier des cônes lorsqu'il perçut du mouvement au-delà des arbres. Il se mit aussitôt hors de vue dans l'entrée de la maison la plus proche. Puis il sortit précautionneusement la tête tout en cherchant son arme dans son sac, et c'est alors qu'il les vit apparaître. L'inconnu marchait en tête, puis venait Tess, elle-même suivie par l'homme qu'il pourchassait.

Le groupe se dirigeait vers lui.

Ignorant de sa présence.

Sans quitter des yeux le trio, Reilly coinça son pistolet entre sa cuisse et la paroi, fit glisser une balle dans la chambre et releva son arme. S'ils retournaient à la Jeep, ils passeraient forcément devant lui. Ce qui lui donnerait l'occasion d'en finir. Définitivement.

Il entreprit de les suivre alors qu'ils faisaient le tour des cônes, disparaissant momentanément derrière l'un d'eux avant de réapparaître entre deux autres. Il se glissait pour sa part d'un rocher à l'autre, sans jamais perdre de vue Tess et les deux hommes, se rapprochant de plus en plus, son arme serrée dans les deux mains, pointée sur sa cible. Il se trouvait à une trentaine de mètres lorsque le dos de l'Iranien se profila devant lui.

Il se demanda s'il devait profiter du moment pour faire feu. À trente mètres, avec une vue parfaitement dégagée, il n'aurait guère de mal à abattre ce salopard. Tendant les bras, il visa sa cible, qu'il eut plein guidon au bout du canon de son automatique. Il retint son souffle tandis que son index se crispait sur la détente. Il lui suffisait de la presser. Une simple petite pression, et la planète serait débarrassée d'une belle ordure.

Sans qu'aucune réponse soit apportée aux questions qui demeuraient.

Qui il était. Pour qui il travaillait. Quels autres forfaits il avait commis. Lesquels il préparait.

Les réponses s'envoleraient avec lui.

Reilly serra les mâchoires, à s'en briser les dents. Avec une envie terrible de presser cette détente. Irrésistible. Mais sans pouvoir passer à l'acte. Et durant ce moment d'indécision, durant ces quelques secondes, l'occasion s'évanouit. Le coude que faisait le chemin positionnait maintenant l'Iranien directement entre Reilly et Tess, ce qui signifiait qu'une balle tirée par le pistolet de Reilly pouvait lui traverser le corps et toucher Tess. Il lui fallait trouver un nouvel axe de tir favorable. Il songea un instant à essayer de le toucher à la cuisse pour au moins l'estropier. Mais il risquait de le tuer s'il touchait l'artère fémorale, et il le voulait vivant.

Il se rua alors hors de sa cachette en hurlant, « Tess, planque-toi ! », le cœur battant à se rompre. Il avançait en crabe pour trouver un bon angle de tir et user de l'effet de surprise pour abattre l'Iranien, tout en faisant signe à Tess de s'écarter, puis pointa un doigt sur son adversaire.

— Tes mains en l'air, que je puisse les voir. On se dépêche !

Le trio s'était retourné d'un bloc, ouvrant des yeux stupéfaits. Reilly regarda brièvement Tess, enregistra le soulagement qui submergeait son visage puis, ne pouvant se permettre de perdre la moindre seconde, se concentra de nouveau sur sa proie.

L'Iranien avait légèrement levé les bras, au niveau de la taille. Les yeux rivés sur Reilly, et pensant à la même chose que lui, il avait bougé insensiblement, afin de mettre Tess en position d'être touchée par le projectile qui lui serait destiné.

Reilly leva la main, paume ouverte.

— On s'arrête là et on lève gentiment les bras en l'air. Exécution, rugit-il. Tess, écarte-toi de lui...

Et c'est alors que tout se mit à aller de travers.

L'Iranien se précipita sur Tess, trop vite pour que Reilly prenne le risque de tirer. S'emparant d'elle, il la plaqua devant lui en guise de bouclier. Le bras droit serré autour du cou de la jeune femme, il laissa apparaître sa main gauche, juste assez pour que Reilly puisse bien l'apercevoir. Elle tenait un téléphone.

— Elle est piégée ! cria-t-il à son tour, relevant la chemise de la jeune femme pour laisser apparaître la ceinture de toile qui lui ceignait la taille. Ses tripes vont décorer les parois de ce putain de canyon si tu ne lâches pas ton flingue immédiatement !

Reilly sentait son sang battre follement à ses tempes.

— Tu sautes avec elle si tu fais ça, laissa-t-il échapper, tout en réalisant brusquement qu'il venait sans doute de perdre la main.

L'Iranien sourit.

— Parce que tu crois qu'un bon musulman comme moi hésiterait à mourir pour sa cause ? Pose ton putain de flingue ou elle crève ! aboya-t-il.

Reilly avait l'impression d'avoir les pieds cloués au sol, les muscles tendus à se rompre, Il n'avait pas le choix. Inspirant lentement, profondément, il tourna son arme et la leva en l'air, afin que son adversaire l'ait bien en vue, tendant son autre bras en avant, paume en l'air, en signe d'apaisement.

— Mets la sécurité et jette-le, ordonna l'Iranien, indiquant de la main à Reilly de lancer le pistolet sur sa droite. Le plus loin possible.

Sans quitter des yeux le terroriste, Reilly fit mine d'actionner le cran de sûreté puis balança son arme sur le côté, la regardant atterrir à une dizaine de mètres avec un bruit sourd sur le sol aride, anéanti à l'idée qu'il venait de commettre une erreur qui lui serait sans doute fatale. Et à très court terme.

Les traits de l'Iranien se détendirent, tout comme son étreinte autour de Tess. Il recula d'un pas en la relâchant et, dans le même mouvement, plongea la main dans son sac à dos.

Le sac tomba à ses pieds, laissant réapparaître sa main. Qui tenait maintenant un pistolet.

— Salue pour moi les soixante-douze vierges ! cria-t-il au moment où son index pressait la détente.

43

Il va tuer Sean.

Des émotions aussi intenses que contradictoires se bousculaient dans le crâne de Tess tandis que ses yeux suivaient la trajectoire du pistolet jusqu'à ce que celui-ci retombe par terre. D'abord et avant tout, il est vivant. Ensuite, il est là, devant moi, indemne. Enfin, il est venu à mon secours, il braque une arme sur le sagouin qui m'a enlevée. Et il faudrait qu'il meure ?

À cause de moi ?

À cause de mon satané coup de téléphone ?

Pas question.

Impossible de laisser faire ça.

Pas question, bordel !

Poussant un cri de fureur, elle se rua sur son ravisseur avec la rage d'un fauve trop longtemps gardé en cage. Sans se soucier des conséquences. Sans se soucier du fait qu'elle risquait d'exploser. Si elle devait mourir, s'il décidait d'appuyer sur ce maudit bouton, elle l'entraînerait avec elle, au ciel ou en enfer.

Elle le prit totalement par surprise et le percuta avec une violence inouïe, sur le flanc gauche : le choc le fit décoller du sol au moment précis où il pressait la détente. Elle ne distingua pas où la balle arrivait, n'eut pas le temps de voir ce qu'il était advenu de Reilly, mais son instinct lui souffla qu'elle avait agi juste à temps et que Reilly était toujours de ce monde. Ce qu'elle vit, en revanche, ce fut la main gauche de l'Iranien, celle qui tenait le téléphone. Elle la vit se lever dans un réflexe de défense et lâcher le téléphone, qui s'envola et tomba par terre – le tout en une fraction de seconde, au cours de laquelle elle eut le sentiment que son cœur s'arrêtait, que le monde qui l'entourait cessait de tourner, attendant l'explosion, s'attendant à ce que son corps vole en éclats…

Elle n'explosa pas. Elle était toujours là, debout, en un seul morceau, toujours là pour sentir de plein fouet le coude de l'Iranien qui venait heurter avec un bruit sourd le bas de sa mâchoire avant que tous deux ne roulent au sol.

Le cœur de Reilly s'arrêta lorsqu'il vit Tess bondir sur l'Iranien.

Il redémarra presque aussitôt, prenant le pas sur son cerveau, l'empêchant d'émettre la moindre pensée lucide, mais incitant ses jambes à passer à l'action.

Ce qu'elles firent, aussi vite qu'elles en étaient capables. En course pour l'or. Ou pour l'acier, dans ce cas précis. L'acier trempé de l'automatique, à une dizaine de mètres sur sa droite.

Il avait vu le téléphone s'envoler de la main du terroriste, vu Tess rouler au sol avec lui. Il n'avait pas assez de temps pour les rejoindre et intervenir. L'Iranien allait rapidement reprendre le dessus. Reilly n'avait donc qu'une chose à faire : récupérer son pistolet, au plus vite, et espérer qu'il viserait aussi bien qu'au stand de tir dans ses meilleurs jours. Mieux encore, si possible. Il n'aurait sans doute qu'une occasion, et il ne faudrait pas la laisser passer.

Tout en courant, il jeta un coup d'œil sur le côté, ne vit guère que deux corps toujours enchevêtrés et reporta son attention sur l'arme, par terre, devant lui.

Plus que cinq mètres.

Plus que trois.

Encore un.

Ça y est. Il y était.

Sous l'impact du coude de son adversaire, Tess eut l'impression que son cerveau se fracassait à l'intérieur de son crâne, mais elle tint bon, les deux mains agrippées au poignet qui serrait le pistolet.

Elle devait l'empêcher de braquer son arme encore une seconde ou deux, sachant que Reilly était certainement passé à l'action, espérant qu'il les rejoindrait au plus vite, mais elle ne parvint à garder la main de l'Iranien plaquée au sol que quelques secondes avant que l'autre main de Zahed, la gauche, ne vienne repousser violemment sa tête vers l'arrière. Elle ne lâcha pas prise pour autant alors même que le bras armé de son adversaire quittait enfin le sol et se dirigeait vers elle.

Au lieu de reculer instinctivement, elle se surprit elle-même en faisant le mouvement inverse : plongeant en avant, elle tira à elle la main de l'Iranien et la mordit de toutes ses forces. Elle entendit son adversaire pousser un grognement de douleur, sentit tendons et cartilages résister entre ses dents. Elle vit les doigts de son ennemi se desserrer autour de l'arme, accentua encore sa pression. Avec un cri de fureur, l'Iranien se cabra, l'entraînant dans son mouvement, tout en agitant le bras pour tenter de se libérer. Tess se tordit sur elle-même, le cou sur le point de rompre, mais tint bon, les dents toujours profondément fichées dans la chair de l'homme, jusqu'à ce que le pistolet lui échappe enfin.

Il parvint alors à l'agripper de son autre main, ses doigts s'enfonçant dans sa joue, cherchant ses yeux. La douleur était cette fois trop intense, elle fut obligée de lâcher prise. Cette liberté retrouvée sembla décupler les forces de son adversaire, qui la repoussa d'une terrible bourrade. Elle tituba, recula hors de sa portée aussi vite que possible, ses yeux scrutant désespérément le sol, à la recherche du pistolet.

Comme l'Iranien.

Tous deux le repérèrent en même temps, à quelques mètres derrière lui. Elle croisa son regard une fraction de seconde et l'éclat de fureur brute qu'elle vit briller dans ses yeux la terrifia plus encore que l'arme elle-même.

Il plongea pour la récupérer.

Reilly ramassa son automatique et se releva dans un mouvement de rotation, bras tendus, en position de tir, ses yeux jaugeant la situation en un quart de seconde.

La première chose qu'il enregistra fut que l'Iranien et Tess étaient maintenant séparés de plusieurs mètres, ce qui était positif. Ce qui l'était moins, c'est que le terroriste avait un pistolet à la main, et qu'il le dirigeait sur lui.

Reilly tira un coup de feu et fit un brusque écart sur sa gauche au moment précis où une volée de balles le frôlait, si près qu'il les entendit fendre l'air à quelques centimètres de sa joue. Il se laissa tomber en roulé-boulé, en direction de la demeure troglodyte la plus proche, pressant la détente chaque fois qu'il se retrouvait sur le ventre, mais sachant pertinemment qu'il avait bien peu de chance d'atteindre l'Iranien de cette façon, d'autant que celui-ci, lui-même à ras de terre, offrait une cible minimale. L'idée consistait à l'immobiliser suffisamment longtemps pour permettre à Tess de s'enfuir.

Ce qui, ainsi qu'il put le constater, était bel et bien le cas.

Des balles sifflèrent avec fracas aux oreilles de Tess, qui se figea l'espace d'un instant avant de se secouer et de se lancer dans une course éperdue.

Elle vit Abdülkerim lui faire signe depuis la maison troglodyte derrière laquelle il s'était caché, et elle courait vers lui lorsqu'elle trébucha sur quelque chose : le sac à dos de l'Iranien. Sans réfléchir, elle le ramassa par une bretelle, sprinta pour rejoindre le spécialiste de Byzance.

L'homme était littéralement mort de frayeur.

— Le téléphone... balbutia-t-il. C'est lui qui déclenche le... la... ?

— Oui, répondit-elle, plissant les yeux et enfonçant la tête dans les épaules chaque fois qu'un nouveau coup de feu résonnait dans la vallée.

— Où se trouve-t-il ?

— Je ne sais pas, dit-elle, hors d'haleine. Il l'a lâché.

— Venez, l'invita-t-il. Suivez-moi.

Et il l'entraîna dans le dédale des maisons troglodytes forées dans les cônes rocheux.

— Où allons-nous ? demanda-t-elle.

— Là, dit-il en s'arrêtant devant le seuil d'une habitation sans caractéristique particulière et en pointant le doigt vers l'intérieur. Il y a une ville souterraine. Sous ce village. Elle est interdite au public à cause des glissements de terrain, mais une partie reste certainement accessible. Vous devez y descendre au plus vite, vous y serez en sécurité. J'imagine que, là-dedans, le téléphone ne passe pas, si ?

Tess secoua la tête. Il avait raison.

— D'accord, mais… vous venez avec moi, hein ? Ce sera plus sûr pour vous aussi.

— Non, je…

Il marqua une hésitation, ses yeux scrutant les alentours.

— Je vais aller chercher de l'aide.

— Écoutez-moi, insista-t-elle en le prenant par les épaules. Vous serez plus en sécurité ici.

Il la dévisagea longuement, le front baigné de sueur.

— Je ne peux pas, dit-il enfin avec un hochement de tête. Je vais chercher du secours. Vous devez y aller, maintenant. Tenez, ajouta-t-il en fouillant dans son sac et en lui tendant sa lampe torche.

À l'instant précis où elle la prenait, Tess vit le Turc ouvrir de grands yeux et tendre le doigt pour montrer quelque chose derrière elle.

— Le voilà, balbutia-t-il.

Elle se retourna pour apercevoir l'Iranien qui se ruait dans leur direction. Elle le vit lever son arme, entendit le coup de feu et sentit aussitôt le sang d'Abdülkerim lui éclabousser la joue.

Zahed grimaça. Les choses se présentaient mal pour lui.

Reilly venait de se mettre à couvert. Dès lors, l'Américain n'aurait aucun mal à le tirer comme un lapin. Zahed se rendait compte qu'il était bien trop exposé. Il devait s'enfuir pendant qu'il en avait encore la possibilité.

Il avait vu Tess décamper avec son sac à dos, celui qui contenait les codex et les chargeurs supplémentaires de son pistolet. Il avait bien tenté de lever son arme pour l'abattre, mais les tirs incessants de ce satané Américain l'avaient contraint à se baisser pour se protéger, et la jeune femme en avait profité pour s'éclipser.

Il ne lui restait plus qu'à faire la même chose.

Courbé en deux, il observa les alentours, cherchant le téléphone. Qu'il trouva rapidement, mais assez loin, et dans la direction opposée à celle des maisons troglodytes, là où il voulait aller se réfugier, là où Tess venait de disparaître.

Il décida de courir le risque.

Il se coucha à terre et, tout en roulant sur lui-même, parvint à tirer deux coups de feu. Il atteignit son but après trois roulades, s'empara du téléphone, se releva d'un bond. Il se mit aussitôt à courir à toutes jambes vers la maison troglodyte la plus proche, tirant en même temps en direction de Reilly tout en sachant que chaque balle avait son importance maintenant que les chargeurs de rechange n'étaient plus en sa possession. L'une des balles de Reilly percuta le rocher à quelques centimètres de sa tête au moment précis où il plongeait pour se mettre à l'abri, des fragments de tuf lui égratignant la joue, sans autre dommage.

Il continua sa course dans le labyrinthe des habitations troglodytes, sur le qui-vive, fouillant du regard les ombres mouvantes. C'est alors qu'il les aperçut, à deux maisons de là, devant le seuil plongé dans le noir. Tess et le Turc.

Il devait remettre la main sur la jeune femme. Il fallait absolument qu'il récupère les livres et les chargeurs et, s'il voulait continuer de faire pression sur Reilly, elle était le levier indispensable.

Le Turc avait beaucoup moins d'importance maintenant.

En fait, c'était plus un poids mort qu'autre chose.

Zahed leva son arme et tira.

Tess poussa un hurlement en voyant Abdülkerim s'effondrer. Des flots de sang jaillirent de sa bouche, conséquence du large trou qui perçait sa poitrine.

Elle se retourna une fois encore : l'Iranien ne se trouvait plus qu'à deux maisons d'elle. Une vague de terreur la submergea. S'il voulait à tout prix la rejoindre, comme c'était visiblement le cas, c'était peut-être qu'il avait récupéré son portable.

Comme s'il avait lu dans ses pensées, l'homme leva la main, celle qui tenait le téléphone, pour lui montrer que tel était bien le cas. La lueur cruelle qui jouait dans ses yeux lui transmettait un message dénué de toute ambiguïté :

Vous ne bougez pas d'un pouce, sans quoi...

Et soudain, elle sentit quelque chose se briser en elle. Un accès de fureur évinça sa frayeur, l'envie de se battre supplantant celle de s'enfuir. Ses mains s'emparèrent du sac à dos et le firent glisser sur son ventre, de sorte qu'il se retrouvait désormais pressé contre la bombe insérée dans la ceinture de toile. Les traits durcis, elle défia son ennemi du regard, et en constata aussitôt les effets à l'expression de son visage et à la façon dont il courait. Oh, rien de bien spectaculaire : ses yeux s'écarquillèrent un peu, sa mâchoire se crispa légèrement et il trébucha l'espace d'une microseconde, mais elle en tira une indéniable satisfaction.

N'empêche qu'il courait toujours. Dans sa direction. Elle devait à tout prix faire quelque chose.

Elle jeta un ultime regard au cadavre du spécialiste de Byzance à ses pieds. Le sang avait cessé de couler de sa bouche, et ses yeux aux reflets vitreux la fixaient. Elle s'obligea à accepter qu'il n'y avait plus rien qu'elle pût faire pour lui puis, le sac à dos toujours collé contre son ventre, franchit en hâte le seuil de la maison.

Elle savait qu'elle devait s'enfoncer profondément à l'intérieur, et vite. La faible lumière venue de l'extérieur n'éclairait pas bien loin. Devant elle, c'était le règne de l'obscurité.

Elle s'y engouffra.

Roulant toujours sur lui-même, Reilly se réfugia derrière l'habitation troglodyte et glissa un rapide coup d'œil, juste à temps pour voir l'Iranien se relever et prendre la fuite.

Il parvint à tirer dans sa direction à deux reprises, mais dut se reculer devant la volée de balles que lui renvoya son adversaire. Jurant intérieurement, il laissa passer l'orage l'espace de deux secondes, avant de sortir de nouveau la tête, avec précaution, se doutant que l'Iranien aurait disparu.

C'était bien le cas.

Et merde.

Reilly se lança à ses trousses, espérant contre toute probabilité que cette ordure n'avait pas encore rattrapé Tess.

44

Tess regarda rapidement autour d'elle. Elle était dans une sorte de grotte. La pièce avait été creusée dans la roche tendre ; ses parois étaient criblées de niches de tailles diverses, certaines petites, d'autres assez spacieuses pour s'y coucher. Le sol était couvert de débris en tous genres – une chaise en rotin, cassée, les pages à l'encre passée d'un vieux journal turc, quelques bouteilles en plastique et autres canettes de soda vides. L'endroit donnait l'impression de ne pas avoir été occupé depuis des années.

Dans un coin éloigné, elle repéra les marches d'un escalier en colimaçon menant sans doute à l'étage. Alors qu'elle s'en approchait, elle trébucha contre un panneau de bois qui dépassait légèrement. Elle s'agenouilla, le tâta de la main, chassa la poussière de la surface inégale et constata qu'il était pourvu d'une charnière sur un côté. Sur celui qui lui faisait face, ses doigts rencontrèrent un vieux morceau de cordage façonné en forme de poignée.

Elle le saisit et souleva le panneau, dégageant un nuage de poussière qui lui irrita la gorge et les yeux. Prise d'une quinte de toux, elle pointa sa lampe torche dans la cavité obscure : une volée de marches très raides, également taillées dans le tuf, menait en contrebas.

Un bruit croissant venant de l'extérieur, les craquements de pas qui s'approchaient l'incitèrent à agir. La torche fermement serrée dans une main, elle s'engagea dans la cavité et dévala les marches.

Zahed arrêta brusquement sa course devant la maison troglodyte, près du corps ensanglanté de l'historien turc.

Il n'y avait personne aux alentours, certes, mais l'idée de laisser ce cadavre là, témoin du drame qui venait de se produire, ne lui plaisait guère. Glissant son pistolet dans la ceinture de son pantalon, il tira la dépouille à l'intérieur, la déposant juste derrière le seuil, histoire de la dissimuler aux randonneurs qui viendraient à passer par là.

Il vit le panneau ouvert et, dans un coin au fond de la pièce, l'escalier qui montait. Ayant repris son arme, il regarda dans l'ouverture pratiquée dans le sol : aucun bruit, aucun signe de mouvement. Après une seconde de réflexion, il se dirigea vers l'escalier et gravit quelques marches, l'oreille aux aguets. Inutile d'aller plus haut, il avait vue sur le palier, couvert de débris qui ne semblaient pas avoir été dérangés. De toute façon, son instinct lui soufflait que sa proie avait décidé de descendre vers le sous-sol.

Revenant précipitamment sur ses pas, il plongea dans les profondeurs obscures.

Tess respirait avec difficulté dans le tunnel.

La lampe torche d'Abdülkerim était sur le point de rendre l'âme, et la lumière faiblissait de minute en minute. La jeune femme savait que celle-ci ne durerait plus bien longtemps et faisait de son mieux pour économiser les piles en éteignant la torche par intermittence, mettant à profit un bref éclair de lumière pour se repérer avant de poursuivre. De gros fils électriques couraient sur les parois, reliant une lampe à la suivante. Ils n'étaient plus alimentés depuis des années mais faisaient office de fil d'Ariane que Tess suivait en se laissant entraîner de plus en plus loin dans le dédale souterrain.

Après avoir laissé derrière elle plus d'une douzaine de grottes et de tunnels, elle avait totalement perdu le sens de l'orientation. Où se trouvait-elle exactement ? Elle n'en avait pas la moindre idée. La « ville souterraine » n'en était peut-être pas exactement une, mais elle n'en était pas moins époustouflante, au sens propre : un labyrinthe apparemment sans fin de pièces de toutes formes et de toutes tailles reliées les unes aux autres par des tunnels aux plafonds bas et des marches étroites, où il était impossible de trouver un angle droit, ni même un coin digne de ce nom. Au contraire, chaque rebord était arrondi, tout comme les parois et les plafonds, et tous étaient de la même couleur obsédante, un blanc un peu crayeux teinté de brun sale par la patine du temps.

Et l'on s'y sentait à l'étroit. Terriblement à l'étroit. Une exiguïté suffocante, angoissante. Même les plus vastes des pièces, lieux d'espaces communs, prêtaient à la claustrophobie. Mais le pire, c'étaient les escaliers et les tunnels, à peine plus larges que les épaules de la jeune femme, qui devait se tenir courbée et légèrement de biais pour y progresser.

Tout cela était conçu à dessein : pour peu qu'ils aient réussi à franchir les obstacles constitués par les quelques « pierres à moulin » stratégiquement placées qui permettaient de bloquer l'accès à la totalité du souterrain, les éventuels envahisseurs étaient obligés d'avancer en file indienne non sans avoir dû abandonner leurs encombrants boucliers. Ce qui permettait de les repousser d'autant plus facilement. En fait, ce dispositif en nid d'abeilles avait été brillamment imaginé pour servir de refuge : il offrait de vastes réserves de nourriture tant pour les humains que pour les animaux, des celliers à vin, des citernes et des conduits de ventilation permettant d'aérer l'ensemble. Tout avait été conçu pour une défense optimale : même les cheminées avaient été équipées de plusieurs tuyaux d'échappement avant de déboucher à l'extérieur afin de répartir la fumée et d'éviter au maximum toute détection.

Tout en pénétrant de plus en plus profondément à l'intérieur de cet espace creusé dans la roche, Tess s'efforçait de ne pas penser au fait que le canyon au-dessus de sa tête avait été condamné à cause de son caractère instable et des glissements de terrain qui l'affectaient régulièrement. Elle essayait plutôt de se rappeler que sa présence en ce lieu était pain bénit : la bombe qu'elle portait autour de la taille n'était plus vraiment une menace, pour le moment en tout cas. Cette pensée ne suffisait pourtant pas à apaiser ses nerfs, les craintes qui l'avaient jusqu'alors tourmentée étant maintenant remplacées par une autre, plus terrifiante encore : celle de savoir si elle parviendrait jamais à trouver une issue dans ce dédale et à revoir la lumière du jour.

Après avoir descendu quelques marches et tourné à droite pour traverser un passage particulièrement étroit, elle se retrouva dans une pièce plus spacieuse, ornée en son centre de trois colonnes grossièrement sculptées.

Peut-être une étable, ou une église souterraine. Peu lui importait. Elle s'arrêta pour reprendre haleine et réfléchir. D'après son estimation, elle devait se trouver au second ou au troisième sous-sol, avec la quasi-certitude que de nombreux autres niveaux se trouvaient sous ses pieds. Elle ne voulait pas s'aventurer trop bas, au risque de ne jamais pouvoir retrouver son chemin. Pas question par ailleurs de revenir en arrière. En tout cas pas avant d'avoir acquis l'assurance que l'Iranien et son téléphone portable ne constituaient plus un danger.

— Tess !

Le hurlement de l'Iranien l'ébranla de la pointe des cheveux jusqu'aux talons en résonnant dans l'espace caverneux.

— Je veux juste récupérer ces bouquins ! beugla-t-il. Rendez-les-moi et je vous ficherai la paix !

Elle comprit son manège : il essayait de l'amadouer, de l'inciter à faire un mouvement, un bruit, à lui répondre, à faire quelque chose qui lui révélerait l'endroit où elle se trouvait. N'empêche, il était tout près, dangereusement près. Si près en fait qu'elle l'entendait maintenant progresser le long de la muraille avec un léger frottement, s'approchant d'elle. De plus en plus.

Zahed avançait à pas de loup en suivant les câbles électriques, tous ses sens, aiguisés par des années d'entraînement, en alerte, guettant le plus infime signe de vie.

Il était à peu près certain que Tess s'était laissé guider par les câbles, elle aussi. Son instinct lui avait certainement soufflé que c'était la seule chose à faire. Suivre les câbles, ce qui lui permettrait de rebrousser chemin sans se perdre. Le problème, c'est qu'elle avait un avantage sur lui : elle disposait d'une lampe torche. Il avait entraperçu sa lueur, à intervalles brefs mais réguliers, ce qui avait suffi à l'attirer comme une balise lumineuse.

Il pensa à actionner son téléphone portable pour s'éclairer et pressa le bouton. L'écran ne donnait guère de lumière et, dans la situation qui était la sienne, constituait plus un inconvénient qu'un avantage : non seulement il n'éclairait quasiment rien, mais il risquait de surcroît de révéler sa présence. Il décida en conséquence de ne pas s'en servir : cela économiserait la batterie, et il avait besoin qu'il soit en état de marche pour le cas où il lui faudrait contacter Steyl et d'autres soutiens.

Au sortir d'un passage très étroit qui débouchait dans un espace plus vaste, il s'arrêta et tendit l'oreille. Il était incapable de distinguer quoi que ce soit mais savait qu'elle était là, toute proche. Il s'immobilisa, retenant son souffle, se concentrant sur l'endroit où elle avait le plus de chances d'être tapie. Un sourire carnassier retroussant ses lèvres, il raffermit sa prise sur le pistolet, tendit l'arme devant lui…

Puis pressa la détente. Une seule fois.

La détonation retentit avec fracas dans la salle voûtée, la balle sifflant aux oreilles de Tess et allant s'écraser dans le mur, juste à côté d'elle. Surprise, la jeune femme ne put s'empêcher de pousser un cri et entendit aussitôt des pas précipités. Le sac à dos plaqué contre sa poitrine, elle quitta en toute hâte la paroi contre laquelle elle s'était appuyée et courut au centre de la salle, s'insultant intérieurement pour s'être trahie aussi sottement, essayant dans le même temps de se rappeler le plan de la pièce en espérant qu'elle n'allait pas se cogner contre l'une des colonnes. Lorsque l'Iranien obliqua dans sa direction, son corps tout entier se tendit en prévision de l'empoignade qui allait suivre ou, pis encore, d'un second coup de feu. Une issue différente s'imposa toutefois, en mode hyper-accéléré, dans son cerveau bouillonnant, et elle modifia instantanément sa trajectoire, espérant qu'elle avait vu juste.

Palpant l'air de ses mains, elle trouva l'une des trois colonnes carrées ; elle commença à en faire le tour, légèrement en crabe, la plaçant entre elle et l'homme qui se précipitait. Au moment précis où elle allait accomplir une rotation, elle entendit la peau et l'os cogner rudement contre la pierre, et, aussitôt après, un cri de douleur et de fureur mêlées.

Je t'ai bien eu, mon salaud.

Son stratagème avait fonctionné : l'Iranien venait de se jeter contre l'une des colonnes. Mais l'heure n'était pas à l'autosatisfaction. Il fallait absolument qu'elle se tire de ce pétrin. Elle obliqua vers une ouverture qu'elle avait remarquée dans la paroi opposée, les bras tendus devant elle pour se protéger. Lorsque ses mains touchèrent la surface rocheuse, elle modéra son allure avant de se glisser sans bruit dans le passage, progressant avec un grand luxe de précaution tout en tâtant la muraille jusqu'à ce qu'elle trouve le câble électrique. Plus question de se servir de la lampe torche, désormais. Elle se mit alors à courir, droit devant elle, veillant à ne surtout pas trébucher... et l'entendit de nouveau.

Il bougeait, sans plus chercher à se dissimuler cette fois.

Avec rage.

Il s'était remis en chasse.

Avec une différence : elle entendait maintenant le souffle rauque, vibrant de colère, caractéristique de quelqu'un à bout de souffle.

Zahed s'effondra comme une poupée de son. C'était son bras qui avait d'abord heurté le pilier, lui laissant une fraction de seconde pour éviter de le percuter tête la première.

Cela n'en faisait pas moins un mal de chien. Sa poitrine, son épaule, sa hanche, son genou, sa joue, toutes ces parties de son corps s'étaient écrasées à pleine vitesse contre le roc. Sentant dans sa bouche un goût métallique, il l'essuya d'un revers de main. La tâta : elle était humide de sang.

Il entreprit d'estimer les dégâts : rien de cassé apparemment, mais ces contusions allaient à coup sûr le ralentir et réduire son agilité. Il s'efforça d'oublier la douleur et de se concentrer sur une préoccupation plus urgente : le pistolet. Il l'avait laissé tomber dans la collision.

À quatre pattes, il fit le tour du pilier en cercles concentriques de plus en plus larges et ne mit guère de temps à retrouver l'arme. Furieux contre lui-même, il se redressa, les oreilles tendues, à l'écoute du moindre bruit que pourrait faire sa proie.

Il cracha encore un peu de sang, hurla son nom d'une voix rageuse et se remit en chasse aussitôt.

— Tess, espèce de chienne, où es-tu ?

Le hurlement lui fit l'effet d'un coup de fouet. Elle entendit Zahed pénétrer dans l'étroit passage au moment précis où elle atteignait la salle à l'autre extrémité.

Cette fois, ce serait plus difficile : elle ne pouvait plus se servir de la lampe torche, ni des câbles électriques. Elle ne savait rien de la pièce dans laquelle elle venait de pénétrer : ni sa taille, ni son plan, ni les obstacles et les pièges qu'elle recelait. Elle y était aussi vulnérable que lui. Plus encore que lui : après tout, c'était elle la proie. La seule chose à faire, c'était de garder son calme et d'explorer l'endroit tout en gardant le silence le plus absolu. Dans le calme sidéral de la citadelle souterraine, le plus petit bruit le mettrait d'autant plus sur sa piste qu'il y serait amplifié.

S'écartant de la paroi et du câble qui y courait, Tess avança dans l'obscurité, à l'aveuglette, ses bras tendus devant elle tâtonnant dans l'air, à l'affût du moindre obstacle. Elle trouva le mur opposé, ce qui lui permit d'estimer que la pièce était large de cinq mètres environ. Elle tâta sa surface lisse en progressant plus avant, jusqu'à toucher autre chose : une niche creusée assez bas dans le mur, d'une largeur un peu supérieure à un mètre, son rebord inférieur s'ouvrant juste au-dessus du sol et son extrémité supérieure s'arrêtant à sa taille.

Elle n'ignorait pas que l'endroit comportait de nombreuses salles : celliers, cuisines, garde-manger, tous pourvus de cavités de tailles diverses creusées dans leurs murs et leur sol. Avant qu'elle ait eu le temps de s'interroger sur la fonction de celle-ci, elle entendit l'Iranien s'approcher et se pétrifia.

Il se trouvait si près qu'elle ne pouvait pas courir le risque d'avancer, ne fût-ce que d'un pas. Elle n'avait pas le choix. Elle se mit à croupetons et grimpa dans la niche, se tassant le plus loin possible à l'intérieur. La cavité n'était guère profonde : une cinquantaine de centimètres tout au plus.

Elle venait tout juste de s'installer quand elle entendit les pas de son poursuivant résonner plus fort à ses oreilles. Il venait d'entrer dans la pièce. La peur au ventre, elle se recroquevilla sur elle-même et se pressa contre la paroi, tout au fond de la niche. Elle l'entendit courir le long du mur d'en face.

Jusque-là, tout va bien. Continue comme ça.

Il s'arrêta.

Elle cessa de respirer.

Il ne fit pas un bruit pendant ce qui lui sembla une éternité. Elle l'imaginait là, à quelques pas, l'oreille tendue, telle une panthère tapie dans le noir. Essayant de se faire aussi petite que possible, le corps tendu comme un arc, avec l'impression que tous les pores de sa peau se crispaient, elle attendait la prochaine initiative qu'il n'allait pas manquer de prendre : un cri, un coup de feu, quelque chose qui la ferait réagir.

Elle n'eut pas longtemps à attendre.

— Je sais que tu es là, Tess. Je t'entends respirer.

Elle retint son souffle.

Il garda le silence.

Elle sentit son cœur se contracter et se figer, s'arma de courage dans l'attente de ce qu'il allait faire, se répétant encore et encore qu'elle ne pouvait pas se permettre la moindre réaction. Elle se concentra au maximum sur son ouïe.

Un léger bruit de pas.

Puis un autre.

Il avançait.

Lentement.

Droit sur elle.

45

Tess sentit tout le sang de son corps affluer à ses tempes.

Il ne se trouvait plus qu'à quelques pas. Et il s'approchait.

Elle se transforma littéralement en pierre. Chaque muscle de son corps était tendu à se rompre. Pas question de bouger un doigt. Ni même un cil. Toute sa tension se concentrait dans ses mâchoires, serrées à lui faire mal. Elle s'attendait à ce qu'il cherche à l'impressionner, à l'effrayer. Cela n'allait pas tarder, elle le savait. Et il n'était pas question qu'elle tombe dans son piège une fois de plus.

Elle attendit, chaque seconde s'étirant comme des heures. Il se rapprochait encore, si proche maintenant qu'elle pouvait l'entendre respirer. Un souffle imperceptible, parfaitement contrôlé : il savait y faire. Il devait respirer par la bouche. Comme elle. Cela faisait moins de bruit. Mais elle l'entendait malgré tout, à la limite de sa perception. Une respiration gênée, presque laborieuse. Peut-être à cause de sa rencontre douloureuse avec cette colonne, tout à l'heure, se prit-elle à espérer.

Ce qui ne l'empêchait pas d'être morte de terreur.

Et puis maintenant elle le sentait. Bizarrement, alors même qu'ils ne se touchaient pas, elle pouvait sentir sa présence. Comme si son corps était équipé d'un sonar qui l'aurait détecté. Elle entendit les doigts de son ennemi se poser sur le mur, au-dessus de la cavité dans laquelle elle était tapie, infime grattement d'ongles contre la roche poreuse. Il se tenait pile devant elle, tâtant la paroi, à quelques centimètres à peine, sa taille plus ou moins au niveau de sa tête à elle.

Le cœur de Tess battait follement, lui semblant sur le point de s'échapper de sa cage thoracique. Le bruit dans ses oreilles était assourdissant et elle avait du mal à comprendre qu'il ne l'entende pas. Elle savait que, s'il descendait la main un tant soit peu, il trouverait la niche, et elle par la même occasion.

Pas question d'attendre que cela arrive.

Elle n'avait pas le choix : il fallait qu'elle passe la première à l'action.

Ramassée sur elle-même, elle bondit hors de sa niche tel un diable de sa boîte, le percutant au niveau de la cuisse, toutes ses forces mobilisées, ses mains serrées autour de sa lampe torche et s'en servant comme d'une massue miniature, dans l'espoir de lui faire le plus de mal possible. Elle l'entendit émettre un grognement sourd lorsqu'elle le frappa et se dit qu'elle avait touché un endroit stratégique. Il perdit l'équilibre sous cet assaut inattendu, tomba en arrière. Tess trébucha sur lui mais demeura sur ses pieds. L'Iranien fit alors de violents moulinets avec ses bras, cherchant à la frapper, l'un d'eux la touchant à la joue, mais elle avait l'avantage de se trouver au-dessus de lui et se dégagea rapidement.

Dans la seconde suivante, elle se rua hors de la pièce. Elle devait se sortir de là au plus vite, sans pour autant courir le risque de se cogner contre un obstacle quelconque. Elle fut donc contrainte de se servir de sa lampe, l'allumant rapidement puis l'éteignant tout aussi vite afin de se repérer dans le dédale souterrain, sans perdre des yeux le câble électrique qui lui servait de guide, volant de salle en salle, se faisant la plus petite possible dans les étroits tunnels, la poitrine se soulevant et s'abaissant comme un soufflet sous l'effet de la panique. Elle faisait trop de bruit pour être en mesure de l'entendre, derrière elle, mais elle n'en avait cure. Une seule chose l'intéressait, couvrir le maximum de terrain le plus vite possible, de façon à mettre un maximum de distance entre elle et son poursuivant.

Elle venait de franchir les quelques marches d'un étroit passage quand deux bras la saisirent et l'attirèrent vers eux. Elle était sur le point de pousser un cri perçant quand une main se plaqua contre sa bouche, très fort, étouffant dans l'œuf son hurlement.

— Chut, boucle-la, souffla une voix, basse et pressante. C'est moi.

Son cœur bondit dans sa poitrine.

De joie, cette fois.

Reilly.

Celui-ci la tenait serrée contre lui, en retrait de l'ouverture par laquelle elle avait surgi.

Sa main bâillonnant toujours la jeune femme, il tendit l'oreille dans la direction d'où elle venait. Pas un bruit. Mais il savait que l'Iranien les rejoindrait avant longtemps.

— Comment tu m'as retrouvée ? chuchota-t-elle.

439

— Grâce à l'écran de mon BlackBerry et à ces câbles, lui expliqua-t-il. Je les ai suivis et j'ai vu de brefs éclats de lumière. Tu as une lampe torche ?

— Oui, murmura-t-elle. Il est juste derrière moi. Et il n'est pas content.

Reilly réfléchit un instant, ses cellules grises fonctionnant à plein régime.

— OK, dit-il enfin. Continue à courir. Moi je reste là. Il ne doit pas être bien loin. Il tient coûte que coûte à te rattraper et on va le laisser croire qu'il est sur le point de réussir. Je le choperai quand il passera ici.

— Tu es sûr que...

— Vas-y, fais ce que je te dis, insista-t-il en la repoussant légèrement.

Elle revint vers Reilly, trouva son visage à tâtons, l'embrassa rapidement sur les lèvres avant de détaler.

Il glissa son pistolet sous sa ceinture, dans son dos, et se colla contre la paroi près de l'ouverture, sentant la fraîcheur de la sueur qui lui coulait dans le dos quand celui-ci entra en contact avec la roche volcanique. Inutile de gaspiller ses munitions dans l'obscurité. D'ailleurs, il préférait de loin le prendre vivant.

Il vit les éclats intermittents de la lampe torche de Tess diminuer d'intensité puis disparaître avec elle dans les boyaux de la citadelle.

Alors, il entendit l'ennemi.

Des mouvements désordonnés, qui se rapprochaient.

Reilly se raidit.

Les raclements se firent plus fort, les halètements plus intenses. L'Iranien fonçait droit devant lui, comme un taureau furieux. Reilly pouvait pratiquement percevoir la rage qui l'animait.

Il attendit, le corps tendu en prévision de l'affrontement qui allait suivre, ses mains se serrant pour devenir des poings, son cerveau transformant chaque bruit en images et les projetant dans l'obscurité impénétrable environnante. Puis il entendit l'homme sortir du passage et bondit.

Il le percuta de plein fouet, le projetant contre le mur. Il savait que son adversaire était armé, et ses mains plongèrent immédiatement vers l'endroit où il pensait pouvoir trouver celle de l'Iranien qui tenait le pistolet. Il agrippa son poignet droit au moment précis où le terroriste tirait un coup de feu assourdissant qui illumina la salle d'un bref éclat de lumière blanche et froide. Serrant toujours dans l'étau de sa main gauche celle de l'Iranien qui était armée, il la cogna encore et encore contre la roche, tandis que son poing droit martelait au jugé la tête de son adversaire. Il le frappa avec violence une fois, deux fois, entendit les cartilages céder et le sang gargouiller, s'attendant à sentir la main de l'homme lâcher le pistolet, mais l'Iranien s'y accrochait obstinément, comme à une bouée. Il s'apprêtait à lui asséner un troisième direct du droit quand un genou vint le toucher rudement à l'aine, suivi d'un puissant uppercut à la pointe du menton. Le premier coup lui coupa le souffle, le second lui brouilla les idées et lui fit relâcher sa prise l'espace d'une seconde, suffisant pour permettre à l'Iranien de le repousser avec un cri de rage.

L'homme tenait toujours son arme à la main.

Reilly plongea à terre et roula sur lui-même tandis qu'une volée de balles s'enfonçait dans le sol, tout près de lui. Des éclats de tuf l'écorchèrent tandis que, sortant son propre pistolet, il tirait plusieurs coups de feu en direction de son adversaire, apparemment sans qu'aucun l'atteigne. Les oreilles bourdonnantes sous l'effet du feu roulant, il crut entendre l'Iranien s'enfuir et lâcha deux balles supplémentaires vers l'endroit où il était censé se trouver, mais sans percevoir le bruit caractéristique des projectiles traversant la peau, puis la chair et l'os d'un homme, ni le hurlement de douleur consécutif.

Mais le pire, c'est que le salopard se dirigeait vers l'endroit où se trouvait Tess.

Ayant retrouvé le câble électrique, Reilly se remit à avancer avec une hâte frénétique, une main sur le câble, l'autre fermement serrée sur la crosse de son automatique, les oreilles à l'écoute au cas où l'Iranien se serait arrêté pour lui tendre une embuscade.

Il marqua un arrêt à l'entrée d'un nouveau tunnel.

— Je n'irais pas plus loin, à votre place ! cria-t-il dans les ténèbres, espérant pouvoir repérer l'endroit où se trouvait son adversaire et détourner son attention de son objectif premier : Tess. La *jandarma* va bientôt investir cet endroit, si ça n'est déjà fait, et ils n'ont sans doute pas l'intention de vous en laisser sortir vivant !

Il attendit une réponse, qui ne vint pas, avant d'ajouter :

— Si vous voulez sauver votre peau, je vous conseillerais vivement de sortir de là avec moi. Ce que vous savez peut être pour nous d'une grande valeur.

Rien.

Il suivit le tunnel, à pas de loup, traversa une autre salle souterraine, s'arrêta de nouveau à l'entrée de la galerie suivante.

— Tu veux crever, connard ? C'est ça que tu veux ?

Toujours rien. L'Iranien n'était pas un débutant. Mais cela, il le savait depuis déjà un certain temps.

Il continua d'aller de l'avant, contourna un escalier pour pénétrer dans une autre salle et était sur le point d'emprunter un boyau particulièrement exigu lorsqu'il entendit un bruit.

— Par ici, chuchota Tess, sur sa droite.

Elle tendit le bras et l'attira vers elle.

— Il est passé devant toi ?

— Oui. Quand tu l'as appelé. Il s'est arrêté pour écouter ce que tu disais, mais il ne m'a pas vue.

— Tu as une idée de l'endroit où nous sommes ?

— Aucune. Mais on s'est enfoncés assez profond. Je dirais à deux étages au-dessous du sol, à vue de nez.

— Tirons-nous d'ici, fit Reilly. Inutile d'essayer de le choper dans cet endroit. Trop dangereux.

Il s'apprêtait à repartir mais s'arrêta en sentant la main de Tess sur son bras.

— Je ne peux pas sortir d'ici, chuchota-t-elle. Regarde.

Elle saisit la main de son compagnon et la posa sur la ceinture de toile qui lui ceignait la taille.

— Il m'a obligée à mettre ce truc. C'est une ceinture piégée. Déclenchée par son téléphone. C'est pour cette raison que je me suis réfugiée là-dedans. Aucun signal ne peut y parvenir.

— Pourquoi tu ne m'as rien dit ?

— Je n'en ai guère eu l'occasion, répondit Tess en posant une main sur le visage de Reilly. Je ne peux pas sortir. Pas tant que je porte ça.

Reilly sentit ses entrailles se nouer.

— Comment est-elle fermée ?

— Par un cadenas. Derrière.

Elle guida la main de son compagnon vers son dos. Il tâta le système de fermeture, qui semblait lourd. Solide. Il tira dessus, plus pour manifester sa frustration que dans l'espoir qu'il céderait.

— Tu peux tourner ta ceinture de sorte que ce foutu cadenas soit sur le côté ?

— Bien sûr, elle n'est pas si serrée que ça. Pourquoi ?

— Je peux essayer de tirer une balle dedans pour le faire sauter. Mais pour ça j'ai besoin de lumière.

Tess poussa un grand soupir.

— Tu es sûr de ton coup ?

— Si tu te tiens bien droite juste au bord de l'ouverture de ce tunnel, je peux faire en sorte que mon coup de feu ne t'atteigne pas mais se perde dans le tunnel. Même si la balle rebondit sur le métal, elle ne te touchera pas.

— Tu en es sûr ? répéta-t-elle, pas vraiment convaincue.

— Je veux te débarrasser de ce truc, insista Reilly. Fais-moi confiance. Mais j'aurai besoin que tu allumes ta lampe. Rien qu'une seconde. Tu l'allumes et tu l'éteins tout de suite, c'est tout. D'accord ?

Il ne l'avait vue avoir peur que très exceptionnellement. Et encore... Elle était du genre intrépide.

Mais cette fois, elle était terrifiée.

Il l'aida à se placer très précisément contre le bord de l'ouverture du tunnel suivant. Puis elle se pencha au maximum sur le côté et mit ses mains dans son dos, hors de vue. Reilly prit alors le cadenas et le tira afin qu'il dépasse le plus possible de la paroi. Ensuite, il colla le canon de son pistolet contre le boîtier, désormais relativement éloigné du corps de Tess.

— Prête ? lança-t-il.

— Tu as déjà fait ça avant ?

— Pas vraiment.

Elle haussa les épaules.

— Ce n'est pas exactement la réponse que j'espérais.

— À trois. Un, deux…

À trois, elle appuya sur le bouton de la lampe torche et Reilly pressa la détente. Le cadenas explosa dans un bruit assourdissant accompagné d'une pluie d'étincelles. Et, simultanément, plusieurs balles vinrent s'enfoncer dans le tuf non loin d'eux.

— En arrière ! cria Reilly, éloignant Tess de l'ouverture du tunnel, tandis que des éclats de roc volaient en tous sens autour d'eux.

C'est alors qu'il l'entendit… Le doux bruit de la culasse du pistolet se remettant en place, à vide, après avoir craché son dernier projectile.

— Son chargeur est vide ! hurla Reilly en ôtant la ceinture de la taille de Tess et en la jetant dans un coin, aussi loin que possible, avant de s'emparer de la lampe torche et de courir sus à l'ennemi. Viens, suis-moi !

Il pressa le bouton et le faisceau éclaira faiblement l'Iranien. Celui-ci venait de quitter le tunnel, le dos courbé, et était en train de traverser une autre salle.

Reilly se lança à sa poursuite, s'approchant de plus en plus de sa proie, électrisé par l'idée de sa capture, imminente.

Les dents serrées, Zahed fonçait à toutes jambes dans le dédale de la ville souterraine.

Il maudissait cette satanée Américaine – qui l'avait attiré dans ce guêpier, lui avait piqué son sac à dos, l'avait laissé à court de munitions.

Il était temps de mettre les pouces et de se tirer de là, si tant est qu'il le puisse. Il ignorait ce qui l'attendait là-haut. Il pensait que Reilly bluffait en prétendant que le canyon grouillait de policiers et de soldats, sans en avoir toutefois la certitude. Même si les touristes n'étaient pas vraiment légion dans le coin, quelqu'un avait sans doute entendu leurs échanges de coups de feu. Auquel cas ce quelqu'un avait certainement alerté les flics. Les environs risquaient fort de lui être hostiles et jouer la fille de l'air ne serait pas chose facile, d'autant que les voies permettant d'accéder à la gorge comme d'en sortir étaient en nombre limité.

Il allait devoir composer avec les moyens du bord.

Après avoir traversé en trombe une vaste salle commune, il s'engouffra dans un passage assez large, éclairé par intermittence par le faisceau de la lampe de ses poursuivants. Celle-ci l'aidait bien, en fin de compte, se réverbérant sur les parois, éclairant tel ou tel passage, lui offrant quelques secondes de clarté. Cela étant, il n'en demeurait pas moins le gibier poursuivi par la meute. Il fallait absolument qu'il sorte de ce piège. Il courait comme un fou, aussi vite que ses jambes le lui permettaient, sans savoir où il allait. Aucune importance d'ailleurs, désormais. Il ne pouvait que suivre les câbles électriques, dans l'espoir qu'ils le ramèneraient à l'entrée de ce fichu labyrinthe.

Il entendait Reilly galoper derrière lui, pas bien loin. Il devait à tout prix le semer. Il aperçut un étroit escalier, l'emprunta, gravissant les marches quatre à quatre. Sur le palier, deux ouvertures, l'une menant à droite, l'autre à gauche. Il s'engouffra dans celle de droite, rentrant la tête dans les épaules, progressant à un rythme plus lent et sans faire de bruit, dans l'espoir de troubler son poursuivant et de se donner un petit répit.

Il devait faire quelque chose. Le retarder, d'une façon ou d'une autre.

C'est alors qu'il eut une illumination.

Au bout de l'étroit tunnel. Une masse ronde faisait saillie sur le côté de la paroi.

Le bord d'une pierre à moulin, ce dispositif circulaire taillé dans le roc, lourd d'une tonne, d'un bon mètre de diamètre, destiné à empêcher les envahisseurs de faire irruption, et que l'on pouvait mettre en place très rapidement, en ôtant simplement les deux gros coins de bois qui le retenaient.

— Arrête-toi, connard.

Zahed se retourna.

Reilly était là, à l'autre extrémité du tunnel. L'Américain tenait son pistolet d'une main, la lampe torche de l'autre. Tous deux étaient braqués sur lui. Le faisceau lumineux le fit cligner des yeux.

Il vit Tess apparaître derrière l'Américain. Chercha la ceinture, à sa taille, mais celle-ci semblait avoir disparu, et en voyant la lueur de défi qui brillait dans ses yeux, il comprit qu'elle s'en était en effet débarrassée.

— J'aurais dû te tuer, à Rome, lança Zahed, histoire de gagner un peu de temps.

— Trop tard, tête de nœud. Pose ton flingue.

Zahed regarda rapidement la base de la pierre à moulin. Les coins de bois avaient disparu depuis longtemps. En lieu et place, une tige de fer rouillée dépassait du mur latéral et la maintenait dans sa loge. Un dispositif assez primitif, sans doute installé quelques décennies plus tôt, avant que les gorges soient évacuées et condamnées. Le nombre de touristes visitant la Cappadoce était des plus limités à l'époque, et la sécurité n'était sans doute pas la préoccupation majeure des gardiens, sans doute autoproclamés, des cités souterraines.

Ce qui était tout aussi bien.

— Je ne peux pas sortir de là avec toi, et tu le sais ! cria-t-il tout en jetant de rapides coups d'œil à la tige de fer, calculant ses options, évaluant ses chances.

— À toi de choisir, mon pote. Tu sors de là avec moi, sur tes jambes, ou sans moi, mais dans un grand sac noir à fermeture à glissière, répliqua Reilly. Les deux me vont.

— À la réflexion, tu sais quoi ? fit Zahed, s'arrêtant une seconde avant de vociférer : Va te faire foutre !

Jouissant brièvement de la surprise qu'il lut dans le regard de l'Américain, il passa à l'action. Rapide comme l'éclair, il se précipita sur sa droite, le rebord de la pierre à moulin le protégeant d'un éventuel tir de son adversaire, et passa son arme dans sa main droite de façon à utiliser la crosse comme marteau.

Il l'abattit contre la base de la tige de fer.

Il avait calculé son coup à la perfection.

La tigelle bougea, écrasant la roche tendre qui l'abritait. Un deuxième coup la déplaça un peu plus.

Tess cria quelque chose, et déjà Reilly se ruait sur lui, tirant un coup de feu.

La troisième tentative de Zahed fut la bonne ; la tige sauta au moment précis où la seconde balle de Reilly lui transperçait la main, un instant exposée.

Reilly vit l'Iranien plonger sur le côté et se servir de son arme comme d'un marteau.

Ce qu'il cherchait à faire lui échappait, mais il comprit que ça ne sentait pas bon. Impossible de tirer avec une chance de le toucher, à cause de ce gros disque de pierre qui le cachait. Tout ce qu'il voyait de lui, c'était sa main, serrant le pistolet vide.

— La pierre à moulin ! cria Tess. C'est un piège.

Reilly fonça, tira un coup de feu tout en avançant. Il entendit Zahed taper sur quelque chose, chaque coup résonnant en lui, son cœur battant à tout rompre. Il vit le flot de sang qui jaillissait de la main de son adversaire et l'entendit lâcher un grognement de douleur. Il ne se trouvait plus qu'à quelques pas de lui quand l'énorme disque de pierre sortit en roulant de son logement. Il sentit le sol trembler sous ses pieds tandis que la pierre à moulin allait heurter avec fracas l'autre côté du tunnel au moment précis où il l'atteignait, ses mains se tendant instinctivement pour l'arrêter avant qu'il les retire, conscient de la futilité de son geste.

Le tunnel était obstrué. Totalement, parfaitement obstrué.

Reilly essaya bien de repousser la pierre à moulin, mais elle ne bougea pas d'un pouce. Elle avait été conçue pour se mettre en place en suivant un plan incliné et était beaucoup trop lourde pour reprendre aisément sa position antérieure. En désespoir de cause, il la tâta sur toute sa surface, à grand renfort de jurons. Son centre était percé d'un petit trou, de huit centimètres de diamètre environ. Il y risqua un œil, sans trop d'illusion : impossible de voir quoi que ce soit de l'autre côté. Tout était plongé dans le noir. C'est alors qu'il l'entendit. Gémissant, jurant. Ce qui faisait du bien à entendre. L'Iranien semblait sérieusement souffrir.

Au bout de quelques secondes, la voix du blessé retentit de l'autre côté du piège antique :

— Ça va, Reilly ? Tu es à l'aise là-dedans ?

L'Américain leva son pistolet vers le trou creusé dans la pierre et répliqua :

— Et ta main, espèce de branleur, comment va-t-elle ? J'espère que je n'ai pas porté un coup fatal à ta vie amoureuse.

Sur quoi il glissa le canon de son arme dans l'ouverture et tira à quatre reprises. Le bruit des détonations se répercuta sur les parois du souterrain avant de s'atténuer puis de disparaître. La voix de l'Iranien se fit alors entendre de nouveau :

— Arrête de gaspiller tes munitions et commence plutôt à chercher le chemin de la sortie.

Il parlait fort, mais pas au point de pouvoir dissimuler la douleur qui, à l'évidence, le tenaillait.

— Ça ne va pas être simple. Ça pourrait même être impossible, si tu veux mon avis. Mais essaie quand même. Fais ça pour moi. Débrouille-toi pour que l'impossible ne le soit plus. Et si tu y arrives, dis-toi bien une chose : tu n'en as pas fini avec moi. Quelque part, d'une façon ou d'une autre, je te retrouverai. Où que tu sois. Je reviendrai vous chercher, toi et Tess… et on règlera cette affaire comme il convient. Ça te va ?

Reilly enfonça une fois de plus le canon de son pistolet dans l'orifice de la pierre à moulin et vida fiévreusement son chargeur, hurlant sa fureur, espérant sans trop y croire que l'une de ses balles trouverait de la chair et des os. Et quand l'écho des détonations s'éteignit, il n'entendit plus que les murmures rageurs et les pas de l'Iranien qui s'éloignait. Jusqu'à ce que ne demeure plus que le silence. Le silence du tombeau.

46

— Et les taupes ? Il doit y avoir des taupes dans le secteur, tu ne crois pas ?

— Des taupes ?

— Mais oui, tu sais bien. Des taupes. Ou d'autres sales bêtes du même genre, avec de grandes dents et de terribles griffes… Et des chauves-souris ? Tu crois qu'il y a des chauves-souris ? On n'est pas très loin de la Transylvanie. À mon avis, il doit y avoir des vampires dans le coin. Qu'est-ce que tu en penses ?

— Écoute-moi, Tess, dit Reilly avec le plus grand calme. Si tu te mets à dérailler, je vais être obligé de te descendre. Tu ferais la même chose à ma place.

La jeune femme se mit à rire de bon cœur, davantage pour exorciser sa peur et sa nervosité que parce qu'elle trouvait la remarque de Reilly particulièrement drôle. Le caractère périlleux de leur situation – coincés dans ce labyrinthe souterrain condamné depuis des lustres, à plusieurs niveaux au-dessous de la surface – lui tapait sur le système. En règle générale, elle se flattait de ne pas être du genre à paniquer, ayant vécu un certain nombre de péripéties délicates, au cours desquelles elle s'était comportée honorablement et dont elle s'était en fin de compte bien tirée. Dans ces cas-là, une petite décharge d'adrénaline suffisait à déclencher son instinct de survie.

Cette fois, c'était différent.

L'avenir se présentait sous la forme d'une lente et pénible descente vers la mort, comme des astronautes perdus dans l'espace, mais sans l'issue fatale relativement rapide due à une réserve limitée d'oxygène.

Ce qui suffirait largement à faire perdre les pédales à n'importe qui.

Depuis combien de temps étaient-ils coincés là ? Elle n'en savait trop rien.

Plusieurs heures, à coup sûr. Mais combien, au juste ? Impossible à dire.

Ils avaient bien essayé de repousser la pierre à moulin dans son logement, mais cela s'était révélé impossible. Celle-ci avait bien été conçue pour être remise à sa place depuis l'intérieur, mais Tess et Reilly ne disposaient pas des gros leviers en bois nécessaires. Ils avaient ensuite emprunté toutes les pistes possibles dans l'espoir de trouver une issue, suivant les câbles électriques dans telle direction, puis telle autre. En vain. Ils avaient économisé au maximum les piles de la lampe torche, mais celles-ci avaient fini par s'épuiser. Tout comme la batterie du BlackBerry de Reilly, dont l'écran s'était lui aussi définitivement éteint.

Tess savait que ces villes souterraines étaient immenses. Celles qui avaient été découvertes, les plus vastes en tout cas, pouvaient servir de refuge à une population de vingt mille personnes selon les estimations. Ce qui représentait une surface considérable à explorer. Et un bon paquet de tunnels. Sans parler des culs-de-sac.

Inutile donc d'escompter se tirer d'affaire facilement.

— Et si on était coincés là pour toujours ?

— Ce ne sera pas le cas, répondit Reilly.

Il la tenait serrée contre lui, un bras passé autour de son épaule.

— D'accord, mais si ça l'était ? insista-t-elle, se pelotonnant encore davantage. Sérieusement. Qu'est-ce qu'on deviendrait ? On finirait par mourir de faim ? Ou non, peut-être de soif d'abord ? À moins qu'on ne sombre avant dans la folie ? Qu'est-ce que tu en penses ? Tu as sûrement été entraîné pour des situations de ce genre ?

— Pas vraiment, avoua Reilly. Ce n'est pas exactement le genre de situations auxquelles on risque d'être confronté quand on travaille au bureau de New York du FBI.

L'obscurité était totale désormais, si dense qu'elle en devenait, paradoxalement, presque aveuglante. Pas le moindre petit rai de lumière. Tess ne voyait rien de Reilly, pas même l'ombre d'un reflet dans ses yeux. Elle ne pouvait que l'entendre respirer, sentir sa poitrine se gonfler et se relâcher, ses doigts se serrer autour de son épaule. Ses pensées la ramenèrent dans un passé pas si lointain, à un moment où elle s'était retrouvée comme cela dans le noir, blottie contre Reilly, à un endroit relativement proche de celui où ils se trouvaient maintenant.

— Tu te rappelles cette première nuit ? demanda-t-elle. Dans la tente, avant qu'on arrive au lac ?

Elle le sentit sourire.

— Et comment !

— C'était pas mal, non ?

— C'était super, tu veux dire.

— Plus que super, c'était carrément génial.

Elle repassa dans sa tête le film de la scène, une douce chaleur irradiant son corps tout entier.

— J'ai toujours eu envie de revivre ce premier baiser, avoua-t-elle. Un moment mémorable, incomparable, pas vrai ?

— Vérifions ce jugement.

Il prit le visage de la jeune femme entre ses deux mains et l'embrassa longuement : un baiser intense, profond, presque désespéré, qui en disait bien plus que de longues phrases.

— Je retire l'épithète « incomparable », fit-elle d'une voix rêveuse. À moins qu'il n'y ait quelque chose de spécial dans l'air, en Turquie… Qu'est-ce que tu en penses ?

— Dans l'air ? Ici ? Pas pour moi en tout cas. Mais je ne voudrais surtout pas gâcher ton plaisir.

La jeune femme se rembrunit aussitôt.

— Je ne veux pas mourir dans cet endroit, Sean, dit-elle d'une toute petite voix.

— Il n'en est pas question, répliqua-t-il. Cela n'arrivera pas. On va se sortir d'ici.

— Tu me le promets ?

— Croix de bois croix de fer.

Tess retrouva son sourire, avant que tout lui revienne, brutalement : ce qu'elle avait vécu au cours des derniers jours, comment ils s'étaient retrouvés là. Des réflexions éparses, disparates, fruits de son cerveau survolté.

— Ce type, le terroriste. Il m'a parlé d'un ou deux trucs, sur lesquels il m'a conseillé de me renseigner. Des trucs importants, d'après lui.

— Quoi ?

— Il m'a demandé si j'avais entendu parler de l'opération Ajax.

La jeune femme ne pouvait voir le visage de son compagnon, mais elle n'en avait pas besoin. L'absence de réaction immédiate de Reilly et sa respiration brusquement plus hachée étaient suffisamment éloquentes : il savait de quoi il était question.

— Et l'autre « truc », comme tu dis ? s'enquit Reilly d'un ton voilé.

— Il m'a dit que je devrais me renseigner sur ce qui s'était passé le matin du 3 juillet 1988.

Reilly demeura muet, inspirant et expirant profondément cette fois.

— Alors ? demanda Tess.

— Je crois que notre homme nous fait savoir qu'il est iranien, répondit Reilly au bout d'un moment. Et que, s'il nous en veut, c'est qu'il a un certain nombre de raisons pour ça.

— Ça n'est pas franchement une découverte…

Reilly eut un petit rire amer.

— L'opération Ajax est le nom de code d'une intervention où on a foiré. Et pas qu'un peu. Ça remonte à loin, aux années 1950, en Iran.

— Waouh !

— Comme tu dis, fit Reilly. On a connu des périodes plus glorieuses.

— Que s'est-il passé ?

— Au moment de la Première Guerre mondiale, les Anglais avaient la haute main sur la production de pétrole iranien, expliqua-t-il. Ils contrôlaient encore un empire à l'époque. Et on peut dire qu'ils mettaient littéralement le pays en coupe réglée, gardant pour eux la totalité des revenus, ne laissant que des miettes aux Iraniens. Qui s'en sont plaints, à juste titre, mais le gouvernement britannique n'en avait rien à foutre et a systématiquement refusé de renégocier les termes du contrat. Cette situation a perduré pendant plus de trente ans, jusqu'au jour où les Iraniens ont élu un certain Mohammad Mossadegh, qui est devenu Premier ministre. Premier ministre du premier gouvernement iranien élu démocratiquement. Mossadegh a remporté une victoire écrasante et il a aussitôt entrepris de récupérer la production de pétrole de son pays en la nationalisant, ce pour quoi il venait d'être élu.

— J'imagine que les Rosbifs ont adoré, commenta Tess.

— Tu l'as dit. Mossadegh a giclé. Et devine qui est intervenu pour aider à son renversement ?

La jeune femme grimaça.

— La CIA ?

— Bien sûr. Ils ont tout mis en œuvre pour ça, et ça a marché. Ils ont corrompu ou fait chanter des dizaines de membres des cercles dirigeants iraniens, de la presse, de l'armée et du clergé. Ils ont répandu des horreurs sur le compte du bonhomme et de son entourage, et ils ont payé des milliers de sbires pour manifester dans les rues en exigeant son arrestation. Le pauvre bougre, qui était pour l'essentiel un patriote parfaitement désintéressé, a passé le reste de ses jours en résidence surveillée après un passage en taule. Son ministre des Affaires étrangères, lui, a eu droit au peloton d'exécution.

— Et on a remis le chah sur le trône, soupira Tess.

— Exact. Notre ami le dictateur fantoche, sur lequel on pouvait compter pour nous vendre son pétrole à vil prix et nous acheter des palanquées d'armes plus ou moins sophistiquées. Notre grand pote a dirigé son pays d'une poigne de fer pendant le quart de siècle qui a suivi, avec l'aide d'une police secrète entraînée par nos soins et à côté de laquelle les gars du KGB faisaient figure d'aimables plaisantins. Et tout cela a duré jusqu'en 1979, quand l'ayatollah Khomeiny a su canaliser la colère du peuple iranien jusqu'à ce que celui-ci se soulève et vire le chah du pays à coups de pompe dans le train.

— Et on a maintenant sur les bras une révolution islamique qui nous déteste.

— Passionnément, confirma Reilly.

Tess poussa un soupir contrarié, puis une idée lui vint à l'esprit :

— Mossadegh n'était pas un responsable religieux, si ?

— Non, pas du tout. C'était un diplomate de carrière, un homme moderne, très cultivé. Diplômé de droit d'une université suisse. Les mollahs qui dirigent le pays aujourd'hui ne le mentionnent jamais quand on évoque le coup d'État, son jour anniversaire par exemple. Il était bien trop laïc à leur goût. Il n'était pas question de république islamique à l'époque, ajouta-t-il après une brève pause. C'est nous qui en sommes à l'origine. Avant qu'on décide de se mêler de ses affaires, l'Iran était une démocratie.

— Une démocratie qui ne nous convenait pas.

— Ce n'était pas la première fois, et il y en aura d'autres. Tout ça, c'est une affaire de pétrole bon marché... Et pourtant... Imagine un peu à quel point le monde serait différent si on n'était pas intervenus il y a presque soixante ans !

Tess s'accorda le temps de digérer le cours d'histoire de Reilly avant de lancer :

— Je ne suis pas sûre d'avoir envie de te demander ce qui s'est passé le 3 juillet 1988...

— Un autre grand moment pour l'oncle Sam, grommela Reilly.

— Raconte.

Là encore, sans le voir, elle sut que le visage de Reilly s'était rembruni.

— Iran Air, vol 655, commença-t-il. L'avion décolle d'Iran pour un vol d'une demi-heure au-dessus du golfe, à destination de Dubaï. Deux cent quatre-vingt-dix passagers et membres d'équipage à bord, dont soixante-six enfants.

Tess ouvrit des yeux horrifiés.

— C'est celui qu'on a abattu ?

— Eh oui.

— Pourquoi ? Comment cela s'est-il passé ?

— C'est compliqué. Le transpondeur de l'appareil fonctionnait parfaitement et a envoyé le code correct. Le pilote suivait le couloir qui lui avait été assigné, il était en contact avec le contrôle aérien et s'exprimait en anglais. La routine de A à Z, comme dans les manuels. Mais pour des tas de raisons, nos gars ont cru qu'il s'agissait d'un F-14 qui les attaquait et ils ont tiré sur lui un couple de missiles.

— Ils savaient que c'était un appareil civil ?

— Non. Quand ils l'ont appris, il était trop tard. Le bateau avait la liste de tous les vols civils de la région, mais ils se sont emmêlé les pinceaux avec les fuseaux horaires. Notre bateau était sur celui de Bahreïn alors que la liste des vols était basée sur l'heure locale iranienne, une demi-heure en moins.

— Tu me fais marcher ?

— Pas du tout. Et ce n'était pas la première fois que ce genre d'incident se produisait. Tu te rappelles Cuba et la baie des Cochons ? Si l'opération a échoué, c'est pour une bonne part à cause d'un problème de fuseau horaire : les bombardiers qui ont décollé du Nicaragua étaient censés bénéficier de la couverture aérienne des chasseurs basés sur l'un de nos porte-avions. Les bombardiers étaient sous le contrôle de la CIA et ils fonctionnaient avec l'heure du centre des États-Unis. Les chasseurs étaient, eux, contrôlés par le Pentagone et étaient sur l'heure de la côte Est. Ils n'ont jamais pu accorder leurs violons et les bombardiers ont tous été descendus.

— Bon sang !

Reilly haussa les épaules.

— Des erreurs pures et simples, qui n'auraient jamais dû se produire. Dans le cas de l'avion iranien, plusieurs se sont combinées. Nos navires sont équipés de systèmes qui attribuent des codes aux cibles potentielles. Pour une raison quelconque, celui qui a été assigné à l'avion de ligne a été modifié après son enregistrement, puis donné à un autre appareil, ce qui faisait une erreur de plus. Donc, l'opérateur radar regarde son écran, voit l'avion à un endroit, détourne les yeux un moment, puis se penche de nouveau sur l'écran : le voyant à un autre endroit, il a l'impression qu'il se déplace à une vitesse incroyable. C'est alors qu'il panique et pense avoir affaire à un chasseur iranien. En plus, les flèches qui indiquent si un avion monte ou descend sont très délicates à interpréter. L'opérateur radar du bateau s'est affolé et a cru que l'avion piquait pour les attaquer. Il a alors déclenché l'alarme, et le capitaine a envoyé ses missiles. Le gus était apparemment une espèce de cow-boy qui aimait la bagarre. Du style qui tire d'abord et pose les questions après. Le commandant d'une frégate qui naviguait de conserve avec lui ce jour-là a fait savoir à qui de droit que son collègue se montrait beaucoup trop agressif. Mais cela a été une bavure magistrale, tragique. Notre navire et l'avion de ligne se trouvaient tous les deux dans les eaux territoriales et l'espace aérien iraniens. Il y a eu de nombreuses victimes. Dont beaucoup d'enfants. Cela méritait au moins que l'on s'excuse. Platement.

— Et ça n'a pas été le cas ?

— Pas un mot. Nous n'avons jamais admis avoir commis la moindre faute. On a envoyé quelques chèques aux parents des victimes mais nous n'avons jamais reconnu la responsabilité de cette bavure ni exprimé un quelconque regret. Pire encore : les gars qui étaient à bord de ce bateau ont reçu des médailles. Des médailles ! Pour conduite exceptionnelle. Pas mal comme gifle en pleine poire, non ? Bush senior, à l'époque le vice-président de Reagan, a déclaré : « Jamais je ne m'excuserai au nom des États-Unis d'Amérique. Jamais. Je me contrefiche de la réalité des faits. »

— Les nobles paroles, mesurées, d'un véritable homme d'État, commenta Tess avec une ironie amère.

— Et on se demande pourquoi des dingues comme leur actuel président font un tel tabac quand ils nous descendent en flammes et nous traitent de « Grand Satan »… Cela dit, ils ont pris leur revanche, ajouta-t-il après un silence.

— Quand cela ?

— Le 747 de la Pan Am qui a explosé au-dessus de Lockerbie.

— Mais je croyais que c'étaient les Libyens qui avaient fait le coup ! s'étonna Tess. Deux de leurs agents ont bien été condamnés pour cette affaire, non ? L'un d'eux serait même en train de mourir d'un cancer, si je me souviens bien.

— Il n'est pas du tout en train de mourir. Tu peux oublier tout ce que tu as lu dans les journaux. Les Iraniens étaient bel et bien derrière tout ça.

La jeune femme en resta silencieuse une longue seconde.

— Ils vous donnent des cours d'histoire à Quantico ou quoi ? demanda-t-elle enfin.

— On peut dire ça, répondit Reilly avec un rire amer. Mais pas sur ces sujets. Ce serait une drôle d'idée d'étaler son linge sale devant de jeunes agents, par définition impressionnables, durant leurs classes, non ? Pas vraiment motivant.

— Qu'est-ce qui peut l'être, alors ?

— Là-dessus, fais-moi un peu confiance. L'Iran est un sujet chaud bouillant en ce moment. La priorité numéro un. Et j'ai besoin de savoir très précisément à qui on a affaire, en particulier à un moment où ils sont en train de se confectionner quelques bombinettes atomiques.

Tess en prit bonne note.

— Mais alors quel effet cela fait de savoir que les charognes que l'on pourchasse le sont devenues à cause de nous ? demanda-t-elle au bout d'un moment.

Reilly haussa les épaules.

— L'histoire n'est qu'une longue série de pays qui se mêlent des affaires d'autres pays. À cet égard, nous sommes aussi coupables, mais pas plus, que n'importe qui, et cela continue. Mon job consiste donc en bonne partie à essayer de gérer les répercussions des bavures commises par d'autres, en général les petits génies qui ont la haute main sur notre politique étrangère. Mais ça ne change rien au fait que nous devons éliminer les salopards du genre de notre ami iranien. Il faut le faire, et je le fais sans aucun état d'âme. D'accord, ce type a sans doute beaucoup de choses à nous reprocher, c'est peut-être nous qui avons fait de lui ce qu'il est devenu, en l'occurrence une putain d'ordure, mais ça ne change rien à ce qu'il est aujourd'hui, ni ne justifie ce qu'il a fait.

Tess réfléchit, sourcils froncés.

— Tu crois qu'il aurait perdu des membres de sa famille dans cet avion ? dit-elle enfin.

— Ça se pourrait bien. L'événement date de 1988. Il y a vingt-deux ans. Mettons qu'il ait dans les trente, trente-cinq ans. Il aurait eu une dizaine d'années à l'époque. Pas un âge génial pour devenir orphelin, si c'est bien ce qui s'est passé. Ça suffirait à donner la haine à n'importe qui.

— On peut le dire.

Elle se représenta l'Iranien, encore enfant, apprenant que ses parents ou ses frères et sœurs avaient été tués. Puis elle songea à sa fille, Kim, et essaya de l'imaginer dans la même situation. Une idée lui passa alors par la tête et chassa de son esprit cette vision sinistre.

— J'y pense, vous devez bien avoir un bordereau des passagers de ce vol ? Une liste des victimes ?

— Il y en a une, en effet. On s'en est servi pour indemniser les familles. Mais arriver à savoir qui, parmi les victimes, a laissé un fils, dans un pays avec lequel nous n'avons plus de relations diplomatiques risque d'être un vrai casse-tête.

— Donc le fait de détenir cette information ne peut pas nous permettre de trouver qui il est ?

— Sans doute pas.

— Tu me sembles bien pessimiste.

Reilly haussa une fois de plus les épaules, se rappelant ses réflexions dans la voiture, quand Ertugrul était venu les prendre à l'aéroport.

— Depuis Ajax, chaque fois que nous avons eu à affronter les Iraniens, c'est nous qui avons perdu. L'histoire de notre ambassade à Téhéran. Celle des hélicos dans le désert, ou celle des otages à Beyrouth. L'Irangate. Les insurgés en Irak. À tous les coups, c'est eux qui ont gagné.

— Mais cela ne se passera pas comme ça cette fois, fit Tess, essayant d'y croire.

— Bien dit, approuva-t-il en l'attirant à lui.

Elle se blottit contre sa poitrine, l'écouta respirer, et quelque chose s'éveilla en elle. Une rage, une résolution, un désir irrépressibles. Elle se redressa et se tourna pour lui faire face, puis se rapprocha et planta un baiser sur sa bouche avant de glisser sa jambe autour de lui.

— Hé là, marmonna-t-il.

— La ferme, répliqua-t-elle sur le même ton.

— Mais qu'est-ce que tu fais ?

— Qu'est-ce que tu crois ?

Ses doigts étaient occupés à défaire la ceinture de son compagnon.

— On est censés garder notre énergie, parvint-il à articuler entre deux baisers fougueux.

— Alors arrête de parler, souffla-t-elle en entreprenant de baisser son propre pantalon.

— Tess… commença Reilly.

Elle l'interrompit, serrant son visage dans ses mains.

— Si on doit mourir ici tous les deux, lui murmura-t-elle à l'oreille avec dans la bouche le goût salé d'une larme solitaire qui venait de glisser le long de sa joue, je veux que, pour moi, ce soit en sachant que tu me fais un grand sourire. Même si je ne peux pas le voir.

47

Reilly fut le premier à s'éveiller.

Le silence qui l'entourait était au-delà du réel, et il lui fallut un moment pour reprendre conscience de l'endroit où il se trouvait. Il sentait Tess, endormie à côté de lui sur le sol dur, l'entendait respirer régulièrement, calmement. Il ignorait combien de temps s'était écoulé depuis qu'ils s'étaient endormis dans les bras l'un de l'autre, et n'avait aucune idée de l'heure qu'il pouvait bien être.

Il se redressa lentement, tournant la tête de gauche à droite et inversement pour chasser la raideur de sa nuque, conscient que le moindre bruit – frottement du tissu, minuscule raclement de sa chaussure sur le sol – était démesurément amplifié. Ce qui rendait la chambre d'isolement naturelle dans laquelle ils se trouvaient d'autant plus perturbante. Il se frotta les yeux puis regarda autour de lui, par instinct plus que par nécessité étant donné les ténèbres impénétrables qui l'entouraient, et remarqua alors quelque chose d'étrange. Quelque chose qui lui avait échappé jusqu'alors.

Un étrange chatoiement dans l'atmosphère, une sorte de phosphorescence flottant sur les parois de la grotte. À peine visible, vague et fantomatique. Il se demanda si celle-ci existait réellement, ou s'il s'agissait d'une simple réaction rétinienne, résultat possible d'une privation absolue de lumière. Il cligna des yeux à plusieurs reprises, pour chasser cette éventuelle fatigue oculaire, puis se concentra de nouveau sur la paroi qui lui faisait face.

Elle était bel et bien là.

Une lueur spectrale. Provenant de l'extérieur.

Une bouffée d'espoir l'envahit. Il se leva et, les bras tendus devant lui pour éviter de heurter quelque chose, traversa la grotte à pas lents. La lueur était trop faible pour lui permettre de voir où il mettait les pieds, mais il se sentait un peu plus à l'aise avec que sans. Elle semblait provenir d'un tunnel débouchant dans la salle et qu'ils avaient pourtant vérifié, pour autant qu'il s'en souvenait. Il se courba et progressa lentement dans l'étroit passage, tâtant de ses doigts écartés les parois de chaque côté.

Ceux-ci finirent par trouver une ouverture dans celle de gauche : un trou rond, d'un mètre de diamètre environ, à hauteur de taille. La lumière paraissait en émaner. Reilly palpa son rebord, l'explorant au toucher. Celui-ci était large d'une cinquantaine de centimètres. Au-delà, le vide. Un espace vide vers le bas, mais aussi vers le haut.

Un conduit de ventilation.

Reilly se pencha à l'intérieur pour y voir de plus près. De la lumière – de la lumière du jour – filtrait indiscutablement du dessus. Mais il y avait autre chose. Du bruit, venant du dessous. Le doux murmure de l'eau. Pas un flot bouillonnant. Plutôt le friselis d'un ruisseau.

S'extirpant de la cavité, il s'accroupit, tâtonna sur le sol. Il trouva un caillou rond, de la taille d'une prune, qu'il ramassa. Puis il passa de nouveau son buste dans l'ouverture, tendit le bras au-dessus du vide et lâcha son caillou. Deux secondes après, sans qu'il ait rebondi sur un coude quelconque, celui-ci heurta la surface de l'eau avec un petit bruit bien net que répercuta l'écho.

Reilly comprit qu'il était tombé sur un puits qui, dans sa partie supérieure, faisait sans doute office de conduit de ventilation, et se dit que le soleil devait occuper une position permettant à ses rayons de l'éclairer avec assez de puissance pour parvenir jusqu'au tunnel dans lequel il se trouvait. Si tel était bien le cas, cela signifiait que la lumière ne demeurerait pas éternellement. Il tenta de se représenter mentalement la façon dont tout cela était organisé. Durant leur exploration infructueuse, Tess lui avait parlé des systèmes très élaborés de ventilation et de récupération d'eau des cités souterraines, permettant aux populations fuyant les envahisseurs d'y rester cachées pendant de longues périodes. Les conduits de ventilation descendaient jusqu'aux tréfonds du complexe et étaient à peine assez larges pour qu'un adulte y passe en rampant. Ils étaient en outre équipés de grilles et de pointes destinées à refouler tout hôte indésirable, et avaient été conçus pour fournir d'amples réserves d'eau potable, impossibles à tarir ou à souiller depuis l'extérieur. Les occupants avaient donc creusé des puits alimentés par des ruisseaux souterrains, ainsi que d'autres, collectant l'eau de pluie depuis la surface, les deux systèmes étant bien camouflés pour empêcher les ennemis de s'y introduire ou d'y déverser du poison.

Reilly réfléchit. Était-il capable d'atteindre la surface par un conduit de ventilation ? Il en doutait. D'un autre côté, Tess lui avait dit que les puits des cités souterraines étaient en général reliés entre eux via un système de canaux. Or, en cette période de l'année – le plein été –, le niveau des eaux en sous-sol était sans doute assez bas, ce qui, estima-t-il, rendait l'opération jouable : peut-être, mais seulement peut-être, pourrait-il emprunter le puits pour accéder à une autre partie du complexe qui, elle, ne serait pas fermée au monde extérieur.

Il réveilla Tess et lui fit part de sa découverte. La lueur avait presque disparu, certainement à cause du changement de position du soleil. Ils devaient donc se décider sans tarder.

— Je passerai le premier, dit Reilly. Toi, tu tends l'oreille pour le cas où de l'aide nous parviendrait de l'extérieur par les tunnels.

La jeune femme l'arrêta en lui prenant le bras.

— Non, reste. Il y a de l'eau là-dessous. Et si tu ne pouvais pas remonter ?

— On n'a pas le choix, répliqua-t-il avec un petit sourire sceptique que sa compagne ne pouvait heureusement pas voir. Nous sommes en été, et qui dit été dit étiage.

— Bien vu, mon gars, mais tu oublies la fonte des neiges.

— Ça devrait aller, l'apaisa-t-il.

Tess plissa le front.

— Et les codex ? s'inquiéta-t-elle. S'il y a de l'eau, ils pourraient être endommagés. Irrémédiablement.

— Eh bien, on les laissera ici.

— Au risque de ne plus jamais les retrouver ?

Reilly caressa la joue de sa compagne.

— Qu'est-ce qui est le plus important ? Ta vie, ou ces bouquins ?

467

Elle ne répondit pas, mais il devina qu'elle hochait la tête en signe d'assentiment. Puis son ton retrouva toute sa gravité :

— Et si tu n'arrives pas à retrouver ton chemin jusqu'ici ?

Cela demandait en effet réflexion. Elle avait raison. Il se rappela alors quelque chose : la solution se trouvait sur la paroi, derrière elle.

— Le câble électrique. Aide-moi à le retirer.

Toujours tâtonnant dans les ténèbres, ils passèrent dans les tunnels et les salles des alentours proches, arrachant un maximum de câble électrique – pas loin de deux cents mètres en tout –, dont ils nouèrent les différents tronçons.

Reilly en saisit une extrémité, qu'il attacha aux fixations d'une des lampes, sur la paroi. Il tira dessus, fort. Rien ne bougea : la fixation paraissait assez solide pour supporter son poids, et le câble était résistant. Seul point faible : la roche tendre à laquelle le système d'éclairage était accroché. Impossible de savoir si elle tiendrait le coup ou si elle finirait par s'effriter.

Sans s'attarder sur la question, il balança le gros rouleau de câble dans les profondeurs du puits, après quoi Tess lui tendit le combiné pic-pelle qu'elle avait tiré du sac à dos de l'Iranien.

— Tu as le pistolet, lui dit Reilly. Sers-t'en en cas de besoin.

La jeune femme fit « oui » de la tête, manifestement toujours inquiète de le voir partir. Elle l'embrassa longuement avant qu'il grimpe sur le rebord du puits.

— Je reviendrai, promit-il.

— T'as intérêt, répliqua-t-elle, le retenant quelques secondes supplémentaires avant de finir par le laisser descendre.

La descente fut de celles qui forgent le caractère, pour reprendre les termes d'un des instructeurs de Reilly à Quantico. Exemplaire sur ce plan, interminable par ailleurs.

Il descendit lentement, très lentement, calculant soigneusement chacun de ses gestes, le dos arc-bouté contre une paroi, bras et jambes prenant appui sur l'autre côté de l'étroit conduit, tous ses muscles mobilisés.

La remontée, si remontée il y avait, promettait de ne pas être une partie de plaisir.

Le tunnel ne s'élargit pas, ce qui lui permit de le descendre ainsi tout du long jusqu'à ce que son pied atteigne l'eau après ce qu'il estima être une centaine de mètres. Il s'immobilisa un instant, retenant son souffle, hésitant. Impossible de se faire une idée de la profondeur du canal. S'il lâchait sa prise sur le câble et se laissait tomber, et si le canal était trop profond pour qu'il y tienne debout, il courait le risque d'être entraîné par le courant et de se noyer.

Mais il n'avait guère le choix...

Serrant toujours le câble à deux mains, il glissa lentement le long de la paroi du puits, ses jambes continuant d'y prendre appui jusqu'au dernier moment. Le câble tint bon. Il poussa un « ouf » de soulagement en s'enfonçant dans l'eau. À sa grande surprise, celle-ci était glacée. Il s'en étonna d'autant en pensant à l'extrême chaleur qui régnait dehors, puis sourit en se souvenant de ce qu'avait dit Tess à propos de la fonte des neiges.

Il se laissa ainsi descendre jusqu'à ce que l'eau atteigne ses aisselles, sentit presque aussitôt ses pieds toucher quelque chose : le fond du canal.

— Je suis arrivé en bas ! Je peux me tenir debout !

— Tu vois quelque chose ? brailla Tess en retour.

Il regarda vers l'aval. La pâle lueur qui brillait à la surface de l'eau disparaissait dans le noir. Il se tourna de l'autre côté : il n'y faisait pas plus clair.

Son moral chuta d'un cran.

— Non ! cria-t-il, essayant de ne pas laisser paraître son découragement.

Tess resta silencieuse.

— Qu'est-ce que tu comptes faire ? demanda-t-elle au bout d'un moment.

S'étant dégagé du puits au-dessus de lui, il fit quelques pas vers l'amont, sans lâcher le câble. Il y avait un espace entre la surface de l'eau et la couverture du canal.

S'il avançait genoux pliés et tête baissée, il serait en mesure de remonter le courant, pendant un temps en tout cas. Il fit la même chose vers l'aval. Le plafond était moins élevé de ce côté et, au bout de cinq ou six pas, il disparaissait sous la surface de l'eau.

— Je vais essayer de voir si je trouve un autre puits un peu plus loin ! Ça me semble jouable vers l'amont !

Tess garda le silence quelques secondes avant de lui crier :

— Bonne chance, mon p'tit loup !

— Je t'aime ! lui lança-t-il en retour.

— J'en suis à me demander si ça ne valait pas le coup de nous fourrer dans ce pétrin juste pour t'entendre me dire ça ! fit-elle en riant.

Tirant le câble à lui, il en noua l'extrémité autour de sa taille et entreprit de progresser le long de la galerie.

Poli et usé par des siècles d'érosion, son fond de tuf tendre était lisse et glissant, de sorte que Reilly était obligé d'avancer avec un grand luxe de précautions ;

par ailleurs, si le courant n'était pas extrêmement fort, il n'en était pas moins présent. Ce n'était pas là cependant le plus difficile. En effet, il devait garder les bras en l'air pour toucher la couverture du canal afin de ne pas passer à côté de l'ouverture éventuelle d'un autre puits. Il faillit perdre l'équilibre à deux reprises du fait de cette position inconfortable, mais cet inconvénient perdit toute importance quand le plafond du canal s'abaissa d'un coup, au point de l'obliger à s'arrêter net, s'il ne voulait pas mettre la tête sous l'eau.

Plus d'air du tout.

Reilly resta un moment sans réaction, gelé, épuisé, doigts des mains et des pieds endoloris après les efforts constants qu'il leur avait imposés. Il fixa les ténèbres du regard, se demandant ce que cela impliquerait s'il allait retrouver Tess sans avoir découvert le moyen de les sortir de là. Il jura intérieurement, brûlant d'envie de hurler sa rage et de taper du poing contre les parois, mais il se contint, inspira et expira profondément à plusieurs reprises pour recouvrer son calme.

Il refusait de s'avouer vaincu.

Il existait sûrement un moyen de se sortir de là.

Pas question de décevoir Tess. Ni de laisser l'Iranien l'emporter.

Il devait absolument insister.

Il emplit ses poumons d'air et expira à deux reprises avant d'inspirer profondément, de retenir son souffle et de s'accroupir sous l'eau. Il essaya de regarder devant lui, l'eau glaciale lui brûlant les yeux, avant de se donner des deux pieds une grande impulsion et de commencer à nager à contre-courant. Il lutta ainsi un moment, bras et jambes repoussant furieusement l'eau, tout en lançant de loin en loin une main au-dessus de sa tête pour toucher le haut du conduit, dans l'espoir d'y trouver une ouverture et, avec elle, une nouvelle poche d'air. Puis sentant ses poumons sur le point d'exploser, il fit demi-tour, comptant le nombre de ses brasses, avant de retrouver l'air qu'il venait de quitter et d'en avaler goulûment une longue gorgée.

Il resta un long moment sans bouger, reprenant peu à peu son souffle, réfléchissant.

Il avait eu l'impression que le toit du chenal gagnait légèrement en hauteur avant qu'il décide d'abandonner. Le problème était qu'il existait un point de non-retour s'il s'aventurait dans ce conduit, et il avait absolument besoin de savoir où celui-ci se situait exactement. À un moment donné, une décision s'imposerait : revenir en arrière, ou continuer, sachant que, s'il optait pour cette deuxième solution, il risquait de manquer d'oxygène avant d'avoir atteint la poche d'air. Il décida alors de tester sa capacité à rester sous l'eau sans respirer. Il emplit une dernière fois ses poumons d'air avant de plonger sous la surface, sans bouger mais en s'imaginant en train de nager, évaluant le nombre de brasses qu'il pourrait faire avant d'être obligé de remonter.

Il estima ce nombre à seize. Ce serait sans doute moins en réalité, compte tenu de la résistance de l'eau. Il s'en tint donc à quatorze. Ce qui signifiait qu'au bout de sept brasses – voire huit ou neuf, le retour prenant moins de temps dans la mesure où il nagerait avec le courant et non contre lui –, il devrait trancher : poursuivre, au risque de se noyer, ou faire demi-tour. Il avait fait cinq ou six brasses lors de sa première tentative, avant de réussir, tout juste, à retrouver l'air libre, et se dit en conséquence que son calcul avait de bonnes chances d'être le bon.

Il remonta le courant et s'arrêta à l'endroit précis où le haut du canal disparaissait sous l'eau. Là, il s'accroupit, les genoux écartés, pencha la tête en arrière jusqu'à ce que son front frotte contre le tuf du toit, s'octroya un bref répit pour permettre à ses muscles de se préparer à ce qui allait suivre, puis inspira par trois fois, n'expira pas la troisième, et plongea.

Il essaya cette fois d'avancer plus vite, effectuant des mouvements plus puissants, sans rechercher dans un premier temps une poche d'air qu'il savait inexistante. Tout en se battant contre le courant, et toujours plongé dans les ténèbres les plus absolues, il comptait chaque brasse dans sa tête.

Les battements de son cœur s'accélérèrent lorsqu'il effectua la sixième.

Puis la septième.

Et la huitième.

Il leva alors la main, toucha le plafond sans crever la surface de l'eau. Toujours pas d'air au-dessus de lui.

Il devait faire un choix. Dans la seconde. Continuer ou faire demi-tour. S'il avait cru sentir que le sommet du canal s'élevait un peu lors de sa tentative précédente, il n'en était maintenant plus si sûr. Trop de paramètres s'agitaient dans sa tête.

Neuf brasses.

Dix.

Il continua.

48

Ses poumons étaient en feu.

Il lui suffisait peut-être de faire cinq ou six brasses supplémentaires pour retrouver l'air libre. Il pouvait y parvenir, à condition de garder son sang-froid. Mais la conscience qu'il risquait de se noyer, du laps de temps très limité qui lui restait, était loin d'y contribuer. Au contraire, elle saturait son corps d'adrénaline, accélérait son rythme cardiaque au point de lui donner l'impression que ses poumons allaient exploser.

L'espace d'une fraction de seconde, Reilly s'imagina à quoi ressemblait la noyade, mais il repoussa instantanément cette pensée et battit des jambes plus énergiquement, nageant plus vite encore. Sa main glissait toujours sur le plafond lisse du chenal, cherchant désespérément le salut. Un moment, il eut l'impression que le plafond en question s'élevait quelque peu, presque imperceptiblement, mais suffisamment pour lui redonner espoir, l'inciter à se battre encore plus fort contre l'élément liquide. Et c'est alors qu'il sentit une résistance, quelque chose qui le tirait en arrière.

Le câble qui ceignait sa taille. Il était arrivé au bout.

Frénétiquement, ses mains entreprirent alors de défaire le nœud, tirant, poussant furieusement jusqu'à ce qu'elles parviennent à le libérer de son emprise. Il rejeta le câble sur le côté et repartit de l'avant, mais la réalité s'imposait désormais : il allait mourir, sa détermination menait un combat d'ores et déjà perdu contre le besoin qu'avaient ses poumons d'y laisser pénétrer quelque chose, n'importe quoi, fût-ce de l'eau glacée.

Il sentit le sang affluer à sa tête, un affolement total qui électrisait tous ses neurones, annihilant toute pensée, et bien qu'il ne fût pas prêt à abandonner, bien que son désir de rester en vie fût toujours aussi vif, il sentit que c'était plus fort que lui, plus fort que tout ce qu'il était capable de surmonter – et en cet instant de pure panique, en cet instant où sa vie semblait sur le point d'être submergée par un afflux de neige fondue, quelque chose arriva jusqu'à son cerveau, un signal, en provenance de l'extrémité de ses doigts, qui au milieu de toute cette terreur lui laissa entrevoir un petit rayon d'espoir.

Quelque chose de frais.

La fraîcheur de l'air sur sa peau mouillée.

Ses doigts étaient à l'air libre.

Cette sensation lui fit l'effet d'un électrochoc et l'incita à se propulser encore plus vite. Il avança de deux pas, sa main tâtant frénétiquement le toit du tunnel, l'eau qui coulait toujours de part et d'autre lui brouillant les sens, le visage tourné vers le haut, fixant avec désespoir le noir d'encre au-dessus – et c'est alors qu'il se redressa. Impossible de tenir une seconde de plus. Il leva furieusement la tête vers la surface, le visage penché de côté, espérant qu'il ne se cognerait pas contre le roc.

Il trouva de l'air. La poche n'occupait guère plus de quelques centimètres, mais c'était suffisant. Il inspira furieusement, laissant l'air pénétrer en hurlant dans ses poumons, toussant et crachant, grisé par l'oxygène et l'exultation.

Il ne fit pas un geste, le temps d'une minute ou deux. Il laissa simplement son cœur se calmer, ses poumons se gorger d'air, la tension abandonner progressivement ses muscles. Quand il se sentit de nouveau dispos, il avança de quelques pas vers l'amont, vérifiant toujours de la main la hauteur du plafond. Celui-ci gagnait en hauteur, lentement mais sûrement. Et au loin, comme pour le féliciter d'avoir passé une sorte de test mis au point par quelque professeur particulièrement sadique, un halo de lumière spectrale l'invitait à le rejoindre, à une trentaine de mètres de là, en amont.

S'introduire dans le conduit fut la partie la plus délicate de l'épreuve.

Reilly se servit du pic pour s'y hisser, ce qui lui fut d'autant plus pénible que ses vêtements trempés augmentaient sensiblement son poids. Ses premières tentatives se soldèrent ainsi par autant d'échecs, le tuf tendre dans lequel il plantait son outil s'effritant sous sa masse et le faisant retomber dans l'eau avec force éclaboussures. Il finit néanmoins par le ficher dans une partie plus résistante.

Tel un papillon de nuit attiré par la lumière, il progressa lentement et se retrouva bientôt dans un passage similaire à celui où il avait laissé Tess. Ayant trouvé le câble au mur, il le suivit dans une direction, puis dans l'autre jusqu'à ce qu'il tombe sur des marches qui menaient vers le haut.

Vers le haut…

Il revint sur ses pas jusqu'au débouché du conduit, arracha le câble de la paroi voisine – celui-ci lui servirait de repère pour le retour –, après quoi il fit demi-tour et, se guidant sur les câbles, franchit un nombre apparemment infini de salles et de passages, brisant les lampes à l'aide de son pic afin de retrouver facilement son chemin par la suite. C'est alors qu'elle apparut, laissant d'abord pressentir sa présence, puis grossissant rapidement, assez pour lui permettre de voir les grottes dans lesquelles il progressait : la glorieuse lumière du soleil, vive, brillante, engageante.

Il émergea dans un canyon qu'il ne reconnut pas. Il n'y avait pas âme qui vive, rien qu'un paysage nu, désolé, identique à celui qu'ils avaient traversé avant de pénétrer dans la cité souterraine – de nouveau ces concrétions rocheuses ressemblant à d'énormes incisives renversées, ces collines évoquant des meringues –, mais il s'agissait bien d'une autre gorge, il en avait la certitude. Il se servit de son pic pour marquer d'un grand X l'entrée de l'habitation troglodyte d'où il venait d'émerger puis, veillant à noter mentalement chaque virage et laissant de la pointe de son pic des repères à chaque tournant, il reprit sa marche d'un pas mal assuré, cherchant quelqu'un susceptible de lui venir en aide.

Une mule solitaire, attachée à un piquet fiché dans le sol, interrompit son errance. Puis le raclement d'une gorge ajouta à sa perplexité.

— *Merhaba, oradaki.*

Il s'arrêta et regarda autour de lui. Personne…

— *Işte burada. Buradayim*, reprit la voix.

Continuant tout droit, il aperçut un vieillard assis au milieu de nulle part, perché sur une chaise en bois bancale dans une petite chapelle en plein air, creusée à même la paroi rocheuse. L'homme lui faisait signe de son bras frêle. Sur la table à côté de lui étaient alignées quelques canettes de soda ; une bouilloire en fer-blanc était posée non loin sur un petit réchaud à gaz.

Le vieillard lui adressa un sourire pratiquement édenté.

— *Içmek için birşey ister misiniz, efendi ?* demanda-t-il, désignant les canettes sur la table.

Reilly secoua la tête et fixa l'homme une longue seconde, avec une curiosité non dissimulée, s'assurant qu'il était bel et bien là, qu'il ne s'agissait pas d'une chimère créée par son cerveau épuisé, puis il se précipita vers lui.

Il lui fallut trois heures supplémentaires pour retrouver Tess. Il avait emmené de l'aide avec lui, sous la forme du fils du vieil homme, de deux de ses petits-fils, de gros rouleaux de corde et de quelques lampes torches.

Il avait été incapable d'expliquer où il l'avait laissée, et pour cause : il l'ignorait. Le moyen le plus sûr pour la retrouver avait consisté à revenir sur ses pas. Grâce aux autochtones, l'expédition s'était révélée nettement plus aisée qu'à l'aller. Le seul passage délicat avait été le franchissement de la partie submergée du canal ; un simple seau, renversé telle une cloche de plongeur, avait pallié la difficulté. Reilly s'était également muni de la seule chose dont il savait que Tess prendrait plus de plaisir à la voir que son visage à lui : un sac plastique, assez grand pour être fermé hermétiquement. Afin de maintenir au sec les codex, ainsi que le document d'Osius.

Le sourire qu'elle arbora en voyant le sac lui confirma qu'il avait vu juste.

Ça, c'étaient les bonnes nouvelles.

Les mauvaises leur furent confirmées lorsqu'ils retournèrent enfin à l'entrée de la citadelle souterraine, là où ils étaient passés pour y pénétrer.

Abdülkerim était bel et bien mort. Quant à l'Iranien, il avait disparu.

49

Peu de temps après, le canyon grouillait de policiers.

La *jandarma* était en état d'alerte depuis la veille, et le coup de téléphone du vieil homme au policier local avait précipité leur venue. Ils étaient donc arrivés en nombre mais n'avaient pas pu faire grand-chose. Les barrages routiers qu'ils avaient rapidement mis en place n'avaient pas permis d'arrêter l'Iranien : la cavalerie était arrivée trop tard.

La série de mauvaises nouvelles – ou plus précisément leur confirmation – se poursuivit : tout comme Ertugrul et Keskin, la plupart des commandos étaient morts. Les troupes déployées sur zone, ulcérées après le bain de sang de la veille, là-haut dans les montagnes, ne rêvaient que de vengeance, mais sans trouver de quoi l'assouvir. Elles en furent donc réduites à faire transporter à la morgue le corps d'Abdülkerim et à boucler les différentes entrées de la cité souterraine, en attendant l'arrivée d'un spécialiste en déminage qui désamorcerait le détonateur inséré dans la ceinture piégée qu'avait portée Tess, à condition bien sûr qu'on remette la main dessus.

Un avis d'alerte urgent fut envoyé aux policiers locaux ; il leur était demandé de contacter tous les médecins et tous les établissements hospitaliers de la région : pour autant que Reilly avait pu en juger, la blessure de l'Iranien n'était pas superficielle. Il en savait assez sur le sujet pour être certain qu'elle ne serait pas facile à soigner : si la plaie n'était pas convenablement aseptisée, si la fracture n'était pas réduite et enfin si des antibiotiques ne lui étaient pas rapidement administrés, l'Iranien risquait fort de perdre en partie l'usage de sa main. Pour éviter d'être estropié d'une manière irréversible, il lui faudrait trouver un dispensaire bien équipé et un chirurgien confirmé.

L'éventualité d'une analyse par les autorités turques des codex retrouvés par Tess ne fut pas évoquée. Et pour cause : Tess ne leur avait pas parlé de sa petite expédition dans l'église troglodyte. Elle avait insisté auprès de Reilly pour que cette partie de son odyssée soit passée sous silence lors de sa séance de débriefing, et ce dernier avait donné son accord.

Après avoir réglé toutes sortes de formalités, et dans l'attente de nouvelles instructions, on les conduisit à un hôtel proche. Celui-ci, un établissement de quinze chambres enchâssé dans une falaise dominant une petite rivière, avait été bâti sur les ruines d'un monastère. Salles et dortoirs avaient été convertis en chambres d'hôtes, les niches des couloirs transformées en vitrines exposant les curiosités archéologiques du lieu. Tess et Reilly se virent attribuer une chambre qui avait été une chapelle. Les derniers rayons du soleil passant par l'unique et minuscule fenêtre baignaient la pièce d'une lumière intemporelle, qui laissait entrevoir les restes des fresques millénaires ornant ses murs aux moulures particulièrement décoratives. Tess avait regimbé à l'idée de passer une nuit de plus dans un lieu rappelant de près ou de loin une grotte, mais les charmantes attentions du propriétaire de l'hôtel et le délicieux fumet du sauté d'agneau aux tomates et haricots blancs mitonné par son épouse avaient rapidement eu raison de ses réticences.

Ravitaillé en permanence en café turc odorant et sucré, Reilly passa près d'une heure dans le bureau du propriétaire, en conversation téléphonique avec Jansson, Aparo et une poignée d'autres agents rassemblés dans une salle de conférences de l'immeuble de Federal Plaza, dans le bas de Manhattan.

Les nouvelles n'étaient pas fameuses mais, cette fois encore, Reilly ne s'attendait guère à ce que ses collègues lui en donnent de bonnes. Les événements en cours n'étaient pas de leur ressort. Si l'Iranien devait se faire pincer, ce serait grâce aux efforts des autorités turques, et non à ceux du FBI. Ils n'avaient aucun information intéressante à confier à Reilly concernant les bombes du Vatican ou l'attaque contre le Patriarcat à Istanbul, et ils ne voyaient pas la nécessité de faire appel à un autre drone, en tout cas pas avant d'avoir retrouvé un début de piste concernant l'endroit où se trouvait l'Iranien.

Ils lui firent pourtant part d'une information inédite : un corps avait été découvert en Italie, non loin d'une station balnéaire, dans les montagnes de l'arrière-pays. Après identification, il s'était révélé être celui d'un fonctionnaire en poste dans un petit aérodrome situé à l'est de Rome, à environ une heure et demie de route. Le cadavre de l'homme ne ressemblait en rien à ce que les autorités du lieu avaient vu jusqu'alors. « Traumatismes corporels extrêmes » était un euphémisme. Tous les os de son corps avaient été tout bonnement pulvérisés. Les autorités avaient conclu que l'homme avait dû tomber d'une grande hauteur, soit d'un hélicoptère, soit d'un avion. Tomber ou, plus probablement, être précipité.

Étant donné la proximité de l'aérodrome en question avec Rome, elles avaient relié cette affaire à celle des attentats du Vatican. Ce qui, estima Reilly, était plus que vraisemblable.

Reilly leur fit part de ce que l'Iranien avait raconté à Tess sur l'opération Ajax et l'affaire de l'avion abattu. Il ne fut pas étonné d'avoir à expliquer de quoi il retournait à la plupart des participants à la conférence téléphonique. Jansson l'assura qu'il vérifierait les données disponibles concernant le manifeste des passagers de l'avion abattu.

— Tu devrais revenir au bercail, conclut Jansson. On dirait que notre gus s'est planqué pour un bout de temps. Qui sait où et quand il refera surface ? En attendant, il n'y a rien que tu puisses faire de plus sur place. Laisse donc les Turcs et Interpol reprendre les rênes et faire leur job.

— Ouais, grogna Reilly.

Il était trop épuisé pour discuter et même si l'idée d'abandonner la traque lui faisait horreur, il savait que son supérieur avait sans doute raison. À moins qu'un événement nouveau ne se produise, il n'y avait pas grand-chose qu'il puisse faire pour justifier qu'il s'incruste dans les parages.

— Rentre à Istanbul, lui conseilla le directeur adjoint de l'antenne de New York. On va demander à l'ambassade de te trouver un moyen de transport.

— Veille à ce qu'ils n'oublient pas Tess, lui rappela Reilly.

— OK. Je te verrai à ton retour. On a pas mal de choses à se dire, fit Jansson d'un ton un peu abrupt avant de raccrocher.

Reilly fit la moue : tout ça ne lui plaisait guère. À l'évidence, Jansson n'avait aucune intention de lui laisser la bride sur le cou dans son aventure en solitaire. Ce qu'il souhaitait, c'était reprendre son agent en main, et avec fermeté.

Reilly retrouva Tess dans leur chambre. La jeune femme sortait de la salle de bains, enveloppée dans une épaisse serviette. Un sourire radieux illumina son visage lorsqu'elle le vit, ce même sourire qui le touchait au plus profond et l'embrasait chaque fois. Malgré toutes les pensées qui se bousculaient dans sa tête, il eut soudain terriblement envie d'elle et se demanda si la meilleure chose à faire n'était pas de la prendre dans ses bras et de passer quelques jours au lit avec elle. L'attirant à lui, il l'embrassa longuement, avec fougue, se délectant de la douceur de sa peau sous ses doigts. Mais cela n'alla pas plus loin. Trop de choses le turlupinaient.

Tess dut le sentir.

— Vas-y, raconte, dit-elle.

Reilly alla chercher une canette de Coca dans le minibar et s'assit sur le lit.

— Il n'y a pas grand-chose de neuf. Notre coco a disparu. On ne sait rien de plus.

Tess eut une moue désabusée et expira lentement.

— Bon. Alors, que fait-on ?

— On rentre à la maison.

Elle écarquilla les yeux.

— Quand ?

— J'attends de leurs nouvelles. Ils nous envoient un avion pour nous ramener à Istanbul.

Tess hocha la tête. Puis elle laissa tomber sa serviette et, au lieu de le rejoindre sur le lit, tendit la main vers ses vêtements.

— Où vas-tu ?

Elle prit la lettre d'Osius et la montra à Reilly.

— Avant qu'on parte, je veux savoir ce qu'il y a là-dedans.

Il la regarda d'un air navré.

— Allons, Tess…

— Cool. Je vais juste voir si je peux trouver un ordinateur. Et peut-être aussi un scanner. Un peu d'aide ne sera pas de trop pour traduire ça.

Reilly la dévisagea un long moment avant de secouer la tête et de lancer, exaspéré :

— Mais qu'est-ce que tu as avec ces foutus bouquins ? Je t'ai déjà parlé de mon ami Cotton Malone ?

— Non.

Il s'adossa aux oreillers.

— Un agent remarquable. L'un des meilleurs. Il y a quelques années de ça, il décide qu'il en a marre des intrigues de couloir et qu'il a besoin de calme et de paix. Il quitte le service et s'installe à Copenhague, où il ouvre une librairie spécialisée dans les livres anciens.

Tess le regarda d'un air entendu.

— Et alors ?

— Alors ? Il a une bonne vie, maintenant.

— Je n'en doute pas, répondit Tess avec un sourire. Tu me le présenteras un jour, je suis sûre qu'il aura des tas de choses passionnantes à me raconter, notamment où il a déniché ce nom. En attendant, fit-elle en lui montrant le document tout en se dirigeant vers la porte de la chambre, j'ai ceci à traduire.

Reilly haussa les épaules et s'allongea sur le lit.

— Après tout, si ça t'amuse… dit-il en s'emparant d'un oreiller, décidant que son corps et son cerveau avaient bien mérité de s'octroyer un peu de repos.

— Sean, Sean, réveille-toi !

Il se remit brusquement sur son séant, clignant furieusement des yeux. Il s'était endormi sans même s'en rendre compte.

— Quelle heure est-il ? demanda-t-il d'une voix pâteuse.

— Aucune importance, répondit Tess, tout excitée en sautant à côté de lui sur le lit et en lui fourrant sous le nez les antiques feuillets. J'ai fait traduire ces lettres. Il semblerait qu'Osius les ait écrites de sa propre main. En 325, à Nicée. À la fin du concile.

Elle ne quittait pas Reilly du regard, ses yeux étudiant chacune de ses réactions, pour le moment inexistantes.

— Il les a écrites lui-même, Sean. Juste après la grande réunion.

Le cerveau de Reilly était toujours englué dans une brume épaisse.

— Bon, et alors…

Tess se pencha sur lui, murmurant :

— Je crois savoir ce qu'il y avait dans les coffres de Conrad.

50

Nicée, province romaine de Bithynie, 325 après Jésus-Christ

Le palais impérial était silencieux.

Le concile venait de s'achever. Après des mois de débats survoltés, il avait enfin débouché sur un compromis, conclu à contrecœur. Tous les participants avaient signé ce sur quoi ils s'étaient mis d'accord et ils repartaient maintenant dans leurs diocèses respectifs, qui en Orient, qui en Occident, tous territoires placés sous la coupe de l'empereur.

Constantin était fort aise.

Resplendissant dans sa robe de pourpre impérial, brodée d'un nombre impressionnant de fils d'or et constellée de bijoux – celle-là même qu'il portait le jour de l'ouverture des débats, lorsqu'il s'était adressé aux hommes d'Église présents, parfaitement conscient du respect mêlé de crainte que cet habit d'apparat leur inspirerait à coup sûr –, il regarda par la fenêtre la cité endormie et son visage s'éclaira d'un sourire.

— Je suis content, Osius, dit-il à son invité. Nous avons accompli beaucoup de choses en ce lieu. Et je n'aurais jamais pu y parvenir sans toi.

Osius, évêque de Cordoue, le remercia gracieuse-
ment d'un signe de tête depuis son siège, près de la
vaste cheminée où rugissait un grand feu. D'un naturel
doux et conciliant, l'ecclésiastique avait près de soixante-
dix ans. Les mois qui venaient de s'écouler avaient été
rudes pour tout le monde, mais plus particulièrement
pour lui, tant physiquement que psychologiquement.
Comme la quasi-totalité des hauts dignitaires de
l'Église, Osius avait souffert des persécutions des
empereurs romains. Sa peau ridée en portait encore les
stigmates. Mais tout avait changé avec Constantin : le
général en pleine ascension avait embrassé la foi chrétienne et, alors qu'il continuait de consolider son
emprise sur le trône, il avait ordonné qu'on mette un
terme à la répression dont l'Église était l'objet. Sa
réputation avait valu à Osius d'être invité à la cour
impériale, et il avait fini par devenir le conseiller ecclésiastique et spirituel du nouvel empereur.

Ils avaient parcouru bien du chemin depuis...

— Ces différends, commença Constantin. Arius,
Athanase, Sabellius et les autres, avec toutes leurs mes-
quines assertions... Le Christ était-il d'essence divine
ou était-ce une créature de ce monde ? Le Fils et le
Père ne font-ils qu'un, ou non ? Jésus était-il le fils de
Dieu, ou pas ?

Il s'interrompit et secoua la tête, furieux de ce qu'on
lui avait rapporté – il ne les avait pas vues de ses
propres yeux – de ces mosaïques ornant les églises
ariennes, où Jésus était représenté comme un homme
d'âge avancé, avec cheveux blancs et tout le reste y
afférent.

— Sais-tu quel est le vrai problème ? C'est que ces
hommes ont beaucoup trop de temps à consacrer à ce
genre d'interrogations, poursuivit-il, les dents toujours

serrées de colère. Ils ne se rendent pas compte que, outre qu'on ne peut y répondre, les questions qu'ils ne cessent de poser sont dangereuses. C'est pourquoi il fallait y mettre un terme avant qu'elles finissent par tout mettre à bas.

Constantin avait une excellence compréhension de ce qu'était le pouvoir.

Il avait déjà réalisé ce qu'aucun empereur avant lui n'avait réussi à accomplir : il avait unifié l'Empire. Avant son ascension, l'Empire romain était divisé en deux parties : l'empire d'Orient et l'empire d'Occident, chacun régi par son propre empereur. Les trahisons et les guerres pour le gain de territoires étaient incessantes. Constantin avait changé tout cela. Il avait pris le pouvoir grâce à sa ruse, à son sens peu commun des manœuvres politiques, et ce à l'issue d'une série de brillantes campagnes militaires : il avait défait les deux empereurs et s'était proclamé l'unique empereur d'Orient et d'Occident en l'an 324.

Mais son peuple demeurait divisé.

Outre les différences entre Orient et Occident, il avait à résoudre des conflits d'ordre religieux majeurs : païens contre chrétiens et, plus ennuyeux encore, chrétiens contre chrétiens. Car il existait des interprétations aussi nombreuses que diverses du legs du prêcheur qu'on appelait Jésus-Christ, et les disputes entre les différents groupes de convertis devenaient franchement violentes. On se renvoyait mutuellement au visage des accusations d'hérésie. Des incidents impliquant des actes de torture de plus en plus atroces se multipliaient. Thomas, évêque de Marash, avait offert un spectacle particulièrement épouvantable : on lui avait tranché le nez, les lèvres ainsi que les quatre membres ; quant à ses dents et ses yeux, ils avaient été arrachés.

Ses tortionnaires, chrétiens, l'avaient retenu prisonnier en Arménie durant plus de vingt ans, une mutilation supplémentaire lui étant infligée à chaque anniversaire de sa captivité.

Il fallait que cela cesse.

C'est la raison pour laquelle Constantin avait convoqué à Nicée tous les évêques et hauts dignitaires de l'Église à travers les territoires constituant son empire, pour y participer au premier concile œcuménique. Plus de trois cents prélats, accompagnés d'un nombre plus important encore de prêtres, diacres et autres chanoines, avaient répondu à l'appel de ses épîtres comminatoires. Seul l'évêque de Rome, le pape Sylvestre Ier, ne s'était pas déplacé, envoyant deux de ses légats les plus importants pour le représenter. Constantin ne se souciait guère de cette absence : il avait déjà beaucoup de choses à démêler, avec la présence des évêques d'Orient disposant de davantage d'autorité. Il s'était contenté de présider les séances, de manier son gros bâton pour les contraindre à s'asseoir tous ensemble, à débattre, à discuter sur la question de savoir qui était ou ce qu'était le Christ, ce qu'il avait accompli en réalité, à se houspiller sur la façon dont ils allaient bien pouvoir se partager les dépouilles de son très riche héritage et, au bout du compte, à tomber d'accord.

Sur tout.

Constantin était depuis longtemps conscient de l'irrésistible popularité de la foi chrétienne. Sa mère était une fervente croyante. Vingt ans plus tôt, il avait été témoin de la Grande Persécution décrétée par Dioclétien, quand l'empereur avait ordonné que toutes les églises de son empire fussent détruites, leurs trésors pillés, leurs saintes écritures brûlées. Tout cela avait été réalisé en suivant le conseil de l'oracle d'Apollon... et s'était soldé par un échec retentissant. Il avait vu l'impact considérable du message globalisant et plein d'espoir du Christ, et comment celui-ci s'était irrésistiblement répandu à travers l'Empire tout entier. Il savait que le fait de se présenter comme le meilleur défenseur de la foi chrétienne, plutôt que d'imiter ses prédécesseurs en la persécutant de plus belle, lui gagnerait nombre de partisans. Par ailleurs, les territoires lointains qu'il venait de conquérir étaient occupés par différentes tribus barbares, des Alamans aux Pictes et aux Wisigoths. Il devait trouver le moyen de les unifier.

Une religion commune à tous ferait parfaitement l'affaire.

Et cette religion, il l'avait compris, ne serait autre que le christianisme.

Il avait d'ailleurs eu l'occasion de découvrir que lui-même n'y était pas insensible.

Il songea à ce qui s'était passé lors de la bataille du pont Milvius, plus de dix ans auparavant, quand son armée avait défait celle de son beau-frère, l'empereur Maxence. Il avait été témoin de quelque chose dans le bref laps de temps qui avait précédé le grand affrontement. Quelque chose dans le ciel. Il était certain de l'avoir vu. Un signe, un monogramme constitué de deux lettres grecques superposées : un *chi* et un *rho*, les deux premières lettres du mot Christ. Cette nuit-là, il avait rêvé d'un homme – s'agissait-il du Christ en personne ? – lui enjoignant de partir au combat et de l'emporter au nom de ce signe. Il avait fini par ordonner que l'on peigne ce « christogramme » sur les étendards de ses troupes, et en avait été récompensé par une victoire stupéfiante qui lui avait attribué une bonne moitié de l'empire qu'il convoitait.

Et le signe avait continué à lui faire remporter d'autres victoires.

Constantin comprenait ce qu'était le pouvoir, mais il comprenait également la puissance du mythe. Fort versé dans la religion, il avait été entouré durant toute sa jeunesse de penseurs païens et chrétiens à Nicomédie, dans l'empire d'Orient. Comme tous ses pairs, il recherchait l'avis des oracles et avait la conviction ancrée que la piété religieuse apportait son lot de récompenses. Après cette bataille décisive, et au cours de toutes les campagnes qui avaient suivi, Constantin avait prétendu qu'une main divine l'avait aidé à arracher la victoire. Inspiré par les saintes écritures, il en était venu à se considérer comme un messie – un roi-guerrier, oint par Dieu pour régner sur le peuple qu'il avait unifié et le mener vers un âge d'or de paix et de prospérité.

In hoc signo vinces, en effet. *Par ce signe, tu vaincras*. Mais le pouvoir de ce message ne s'était pas limité à lui permettre de l'emporter sur un ennemi ; il lui avait également permis de conquérir le cœur et l'âme de son peuple. Et de ce point de vue, ç'avait été un véritable coup de génie.

— Nous devons protéger cette foi, Osius, dit-il au vieil évêque. Nous devons la sauvegarder et étouffer dans l'œuf tous les périls susceptibles de lui nuire avant qu'ils ne prennent de l'ampleur. Car cette foi est réellement inspirée par Dieu.

Il arpentait la pièce de long en large, les traits animés d'un profond zèle religieux, les bras battant l'air avec un enthousiasme sans réserve.

— Elle accueille tout un chacun et il est aisé de l'embrasser. Les nouveaux convertis n'ont pas besoin de bouleverser leur existence de fond en comble pour l'adopter. Ils n'ont pas besoin de refuser le mariage, de se préoccuper de savoir ce qu'ils peuvent et ne peuvent pas manger, ou de couper telle ou telle partie de leur virilité pour y être admis. Et l'organisation... La hiérarchie du clergé, les églises, la discipline – tout cela est parfaitement efficace pour rameuter des convertis et pour les discipliner. Mais, plus que tout, son inspiration divine se trouve dans son message, poursuivit-il en gratifiant son hôte d'un large sourire témoignant de son intense satisfaction. Le bien et le mal, le ciel et l'enfer, le paradis éternel et la damnation qui ne l'est pas moins ? Des récompenses dans la vie future pour donner de l'espoir à ceux qui n'ont rien dans celle-ci et les empêcher de se révolter ? Le péché et la nécessité de se tenir à l'écart de la tentation, tout cela géré par des hommes disposant de l'autorité divine et imprimé au fer rouge dans la conscience de chaque enfant depuis le jour de sa naissance ? C'est si brillamment échafaudé, fit-il après un gloussement de dérision, si extraordinairement efficace que cela n'a pu être conçu en rêve que sur intervention divine. Enfin, imagine... Tous ces gens, ces chrétiens... Mes prédécesseurs et mes rivaux les ont harcelés, les ont massacrés tout comme ils ont massacré Jésus il y a trois cents ans. Ils ont été persécutés, humiliés, mis aux fers, on leur a craché dessus, on les a laissés pourrir dans des culs-de-basse-fosse parce qu'ils refusaient d'adorer nos dieux païens et de procéder aux sacrifices qu'ils exigeaient. On leur a fait porter la responsabilité de toutes sortes de fléaux, de la famine aux inondations, on a violé leurs femmes, confisqué leurs biens... et pourtant ils n'en sont pas moins restés accrochés à leur foi. Et ils continuent de persévérer.

Il marqua une pause, s'émerveillant de la puissance du concept qu'il venait de décrire, avant de conclure :

— Voilà ce qu'est le pouvoir. Le vrai pouvoir. Et nous devons à toute force le protéger si nous voulons l'exploiter au maximum de son potentiel.

L'évêque espagnol se racla la gorge avant de prendre à son tour la parole :

— Vous avez fait beaucoup, Votre Majesté. Vous avez mis un terme à leur persécution. Vous les avez couverts de dons, d'exemptions de taxes, vous leur avez donné la chance de faire partie de la classe dirigeante, de prospérer et de répandre leur message.

— En effet, admit l'empereur, et cela fera de cet empire le plus grand de l'histoire de l'humanité. C'est pourquoi je ne peux pas permettre que ce message – cette vision – soit le moins du monde menacé. Ce doux révolutionnaire né il y a trois cents ans a fait de moi ce que je suis, il est l'instrument qui m'a permis d'unifier cet empire et de régner sur ce peuple avec un mandat que je tiens de Dieu Lui-même. Et il n'est pas question que je laisse quoi que ce soit faire courir le moindre risque à ce qui a été accompli. Ce serait non seulement tout à fait imprudent, mais aussi lourd de dangers pour nous tous.

Si le souverain pragmatique était préoccupé par les querelles qui agitaient les dignitaires de l'Église, l'homme profondément superstitieux qu'était Constantin n'était pas moins inquiet. Il craignait que les schismes frappant la chrétienté ne fussent l'œuvre du démon, et qu'une Église divisée fasse offense à Dieu et n'attire son courroux. Constantin se devait de contrecarrer l'ambition du diable. Il se voyait comme le successeur des premiers évangélistes, un homme dont la mission d'ordre divin consistait à protéger la chrétienté et à répandre la parole de Dieu jusqu'aux limites extrêmes de son empire, et au-delà.

Un treizième apôtre.

Il se devait de mettre un terme à ces luttes intestines.

C'est pour toutes ces raisons qu'il avait convié tous les évêques de son empire à se réunir à Nicée pour leur dire, sans ambages, qu'ils ne quitteraient pas le palais impérial avant d'avoir réglé leurs différends et de s'être accordés sur l'histoire qu'ils prêcheraient depuis leurs chaires respectives.

Une histoire unique.

Un dogme.

Plus de divergences.

Après des semaines de discussions acharnées, ils avaient finalement abouti à un consensus. Ils étaient tombés d'accord.

Ils tenaient leur histoire.

Toujours assis près du feu, Osius resta silencieux un long moment, étudiant l'empereur. Puis il se lança, d'une voix hésitante :

— Il reste un dernier point à débattre, Votre Majesté.

Constantin se tourna vers lui, interrogateur :

— Ah bon ?

— Les textes, fit Osius. Que souhaitez-vous qu'on en fasse ?

L'empereur fronça les sourcils. Les textes... Ces œuvres infernales à l'origine de toute cette discorde. Des écrits anciens, évangiles et ruminations remontant à l'aube de la foi, ouvrant sur toutes sortes d'interrogations.

Des interrogations extrêmement malvenues.

— Nous nous sommes arrêtés sur une orthodoxie, fit Constantin. Nous sommes tombés d'accord sur ce que devait être la vérité de l'évangile à partir de maintenant. Je ne vois aucune raison de brouiller les cartes.

— Ce qui signifie, Votre Majesté ?

Le souverain réfléchit un long moment, un frisson de doute lui parcourant l'échine.

— Qu'on les brûle, ordonna-t-il à son fidèle conseiller. Qu'on les brûle tous.

Osius songeait aux paroles de l'empereur en suivant des yeux ses deux acolytes qui remplissaient le chariot à la faible lueur des lanternes de l'écurie.

Il comprenait la décision de l'empereur, avec laquelle il était d'accord à maints égards. C'était la chose la plus sage à faire. Ces textes représentaient indiscutablement un danger.

Osius était intimement familier des débats qui avaient fait rage au cœur de la foi. Il avait été témoin, un témoin de première main, du zèle avec lequel les différents mouvements chrétiens tentaient d'imposer leurs vues. Dans le courant de l'année qui venait de s'écouler, l'empereur l'avait envoyé à Antioche pas moins de deux fois pour arbitrer ce genre de disputes théologiques. Il conservait de ces déplacements un très mauvais souvenir.

Mais il n'en avait pas moins ses doutes…

Oui, la foi devait être unifiée sous une vision unique. Oui, une foi unifiée entraînerait une ère de paix et de prospérité sans pareille.

Mais à quel prix ?

Osius savait que, une fois que Constantin en aurait terminé, le fonds de doctrine de la chrétienté serait beaucoup plus proche des croyances païennes qu'elle supplantait, en particulier du mithraïsme et du culte de

Sol Invictus, que de ses propres origines judaïques. Nécessairement. La plupart des sujets de l'empereur étaient païens. Pour les rallier, il allait falloir les convertir petit à petit à la nouvelle foi officielle. On ne pourrait pas les contraindre à abandonner d'un seul coup tous leurs rituels, toutes leurs croyances, celles pour lesquelles ils avaient été prêts à donner leur vie. Et Osius savait que l'empereur en personne continuait d'avoir ses doutes et, au plus profond de lui-même, n'avait pas envie de courir le risque de déplaire aux dieux de son passé.

Osius voyait en outre un autre danger dans ce qui était en train de se passer. Il était parfaitement conscient que l'Église avait donné sa bénédiction au fait que Constantin avait supplanté Jésus-Christ en tant que Messie.

L'empereur, et non plus le Christ, était désormais l'envoyé de Dieu. Il était le roi-guerrier soutenu par la divinité, l'homme qui réussirait à obtenir par le glaive ce que le Christ n'avait pas réussi à obtenir par la parole. Il était à l'extrême opposé du sauveur doux et pacifique, et bénéficiait maintenant du soutien plein et entier de tous les prêtres, diacres et évêques de son empire.

Dangereux, en vérité.

Mais l'Église avait besoin d'un champion.

Constantin avait embrassé la foi, mis un terme aux persécutions, et avait fait du christianisme la religion officielle de l'empire nouvellement unifié. Il allait faire naître un nouvel âge d'or. Et, partie de ce plan grandiose, il allait faire de l'antique cité de Byzance sa nouvelle capitale, la Nouvelle Rome. Une capitale qui accueillerait de vastes avenues, de somptueux palais, des bâtiments sublimes. Des édifices comme la nouvelle bibliothèque impériale, où une petite armée de calligraphes et de bibliothécaires s'escrimerait à transcrire les textes les plus anciens, depuis le fragile papyrus sur lequel ils avaient été rédigés, sur un parchemin plus durable, permettant ainsi à la flamme du savoir de survivre.

La bibliothèque permettrait également à autre chose de survivre.

Quelque chose qu'Osius sentait nécessaire de préserver.

Il regarda ses acolytes déposer le troisième coffre à l'arrière du chariot et recouvrir le tout d'une toile fermement attachée. L'attente le rendait nerveux. Ils se mettraient en route sous peu, protégés par une petite troupe de gardes, à la faveur de la nuit.

Le vieil évêque espagnol espérait bien que sa traîtrise ne serait jamais mise au jour. Mais si ce devait être le cas, il se sentait prêt à donner sa vie pour protéger ce trésor.

Il ne pouvait pas laisser brûler ces textes.

Même s'ils mettaient en péril l'orthodoxie. Même si leur découverte ultérieure risquait de soulever de dangereuses interrogations.

Ils devaient être conservés. Protégés.

Ces textes étaient sacrés.

Et même si ce n'était pas maintenant, ni durant son existence ou celle de nombre de ses descendants, viendrait un temps où l'on pourrait les lire et les étudier sans se cacher. Un temps où ils contribueraient à enrichir la compréhension de l'homme sur son passé.

Il y veillerait.

51

— Donc Osius décide que ces lettres ne doivent pas être détruites et il les planque dans un endroit sûr. Mais alors, comment sont-elles tombées entre les mains des Templiers ?

— Je n'en sais rien, avoua Tess, dont les pensées partaient dans plusieurs directions à la fois. Quoi qu'il en soit, les premiers Templiers qui se sont pointés au monastère, ceux que menait Everard...

—... et que les moines ont empoisonnés... intervint Reilly.

— Oui, ces premiers Templiers, donc, s'étaient débrouillés pour mettre la main dessus.

Une lueur se fit dans son cerveau enfiévré.

— Cela se passait en 1203. Avant le sac de Constantinople, dit-elle à Reilly, les yeux brillants d'excitation après qu'elle eut établi cette nouvelle connexion. Et si c'est là qu'elles avaient été conservées tout ce temps, à Constantinople ? Et si les personnes à qui Osius avait confié le soin de veiller sur elles avaient décidé de leur faire quitter la ville et de les transférer en lieu sûr avant que la ville ne soit livrée aux croisés ?

— Les croisés, autrement dit l'armée du pape.

Tess sentit ses poils se dresser sur ses bras.

— L'armée du pape assiégeait la cité. Elle venait de piller Zara, une ville catholique. La population de Constantinople pouvait s'attendre à subir un sort pire encore, étant donné que leur ville était la capitale de la chrétienté orthodoxe. Depuis deux siècles, ses patriarches et les papes échangeaient des insultes et passaient leur temps à s'excommunier mutuellement. Nul besoin d'être devin pour savoir le sort que leur réserveraient les croisés une fois que ceux-ci auraient franchi les remparts de la ville. Que le pape sache ou ignore que les documents y étaient cachés, ceux-ci risquaient fort d'être découverts.

— On aurait donc demandé aux templiers de les mettre en lieu sûr. Mais pourquoi eux ?

Tess passa rapidement dans sa tête la chronologie des événements. Une nouvelle idée brillante, irrésistible, la traversa.

— Et si les templiers avaient été dans le coup depuis le début ?

— Que veux-tu dire par là ?

— Il y a trois ans, quand De Angelis t'a emmené au Vatican, le cardinal Brugnone t'a révélé que les templiers avaient découvert le journal de Jésus à Jérusalem. Il t'a confirmé ce que Vance soupçonnait, à savoir qu'ils s'en étaient servis pour faire chanter le pape, et que c'est ainsi qu'ils étaient devenus si rapidement riches et puissants. À ton avis, d'où provenait réellement ce journal ?

— Il était enfoui quelque part dans les ruines de l'ancien Temple de Salomon à Jérusalem, non ? D'après ce que j'ai cru comprendre, ils ont passé leurs premières années là-bas à fouiller un peu partout ; lorsqu'ils ont trouvé ce fameux journal, ils l'ont utilisé pour faire pression sur le Vatican et obliger le pape à leur apporter son soutien. C'est à partir de ce moment que les dons en argent et en biens immeubles ont commencé à affluer.

— C'est ce qu'on a toujours pensé. Mais si on s'était trompé ?

Elle repensa à l'histoire des templiers la plus couramment répandue : neuf chevaliers originaires de divers coins d'Europe arrivant sans crier gare à Jérusalem un beau jour de 1118, comme surgis de nulle part, et expliquant au roi qu'ils souhaitaient assurer la protection des pèlerins qui débarquaient en nombre pour visiter la Ville sainte nouvellement conquise. Le souverain leur avait alors attribué d'immenses locaux pour leur servir de base, en l'occurrence l'ancien temple de Salomon – d'où leur nom de chevaliers du Temple, ou templiers. Apparemment, ils n'avaient pas quitté les lieux pendant neuf ans, neuf années durant lesquelles ils avaient effectué des fouilles à la recherche de quelque chose qui, une fois mis au jour, leur avait apporté fortune et puissance. Une chose que Reilly et elle-même pensaient avoir découverte trois ans auparavant.

— Les premiers templiers l'ont-ils réellement trouvé après avoir passé des années à fouiller ces ruines ? s'interrogea-t-elle tout haut. Ou ne s'agissait-il là que d'une couverture ? Et si ce journal n'avait été depuis le début qu'une partie du trésor de Nicée ?

— Ils auraient donc menti au pape pour lui dorer la pilule ? Pour rendre leur histoire plus mystérieuse, plus fabuleuse ?

— En partie, conjectura Tess. Cela leur permettait de conserver le reste du trésor en lieu sûr. Ils n'avaient aucune raison d'alarmer le pape et ses sbires en les informant que celui-ci comportait d'autres documents compromettants, en particulier des évangiles. Pourquoi auraient-ils couru ce risque ?

— Mais cela implique que les fondateurs de l'Ordre auraient été au courant de l'existence de ce fameux trésor depuis le premier jour… fit observer Reilly.

— Ce qui soulève une autre question, intervint Tess. Qui étaient-ils réellement, pourquoi ont-ils choisi de passer à l'action en faisant chanter le pape au moment où ils l'ont fait ?

Elle avait du mal à appréhender toutes les implications des hypothèses nouvelles qu'elle venait d'émettre. Tout ce qu'elle croyait savoir des premiers templiers – qui ils étaient réellement, quelle était leur origine, pourquoi ils étaient apparus à un moment donné, quels étaient leurs objectifs précis –, tout cela était soudain remis en question.

— À quand remonte leur première apparition ?

— À l'an de grâce 1118. Une période assez révolutionnaire, répondit-elle en réfléchissant à voix haute, le cerveau tournant à plein régime. C'était la première fois qu'un pape, le chef de l'Église catholique, le représentant de Jésus sur terre, ne répandait pas son message d'amour et de paix. Au contraire, il demandait à ses ouailles d'aller donner la mort au nom du Christ, leur promettant que tous leurs péchés leur seraient pardonnés et que le royaume des cieux leur serait ouvert s'ils partaient massacrer les païens au nom de la Sainte Croix. Et à ce stade, sa sainte armée était victorieuse. Elle venait de s'emparer de Jérusalem, les musulmans étaient dans les cordes. Le pape était le chef de la seule superpuissance de l'époque, et le monde était à lui pour peu qu'il se donne la peine de se baisser pour le ramasser.

Reilly réfléchit un moment à ce qu'elle venait de dire.

— Peut-être que quelqu'un a décidé de faire contrepoids, avança-t-il. De créer une force capable de contenir la suprématie de Rome et de la freiner avant que tout ne devienne incontrôlable.

Tess hocha la tête, les yeux perdus au loin.

— Peut-être que tout ce que nous croyions connaître des Templiers est faux.

Le silence régna un moment dans la chambre, chacun étant plongé dans ses pensées. Puis les traits de Tess se tendirent soudain.

— Je comprends maintenant pourquoi notre ami iranien voulait mettre la main sur la cachette d'Osius. Il faut qu'on la retrouve, Sean. Si elle se trouve là-bas, il faut absolument qu'on soit les premiers à la retrouver. On ne peut pas se permettre de laisser ces salopards à Téhéran balancer ça à la figure d'un monde qui n'y est pas prêt.

— Tu penses vraiment que ça peut toujours faire du pétard ? interrogea Reilly. Même dans le monde d'aujourd'hui ? Les gens sont devenus tellement cyniques...

— Pas pour ça. Pas quand ça touche à la Bible. Le monde compte deux milliards de chrétiens, Sean, et un bon nombre sont persuadés que les mots de la Bible sont la parole de Dieu. *Sa vraie parole.* Ils pensent que les vingt-sept livres qui constituent le Nouveau Testament nous ont été octroyés par Dieu lui-même, pour nous aider à mener une vie meilleure et à atteindre le salut éternel. Ils ne se rendent pas compte que rien ne peut être plus éloigné de la réalité et que les textes de ce que nous appelons la Bible n'ont été en fait rassemblés que plusieurs centaines d'années après la crucifixion de Jésus. Mais nous savons que cela s'est passé tout autrement. Nous savons avec certitude que la chrétienté était à ses débuts extrêmement diverse dans ses croyances comme dans ses écrits. Elle était constituée de communautés éparses de gens qui avaient des interprétations concurrentes sur la nature de Jésus, sur ses prêches et ses actes, des communautés qui fondaient leur foi sur des idées très diverses. Très rapidement, elles ont commencé à se chamailler à propos de la version qui, d'après chacune, était la bonne. Et au bout du compte, l'un de ces groupes l'a emporté en faisant plus de convertis que les autres. Les vainqueurs ont alors choisi parmi les écrits primitifs ceux que devraient suivre leurs adeptes et ils les ont modifiés afin qu'ils soient en conformité avec l'histoire sur laquelle ils s'étaient mis d'accord ; tous les autres ont été stigmatisés comme blasphématoires et hérétiques, et ils les ont purement et simplement fait disparaître. Ils ont éliminé tous leurs concurrents, éradiqué leurs croyances et leurs pratiques, après quoi ils ont totalement réécrit l'histoire de cette bagarre fratricide. Ce que je veux dire, c'est qu'ils ont décrété ce qui devait être considéré comme l'authentique écriture sacrée, la seule, la vraie, au détriment de toutes les autres. Ils ont fait un super boulot : il ne reste presque rien des textes qui ne leur plaisaient pas. La seule raison qui fait que nous savons que ceux-ci ont existé, c'est qu'ils sont parfois mentionnés par les premiers scribes de l'Église ; et encore : les rares copies que nous avons de ces versions concurrentes sont dues à des coups de chance extraordinaires comme la découverte de cette cache d'évangiles gnostiques à Nag Hammadi, dans les années 1940.

— Jusqu'à maintenant, remarqua Reilly.

— Exactement. Essaie d'imaginer une seconde ce qui se serait passé si l'un des autres groupes de chrétiens avait gagné. On pourrait très bien se retrouver avec une tout autre religion, une religion qui n'aurait que très peu de points communs avec ce que nous appelons le christianisme. Et cela, bien sûr, *si* celle-ci avait réussi à tenir le coup jusqu'à nos jours. Car il est possible, et même probable, que si le christianisme n'avait pas pris la forme qu'on lui connaît, c'est-à-dire une histoire surnaturelle de mort et de résurrection, de salut éternel, bidouillant des éléments provenant de toutes les religions existantes de l'Empire en un nouveau package taille unique – Mithra, Sol Invictus, une naissance sans péché, une résurrection trois jours après la mort, le vingt-cinq décembre et j'en passe –, et si on ne l'avait pas laissé croître de façon très organisée, puis devenir la religion officielle de l'Empire romain… Constantin aurait très bien pu ne pas l'embrasser. Il aurait très bien pu échouer à convaincre ses sujets païens de l'adopter, et notre monde serait alors très différent de ce qu'il est aujourd'hui. Sans le christianisme comme soubassement, la civilisation occidentale se serait développée dans des directions dont ni toi ni moi n'avons pas la plus petite idée. *Et tout cela à cause des textes sacrés sur lesquels les fondateurs de l'Église ont décidé de l'édifier.* Parce que, en fin de compte, c'est bien à cela qu'on en revient dans toute religion, non ? Aux écritures. Aux textes sacrés. Une histoire, une fable, un récit mythique que quelqu'un a couché sur le papier il y a un sacré bout de temps.

« Mais ces christianismes primitifs étaient très, très divers. Et leurs évangiles, leurs textes, décrivaient une série de croyances et d'événements très différents de ceux du Nouveau Testament. Certains présentaient

Jésus comme une sorte de prêcheur bouddhiste dont les secrets ne pourraient être révélés qu'à quelques rares initiés choisis entre mille, d'autres comme un leader révolutionnaire qui libérerait les pauvres gens des oppresseurs romains. Bref, tous ont des vues très différentes sur l'ensemble du débat humain/divin autour de Jésus et sur les moyens d'atteindre le salut. Les partisans de ces évangiles non canoniques te diront qu'ils précèdent chronologiquement les quatre qui sont dans la Bible. Ils affirment, et à l'appui d'ailleurs d'un bon nombre de témoignages, que les quatre Évangiles du canon ont subi d'importantes modifications et ont été manipulés pour permettre la mise sur pied d'une Église organisée au nom de Jésus, et pour justifier la création de toute une hiérarchie se voyant attribuer tout pouvoir sur ses fidèles au titre d'héritière légitime des apôtres et, plus important encore, de fournisseur exclusif du salut éternel. C'est ce qu'ils ont réussi à obtenir. L'exclusivité. Il ne faut surtout pas oublier que, avant l'avènement du christianisme, il régnait une grande tolérance, et le concept d'hérésie ainsi que celui consistant à croire dans "le vrai dieu" – l'orthodoxie – n'existaient pas. C'est seulement avec le christianisme que ce que croyait telle ou telle personne a commencé à prendre de l'importance, une très grande importance, car soudain c'était de cela que dépendait sa vie éternelle.

« Les puristes et les défenseurs à tout crin de la Bible te diront au contraire que tout ce qui ne se conforme pas aux quatre Évangiles du canon est d'origine douteuse. Ils prétendent que ces écrits sont forcément *postérieurs* aux quatre Évangiles du Nouveau Testament et que leurs auteurs ont été "corrompus" par des influences gnostiques. Ils les qualifient d'"hérétiques".

Or tu sais ce que veut dire ce mot ? *D'une opinion autre*. Inutile d'épiloguer. Les vainqueurs ont choisi ce en quoi on devait croire.

« Le problème c'est que, à l'heure actuelle, on ne sait pas de façon certaine lequel des deux camps est dans le vrai. Nous ignorons quels écrits sont "corrompus". Tout cela est essentiellement théorique car rares sont les textes qui sont parvenus jusqu'à nous. Nous ne savons pas avec certitude à quelle époque les Évangiles de Matthieu, de Marc, de Luc et de Jean ont été rédigés, ni dans quel ordre. Nous ignorons également qui en sont les auteurs, mais nous savons qu'il ne s'agissait d'aucun d'eux. Mais on nous a dit que c'étaient les seuls qui racontaient la véritable histoire de Jésus et de ses prêches, et que tout ce qui s'en écartait n'était que fariboles. Mais de cela, il n'y a aucune preuve. En revanche, il y a un sacré paquet d'indications qui permettent d'en douter. Les meilleurs spécialistes mondiaux de la Bible dans le monde disposent de références attestées à d'autres évangiles qui n'ont jamais été retrouvés mais qui pourraient précéder ceux de la Bible – pas loin d'une cinquantaine, aux dernières nouvelles. Tu te rends compte ? Cinquante évangiles dont on n'a jamais eu l'occasion de prendre connaissance… Et encore, il s'agit juste de ceux dont l'existence est avérée. Et malgré cela, on prend toujours le Livre qu'on nous a enseigné et fait lire dans notre enfance pour argent comptant, et c'est lui qui régente pratiquement chaque aspect de notre existence. C'est le Livre qui, pour les gens, renferme la parole divine. Au sens propre. Sans qu'ils aient la moindre idée sur son origine.

— Et tu crois vraiment que ce trésor pourrait changer tout ça ? interrogea Reilly.

— Tu plaisantes ! s'exclama Tess. On ne parle pas de fragments gros comme des timbres-poste genre manuscrits de la mer Morte ou même de quelques codex retrouvés par hasard cómme ceux de Nag Hammadi. Il s'agit d'une bibliothèque entière d'évangiles et de textes chrétiens anciens, Sean. Datés, attestés, complets et originaux, et non de traductions de traductions de traductions – un tableau authentique, non dénaturé, des différentes visions de la vie et des paroles de Jésus. Cela pourrait révolutionner notre compréhension de l'homme et du mythe. En fait, je suis sûre que ce serait le cas, parce que je ne doute pas un instant que les paroles de Jésus aient été fort différentes de celles qu'on nous vend depuis Nicée. Comment son message d'altruisme, de mépris des biens matériels, un message destiné à redonner confiance aux pauvres et aux opprimés, aurait-il pu se transformer en religion des riches et des puissants, sinon par sa corruption délibérée pour coller aux nouveaux plans des autorités de Rome ?

— La religion de l'empereur, dit Reilly, se rappelant la lettre d'Osius.

— Exactement ! Pense à ce qui s'est réellement passé au concile de Nicée. Un empereur – et non un pape ! – réunit les prêtres et les évêques les plus influents des quatre coins de son empire, les installe dans une pièce et leur ordonne de régler leurs différends pour mettre au point une doctrine unique destinée à devenir la version officielle du christianisme. Un empereur, pas un pape... Un roi guerrier, un souverain oint du Seigneur, un *messie*, pour reprendre le sens premier de ce mot, un homme qui vient de défaire ses ennemis, de prendre le contrôle d'un territoire immense mais divisé, et qui a besoin de quelque chose de terriblement fort afin de l'unifier. Nous avons l'occasion de découvrir les textes qui n'ont pas franchi la barre, les autres versions de ce que Jésus a dit et a fait, ceux et celles dont Constantin et les fondateurs de l'Église ont décrété que nous ne devions rien savoir. Il faut qu'on retrouve ce trésor, Sean, insista-t-elle, les yeux brillants d'ardeur. C'est un point crucial de notre Histoire, mais qui peut également avoir des conséquences dramatiques. Il faut qu'on le retrouve et que l'on veille à le traiter à sa juste valeur. Ces écrits sont susceptibles de répondre à bon nombre de questions chez les gens capables de supporter la vérité, mais aussi de déclencher une sacrée crise chez ceux, largement majoritaires, qui ne le sont pas. Il y a quelques années, un verset, un seul petit verset tiré d'un fragment d'une version prétendument primitive de L'évangile de Marc, a suffi à déclencher une tempête de controverses. Et cela, uniquement parce qu'il insinuait que Jésus avait passé une nuit entière à enseigner « les secrets de son royaume » à un homme qui ne portait qu'un « vêtement de lin », avec toutes les connotations que cela implique. Imagine les conséquences que pourrait avoir la découverte d'un wagon entier d'évangiles alternatifs !

Durant cette tirade passionnée, Reilly n'avait jamais détourné le regard, et avant même qu'elle en termine, il avait compris qu'il n'était pas question de rentrer aux États-Unis. En tout cas pas avant d'avoir fait tout ce qui était en son pouvoir pour retrouver ces coffres. Dans de mauvaises mains, les textes qu'ils contenaient risquaient fort de devenir une arme, une arme de désespoir massif compte tenu du fait qu'un tiers de la planète était chrétien et considérait chaque mot de la Bible comme sacré et intangible. Le problème étant qu'il n'était pas question pour lui d'impliquer le Bureau ni, par association, le Vatican. Et il ne voulait surtout pas que les Turcs s'en mêlent non plus. Les objets considérés comme des antiquités, surtout s'ils avaient un rapport avec la religion, seraient confisqués avant même que Tess et lui aient une chance de les étudier.

Non, s'ils devaient tous les deux poursuivre leurs recherches, ils devraient opérer seuls, à leurs risques et périls. Sans se faire repérer.

— Je suis avec toi, dit-il finalement. Mais comment vois-tu les choses ? Que peut-on faire de plus ? Tu te retrouves dans une impasse, non ? Tu as dit toi-même que la piste s'arrêtait net.

Tess s'était levée et déambulait nerveusement dans la chambre.

— C'est vrai, mais... on est certainement passés à côté de quelque chose. Conrad a sûrement laissé un indice derrière lui, même dans la mort. J'en suis persuadée. Il y a forcément un truc dans cette église, là où il a été enterré...

— Mais tu en reviens ! Tu as dit toi-même que la tombe ne contenait rien d'autre que ses ossements.

— Il y a autre chose, insista-t-elle. Quelque chose à côté de quoi nous sommes passés. Nous devons absolument y retourner.

52

Tess essayait de cacher sa gêne tandis que Reilly débitait de grossiers bobards destinés à convaincre les deux hommes de la *jandarma* postés devant l'hôtel de les laisser passer.

Il leur expliqua qu'il avait perdu son BlackBerry quelque part dans le canyon durant la fusillade, et leur fit comprendre avec force qu'il devait absolument y retourner pour essayer de le récupérer car il contenait des informations confidentielles émanant du FBI. Les policiers se montrant des plus réticents, il éleva le ton d'un cran, laissa entendre qu'un incident diplomatique majeur risquait de se produire s'il était incapable de régler rapidement ce problème délicat à cause d'un retard qui ne serait pas de son fait.

Son baratin se révéla efficace : vingt minutes plus tard, le minibus de l'hôtel les déposait dans la clairière à l'entrée de la gorge. Un Humvee de la *jandarma* y était garé, le seul autre véhicule étant la Cherokee poussiéreuse du défunt spécialiste de Byzance.

Ils arrivèrent très vite devant la maison troglodyte où l'homme avait été tué. Pas trace de policiers empêchant d'accéder au site, pas de ruban jaune délimitant la scène de crime, nul expert scientifique étudiant avec soin chaque bosselure dans la roche. C'eût été d'ailleurs parfaitement inutile : tout était d'ores et déjà réglé, car si l'Iranien venait à être pris, il ne serait sûrement pas jugé dans les formes.

En passant devant l'endroit où Abdülkerim avait trouvé la mort, Tess ne put s'empêcher de revoir avec un frisson le visage du Turc se glacer d'effroi au moment d'être abattu. Quelques heures seulement après qu'elle l'eut rencontré pour la première fois.

Ils gravirent l'escalier taillé dans la falaise pour accéder à l'église. À l'aide d'une lampe torche empruntée à l'hôtel, Tess montra à Reilly la fresque qui ornait la coupole de l'abside avant de descendre avec lui dans la crypte. Elle frissonnait toujours lorsqu'ils pénétrèrent dans le caveau, où rien n'avait bougé depuis qu'elle l'avait quitté avec Abdülkerim et son ravisseur. Là encore, elle revivait la scène, avec l'impression de se voir dans un diorama en 3D, le visage inquiet du Turc occupant le centre de l'hologramme.

Reilly dut sentir son trouble.

— Ça va ? demanda-t-il.

Chassant les images perturbantes de son esprit, la jeune femme fit « oui » de la tête puis lui désigna la tombe de Conrad, restée ouverte. Les morceaux du pot en terre cuite se trouvaient toujours sur le côté. Rien n'avait été déplacé.

Reilly fit des yeux le tour de la salle.

— Et que contiennent les autres tombes ? demanda-t-il.

Elle pointa le faisceau de la lampe torche sur les inscriptions ornant la paroi.

— Les dépouilles de bienfaiteurs et de dignitaires de l'Église.

512

— Elles pourraient dissimuler autre chose ?

— Peut-être, fit Tess, sceptique. Impossible à dire, à moins de toutes les fouiller. Mais si c'était là que le trésor d'Osius avait été enterré, je pense qu'ils auraient laissé quelque chose, un indice pour permettre de le retrouver, sous peine de le perdre à jamais. Mais il s'agit juste de noms, et aucun d'eux ne semble pas ne pas être à sa place.

— D'accord. Il y a donc la fresque, et cette crypte. Autre chose ?

Tess fit non de la tête.

— On a exploré le reste de l'église avant de partir. C'est tout.

Ces mots venaient tout juste de sortir de sa bouche qu'elle se rappela quelque chose. Quelque chose qui lui était venu à l'esprit devant l'ordinateur de l'hôtel, lorsqu'elle s'était occupée de faire traduire la lettre d'Osius.

— La fresque.

Comme en transe, elle précéda Reilly jusqu'à l'abside qu'ils venaient de quitter. Là, elle examina la fresque une fois encore, éclairant de sa lampe torche l'inscription en grec au-dessus.

— C'est quand même bizarre, souffla-t-elle, ces vers d'un poème soufi, là, dans une église.

— Soufi… ?

— Une forme mystique de l'islam. Très populaire en Turquie. En tout cas avant qu'elle soit interdite, dans les années 1920.

— Attends… Un poème musulman dans une église ?

— Pas exactement musulman. Le soufisme est très différent. Si différent que les musulmans purs et durs, comme nos amis saoudiens et les taliban, considèrent ses adeptes comme de dangereux hérétiques et les ont totalement proscrits. Ils en ont une peur bleue car le soufisme est une doctrine pacifiste, tolérante et libérale. Et ça n'a rien à voir avec le culte. Il s'agit d'une expérience personnelle, qui consiste à chercher sa propre voie menant à Dieu et à essayer d'atteindre l'extase spirituelle. Rumi, l'auteur de ce poème, était l'un des pères fondateurs du soufisme. Il a prêché que cette doctrine était ouverte aux fidèles de toutes les religions et que la musique, la poésie et la danse étaient les meilleurs moyens d'ouvrir les portes du paradis et de rejoindre Dieu – un dieu qui n'était ni le dieu du châtiment ni le dieu de la vengeance, mais celui de l'amour.

— Vachement sympa, commenta Reilly avec un sourire ironique.

— Ça l'est. C'est la raison pour laquelle Rumi est resté populaire dans son pays. Extrêmement populaire. En Occident, on l'a transformé en une espèce de gourou New Age, ce qui ne rend pas justice à l'intensité et à la profondeur de ses œuvres, mais ce qui peut se comprendre étant donné qu'il a écrit des choses comme « Ma religion consiste à vivre par l'amour », ce qui, il faut bien l'admettre, est un peu raide pour un prêcheur musulman du XIIIe siècle.

— Je comprends pourquoi les Saoudiens ne tiennent pas plus que ça à voir son message se répandre.

— C'est triste. Tragique, même. Car il pourrait faire beaucoup de bien dans la région.

Reilly se concentra de nouveau sur la fresque.

— OK. En tout cas, hérétique ou pas, on a bel et bien quelques vers d'un poème musulman version *light* sur le mur d'une église vieille d'un millénaire. Ce qui, comme tu l'as dit, est plutôt bizarre. Qu'est-ce que ça raconte, à propos ?

— Abdülkerim nous les a lus et traduits.

Elle éclaira les lignes écrites en grec au-dessous de la fresque et les traduisit à haute voix, essayant de se rappeler les mots de l'historien :

— « Quant à la douleur, comme une main coupée au combat, considère le corps comme une robe que tu portes. Les actes inquiets, héroïques, d'un homme et d'une femme sont nobles pour le drapier, là où les derviches savourent la brise légère de l'esprit. »

Reilly haussa les épaules.

— « Une main coupée au combat. » La voilà, ta raison. Il ne peut pas y avoir tant de poèmes que ça qui contiennent ce passage.

— Très juste. Mais Rumi est mort en 1273. Il a dû l'écrire longtemps avant que Conrad ne perde sa main.

Reilly réfléchit un long moment.

— Que veulent dire ces vers, au fait ?

— Je ne sais pas vraiment. J'ai le reste du poème ici, je l'ai trouvé sur Internet tout à l'heure…

Tess sortit une liasse de feuilles d'imprimante de son sac à dos et finit par trouver celle qu'elle cherchait.

— Allons-y. Le poème est intitulé « Brise légère ». Voilà ce qu'il raconte : « Quant à la douleur, comme une main coupée au combat, considère le corps comme une robe que tu portes. Les actes inquiets, héroïques, des hommes et des femmes semblent lassants et futiles aux derviches jouissant de la brise légère de l'esprit… »

Elle s'interrompit, les traits soudain crispés.

— Attends un peu… C'est différent de ce qui est écrit sur ce mur.

— Relis la phrase.

Tess se pencha sur les lettres grecques, comparant le texte avec celui qu'elle avait imprimé.

— La fresque mentionne que les actes héroïques sont « nobles », et non « lassants et futiles ». Et il s'agit des actes « d'un homme et d'une femme », et non « d'hommes et de femmes », au pluriel. Et le reste est également différent.

Elle s'interrompit un moment, se concentrant sur la lecture en parallèle des deux textes.

— La personne qui a rédigé cette inscription avait certainement l'intention de nous transmettre un message. Peut-être voulait-elle nous dire où se trouvait le reste des coffres.

— Le résultat des « actes inquiets, héroïques » de Conrad, tu veux dire ? demanda Reilly.

— Non, pas seulement de Conrad. L'inscription sur le mur mentionne les actes « d'un homme et d'une femme ». Est-ce que ça voudrait dire de Conrad et d'une femme ? fit-elle en fronçant les sourcils, pensive. Y aurait-il eu une femme avec lui ? Et si c'était le cas, de qui pouvait-il bien s'agir ?

— Minute. Les templiers étaient bien des moines, non ? Qui faisaient vœu de chasteté et tout le bazar.

— Vœu de célibat, plutôt, et oui, en effet, ils ne se mariaient pas. Leur monde ne laissait pas de place aux femmes.

— Et ils faisaient ça volontairement ? À une époque où il n'y avait pas de sport à la télé ?

Elle ignora sa plaisanterie, réfléchissant toujours. Puis, au bout de quelques secondes, elle sortit un stylo de son sac, écrivit la version de la fresque sur le feuillet d'imprimante, à côté du texte original, et compara les deux.

— Bien. Partons du principe que ces modifications ont été apportées pour un motif précis. Pour nous donner une indication. La personne qui a tracé cette inscription sur le mur a donc changé la nature de ces actes qui, de « lassants et futiles », sont devenus « nobles ». Et si cela faisait allusion à la récupération des textes de Nicée et à leur mise en sécurité ?

— Continue...

Une vague de compréhension l'envahit. C'était une sensation qu'elle appréciait plus que toute autre, être ainsi dans une sorte d'état second qui lui permettait d'accéder à la connaissance de choses jusqu'alors insaisissables.

— Les actes ne sont pas lassants et futiles, ils sont nobles. Pour « le drapier ». « Là où » les derviches savourent la brise légère de l'esprit. Et si ça évoquait quelqu'un qui veillait sur eux ?

— Le *drapier* ?

— Un drapier chez qui vivent les derviches.

— C'est-à-dire...

— À Konya, bien sûr.

— Je m'en serais douté, dit Reilly avec un haussement d'épaules.

— Inutile de me la faire. Tu ne sais même pas ce qu'est un derviche.

L'expression de Reilly se fit faussement penaude.

— Et je n'en suis pas plus fier pour ça.

— Un derviche est un membre de la fraternité soufie, espèce de brute épaisse. Un ordre soufi. Les disciples de Rumi en sont les plus fameux. On les connaît sous le nom de « derviches tourneurs » à cause de la prière rituelle qu'ils font en tournant sur eux-mêmes comme des toupies, ce qui leur permet d'atteindre un état de transe où ils peuvent se concentrer sur le dieu qui est en eux.

— Le dieu qui est en eux... répéta Reilly, qui avait retrouvé tout son sérieux. Cela me paraît légèrement gnostique sur les bords, non ?

Tess leva un sourcil.

— Exact, dit-elle, impressionnée. Je retire le « brute épaisse ».

Elle réfléchit un instant. Le message spirituel était en effet identique. Elle relégua cette pensée dans un coin de son esprit et reprit :

— Rumi et les membres de sa fraternité étaient basés à Konya. Il est enterré là-bas, son tombeau est devenu un grand musée. Konya. C'est sûrement à Konya.

— Conrad est mort ici. Où ça se trouve exactement, Konya ?

Tess essaya de se souvenir de ce que lui avait dit Abdülkerim.

— À un peu plus de trois cents kilomètres à l'ouest de là où nous sommes.

— Ce qui faisait un bon bout de chemin, à l'époque. Mais alors, comment le trésor se serait-il retrouvé ici ? Et qui s'en serait chargé ?

— Peut-être la même personne qui a écrit ça, répondit-elle en montrant les caractères grecs sur le mur, son cerveau ayant déjà pris de l'avance, en quête de réponses. Mais Konya se trouvait en territoire soufi, à l'époque. C'est toujours le cas, d'ailleurs. Si le paquet de textes d'Osius a été apporté ici, la personne qui s'en est chargée était sans doute proche des soufis, à moins qu'elle-même ne l'ait été.

— La personne, dis-tu. L'inscription sur le mur évoque « un homme et une femme », je te rappelle. Tu crois que notre femme mystérieuse aurait pu être cette soufie ?

— Pas impossible. Le soufisme place les hommes et les femmes sur un pied d'égalité, et bon nombre de saints soufis ont eu des femmes pour mentors, remarqua-t-elle avant de réfléchir une seconde puis de lancer : Il faut qu'on aille là-bas. On doit absolument se rendre à Konya.

Reilly la regarda d'un air profondément dubitatif.

— Allons, Tess, tu ne crois quand même pas que…

— Ces changements ont été effectués pour une bonne raison, Sean. Et je crois vraiment qu'il y a une forte chance que le message qui nous est transmis soit que le trésor d'Osius a été confié à un drapier soufi habitant Konya, à charge pour lui de le conserver en lieu sûr, insista-t-elle. On partira de là.

— Comment ?

— On garde souvent la même profession génération après génération dans cette partie du monde. On va devoir trouver un drapier dont l'ancêtre était membre d'une des loges de Rumi.

Reilly était loin d'être convaincu.

— Tu crois vraiment que tu vas retrouver une famille de drapiers remontant à sept siècles en arrière ?

— En tout cas j'ai bien l'intention d'essayer, répliqua-t-elle d'un ton railleur. Pourquoi, tu as une meilleure idée ?

53

Konya, Turquie

De rares étoiles précoces pointaient au firmament sur fond de soleil couchant quand un taxi lâcha Tess et Reilly au cœur d'une des agglomérations les plus anciennes de la planète.

Chacune de ses pierres était baignée d'histoire. Selon la légende, c'était la première ville à avoir été érigée après le Déluge et, de fait, les archéologues avaient établi que des hommes avaient occupé ce site sans interruption depuis que des tribus s'y étaient installées au néolithique, dix mille ans plus tôt. Saint Paul y avait prêché à trois reprises, la première fois en l'an 53, début d'une période glorieuse qui avait connu son apogée au XIIIe siècle, lorsqu'elle était devenue la capitale du sultanat seldjoukide. À cette même époque étaient apparus Rumi et sa fraternité de derviches. La cité avait rapidement décliné après ses heures de splendeur sous l'égide des sultans, mais elle accueillait toujours l'un des sites les plus fréquentés de Turquie, ne le cédant qu'à Sainte-Sophie d'Istanbul : le mausolée du grand mystique, le Yeşil Türbe, ou Mausolée vert, épicentre de la foi soufie, visité chaque année par une foule de deux millions de personnes venues lui rendre hommage.

C'est à cet endroit que Tess avait décidé qu'ils entameraient leur quête.

Elle savait que celle-ci ne serait pas facile : le soufisme était toujours proscrit en Turquie, et il n'y avait ni loges à visiter ni adeptes à interroger. En tout cas pas ouvertement. S'il existait bien des rassemblements soufis, ceux-ci étaient d'ordre résolument privé et n'avaient lieu qu'entre initiés, loin des regards indiscrets. Les contrevenants potentiels allaient toujours au-devant de lourdes peines de prison.

Le soufisme avait été interdit en 1925, peu après que le père de la Turquie moderne, Mustafa Kemal Atatürk, eut fondé sa république sur les cendres de l'Empire ottoman, où l'islam était religion d'État. Souhaitant à tout prix montrer à quel point la nouvelle Turquie serait occidentalisée, il avait tout mis en œuvre pour faire en sorte que le nouvel État soit strictement laïc, établissant une muraille infranchissable entre religion et gouvernement. Les soufis, dont les loges exerçaient une influence certaine aux plus hauts niveaux de la société et du gouvernement ottomans, en avaient fait les frais. Leurs loges avaient été fermées, la plupart converties en mosquées. Les rituels publics, considérés par Atatürk et son gouvernement comme trop rétrogrades et comme un frein possible à la modernité de type occidental à laquelle ils aspiraient, avaient été proscrits, tout comme l'enseignement de la tradition. En fait, la seule manifestation visible du soufisme dans le pays demeurait les exhibitions de danse folklorique de la *sema*, cette cérémonie où les adeptes de Rumi priaient en tournant sur eux-mêmes et qui, ironie de l'histoire, était devenue l'un des emblèmes touristiques du pays. Et encore celles-ci n'avaient-elles été autorisées de nouveau, bon gré mal gré, que dans les années 1950, à la suite de la requête de l'épouse d'un diplomate américain en visite en Turquie, qui avait exprimé le vif désir d'en voir une. C'est ainsi que cette doctrine fondée sur la fraternité du cœur avait fini par être bannie tant par les régimes fondamentalistes moyen-orientaux dominant des pays comme l'Arabie saoudite et l'Afghanistan, sous prétexte d'hérésie progressiste, que par le régime laïc turc, pour les raisons inverses.

À en juger par l'océan de barbes et de fichus serrés singulièrement austères qui les entourait, Konya était une ville très pieuse et traditionaliste. Par contraste, les Occidentaux en vêtements d'été étaient nombreux, les deux groupes se mélangeant sans complexe. Tess et Reilly rejoignirent le flot des pèlerins, des dizaines d'hommes et de femmes, jeunes et vieux, venus de tous les coins du globe, qui se dirigeaient vers le sanctuaire. Celui-ci surgit très vite devant eux, incontournable avec sa tour ramassée, dotée d'un minaret effilé, et son toit recouvert de tuiles de céramique turquoise. Cette vaste bâtisse médiévale de couleur grise avait été la *tekke* de Rumi, la loge où le poète vivait et méditait avec ses disciples. Celle-ci avait été transformée en musée, érigé autour de sa tombe, de celles de son père et d'autres saints soufis.

Ils suivirent la procession qui, après avoir franchi l'imposante porte voûtée, pénétrait au cœur du mausolée. La plupart de ses salles présentaient des dioramas montrant des mannequins dans des cadres soufis traditionnels, représentations sans âme de pratiques désormais interdites, souvenirs lugubres d'une tradition pas si lointaine stoppée net par un arrêt venu d'en haut.

Tess avisa un éventaire proposant des prospectus en plusieurs langues. Elle en prit un rédigé en anglais et le parcourut tout en flânant dans les salles du musée. Un passage lui fit hocher la tête, ce qui ne manqua pas d'attirer l'attention de Reilly.

— Alors ? interrogea-t-il.

— Des écrits de Rumi. Écoute ça : « J'ai recherché Dieu parmi les chrétiens et sur la Croix, et ne L'y ai point trouvé. Je suis entré dans les anciens temples de l'idolâtrie et n'y ai trouvé nulle trace de Lui. Je suis entré dans la grotte creusée dans la montagne de Hira, y ai pénétré au plus profond mais n'ai aucunement trouvé Dieu. Puis j'ai orienté ma quête vers la Kaaba, le lieu qui accueille les jeunes et les vieux ; Dieu ne s'y trouvait point. Enfin, j'ai regardé dans mon propre cœur et là L'y ai trouvé ; Il n'était nulle part ailleurs. »

— Courageux, le mec, commenta Reilly. Je suis surpris qu'ils ne lui aient pas coupé la tête séance tenante.

— En fait, c'est le sultan seldjoukide qui l'a invité à venir vivre ici. Il n'avait pas de problème avec les idées de Rumi, pas plus qu'il n'en avait avec les chrétiens installés en Cappadoce.

— Ces Seldjoukides ne seraient pas de trop aujourd'hui, commenta Reilly.

Tess approuva de la tête, tout en songeant à des univers alternatifs.

— Tu sais, plus j'y pense, plus je vois de points communs entre les croyances des soufis et ce que, d'après moi, recherchaient les templiers. Les uns et les autres voyaient la religion comme quelque chose devant rapprocher les hommes, et non comme une force de division.

— Ceux-là au moins n'ont pas péri sur le bûcher.

Tess eut un haussement d'épaules.

— Ils n'avaient pas un roi qui salivait à la pensée de l'or caché dans leurs coffres.

Ils franchirent un porche qui menait dans la grande salle où Celaleddin Rumi, le Mevlana – le Maître – en personne, était enterré. Très haute de plafond, celle-ci offrait un spectacle à couper le souffle, avec ses murs qui étaient autant de chefs-d'œuvre de calligraphies monumentales, sculptures recouvertes d'or fin, ses plafonds de merveilleux kaléidoscopes d'arabesques. Le tombeau du poète occupait le centre de la pièce. Énorme, imposant, il était recouvert d'un tissu brodé d'or et surmonté d'un gigantesque turban.

Restant légèrement en retrait, ils regardèrent les pèlerins en larmes frotter du front une marche en argent à la base du tombeau avant de le baiser. D'autres étaient plongés dans les poèmes du grand homme ou les lisaient à voix haute, rassemblés en petits groupes, leur visage baigné d'un bonheur ineffable. Un grand calme régnait, l'état d'esprit général étant celui d'une révérence bon enfant, plus propre aux admirateurs d'un grand poète qu'à de fervents fidèles effectuant un pèlerinage. C'était bien ce que craignait Tess : il n'y avait là rien qui pût lui donner l'espoir de retrouver une insaisissable famille de drapiers, si tant est que celle-ci existât. Elle en serait donc réduite à interroger des gens. Mais qui ?

Ils quittèrent le sanctuaire et déambulèrent le long d'un large boulevard qui menait au cœur de la vieille ville. Boutiques, cafés et restaurants regorgeaient de monde, gens du cru et touristes, et les enfants jouaient librement dans les nombreux espaces verts. La ville dégageait une impression de tranquillité qui leur avait beaucoup manqué ces derniers temps.

— On pourrait peut-être s'adresser à la mairie, dit Tess, qui avait considérablement ralenti le rythme. Ils ont certainement un département chargé des archives, ajouta-t-elle en s'arrêtant, les bras croisés, découragée.

— Peut-être ont-ils une rubrique « Drapiers » dans leur annuaire Pages jaunes, fit Reilly.

La jeune femme n'était pas d'humeur.

— Non, je suis sérieuse.

— Le hic, c'est qu'on a un léger problème de langue, lui rappela-t-il avec un sourire laissant entendre qu'il compatissait.

— Il semblerait que les seuls derviches du coin soient ceux qui font le spectacle pour les touristes. Qui sont donc en contact avec des étrangers. On devrait pouvoir trouver parmi eux quelqu'un capable de nous comprendre, et peut-être même le convaincre de nous présenter à un vrai soufi.

Reilly pointa du doigt l'autre côté du boulevard.

— Et si on allait leur demander ? proposa-t-il.

Tess se tourna. Un panonceau indiquait « ICONIUM TOURS » et, dessous, en plus petits caractères, « Agence de voyages ».

— Je peux vous procurer des billets pour une *sema* ce soir, leur dit avec un enthousiasme communicatif le propriétaire de l'agence, un quinquagénaire particulièrement affable dénommé Levant. C'est un spectacle formidable, vous allez adorer. Vous appréciez la poésie de Rumi, j'espère ?

— Énormément, répondit Tess avec un sourire un peu contraint. Mais vous parlez d'une vraie cérémonie de prière ou... d'un show pour touristes ?

L'homme eut l'air intrigué. Si ce n'est légèrement offusqué.

— Toute *sema* est une vraie cérémonie de prière. Les derviches qui vont tournoyer sous vos yeux prennent tout ce qu'il y a de plus au sérieux ce qu'ils font.

Tess lui adressa un sourire désarmant.

— Bien sûr, ce n'est pas ce que je voulais dire, fit-elle, cherchant les mots justes. C'est simplement que… Je suis archéologue, et j'essaie de décoder quelque chose que j'ai découvert. Un livre ancien. Qui évoque un drapier, il y a fort longtemps, plusieurs siècles…

Elle s'interrompit et sortit précipitamment de sa poche un bout de papier froissé.

— Un *kazzaz*, ou un *bezzaz*, à moins que ce ne soit un *derzi*, ou un *çukaci*, poursuivit-elle, trébuchant sur les différentes façons de se référer à un drapier, fournies par leur chauffeur de taxi.

Elle n'était pas sûre de sa prononciation pour ce dernier mot, aussi montra-t-elle au voyagiste ce que le chauffeur lui avait griffonné – dans des caractères qu'elle était capable de lire, l'une des réformes capitales d'Atatürk ayant consisté à abandonner l'alphabet arabe au profit des caractères latins, devenus dès lors la norme sur tout le territoire turc.

— Un drapier qui était derviche ici, à Konya, poursuivit-elle. Sans doute un homme d'un certain âge, un ancien, ce genre de chose. Je sais que ça n'est pas évident de vous demander ça, mais… Vous ne connaîtriez pas quelqu'un qui pourrait me renseigner utilement, un expert de l'histoire des derviches de Konya ?

Levant se recula de quelques pas, son amabilité soudain plus circonspecte.

— Écoutez, je ne suis pas ici en mission officielle, précisa Tess pour le rassurer. Il s'agit juste de recherches personnelles. J'essaie de comprendre quelque chose que j'ai lu dans un vieux livre sur lequel je suis tombée, c'est tout.

L'homme se caressa la bouche puis le menton de la main, celle-ci remontant ensuite sur sa joue et enfin sur l'arrière de son crâne chauve. Il dévisagea longuement Reilly, le jaugeant lui aussi du regard. Ce dernier garda le silence et se tint immobile, essayant de prendre un air aussi décontracté et rassurant que possible. Puis l'agent de voyage concentra de nouveau son attention sur Tess et se pencha vers elle avec une mine de conspirateur :

— Je peux vous emmener ce soir dans une *dhikr* privée, dit-il, faisant allusion à une cérémonie du souvenir soufie. C'est quelque chose de très confidentiel. Très informel. Un groupe d'amis qui se rassemblent pour… pour célébrer la vie.

Il la regarda fixement, pour s'assurer qu'elle avait bien compris l'essence de son message.

Elle hocha la tête.

— Et vous croyez que je pourrai y trouver quelqu'un susceptible de m'aider ?

Levant haussa les épaules, l'air de dire « peut-être ». Mais ce peut-être penchait très nettement vers l'affirmatif.

— Quand ? demanda alors la jeune femme avec un large sourire.

L'ancien ne se montra pas d'une grande aide.

La cérémonie de prière proprement dite avait été fascinante. Elle s'était déroulée le soir même dans le grand salon d'une vaste demeure ancienne. Les derviches, une douzaine d'hommes et de femmes, s'étaient perdus dans leurs transes et avaient tourné sans trêve sur eux-mêmes, les bras tendus, la main gauche ouverte, paume en l'air, pour recevoir la bénédiction du ciel, la droite pointée vers le bas pour la canaliser vers la terre, au son des notes hypnotiques et délicates d'une flûte de roseau – le *ney* tant aimé de Rumi, le souffle divin qui donne vie à toute chose – et d'un tambour. Assis sur un coussin, un vieil homme, leur maître, les avait accompagnés en psalmodiant le nom de Dieu. Cette partie de la cérémonie était celle qui était la plus strictement prohibée. La police n'investit cependant pas la maison et personne ne fut arrêté. Les temps changeaient, apparemment...

Mais l'ancien ne se montra pas d'une grande aide ; plus exactement, celle-ci fut totalement inexistante. Son petit-fils se chargeant de la traduction, il expliqua à Tess qu'il ne connaissait pas de drapiers ou de fabricants de tissu qui auraient été des derviches de renom. Il n'en connaissait aucun non plus à l'heure actuelle. Tess et Reilly remercièrent leurs hôtes pour leur hospitalité et repartirent en quête de l'hôtel où Levant leur avait réservé une chambre.

— Je n'aurais jamais dû m'emballer comme ça, maugréa Tess, épuisée et déçue. Il y avait plein de loges à Konya, même à l'époque. Alors les chances de tomber sur la bonne... Plutôt minces, hein ? dit-elle avec un soupir. Ça risque de nous prendre un moment.

— On ne peut pas rester là plus longtemps, dit Reilly. Mes chefs me réclament à New York. On n'a même pas de quoi se changer, ni même une brosse à dents à se partager. Sérieusement. Tout ça est un peu dingue. On n'est même pas sûrs que ce qu'on cherche se trouve ici.

— En tout cas, moi je n'ai pas l'intention d'abandonner comme ça. On vient tout juste d'arriver. J'ai besoin d'assister à d'autres cérémonies, de parler à d'autres anciens. Il faut que je le fasse, Sean, dit-elle en le regardant droit dans les yeux. On est tout près du but, je le sens. Et il n'est pas question que je baisse les bras, je dois aller jusqu'au bout. Mais rentre, toi. Moi, je reste ici.

Reilly secoua la tête.

— C'est trop dangereux. Ce salopard rôde toujours dans le secteur. Il est hors de question que je te laisse là toute seule.

Tess se rembrunit. La remarque de son compagnon était fondée, tout comme l'inquiétude qu'il manifestait.

— Tu as raison, je sais, dit-elle, hochant la tête à son tour, pour elle-même cette fois, s'interrogeant sur la suite des événements.

Reilly passa un bras autour de ses épaules.

— Allez, viens, l'invita-t-il. Allons retrouver cet hôtel. Je suis cuit.

Une fois dans le quartier du bazar, ils demandèrent leur chemin avant de traverser un marché couvert sur deux niveaux de la taille d'un hangar pour avions. Malgré l'heure tardive, l'animation y était encore intense. Ils furent assaillis par toutes sortes d'effluves émanant d'amoncellements multicolores de fruits et de légumes, de bassines de *dolmates salçasi* à la sauce tomate fraîchement cuisinées, d'énormes sacs de betteraves à sucre et d'épices de toutes les couleurs, ce patchwork qui mettait l'eau à la bouche étant géré par des vieillards coiffés de chapeaux à motifs et des vieilles femmes aux fichus eux aussi de toutes les couleurs, tandis que de jeunes garçons vendaient leur *çay*, ce thé très fort et très sucré. Difficile de résister à un arrêt pour avaler un doner kebab et un yoghourt liquide à la menthe. Après tout, ils n'avaient pratiquement rien avalé de la journée.

— Tu ne peux vraiment pas nous accorder un ou deux jours de plus ? plaida Tess, l'idée de rentrer aux États-Unis en abandonnant sa quête lui pesant au moins autant que celle de rester là toute seule.

— J'en doute. J'ai encore beaucoup d'explications à donner sur ce qui s'est passé à Rome.

— Rome… fit Tess d'un ton distant avec un hausse-ment d'épaules.

Elle avait le sentiment que cela remontait à un siècle.

— Ils ne savent même pas qu'on est là, à New York. Il faut d'ailleurs que je les appelle pour savoir quand ils peuvent nous récupérer et leur demander de passer nous prendre ici. En plus, j'ai vraiment envie de ren-trer. Je ne peux plus faire grand-chose, d'ici. J'ai besoin de retrouver mon bureau pour coordonner les renseignements qui nous arrivent et veiller à ce que toutes les alertes soient bien en place de façon à ce qu'on ne le rate pas la prochaine fois qu'il pointera de nouveau son museau.

Il entoura du bras les épaules de Tess et attira la jeune femme à lui.

— Écoute, ma belle, ça ne veut pas dire que tu laisses tout tomber pour autant. On a maintenant un contact ici, avec ce Levant. Tu pourras l'appeler de New York. Laisse-le faire le travail de terrain, il est beaucoup mieux placé que toi pour ça. Il a l'air d'avoir envie de nous aider, et on le paiera pour ce boulot. Dès qu'il tombe sur quelque chose d'intéressant, on saute dans un avion et on se pointe.

La jeune femme ne réagit pas. Elle semblait fascinée par quelque chose, derrière son dos. Reilly la regarda un instant sans comprendre, puis, se retournant, il découvrit ce qui avait attiré son attention : il s'agissait d'une boutique de tapis. Juste devant, sur le trottoir, un petit homme chauve et replet jouait les hommes-sandwichs. La boutique était sur le point de fermer pour la nuit.

— On dirait que tu as envie de faire des emplettes, s'étonna Reilly. Avec tout ce qu'on a en train ?

Tess lui fit une grimace de reproche et désigna l'enseigne. On pouvait y lire « Tapis et kilims Kismet. Atelier d'artisanat traditionnel ».

Reilly fit la moue. Il ne voyait pas où elle voulait en venir.

Tess tendit le doigt de nouveau et fit une nouvelle grimace, qui signifiait cette fois « Regarde bien ».

Il regarda bien. C'est alors qu'il le vit.

En petits caractères, en bas de l'enseigne, à côté du numéro de téléphone. Un nom. Sans doute celui du propriétaire. Hakan Kazzazoglu.

Kazzaz-oglu.

Reilly reconnut bien la première partie du nom, mais cela ne collait guère avec ce qu'il s'attendait à voir.

— C'est une boutique de tapis, s'étonna-t-il. Et que fais-tu du « oglu » ?

— C'est un suffixe très répandu dans les noms de famille turcs, expliqua Tess. Ça veut dire « fils de » ou « descendant de ».

Elle se dirigeait déjà à grands pas vers la boutique.

54

Comme Tess l'avait déduit, le marchand de tapis était en effet le descendant d'un drapier. Éperdue, la jeune femme se montra plus directe avec lui qu'elle ne l'avait été avec le maître soufi. Elle lui expliqua qu'elle était tombée sur un lot de vieux manuscrits bibliques et qu'elle essayait d'en savoir plus sur leur provenance. Après quelque hésitation, elle alla jusqu'à en sortir un de son sac à dos pour le lui montrer. Malheureusement, il ne lui fut pas d'une plus grande aide que le vieux soufi.

Non qu'il se montrât de quelque manière méfiant ou fuyant. Il paraissait simplement ne pas comprendre de quoi parlait Tess, sans rien cacher au demeurant de l'histoire de sa famille et du fait qu'il était lui-même un soufi pratiquant.

La jeune femme ne se laissa pas décourager pour autant. Elle était certaine que cette piste était la bonne. Ce qu'ils recherchaient d'abord et avant tout, ce n'était pas nécessairement un drapier et sa fabrique de tissu. C'était un nom. Un nom de famille, susceptible d'être associé à n'importe quelle profession, à n'importe quelle boutique. Et en ce sens, le marchand de tapis se révéla précieux. Il leur dressa une liste de tous les autres Kazzazoglu de sa connaissance, indiquant également leurs adresses respectives. Il y en avait en tout une douzaine : d'autres marchands de tapis, des potiers et même un dentiste. Il signala également des noms de famille dérivant des autres façons de dire « drapier » en turc, recoupant ceux que le chauffeur de taxi avait indiqués à Tess.

Ils remercièrent le commerçant et le laissèrent fermer sa boutique.

Tess se sentait revigorée.

— On ne peut pas partir comme ça, dit-elle à Reilly en lui fourrant la liste sous le nez. Allez, un jour de plus. Laisse-nous juste un jour de rab. Fais-leur gober que nous avons une piste pour l'Iranien. Je suis sûre que tu sauras trouver quelque chose.

Reilly se passa les mains sur le visage, comme pour en effacer la fatigue, et la regarda. Son dynamisme était déjà communicatif en temps normal. Là, étant donné les épreuves par lesquelles il était passé ces derniers jours, il n'avait strictement aucune chance.

— Tu es vraiment une garce, dit-il, résigné.

— La pire qui soit, admit-elle avec un sourire en l'entraînant en direction de l'hôtel.

Reilly lui fit part de la façon dont il voyait la suite des événements et concocta pour son coéquipier une vague histoire, qu'il le chargea de vendre à leur patron. Il quitta l'hôtel avec Tess tôt le lendemain, frais et dispos, et ils passèrent leur journée à faire le tour des boutiques indiquées par le marchand de tapis.

Les commerçants qu'ils rencontrèrent les accueillirent fort aimablement et se montrèrent à leur égard d'une extrême gentillesse.

À chaque nouvelle tentative, Tess hésitait de moins en moins à faire preuve de franchise, allant même jusqu'à exhiber les deux codex. Mais toutes ces investigations se révélèrent vaines. Personne ne savait quoi que ce soit concernant une série de livres anciens. Et si certains étaient dans le secret, ils le cachèrent bien.

Ils finirent leur journée en tentant leur chance avec le dernier nom de la liste. Il s'agissait d'une boutique de poterie et de céramique dont la vitrine présentait une étonnante variété de carreaux, assiettes et vases de toutes les couleurs, superbement décorés. Son propriétaire était un homme d'une quarantaine d'années à la voix douce et d'une grande affabilité.

Ils discutèrent en toute franchise une bonne dizaine de minutes, d'autant plus facilement qu'il n'y avait personne d'autre dans la boutique, à l'exception de la fille adolescente du propriétaire et d'une vieille femme toute ratatinée que le propriétaire de la boutique présenta comme étant sa mère, laquelle se révéla aussi peu à même que son fils d'apporter une réponse aux questions de Tess.

Tout incapables qu'ils soient de venir en aide à la jeune femme, la vue du livre à l'évidence fort rare qu'elle leur montra suscita le vif intérêt du commerçant et de sa mère, comme cela avait été le cas avec plusieurs autres marchands. La vieille femme s'approcha en traînant les pieds et, d'une petite voix douce, demanda si elle pouvait voir le codex. Tess le lui tendit. Elle l'ouvrit précautionneusement, regarda la page de garde et en feuilleta deux autres.

— C'est très beau, fit-elle sans quitter le livre des yeux. Est-ce que c'est très vieux ?

— Environ deux mille ans, répondit Tess.

La vieille femme, surprise, ouvrit de grands yeux. Elle hocha lentement la tête, en silence, puis referma l'ouvrage et tapota de la main la couverture au cuir craquelé.

— Ça doit valoir beaucoup d'argent, non ?

La question laissa Tess sans voix.

— Je... je suppose, dit-elle au bout d'un moment. Je n'y avais jamais vraiment pensé.

Cette réponse sembla surprendre la vieille femme.

— Ce n'est pas ce que vous cherchez ? Vous ne souhaitez pas le vendre ?

— Non. Absolument pas.

— Mais alors, que voulez-vous en faire ?

— Je n'en sais trop rien, répondit Tess, réfléchissant tout haut. Cet évangile ainsi que d'autres qu'on pourrait également retrouver font partie de notre histoire. Il faudrait que l'on puisse les étudier, les traduire, les dater avec précision. Et puis faire connaître leur contenu aux gens qui ont envie d'en savoir plus sur ce qui s'est passé à l'époque en Terre sainte.

— Vous pourriez régler le problème en le vendant à un musée, insista la vieille femme, les yeux brillant maintenant d'une lueur espiègle.

— Sans difficulté, en effet, admit Tess en esquissant un sourire. Mais ce n'est pas mon objectif. Ça ne l'a jamais été. Depuis le début. Et ces livres... dit-elle en se rembrunissant. Beaucoup de gens ont souffert en essayant de les retrouver. Le moins que je puisse faire est de veiller à ce qu'ils n'aient pas enduré en vain toutes ces souffrances. Ces livres sont aussi leur héritage, au moins autant que celui des hommes d'aujourd'hui.

La vieille femme pencha la tête sur le côté avec un haussement d'épaules fataliste.

— Désolée de ne pas avoir pu vous être utile, dit-elle.

Tess lui fit un signe de tête et rangea l'antique ouvrage dans son sac à dos.

— Il n'y a pas de quoi. Et merci de nous avoir consacré un peu de votre temps.

Il ne leur restait plus, à Reilly et à elle, qu'à quitter poliment les lieux après que la conversation eut tourné un moment autour de la belle qualité de la production et des prix d'amis que l'on pouvait leur consentir.

Ils laissèrent donc trois générations de Kazzazoglu fermer boutique et ressortirent dans la nuit calme. L'hôtel n'était pas très loin, dix minutes à pied à peine. C'était un établissement plutôt simple, de taille moyenne. Moderne, de deux étages, fonctionnel et sans charme. Leur chambre, au dernier étage sur rue, leur offrait une salle de douche correcte et un lit propre, et c'était là tout le charme dont ils avaient besoin. Cette journée, la dernière d'une longue série, avait été interminable.

Ils s'embrassèrent et restèrent enlacés un moment dans le cocon de leur chambre, lumière éteinte, après quoi Reilly prit son téléphone et composa le numéro du portable d'Aparo. De son côté, Tess alla à la fenêtre et regarda au-dehors, perdue dans ses pensées. La ville s'était endormie et la rue était déserte. Un unique réverbère jouait les sentinelles à la gauche de l'hôtel, baignant le trottoir crevassé de sa lumière blafarde. Les seuls mouvements étaient dus à un trio de chats de gouttière, qui s'étaient glissés sous les voitures pour en ressortir avec des restes de viande dans la gueule.

Tess les suivit d'un œil absent, se disant que la dernière fois qu'elle avait vu des chats, c'était devant le Patriarcat, à Istanbul, peu après qu'on lui eut appris qu'ils étaient considérés comme annonciateurs de bonne fortune. Ce souvenir la fit frissonner. Son regard se porta sur le faîte des arbres et sur les toits alentour, et, l'espace d'un moment, elle s'imagina seule, parcourant la ville sans Reilly à ses côtés. Cette pensée ne contribua guère à la réconforter. L'Iranien rôdait quelque part, toujours en liberté. En liberté, et fou furieux. Reilly avait raison. Elle ne pouvait pas rester. Ce n'était pas raisonnable et, les choses étant ce qu'elles étaient, avec une fille et une mère qui attendaient son retour à la maison, le mieux qu'elle avait à faire était précisément de se montrer raisonnable.

Alors qu'elle se tournait pour rejoindre Reilly, ses yeux balayèrent de nouveau la rue en contrebas, s'arrêtant une fois de plus sur les chats. Ils venaient de longer une vitrine et se faufilaient dans une ruelle obscure en évitant soigneusement la silhouette solitaire qui se tenait, immobile, à l'angle.

Une silhouette solitaire qui regardait dans la direction de Tess.

La jeune femme se raidit. Il y avait quelque chose de familier dans son apparence. Ses yeux se fixèrent sur cette ombre, ses rétines se forçant à améliorer au maximum la résolution de l'image qu'ils lui renvoyaient.

Une adolescente.

Et pas n'importe laquelle.

Celle de la boutique de poterie.

Elle restait là, immobile, dans l'ombre, observant l'hôtel. Et en dépit de l'obscurité, Tess pouvait distinguer le blanc de ses yeux, petits fanaux lumineux dans les ténèbres.

Ses yeux levés vers elle.

Leurs regards se rencontrèrent. Tess sentit sa nuque se raidir. L'adolescente dut ressentir la même chose car elle se détourna soudain et disparut dans la ruelle.

Tess pivota sur elle-même, criant à Reilly :

— C'est la fille de la boutique, elle était dehors, à nous observer !

Elle ouvrit la porte de la chambre à la volée, dévala l'escalier, sortit en trombe de l'hôtel et se précipita dans la ruelle obscure, Reilly sur les talons. Aucun signe de l'adolescente. Tess poursuivit sa course jusqu'à un croisement avec une rue étroite. Elle regarda à gauche et à droite. Personne.

— Mais où est-elle passée, bon sang de bonsoir ? Elle n'a pas pu aller bien loin, quand même !

— Tu es sûre que c'était elle ?

— Absolument. Elle me regardait, Sean. Elle nous a certainement suivis jusqu'à l'hôtel. Mais pourquoi aurait-elle fait ça ? Merde ! Les évangiles… Ils sont dans mon sac à dos…

Elle s'apprêtait à reprendre la direction de l'hôtel quand Reilly l'arrêta du bras et lui montra son sac à dos, qu'il portait à l'épaule.

— Calme-toi, il est là.

C'était tout ce qu'ils avaient emporté avec eux à Konya. Outre les deux codex, le sac contenait le pistolet de Reilly.

Tess poussa un long soupir de soulagement.

— Tu crois que c'est ce qu'ils cherchaient ? Qu'elle nous a filés pour essayer de nous les piquer ?

— Je n'en sais rien. Peut-être.

Reilly regarda autour de lui et essaya de se repérer. Il fit un signe vers sa droite.

— Leur boutique est par là. C'est peut-être vers là qu'elle se dirigeait.

Tess réfléchit une seconde, puis fit oui de la tête.

— Ça paraît logique. Allons-y.

— Pourquoi ?

— Je veux savoir ce qu'elle fabriquait sous notre fenêtre.

55

Retrouver la boutique se révéla beaucoup plus difficile que prévu.

Les rues et venelles étroites du vieux quartier constituaient un véritable labyrinthe où il était facile de se perdre, surtout la nuit, le nombre de réverbères étant plus que limité. Lorsque Tess et Reilly finirent par tomber dessus, l'échoppe était plongée dans le noir.

Ce qui n'empêcha pas Tess de s'avancer résolument et de frapper de la paume contre son rideau en aluminium.

— Hé là ! cria-t-elle. Ouvrez ! Je sais que vous êtes là !

Reilly intervint :

— Enfin, Tess, la morigéna-t-il, tu vas réveiller tout le quartier…

— Je m'en fous. Peut-être que tout le quartier se trouverait mieux s'il savait que ces gens sont des escrocs, répliqua-t-elle en continuant de taper. Ouvrez cette porte ! Je n'ai pas l'intention de partir !

Reilly était sur le point de s'interposer de nouveau quand une lumière filtra à travers le volet de bois à claire-voie d'une fenêtre, au-dessus de la boutique.

Quelques secondes plus tard, il s'ouvrit en grinçant, laissant apparaître la tête du commerçant.

— Qu'est-ce que vous faites là ? lança-t-il. Que voulez-vous ?

— Je veux parler à votre fille, répondit Tess.

— Ma fille ? s'étonna le boutiquier. Maintenant ? Mais pourquoi ?

— Dites-lui juste que je suis là, insista Tess. Elle comprendra.

— Écoutez, madame, je ne sais pas ce que vous...

Une voix venant de la ruelle qui longeait la boutique l'interrompit :

— *Yatağina dön.*

La vieille femme sortit de l'ombre et, faisant signe à son fils de retourner se coucher, répéta d'un ton autoritaire :

— *Yatağina dön. Bunu halledebiliriz.*

L'homme hocha docilement la tête avant de refermer ses volets à contrecœur et de disparaître.

La femme se tourna alors vers Tess et la fixa sans un mot. La tension qui l'animait se lisait sur son visage, même à la pâle lueur de l'unique réverbère qui éclairait vaguement la rue, un peu plus bas. Elle fit un pas de côté : l'adolescente était là, derrière elle.

— Qu'est-ce qu'elle faisait devant notre hôtel ? interrogea Tess, toute vibrante d'impatience.

— Moins fort, siffla la vieille femme. Vous allez réveiller tout le monde.

Elle lâcha en rafale une phrase en turc et la jeune fille s'éclipsa.

— Hé ! s'exclama Tess en faisant un pas en avant. Où va-t-elle ?

— Elle n'a rien fait de mal, répliqua la femme. Vous devriez partir.

541

— Partir ? Mais je n'en ai pas la moindre intention. Je veux savoir pourquoi elle nous a suivis jusqu'à notre hôtel. Mais peut-être préférez-vous que nous signalions l'incident au commissariat et qu'elle s'explique avec les policiers ?

Cette remarque sembla déplaire profondément à la vieille femme.

— Non, pas de policiers, dit-elle.

Tess tendit alors vers elle ses mains ouvertes, d'un air interrogateur.

La femme plissa le front, visiblement tourmentée.

— Allez-vous-en, s'il vous plaît.

La façon dont elle venait de prononcer ces mots ouvrit à Tess de nouveaux horizons : elle avait tant souhaité protéger les codex qu'elle n'avait rien envisagé de positif.

Elle se rapprocha de la vieille femme et lui demanda, d'un ton radouci :

— Savez-vous quelque chose à propos de ces livres ?

— Non. Bien sûr que non.

Cette dénégation un peu trop rapide était loin d'être convaincante.

— Je vous en prie, insista Tess. Si vous savez quoi que ce soit... Vous devez savoir que d'autres personnes sont à la recherche de ces livres. Des meurtriers. Pour mettre la main dessus, ils n'ont pas hésité à assassiner beaucoup de gens. Et tout comme nous vous avons trouvés, ils pourraient tout à fait vous retrouver, eux aussi. Franchement, si vous savez quelque chose, vous devez nous le dire. Vous n'êtes plus en sécurité, à l'heure qu'il est.

La femme ne quittait pas Tess du regard, les lèvres pincées, le front plissé, les mains tremblant sensiblement malgré la température clémente, ses yeux trahissant le vif débat qui l'agitait.

— Je vous dis la vérité, dit Tess. Je vous en prie, faites-moi confiance.

Les secondes s'étirèrent, interminables, puis une décision parut s'imposer :

— Suivez-moi, lâcha-t-elle avant de faire demi-tour et de s'engager dans la ruelle.

La boutique occupait le rez-de-chaussée d'un petit immeuble en pierre, l'appartement des propriétaires se trouvant à l'étage. La vieille femme passa devant un escalier extérieur en bois, menant probablement à l'appartement, et s'arrêta devant une porte en chêne, à l'arrière du bâtiment. Ayant s'être débattue un moment avec ses clefs, elle ouvrit la porte et les précéda à l'intérieur.

Ils traversèrent une petite entrée et pénétrèrent dans une pièce plus grande, où la femme alluma un lampadaire, révélant une salle de séjour dont la porte-fenêtre donnait sur une cour intérieure. La pièce était bourrée d'objets de toutes sortes, souvenirs d'une longue vie bien remplie : des étagères surchargées ployaient sous le poids des livres, des photos encadrées et des vases. Autour d'une table basse, un sofa et deux fauteuils disparaissaient presque sous un amas de kilims et de coussins brodés, tandis que les murs étaient un véritable patchwork de petits tableaux et de vieilles photos de famille en noir et blanc.

— Je vais préparer du café, bougonna la vieille femme. Je sais que je vais en avoir besoin.

Elle quitta la pièce en traînant les pieds. L'instant d'après, Tess et Reilly entendirent des bruits de casserole, ceux d'un robinet que l'on ouvrait puis d'une allumette que l'on craquait, enfin le frêle sifflement d'un brûleur à gaz. Tess s'approcha pour regarder de plus près les photographies encadrées. Elle reconnut leur hôtesse, en beaucoup plus jeune, posant à côté de divers personnages, souvenirs d'une époque révolue. Après avoir rapidement regardé une dizaine de clichés, elle s'arrêta devant l'un d'eux, qu'elle examina avec une attention toute particulière : il montrait une jeune fille à côté d'un homme nettement plus âgé, le portrait d'un père et de sa fille. On distinguait en arrière-plan un gros appareil en bois, lui aussi d'une autre époque : un métier à tisser semi-automatique.

Un engin servant à fabriquer du tissu.

Une machine utilisée par un drapier.

— C'est ma mère, et son père, expliqua la vieille femme de retour de la cuisine avec un petit plateau, avant de prendre place sur le sofa. C'était une affaire de famille, du plus loin que remontent nos souvenirs.

— Et que s'est-il passé ? demanda Tess, en proie à une soudaine fébrilité.

— Mon grand-père s'est ruiné. Il a dépensé tout ce qu'il possédait pour acheter un métier à tisser moderne censé venir d'Angleterre, mais l'intermédiaire a disparu avec l'argent.

Elle versa du café épais dans de minuscules tasses dépourvues d'anse et fit signe à Tess et à Reilly de se servir.

— Il est mort de chagrin peu de temps après. Ma grand-mère a été obligée de trouver un travail pour gagner sa vie. Elle savait cuire l'argile, c'était le métier de son père. Et tout ceci en est le résultat.

— Vous vendez de bien beaux objets, remarqua Tess avec un sourire en s'asseyant sur le sofa à côté d'elle.

Reilly se joignit à elles, prenant place dans un fauteuil, le sac à dos à ses pieds.

Leur hôtesse éluda d'un geste le commentaire de Tess.

— Nous sommes fiers de notre production, quelle qu'elle soit. Sinon, ce ne serait pas la peine.

Elle avala une gorgée de café, le trouva visiblement trop chaud et reposa sa tasse. Puis, après un moment de silence, elle lâcha un long soupir et leva les yeux vers Tess.

— Et maintenant, dites-moi... Qui êtes-vous, exactement ? Et comment êtes-vous arrivée ici, dans ce coin perdu du monde, avec ces vieux livres que vous transportez avec vous ?

Tess regarda Reilly, se demandant que répondre. Moins de dix minutes plus tôt, elle bouillait d'indignation, persuadée que la vieille femme cherchait à mettre la main sur les codex. Et voilà qu'ils se retrouvaient confortablement installés dans sa salle de séjour, buvant son café et bavardant courtoisement.

Reilly lui fit signe d'y aller franchement, confirmant ainsi son premier élan.

Et Tess raconta tout. Du début à la fin. Toute l'histoire, depuis l'apparition de Sharafi en Jordanie jusqu'à la fusillade dans la cité souterraine, en éludant toutefois les passages les plus sanglants, de peur d'effrayer leur hôtesse. Durant tout son récit, cette dernière l'écouta avec une attention extrême, son visage marquant tour à tour la surprise et l'effroi, ses yeux étudiant le visage de Tess et se tournant de loin en loin vers Reilly, ne demandant qu'une fois ou deux des précisions. Quand l'histoire toucha à sa fin, ses mains tremblaient, et quand Tess en eut terminé elle garda le silence un long moment, réfléchissant à ce qu'on venait de lui raconter, tenaillée par l'indécision et l'inquiétude.

Tess hésita à mettre carrément les pieds dans le plat. Puis, après lui avoir laissé ce qu'elle estimait être un temps suffisant pour digérer ces informations, elle se jeta à l'eau :

— Pourquoi votre petite-fille nous a-t-elle suivis jusqu'à notre hôtel ? C'est vous qui le lui avez demandé, n'est-ce pas ?

La vieille femme ne sembla pas l'avoir entendue. Elle demeura plongée dans ses pensées, les yeux rivés sur sa tasse de café, enfermée dans un cruel dilemme. Après une nouvelle délibération aussi muette qu'interminable, elle se décida enfin à dire lentement, d'une voix douce, osant à peine regarder Tess :

— Ils ne savaient pas quoi en faire, vous comprenez. On n'a jamais su quoi en faire.

Elle ferma les yeux, prise de remords, puis se tourna pour affronter le regard de Tess, qui eut le sentiment qu'elle venait de franchir un point de non-retour. Elle regardait leur hôtesse d'un air ébahi, se demandant si elle avait bien entendu, puis un sentiment d'allégresse la submergea.

— Vous les avez ? questionna-t-elle. Vous avez les autres livres ?

Elle s'était avancée sur l'extrême bord du sofa, tout son être frémissant d'impatience.

La vieille femme la fixa intensément, puis hocha lentement la tête.

— Combien ?

— Beaucoup, répondit-elle comme s'il s'agissait de la chose la plus naturelle du monde. Maysoun, la femme. Elle les a apportés ici pour les mettre en lieu sûr. Après que Conrad eut perdu la vie.

Tess n'en croyait pas ses oreilles. Son visage était en feu. Elle interrogea du regard Reilly, qui lui renvoya un large sourire pour lui manifester son soutien, puis se tourna de nouveau vers leur hôtesse.

— Conrad était donc accompagné d'une femme ?

— Ils s'étaient connus à Constantinople, où ils vivaient tous les deux.

— Elle était soufie ? intervint Reilly.

— Oui.

— Et que leur est-il arrivé ? demanda Tess. Conrad est bien mort à Zelve, n'est-ce pas ?

56

Cappadoce, mai 1310

Les villageois les accueillirent avec une chaleur empreinte d'une certaine retenue.

Conrad et Maysoun avaient trouvé le hameau dans une gorge étroite, dissimulée au monde extérieur. Il s'agissait pour l'essentiel d'un ensemble de cônes rocheux rassemblés autour d'une église creusée à même la falaise. Leur venue constitua un événement peu ordinaire : les villageois ne recevaient guère de visiteurs, aussi restèrent-ils dans un premier temps sur leurs gardes. Mais comme les nouveaux arrivants apportaient avec eux des nouvelles du monde extérieur et qu'ils représentaient une forme de rupture avec leur routine de communauté très isolée, ils se départirent rapidement de leur réserve. Le prêtre de l'église rupestre finit lui aussi, au bout de quelques heures, par les accepter, fût-ce de mauvaise grâce : qu'un chevalier de la Croix voyage en compagnie d'une païenne ne lui plaisait visiblement guère, mais lorsque Conrad lui expliqua qu'il avait combattu pour la libération de la Terre sainte, et qu'il y avait perdu une main, l'ecclésiastique fut contraint de mettre de côté ses préjugés.

Maysoun y contribua largement elle aussi quand, à la grande surprise du prêtre, elle cita plusieurs versets des Écritures qu'elle avait appris, enfant, en s'initiant à la tolérance avec son maître soufi.

La sage-femme du village, qui en était également l'unique médecin, aida Conrad à éclisser et bander le poignet de la jeune fille, et les deux réfugiés se virent offrir nourriture et boisson. Quand vint la nuit, tous deux se retrouvèrent près d'une fenêtre en haut d'un cône rocheux évidé, une habitation dont l'unique occupant était mort quelque temps auparavant. Enlacés, ils admirèrent le crépuscule, particulièrement spectaculaire : le ciel au-dessus de la gorge offrit durant quelques minutes une invraisemblable palette de roses et de pourpres avant de céder la place à une obscurité totale, d'un noir velouté.

Conrad n'avait pratiquement pas ouvert la bouche de toute la soirée, et il était demeuré muet durant la dernière demi-heure. Il était l'image même du désespoir.

Maysoun s'arracha à son étreinte et scruta son visage.

— Dis-moi ce qui te préoccupe.

Tout d'abord, il ne répondit pas, pas plus qu'il ne la regarda, perdu dans le puits insondable de sa mélancolie. Puis, après un long moment, il se décida :

— Ça. Ce que je suis en train de faire. Ça ne rime à rien.

— Pourquoi dis-tu cela ?

— Tout cela est vain. Hector, Miguel… ils sont morts. Et Dieu sait ce qui m'attend, fit-il avant de lâcher un profond soupir. Je ne peux pas faire cela tout seul.

— Mais tu n'es pas seul.

Il la regarda et son visage s'éclaira quelque peu.

— Tu as été magnifique. Mais ça n'en demeure pas moins vain. Même à nous deux, nous n'y arriverons pas. J'ai été stupide de croire que je pourrais être en mesure de modifier le cours de l'histoire.

— Mais non, répliqua-t-elle en se pelotonnant dans ses bras. Tu as eu raison de faire ce que tu as fait, de retrouver ces ouvrages et de les mettre en lieu sûr. Et même si tu ne parviens pas à concrétiser ton projet, cela n'implique nullement que tu ne puisses pas changer le monde.

— Que veux-tu dire par là ?

— Ton idée était de te servir de ces écrits, de ce savoir, comme tes prédécesseurs l'ont fait au cours des deux derniers siècles : pour faire chanter le pape, l'obliger à libérer tes amis et faire renaître l'Ordre. Un objectif noble, bien sûr. Tu devais tenter ta chance. Mais si tu avais atteint ton but… Toutes les connaissances contenues dans ces ouvrages seraient demeurées sous clef, ignorées du reste du monde.

Les traits de Conrad se contractèrent.

— C'est parce que ce savoir est resté secret que les papes ont satisfait à toutes nos exigences, dit-il avec une gêne évidente. C'est ce qui a servi de fondement à notre puissance, et nous a permis d'attendre le moment propice pour le partager avec le monde tout entier.

— Et crois-tu que ce moment propice serait arrivé un jour ? Ou est-ce *toujours* le moment propice ? Ces textes sont restés cachés durant mille ans. Toi, tes frères et les templiers qui vous ont précédés s'en sont servis comme d'une arme pendant des siècles ; et si Hector et Miguel étaient toujours en vie, vous essaieriez encore de les utiliser de cette façon. Le moment est peut-être venu de voir les choses sous un angle différent. Peut-être est-il temps que tu commences à penser à la meilleure façon de faire connaître ces écrits au lieu de les tenir secrets...

— C'est impossible, rétorqua Conrad. Le moment n'est pas venu. Le pape est beaucoup trop puissant. Regarde ce qui s'est passé avec les Cathares. Le Vatican a des inquisiteurs partout. Il ne peut pas se permettre de laisser s'exprimer la moindre pensée teintée d'hérésie.

— Il existe toujours un moyen. Regarde Rumi : ses prêches étaient fondés avant tout sur l'amour et l'introspection, les deux clefs du savoir. Ses paroles auraient dû être considérées comme blasphématoires par n'importe quel religieux aux tendances conservatrices, mais elles ont conquis le cœur du sultan en personne, qui l'a invité à venir s'installer dans sa capitale pour y prêcher, et est devenu son protecteur.

— Je ne suis pas un prêcheur.

— En effet, admit-elle avec un sourire. Mais il serait peut-être temps que tu te mettes à penser comme l'un d'eux.

Elle se serra plus fort encore contre lui avant de faire glisser sa tunique de ses épaules.

— Mais pas sur tous les sujets.

Ils passèrent les jours suivants à travailler dans les champs de blé avec les villageois, et à débattre de la suite des événements durant la nuit. Le transport des textes demeurait un problème majeur. Ils ne disposaient que d'un cheval et il n'y avait qu'un chariot dans le hameau, dont les villageois ne pouvaient pas se séparer. De toute façon, ils n'auraient pas eu les moyens de se l'offrir.

Conrad ne voyait aucune issue à ce dilemme et, à chaque nouveau jour écoulé, son ire et sa frustration ne faisaient que croître. La pensée que ses frères pourrissaient dans les prisons françaises et son impuissance à leur venir en aide lui rongeaient les sangs. Une semaine plus tôt, il croyait être en mesure de peser sur le cours des événements. Tout avait changé avec l'embuscade dans la gorge.

Puis, le matin du neuvième jour, tout changea une fois de plus, quand des bruits de sabots et une voix familière résonnèrent dans le hameau :

— Maysoun ! Conrad ! Montrez-vous, si vous ne voulez pas voir périr tous les hommes, toutes les femmes et tous les enfants de ce village !

Conrad se précipita à la fenêtre, aussitôt suivi par Maysoun : ils jetèrent un coup d'œil prudent à l'extérieur pour voir Kacem et les deux hommes de main survivants avancer au petit trot dans l'allée centrale entre les maisons troglodytes. Une femme était assise en amazone sur le cheval de Kacem. Il tenait un poignard contre sa gorge. Conrad et Maysoun avaient travaillé avec elle dans les champs : c'était la sœur de la sage-femme qui avait soigné le poignet de la jeune fille.

— Comment ont-ils su que c'était nous ? s'interrogea Maysoun à voix haute.

— La femme, expliqua Conrad en désignant l'otage d'un signe de tête. Elle connaît nos noms.

— Mais comment ont-ils pu nous retrouver ?

— L'appât du gain et le désir de vengeance, dit-il. Il n'existe pas de motifs plus puissants.

— Qu'allons-nous faire ?

Conrad fixa d'un œil dur les trois hommes, ces individus qui avaient tué ses amis, fait échouer ses projets, et donc scellé le sort de ses frères.

Trois hommes qui paieraient pour leur forfait.

— Nous allons en finir, répondit-il avant de se pencher par la fenêtre et de crier : Libérez cette femme, je vais sortir !

Kacem leva la tête, aperçut le chevalier franc, et ne dit rien. Il se contenta de jeter la femme à bas de sa monture et de fusiller Conrad du regard.

Ce dernier vit alors sa prothèse de main, attachée à la selle du Turc, ce qui ne fit qu'exacerber sa fureur. Quittant la fenêtre, il traversa la pièce jusqu'à une niche creusée dans le mur, où il s'empara de son cimeterre.

— Pas question que tu ailles là-bas tout seul, fit Maysoun en allant chercher son arbalète.

Sous le poids, son poignet lâcha prise et elle grimaça de douleur. L'arbalète tomba par terre.

— Non ! lança Conrad sur un ton sans réplique. Pas avec ton poignet blessé. J'ai besoin que tu ne bouges pas d'ici. Pour le reste, j'en fais mon affaire.

— Je veux t'aider, insista la jeune fille.

— Tu en as fait plus qu'assez, plus que ce que j'avais le droit d'exiger de toi, dit-il, une froide détermination dans le regard. Je dois régler cela seul.

À son ton, il était clair qu'il n'y avait pas de place pour la discussion.

Maysoun inspira profondément, longuement, avant de lui adresser un signe de tête résigné.

Conrad ramassa l'arbalète, la reposa dans la niche et prit le poignard de la jeune fille.

— Aide-moi, demanda-t-il en plaçant l'arme contre son avant-bras mutilé. Accroche-le à mon bras.

— Conrad…

— Fais-le, je t'en prie.

Avec deux lanières, elle fixa le manche du poignard au moignon du bras gauche de son compagnon.

— Serre plus fort.

Elle s'exécuta, resserrant les lanières pour en faire ce qui ressemblait à un solide garrot. La lame était désormais une quasi-extension de son bras.

Il prit le cimeterre dans sa main droite, avec le sentiment que ses veines avaient gonflé sous l'effet de la colère, regarda Maysoun et s'approcha d'elle avant de l'étreindre et de l'embrasser longuement.

Puis il sortit dans le soleil.

— Où est ma catin de sœur ? aboya Kacem.

— À l'intérieur, répondit Conrad en faisant un pas sur le côté afin d'avoir un peu plus de champ devant lui. Mais avant d'entrer, il faudra que tu me passes sur le corps.

Les yeux du Turc s'étrécirent pour ne devenir que deux fentes étroites.

— C'était mon idée, dit-il avec un sourire.

Sur un signe de tête, ses deux acolytes sortirent leurs cimeterres, éperonnèrent leurs montures et chargèrent.

Conrad les regarda se précipiter dans sa direction, côte à côte, et se mit en position défensive, genoux pliés, épaules bien droites, la lame de son arme à la verticale devant son visage. Ses vieux instincts resurgirent d'un coup, ralentissant le temps, lui permettant de saisir dans le moindre détail le comportement de ses deux adversaires, de prévoir leur stratégie et de mettre au point la sienne avec une précision absolue. Il repéra ainsi un défaut, un point vulnérable, dans la façon de galoper du cavalier qui approchait sur sa gauche, un droitier, qu'il décida d'éliminer en premier. Les deux sbires se trouvaient à moins de dix mètres lorsqu'il chargea à son tour, se jetant vers celui de gauche avant de s'effacer brusquement. Cette initiative surprit ses assaillants, qui furent contraints de tirer brutalement sur leurs rênes pour modifier le chemin suivi par leurs montures. Conrad avait parfaitement calculé son coup : il rejoignit sa cible avant que l'autre cavalier ait eu le temps de corriger sa trajectoire. L'homme avait lui aussi quelque mal à contrôler son cheval, ce qui permit au chevalier franc de lui porter un coup de côté, lui ouvrant le flanc. L'homme accusa le choc et tomba de sa monture. Il venait à peine de heurter le sol que Conrad était déjà sur lui et lui plantait son poignard en plein cœur.

Le second cavalier avait réussi à faire volter son cheval et, furieux de la contre-attaque imprévue de son adversaire, accourait sur lui au grand galop. Conrad ne bougea pas d'un pouce. Les pieds fermement campés au sol, il prit le temps de réfléchir, cherchant la faille dans la charge téméraire du sbire, tous ses muscles tendus en prévision de l'affrontement imminent.

Dès qu'il entrevit l'ouverture, il se mit en mouvement, fonçant une fois de plus sur le côté de façon à mettre le cadavre du Turc entre lui et le cavalier, gênant ainsi considérablement l'offensive de celui-ci. L'homme commit la même erreur que son camarade en laissant le chevalier franc se placer à l'opposé de son cimeterre, lui permettant ainsi de l'attaquer sur son côté non protégé. Un avantage considérable. Conrad abattit son arme de toutes ses forces, la lame s'enfonçant profondément dans la cuisse de son adversaire, au point de la trancher presque net. Instinctivement, l'homme tira sur ses rênes, horrifié par le spectacle de ses muscles et de ses chairs à vif. Le chevalier franc ne lui laissa pas le temps de souffler. Avant même que son adversaire ait pu réaliser qu'il était sur lui, il lui administra un coup plus violent encore, lui ouvrant le dos avant de le désarçonner et de l'achever d'un ultime coup de cimeterre.

C'est alors que le carreau le frappa à l'épaule, par-derrière.

S'enfonçant profondément dans sa chair. Sans un bruit.

Sous l'impact, Conrad fit quelques pas chancelants, avant de se retourner avec lourdeur. Kacem était descendu de cheval et, debout près de sa monture, regardait Conrad, son arbalète à la main. Il la jeta par terre, sortit son cimeterre et se dirigea vers le chevalier franc, le front plissé, les lèvres serrées, une lueur diabolique au fond des yeux.

Conrad se savait en mauvaise posture. La flèche l'avait atteint à l'épaule droite. Son bon bras. Le seul, l'unique. Celui qui lui permettait de manier son épée. Le carreau était fermement fiché dans son omoplate, le moindre mouvement déclenchant une douleur insupportable.

Une douleur qu'il devrait ignorer s'il voulait rester en vie.

Les yeux rivés sur son adversaire, Kacem continuait d'avancer lentement vers lui, tenant son arme prête. Puis il se mit à trottiner dans sa direction, avant de courir franchement : avec un hurlement bestial, il leva son cimeterre et l'abattit sur Conrad en bondissant sur lui, emporté par son élan.

Le chevalier franc se déporta sur le côté, se mettant hors d'atteinte et bloquant le coup de son arme. Les deux lames s'entrechoquèrent avec un bruit sourd, le choc se répercutant dans le corps de Conrad et envoyant dans son épaule une onde de douleur aussi

violente que le contact sur sa chair d'un fer incandes-
cent. Il sentit ses genoux sur le point de le lâcher, se
ressaisit. Il ne devait pas permettre à la souffrance de
prendre le dessus et de le paralyser. Kacem fit un tour
sur lui-même et frappa de nouveau, sa lame décrivant
un arc de cercle avant de croiser de nouveau avec force
celle de son adversaire.

Le troisième coup fit sauter le cimeterre de la main
du guerrier franc, ses doigts se révélant incapables
d'ignorer plus longtemps la douleur dans son épaule.

Kacem s'immobilisa, le sourire aux lèvres. Ses yeux
tombèrent sur le poignard attaché à l'avant-bras de
Conrad et son sourire se transforma en rire moqueur.

— Je me demande ce qui est le mieux : te tuer ou me
contenter de couper ton autre main – tes pieds aussi,
peut-être – et te laisser survivre comme un misérable,
un pathétique ver de terre, ricana-t-il. C'est peut-être ce
que je vais vous faire, à tous les deux…

Les jambes de Conrad cédèrent et il tomba à genoux.
Il avait du mal à respirer et sentait le goût du sang dans
sa bouche. Son cœur lui manqua quand il comprit ce
qu'il en était : le carreau d'arbalète ne s'était pas seulement logé dans son épaule, il lui avait également
transpercé le poumon.

Et il savait pertinemment comment cela allait se
terminer.

Il avait trop souvent été témoin de ce qu'il advenait
après une telle blessure.

Il leva les yeux vers le jeune Turc, vit à son expression que lui aussi avait compris le sort qui l'attendait.
Kacem soutint son regard un moment puis leva son
cimeterre, comme l'aurait fait un bourreau, et le tint
ainsi dressé au-dessus de sa tête.

— Et puis au diable tout cela. Je crois que je vais faire ça avant que tu me prives du plaisir de...

Il n'eut pas le loisir d'achever sa phrase : ses traits se crispèrent soudain. Quelque chose venait de le heurter brutalement dans le dos.

Un carreau d'arbalète.

Il baissa les yeux sur la pointe de flèche qui sortait de sa poitrine, son visage exprimant une totale stupéfaction. Il se retourna, lentement. Conrad suivit son regard.

Maysoun se trouvait au milieu de la clairière, près du cheval de son frère.

Elle tenait une arbalète à la main.

Son expression reflétait une douleur intense.

La femme avec qui ils avaient travaillé dans les champs, celle que les Turcs avaient prise en otage, se trouvait à ses côtés. Serrant dans sa main une poignée de carreaux.

Kacem fit un pas en avant, vers elle, mais Conrad n'était pas prêt à lui laisser la moindre chance. Il mobilisa toutes ses forces pour obliger ses jambes à le soutenir et parvint à se relever, se laissa tomber sur le Turc et lui plongea son poignard dans le dos, tournant l'arme en tous sens pour s'assurer que celle-ci ferait un maximum de dégats.

Les deux hommes s'écroulèrent dans une mêlée indistincte, le sang se mélangeant à la poussière.

Le Turc fut saisi de spasmes l'espace de quelques secondes, durant lesquelles il ne cessa de fixer Conrad de ses yeux écarquillés dans lesquels on lisait une rage silencieuse. Il rendit l'âme après un ultime frémissement.

Conrad laissa sa tête partir en arrière et contempla le ciel. Puis Maysoun le rejoignit. Elle prit son visage entre ses mains, passant ses doigts dans sa chevelure, des larmes baignant son visage.

— Ne m'abandonne pas, le supplia-t-elle en sanglotant.

— Jamais, répondit-il, sachant pertinemment qu'il mentait.

Du sang coulait des commissures de ses lèvres et son souffle se faisait plus irrégulier. L'air qu'il avait tant de mal à inspirer s'échappait avant d'avoir pu remplir son office.

— Veille sur eux, murmura-t-il. Trouve un moyen. Mais veille sur eux. Et peut-être qu'un jour quelqu'un sera en mesure de faire ce que nous avons été incapables de mener à bien...

— Je le ferai, je te le promets. Je le ferai.

Alors, incroyablement vite, les lèvres du chevalier franc bleuirent, sa peau devint toute pâle. Sa bouche se fit plus lourde, ses mots devinrent de plus en plus indistincts.

Et il passa de vie à trépas.

57

— Ils l'ont enterré là, dans l'église. Puis elle est venue s'installer à Konya, poursuivit la vieille femme. Elle est devenue membre d'une *tekke*. Et durant les mois qui ont suivi, elle est souvent retournée dans cette grotte, seule, emmenant avec elle un cheval de bât, et elle en a rapporté les textes, en petit nombre à chaque fois. Elle les a gardés bien cachés, n'en a parlé à personne. Et puis, des années plus tard, elle a rencontré quelqu'un.

— Un drapier, supputa Tess.

Fascinée, elle buvait littéralement chaque mot de leur hôtesse.

— Oui. Il faisait partie de la même loge. Elle s'est confiée à lui, lui a raconté son secret et ils ont fini par se marier. Ils ont entamé une nouvelle vie ici, à Konya.

Un sourire mélancolique adoucit ses traits.

— C'étaient mes ancêtres.

— Donc la fresque, les vers du poème... Ils sont venus après ? demanda Tess.

La vieille femme acquiesça de la tête.

— Oui. Elle y est retournée et les a fait ajouter longtemps après. Dans l'église où Conrad a été enterré, comme vous l'avez vu.

— Et comment savez-vous tout cela ? intervint Reilly.

Leur hôtesse se leva péniblement pour aller fouiller dans un bureau, y récupérant une petite clef dont elle se servit pour ouvrir l'un des tiroirs du meuble. Elle en sortit un document plié qu'elle montra à Tess.

Il s'agissait d'une série de feuillets manuscrits, jaunis par le temps. Tess fut incapable de les lire car ils étaient couverts d'une écriture serrée en caractères arabes.

— Ce dossier raconte toute l'histoire, dit la vieille femme. Il s'est transmis de génération en génération, durant plus de sept cents ans.

— Et durant tout ce temps, les textes sont restés cachés ? s'étonna Tess.

— Maysoun avait promis à Conrad de les garder en sûreté et d'essayer de les partager avec le monde entier. Mais il lui était impossible de tenir sa promesse. Pas à cette époque. Orient et Occident étaient dressés l'un contre l'autre. Dans ces terres, les Seldjoukides étaient sur le point de céder la place aux Ottomans et à leurs « guerriers de la foi ». Ils allaient par la suite fonder un empire islamique, et la dernière chose que pouvait souhaiter Maysoun, c'était que ces textes soient utilisés comme des armes pour discréditer une croyance rivale.

Tess regarda Reilly. Lui aussi avait capté l'écho dans les paroles de leur hôtesse. Il adressa à sa compagne un petit signe de tête aussi discret qu'entendu qui fit accélérer son rythme cardiaque.

Leur manège n'avait pas échappé à la vieille femme, qui eut un petit sourire mélancolique avant de déclarer d'une voix empreinte de tristesse :

— Elle ne savait pas non plus vers qui se tourner en Occident. Les templiers avaient disparu, bien sûr. Et l'Église était terriblement puissante, à l'époque. Personne, pas même un roi, n'aurait eu l'audace de se faire le champion d'une doctrine qui aurait mis en péril sa prééminence.

— Donc ces textes ont été conservés... ici ?

— Oui. Gardés en lieu sûr, en attendant le moment propice.

Tess sentit sa gorge se nouer. Elle devait poser la question, une fois encore :

— *Ici ?*

La vieille femme fit oui de la tête.

— On peut les voir ? s'enquit Tess d'une voix rauque.

D'abord, la vieille femme ne répondit pas. Puis une fois de plus, elle rejoignit le bureau, où elle récupéra un trousseau de clefs. Après quoi elle se retourna pour faire face à ses hôtes.

— Venez.

Elle les précéda dans un étroit couloir qui donnait d'un côté sur la cuisine et, au bout, sur ce qui ressemblait à une chambre à coucher. La pièce était plus basse de plafond que le salon et l'un de ses murs était occupé par des placards. Sur celui d'en face, un kilim était accroché à une tringle en laiton. La vieille femme ouvrit la porte d'un placard, y prit une lampe torche puis s'approcha du kilim et le repoussa sur le côté. Derrière, creusé dans la paroi et guère visible dans l'obscurité, se trouvait un escalier à vis à peine plus large que les épaules d'un homme. La vieille femme pénétra dans la niche et descendit précautionneusement les hautes marches, prenant appui contre la paroi incurvée, la lumière de sa lampe se reflétant sur sa surface rugueuse, criblée de trous. Tess et Reilly la suivirent. L'escalier débouchait sur un tunnel tout aussi étroit. Il ressemblait fort à ceux qu'ils avaient empruntés dans la ville troglodyte où ils s'étaient retrouvés prisonniers, et Tess se demanda si celui-ci datait de la même époque. Ils passèrent devant une succession de vieilles portes en bois ouvrant sur un côté du tunnel. La vieille Turque s'arrêta devant la dernière et la déverrouilla avant d'entrer en leur faisant signe de la suivre.

Ils se retrouvèrent dans une pièce minuscule, basse de plafond, qui tenait plus du cagibi que d'autre chose. La température y était agréable comme dans les salles de la ville souterraine – l'humidité en moins –, contraste saisissant avec la touffeur qui régnait en surface.

Tess regarda autour d'elle, et ce qu'elle vit lui coupa littéralement le souffle.

Tous les murs, à l'exception de celui occupé par la porte, étaient couverts d'étagères. Et celles-ci, à leur tour, étaient couvertes de livres. De livres anciens. Petits, reliés de cuir, toute une série de codex, les plus vieux ouvrages de la planète : des évangiles vieux de deux mille ans, remontant aux premiers temps de l'Église.

Il y en avait des dizaines et des dizaines.

Tess n'en croyait pas ses yeux et c'est tout juste si elle parvint à balbutier « Je peux ? » en désignant du doigt l'un des ouvrages.

D'un geste résigné, la vieille femme lui fit signe de se servir.

Tess ne se fit pas prier : le livre était similaire aux deux codex qu'elle avait dénichés dans la tombe de Conrad. Même reliure en cuir, même rabat, même lanière tout autour. Celui-ci paraissait lui aussi en très bon état. Après une courte hésitation, elle défit la lanière et ouvrit le livre : le lettrage était lui aussi identique, écrit en *koinè*.

Elle traduisit mentalement la page de titre : « L'Évangile d'Ève. » Tess en ignorait tout. La vieille femme la regarda d'un air légèrement perplexe avant de lui lancer :

— Je me suis intéressée à celui-là, moi aussi. Mais ce n'est pas l'Ève que vous croyez.

Tess la regarda, surprise.

— Vous savez ce qu'il y a dans ces livres ? s'étonna-t-elle. Vous les avez lus ?

— Non, pas vraiment. Je me suis contentée d'apprendre toute seule un peu de copte et de grec ancien par-ci par-là, et j'ai réussi à traduire les titres de ces livres, histoire de me faire une idée de leur contenu. Mais les langues dans lesquelles ils sont écrits dépassent de loin mes compétences.

Une question brûlait les lèvres de Tess :

— Si je vous cite un texte précis, vous pourrez me dire s'il se trouve là ou pas ?

La vieille femme haussa les épaules.

— Oui, probablement, répondit-elle.

Tess inspira profondément, prenant son élan :

— Il y a quelques années, j'ai eu entre les mains quelque chose que je croyais être le journal de Jésus. Écrit de sa propre main.

— Vous l'avez vu ? demanda la vieille femme en écarquillant les yeux.

— Oui, mais j'ai été incapable de dire s'il s'agissait d'un original ou d'un faux. Et je n'ai jamais eu l'occasion d'effectuer des tests de laboratoire pour m'en assurer. Vous connaissez ce texte ? Vous pourriez dire s'il était authentique ?

La maîtresse des lieux sourit et secoua la tête.

— Non. C'était un faux.

Son assurance stupéfia Tess.

— Comment pouvez-vous en être sûre ? demanda-t-elle.

— À cause de la lettre de Maysoun. Conrad lui a tout raconté sur cette affaire.

La vieille femme s'interrompit et remit de l'ordre dans ses pensées avant d'ajouter :

— Ils n'ont pu le fabriquer que parce qu'ils disposaient de tout ça.

Et, d'un large geste de la main, elle montra les étagères qui les entouraient.

— Attendez un peu… vous voulez dire que les templiers étaient depuis le début au courant de l'existence de ces textes ?

— S'ils étaient au courant ? Jamais ils n'auraient existé sans eux. C'est comme cela que tout a commencé. Avec les premiers gardiens de ce trésor, les hommes qui ont veillé dessus et l'ont conservé en sécurité, caché dans la bibliothèque impériale de Constantinople. Tout cela était soigneusement planifié.

— Vous voulez dire que l'ordre des Templiers a vu le jour à Constantinople ?

La vieille femme opina.

— Les gardiens veillaient sur le trésor d'Osius depuis des siècles, en fait depuis qu'Osius l'avait sauvé de l'autodafé et l'avait transporté en secret à Constantinople. Les gardiens ont donc veillé sur lui en attendant le moment propice pour le rendre public et le partager avec le monde entier. Mais il semble bien que ce moment ne soit jamais arrivé… À la fin du premier millénaire, le monde a pris une tournure plus sombre. Le pape n'était plus contrôlable. Et lorsqu'il a émis l'idée d'une sainte croisade, ordonnant aux chrétiens de partir en guerre et de tuer au nom du Christ, ils ont compris que l'homme avait complètement perdu la tête. Le message de Jésus avait été totalement dénaturé. Mais les croisés remportaient des batailles et donnaient au pape une puissance accrue. Avec le contrôle de la Terre sainte et tous les monarques d'Europe qui lui baisaient les pieds, il était sur le point de devenir omnipotent et de dominer l'ensemble du monde connu, ou presque. Horrifiés par ce qui était en train de se passer, les gardiens du trésor ont eu le sentiment qu'ils devaient agir. Ils devaient trouver un moyen pour limiter son pouvoir. Le plan qu'ils ont concocté était terriblement audacieux : ils ont en effet décidé de mettre sur pied un contre-pouvoir, une organisation militaire susceptible de contrecarrer la suprématie de Rome et de l'empêcher d'accroître encore son influence. Ils disposaient de tout ça pour élaborer leur projet, fit-elle en désignant l'extraordinaire collection de manuscrits. La menace de rendre ces textes publics aurait probablement suffi à affoler le pape et à le contraindre à leur accorder ce qu'ils voulaient, mais ils ont eu le sentiment qu'ils devaient aller encore au-delà. Pour avoir la certitude que leurs vœux seraient exaucés. Ils avaient besoin d'un livre de plus. Un texte d'une puissance extraordinaire, qui terrifierait Rome et l'obligerait à se soumettre. Ils ont donc décidé de créer l'évangile suprême.

— Le journal intime de Jésus, fit Tess.

— Exactement, répondit la vieille femme en hochant la tête.

Tess regarda Reilly et les instants fatidiques qu'ils avaient vécus quelques années plus tôt leur revinrent en mémoire : tous les deux, au bord de cette falaise. Regardant les pages de vélin tomber en tournoyant, avalées l'une après l'autre par l'onde écumante. La réponse qu'ils n'avaient jamais obtenue. Jusqu'à présent…

La vieille femme poursuivit :

— Ils disposaient de toute cette matière pour réaliser leur projet, pour créer de toutes pièces leur chef-d'œuvre, pour faire en sorte qu'il soit impeccable. Il fallait en outre que leur trouvaille soit incontestable. Après tout, ces ouvrages sont tous parfaitement authentiques, il était donc naturel que le journal intime de Jésus fasse partie de cette collection. Une fois celui-ci prêt, ils sont passés à l'action. Ils ont recruté des hommes qui partageaient leurs préoccupations : des chevaliers, lettrés, érudits, venus de toute l'Europe, dont ils avaient fait la connaissance au fil des ans, à la bibliothèque. Neuf en tout.

— Les neuf premiers templiers. Hugues de Payns et ses hommes, intervint Tess.

La vieille femme confirma d'un nouveau signe de la tête avant de poursuivre :

— Les chevaliers sont allés à Jérusalem, où ils ont approché le roi. Ils lui ont dit qu'ils étaient venus dans l'intention d'assurer la protection des pèlerins en Terre sainte, et l'ont convaincu de leur confier les ruines du vieux Temple de Salomon, qui leur servirait de base. Après avoir fait semblant de fouiller les lieux plusieurs années durant, ils ont fait parvenir un message à Rome, disant qu'ils avaient découvert quelque chose. Quelque chose de… dérangeant. Le pape leur a envoyé ses représentants. Les chevaliers leur ont montré certains des évangiles que vous voyez là, puis ils sont passés au plat de résistance. Les hommes du pape ont été horrifiés. De retour à Rome, ils ont confirmé à leur maître l'authenticité de cette découverte. Le pape a alors accordé aux templiers tout ce qu'ils demandaient en échange de leur silence.

La tête de Tess lui tournait. Tout ce qu'elle venait d'entendre était difficile à absorber d'un coup.

— Et après cela, les templiers ont renvoyé les évangiles ici… ou plutôt à Constantinople ?

— Ils y étaient en sécurité depuis des siècles. La Terre sainte était une zone de guerre. Les gardiens voulaient s'assurer que les textes qu'ils étaient chargés de protéger ne risquaient rien.

— Mais pas le journal de Jésus.

— Non, en effet. Celui-ci est resté entre les mains des templiers, à Acre. C'était la source de leur puissance, ils souhaitaient le conserver à portée, sous leur garde. Ce qui était une erreur. Mais c'était un faux, ne l'oubliez pas. Pour ce qui concernait les gardiens, sa valeur était d'ordre stratégique, et non historique.

— Donc, en 1203, les armées du pape sont aux portes de Constantinople, fit Tess. Les gardiens craignent de perdre leur trésor, et ils envoient un SOS.

— Oui. Les templiers ont chargé une petite unité de le faire sortir clandestinement de Constantinople et de le mettre en lieu sûr. Mais ils l'ont perdu jusqu'à ce que Conrad et Maysoun réussissent à le retrouver… cent ans après.

— Mais à ce moment-là il est trop tard pour en faire quoi que ce soit. La Terre sainte est retombée aux mains des musulmans, le faux journal du Christ est égaré et l'ordre des Templiers a été éradiqué par le roi de France, avec l'appui de son pape fantoche. Vous vous rendez compte : si seulement Conrad avait pu mettre la main là-dessus quelques années plus tôt… Cela aurait pu tout changer.

— Il n'y avait aucune chance que cela se produise. Conrad n'a appris l'existence du trésor que parce qu'il vivait à Constantinople. Et l'unique raison de sa présence dans ces lieux, c'est que les templiers étaient des hommes traqués.

Tess fit signe qu'elle avait compris. Les cruelles machinations du destin s'étaient liguées contre lui depuis le début.

— Qu'est-il advenu des gardiens ? Maysoun a-t-elle cherché à les retrouver ?

— Oui, mais sans succès. Ils ont probablement été tués lors de la mise à sac de la ville, peut-être par des envoyés du pape à la recherche du trésor.

— Et c'est ainsi que Maysoun et ses descendants – votre famille – sont devenus les nouveaux gardiens, conclut Tess.

La vieille femme hocha la tête.

— Venez, leur proposa-t-elle. Remontons, je vais préparer un autre café.

Une fois en haut, ils l'accompagnèrent dans la cuisine et la regardèrent verser de l'eau dans la casserole en fer-blanc, allumer le brûleur et y poser le récipient. Pendant tout le temps de l'opération, pas un des trois ne prononça un mot. Au bout d'un long moment, Tess se décida à rompre le silence :

— Et maintenant, que fait-on ? demanda-t-elle.

La vieille femme réfléchit un moment, pesant ses mots, puis regarda Tess et dit :

— Je ne sais pas… Ces meurtriers… Ils sont toujours dans les parages ?

Tess le lui confirma par un signe de tête.

— Dans ce cas, il faut déplacer les livres, poursuivit-elle, ils ne peuvent pas rester là. Pouvez-vous les transporter dans un endroit sûr ? fit-elle après avoir poussé un grand soupir.

Tess avait retourné dans sa tête diverses approches, toutes plus circonspectes les unes que les autres, qui aboutissaient au même résultat, mais le fait que ce soit leur hôtesse qui émette cette suggestion la prit complètement au dépourvu.

— Bien entendu.

Les épaules de la vieille femme s'affaissèrent sensiblement sous le poids de la décision qu'elle venait de prendre.

— Ai-je vraiment le choix ? C'est sans doute la meilleure solution. Vous devez me comprendre. Tout cela est beaucoup plus important que nous, dit-elle, pointant le sol à leurs pieds. Ça l'est depuis toujours. C'est un fardeau qui nous a été imposé, génération après génération... dit-elle en secouant la tête, navrée. Je n'avais rien demandé. Mais je n'avais pas le choix dans cette affaire, pas plus que mes ancêtres. Je me suis contentée de faire ce qu'on attendait de moi, comme tant d'autres avant moi. Et n'en doutez pas, le jour venu, si nécessaire, mon fils prendra le relais. Mais à quelle fin ? Que peut-on faire de tout ça, d'ici ? Nous sommes des gens ordinaires, madame Chaykin. Nous menons des vies simples. Et cela... cela mérite une grande attention. L'attention que quelqu'un comme vous peut lui accorder. Vous nous rendriez un grand service, à moi et à mes descendants. Vous nous soulageriez d'un poids considérable, surtout maintenant que vous me dites qu'il y a des gens prêts à tout, même à tuer, pour s'en emparer. Il faut mettre ce trésor en sécurité, poursuivit-elle, une main posée sur le bras de Tess. Vous devez le prendre et en faire ce que vous estimerez être le meilleur usage. Vous feriez ça ?

— Ce serait un honneur.

— Et surtout, ne vous inquiétez pas, ajouta Reilly. Je veillerai à ce qu'on assure votre protection jusqu'à ce que cette affaire soit terminée.

Visiblement soulagée, la vieille femme se détendit légèrement, avant de se crisper de nouveau.

— Et que comptez-vous en faire ? interrogea-t-elle.

— D'abord et avant tout photographier l'ensemble, et le répertorier, répondit Tess. Ensuite, faire traduire tous ces textes et décider comment et avec qui les partager sans que cela fasse trop de remous.

— Vous allez être attaquée, on va tenter de vous discréditer, objecta la vieille femme.

— À n'en pas douter. Mais il y a là pas mal de matière… On va avoir beaucoup de mal à jeter le discrédit sur tout ça.

La vieille femme semblait dubitative.

— Des soupçons pèsent toujours sur l'authenticité des manuscrits de la mer Morte, fit-elle remarquer. Quant aux évangiles de Nag Hammadi, c'est tout juste si on les connaît… Qu'est-ce qui vous fait croire que ces écrits seront reçus différemment ?

— Cela vaut la peine d'essayer. Ces textes… font partie intégrante de notre parcours, de notre civilisation. Ils nous aideront à gagner en maturité, en sagesse. Mais nous ne devrons pas nous précipiter ni agir à la légère. Il faudra choisir le bon moment. On n'arrivera pas à convaincre ni même à intéresser tout le monde. Ceux qui veulent croire, ceux qui ont besoin de croire… ceux-là balaieront ces textes d'un revers de main. Ça ne changera rien pour eux. Ils continueront à croire, quoi qu'il arrive. Leur conception de la foi restera absolue, intangible, en dépit de tout ce qui pourrait aller à son encontre. Mais ceux qui ont l'esprit plus ouvert et qui souhaitent se faire leur propre opinion… ceux-là méritent qu'on leur fournisse toutes les informations disponibles pour les aider dans leur réflexion. Il est de notre devoir de le faire.

La vieille femme hocha la tête avec soulagement, apparemment en paix avec sa conscience, lorsqu'un craquement en provenance de la salle de séjour attira son attention et lui fit froncer les sourcils. Tess et Reilly se raidirent aussitôt. Reilly porta un doigt à sa bouche pour faire signe aux deux femmes de ne pas bouger et de garder le silence.

Il s'avança jusqu'au seuil et tendit l'oreille. Pas un bruit. Toujours sur ses gardes, il signifia de nouveau aux deux femmes de ne pas faire un geste, son autre main cherchant instinctivement son pistolet, jusqu'à ce qu'il se rappelle qu'il ne l'avait pas sur lui. Il l'avait laissé dans le sac à dos, resté dans la salle de séjour.

Il jeta un coup d'œil circulaire dans la cuisine, repéra un grand couteau à découper sur l'égouttoir, à côté de l'évier. Il s'en empara, puis retourna sur le seuil où il actionna l'interrupteur pour éteindre la lumière, plongeant la cuisine dans une quasi-obscurité, la seule lueur émanant de la flamme bleu orangé du gaz de ville brûlant sur la cuisinière.

La maîtresse de maison inspira une petite bouffée d'air.

Tess était encore plus tendue.

Elle suivit des yeux la silhouette de Reilly dans la pénombre : celui-ci franchit la porte de la cuisine avant de disparaître à sa vue. Elle retint son souffle, l'oreille aux aguets, l'euphorie de la dernière demi-heure oubliée. L'espace de quelques secondes infiniment angoissantes, elle n'entendit rien sinon le bruit de percussion qui résonnait dans ses tympans. Puis un choc prononcé suivi par un grognement de douleur, un cliquètement métallique et enfin un bruit sourd, celui d'une lourde masse qui heurte le sol.

Une lourde masse de chair.

Tess resta figée sur place. Puis elle l'entendit… Cette voix qu'elle avait tant espéré ne plus jamais entendre, qu'elle aurait voulu rayer à jamais de sa mémoire. Cette voix si satisfaite d'elle-même.

— Mesdames, si vous voulez bien vous donner la peine… dit l'Iranien avant d'apparaître à la porte de la cuisine et d'y allumer la lumière.

Il sourit aux deux femmes et leur fit signe de quitter la pièce en agitant son pistolet.

— Joignez-vous donc à nous. La fête ne fait que commencer…

58

Dans la salle de séjour, Reilly se tordait de douleur, le crâne en feu et la vision brouillée. Il n'avait pas vu venir le coup, un choc terrible porté à la mâchoire avec la crosse d'un fusil, qui lui avait coupé les jambes et l'avait fait tomber d'un bloc sans qu'il ait pu distinguer celui qui en était l'auteur.

Il parvenait maintenant à voir les intrus : des hommes qu'il ne connaissait pas, trois en tout, armés et efficaces, qui passaient à côté de lui. Puis il en vit un qui ne lui était pas inconnu : l'Iranien, qui, sous la menace d'une arme, faisait entrer Tess et la vieille femme dans la pièce. L'angle de vision de Reilly, très bas et oblique dans la mesure où il se trouvait toujours à terre et avait la tête tournée sur le côté, rendait la scène d'autant plus inquiétante.

— Asseyez-vous, ordonna l'Iranien en poussant Tess de l'extrémité de son silencieux vers le sofa.

Les deux femmes s'assirent sur le bord, côte à côte. Ensuite, l'Iranien cracha à ses hommes des ordres dans une langue incompréhensible et leur fit signe de partir. Ils quittèrent la pièce sans un mot, sans doute pour aller s'assurer que le reste de la maison ne présentait pas de danger.

Croisant le regard de Tess, Reilly lui fit un petit clin d'œil et un imperceptible signe de tête pour tenter de la rassurer. La peur dans les yeux, la jeune femme parvint néanmoins à répondre par un tout aussi discret hochement de tête. Depuis sa position allongée, Reilly parcourut la pièce du regard et repéra immédiatement le sac à dos de sa compagne. Celui qui contenait le pistolet. Il se trouvait toujours à l'endroit où il l'avait laissé, appuyé à un fauteuil, tout près du sofa, à quelque chose comme deux mètres de Reilly, un peu plus peut-être. Une distance insignifiante quand on pouvait courir, mais non négligeable étant donné son état.

Il inspira longuement, à plusieurs reprises, afin de dissiper sa torpeur persistante, puis leva les yeux vers l'Iranien. Comme s'il l'avait senti, ce dernier baissa les siens sur son adversaire. Le terroriste n'était pas au mieux de sa forme, loin s'en fallait. Jamais Reilly ne lui avait vu le teint aussi cireux, et des gouttes de sueur perlaient à son front. Mais le plus remarquable, c'était assurément la fureur qui brillait dans son regard. Pressentant qu'il avait un mal fou à contenir sa rage, Reilly décida en conséquence de ne rien tenter. La situation était bien trop précaire, et sa position trop délicate pour courir le risque de provoquer l'homme outre mesure. Il se résolut donc à jouer les prisonniers dociles en attendant son heure.

Il fut surpris de constater que la blessure à la main gauche de l'Iranien avait été bien soignée : le bandage était propre et net, même si du sang avait passé au travers. Procédant à une estimation rapide de la scène qui venait de se dérouler et des hommes à qui il avait affaire, Reilly en tira la conclusion que les sbires de l'Iranien étaient sans doute des hommes du PKK – ces militants séparatistes kurdes à qui l'Iran fournissait armes et argent liquide depuis de nombreuses années. Ceux-ci avaient sans nul doute à leur disposition des médecins expérimentés sachant parfaitement traiter les blessures de guerre. Ils pouvaient également voyager sans problème sur tout le territoire turc – et pour cause, ils étaient turcs… – pour apporter en cas de besoin leur aide fraternelle à quelqu'un comme cet Iranien.

Ce qui était tout sauf une bonne nouvelle.

Reilly ignorait à combien d'hommes le terroriste avait fait appel. Il en avait vu trois, mais il y en avait sans doute d'autres dehors.

Là, pour le coup, c'était une très mauvaise nouvelle.

— Mais qu'est-ce qui vous prend ? demanda l'Iranien, écartant les bras d'un geste théâtral et regardant la pièce autour de lui. Vous vous installez d'abord confortablement dans votre chambre pour passer une nuit sans histoire et voilà qu'une minute plus tard vous vous mettez à courir dans les rues comme des poulets à qui on vient de couper le cou… Qu'y avait-il donc de si urgent pour que vous organisiez un rendez-vous à une heure aussi peu chrétienne ?

Un éclat de voix leur parvint depuis les profondeurs de la maison. L'Iranien se retourna, cria quelque chose en réponse puis se tourna vers Tess avec un sourire. L'instant d'après, l'un de ses hommes de main apparaissait sur le seuil de la pièce : il portait un AK-47 à l'épaule et plusieurs textes anciens dans les mains.

L'Iranien les prit et les examina un moment avant de lever les yeux vers Tess, les lèvres ouvertes sur un sourire de triomphe.

— D'autres évangiles ? interrogea-t-il, soutenant le regard de la jeune femme avant de poser une question à son acolyte.

La réponse de ce dernier parut l'impressionner.

— Une pièce entière ? s'étonna-t-il sans cesser de fixer Tess, son sourire s'élargissant encore. J'ai comme l'impression que votre persévérance a payé, et pas qu'un peu.

Tess demeura muette.

L'Iranien haussa les épaules, lança d'une voix rogue d'autres instructions à l'homme qui lui avait apporté les livres et jeta un dernier regard mauvais à Reilly avant de quitter la pièce. Son acolyte prit sa kalachnikov et, la tenant d'une main ferme, la pointa alternativement sur Reilly et sur les deux femmes tout en les surveillant sans ciller.

Tous les instincts de Reilly se mirent en branle.

Un homme pour les garder.

Un pistolet dans le sac à dos.

Une occasion.

Il attendit que le regard de l'homme se porte ailleurs pour passer à l'action : il se mit alors à quatre pattes et se rua sur le sac.

De façon tout ce qu'il y a de plus maladroite…

Voyant ce qui se passait, le garde bondit et se mit à crier tout en se précipitant pour l'intercepter. Depuis le sol, Reilly vit ses pieds bottés approcher et entendit Tess pousser un cri suraigu. Il était sur le point de se saisir du sac quand le garde l'empêcha d'achever son geste en lui assénant un violent coup de pied dans les côtes. Reculant sous l'impact, les reins en feu, Reilly retomba à terre et roula au sol avec des grognements de douleur, suivi par le garde qui l'accablait d'un torrent d'injures et de menaces, le canon de sa mitraillette braqué tantôt sur son visage, tantôt sur les deux femmes.

Reilly s'arrêta devant une table basse, en face du fauteuil. Là, il se releva sur les genoux, gémissant, le souffle court, et leva la tête : à moins d'un mètre et le dominant de toute sa hauteur, le garde semblait à la fois très énervé et ne plus savoir où donner de la tête. Retenant sa respiration, Reilly passa alors subrepticement sa main sous la table : il savait que l'occasion inespérée qui se présentait à lui serait la seule et qu'il devait l'exploiter au mieux. Si ce n'était pas le cas, les conséquences seraient trop horribles pour pouvoir même être envisagées…

Tâtonnant sur les tomettes, ses doigts trouvèrent le couteau de cuisine qu'il avait lâché au moment où il avait été mis K-O et qu'il avait repéré lorsqu'il était étendu par terre.

Ils se saisirent du manche, le serrèrent.

De l'intérieur de la maison, parvint la voix de l'Iranien, qui posait une question de sa voix autoritaire.

Le garde se tourna vers la porte pour répondre.

Reilly passa aussitôt à l'action.

Se retournant à la vitesse de l'éclair, il leva le bras et planta son coutelas dans le pied de l'homme. La lame traversa le cuir de la botte, les muscles et l'os avec un bruit écœurant, de déchirure et de succion tout à la fois, et l'homme poussa un hurlement de douleur, offrant à Reilly un laps de temps suffisant pour lui permettre de se jeter sur lui.

Se détendant comme un ressort, l'Américain referma sa main gauche sur la crosse de la mitraillette tout en lançant son bras droit en avant, son coude allant frapper l'homme de main en pleine face, avec une violence inouïe. La rencontre entre l'os et le muscle d'un côté, la peau et le cartilage de l'autre, fut explosive : le nez du garde éclata dans un geyser de sang, tandis que la mitraillette crachait une triple rafale, les balles traversant le tapis usé et allant se ficher dans le sol. Tout en appuyant un peu plus sur la crosse de l'arme afin de s'assurer que le canon n'était pas dirigé vers les deux femmes, Reilly effectua un demi-tour sur lui-même, enfonçant cette fois son coude gauche dans la poitrine de son adversaire à qui il tournait maintenant le dos, profitant de son élan pour essayer de lui faire lâcher sa kalachnikov, au moment précis où un autre homme de main de l'Iranien arrivait en trombe.

Tout blessé qu'il fût, le premier garde refusait de lâcher prise et s'accrochait à sa mitraillette comme un naufragé à sa bouée. Voyant le second lever son arme depuis le seuil de la porte, Reilly prit une double initiative : il projeta d'abord violemment sa tête en arrière, son crâne allant heurter le visage déjà bien amoché de son adversaire, qu'il fit presque simultanément tourner sur lui-même de sorte que l'homme faisait face maintenant à son collègue. Il releva du même mouvement le canon de l'AK-47, qui se trouva dès lors pointé sur le nouvel arrivant avant même que ce dernier ait pu tout à fait lever son arme, et il pressa les doigts du garde autour de la détente.

Une autre triple rafale retentit avec fracas dans la pièce, et le nouveau venu vacilla en arrière, des plumets pourpres jaillissant de sa poitrine et de son épaule gauche.

Reilly prit le temps de se tourner vers Tess et la vieille femme, tassées sur le sofa, effarées. Ses yeux croisèrent ceux de Tess.

— Partez ! cria-t-il, sans cesser de lutter avec le garde, qui refusait obstinément de lâcher son arme. Par là ! insista-t-il d'une voix rauque en indiquant d'un signe de tête la porte-fenêtre donnant sur la cour.

Les deux femmes restèrent figées, tandis que de lourds bruits de pas et des cris se faisaient entendre dans le couloir menant à la cuisine.

— Allez ! aboya Reilly tout en continuant de lutter avec le garde. Bougez-vous, bordel !

Il vit Tess et la vieille femme se lever et se diriger vers la porte vitrée au moment précis où un troisième homme de main émergeait du couloir. L'Iranien était juste derrière. Tous deux tenaient leurs armes prêtes à faire feu.

Se tournant sur sa droite, l'homme de main repéra les deux femmes alors qu'elles atteignaient la porte-fenêtre et bataillaient avec l'ouverture. Reilly l'entendit crier quelque chose et le vit pointer son arme dans leur direction. Dans un effort presque surhumain, il parvint alors à arracher la kalachnikov des mains de son adversaire et la projeta sur le sbire. L'arme vola à travers la pièce avant d'aller heurter la poitrine de l'homme, la rafale que crachait sa mitraillette allant se perdre dans le plafond.

Reilly était passé à la surmultipliée : il n'y avait pas une microseconde à perdre s'il voulait laisser à Tess et à la vieille femme le temps de fuir. Son cerveau s'était mis aux abonnés absents, laissant ses instincts, affinés par des années d'entraînement et d'expérience sur le terrain, prendre le relais et transmettre des ordres à ses muscles. Comme emporté par un tourbillon, il se sentit tournoyer sur lui-même, et vit son poing serré fracasser la joue de l'homme avec qui il continuait de se battre, tout en suivant du regard les deux femmes s'escrimant sur la porte-fenêtre. Son adversaire s'écroula enfin. Comme dédoublé, il se vit ensuite rejoindre le sofa en deux longues enjambées, sauter par-dessus et bondir sur le sbire toujours planté sur le seuil de la pièce, le bousculant violemment en entraînant l'Iranien avec lui, et les envoyant tous les deux s'écraser contre l'enca- drement de la porte puis s'écrouler en tas.

Alors que l'Iranien hurlait de douleur, sa main blessée venant de heurter le sol, Reilly frappa durement le sbire toujours par terre. Il en était à son deuxième coup quand le genou de l'Iranien surgit de l'enchevê- trement de membres et lui percuta le bas-ventre avec force. L'Américain en eut le souffle coupé. Il perdit l'équilibre et tomba à la renverse, sa tête allant donner avec violence contre le plancher. Malgré sa vision for- tement altérée, il aperçut vaguement Tess et la vieille femme : celles-ci avaient enfin réussi à ouvrir la porte- fenêtre et se précipitaient dans la cour...

... mais l'Iranien avait récupéré sa mitraillette et ten- tait tant bien que mal de se remettre sur ses pieds.

Reilly devait absolument laisser aux deux femmes une ultime chance de s'en tirer.

Plongeant en avant, il heurta de plein fouet l'Iranien, saisissant des deux mains la kalachnikov et s'en ser- vant pour repousser son adversaire contre le mur. L'Iranien émit un grognement sourd en heurtant la paroi. Reilly, qui avait sur lui l'avantage de pouvoir se servir de ses deux mains, s'employa à arracher défini- tivement l'arme de la poigne du terroriste, en la tirant et en lui imprimant un puissant mouvement de rotation, de sorte que l'extrémité du fût métallique cogna la mâchoire de son adversaire avec un bruit mat : une gerbe de sang gicla de la bouche de l'Iranien tandis que sa main blessée se relevait pour parer un nouveau coup.

C'est alors que Reilly vit rouge.

Retournant la mitraillette sur elle-même, il se servit du fût métallique repliable comme d'un bélier pour écraser la main de l'Iranien.

Le fût pulvérisa les os et déchira les tendons. L'homme poussa un hurlement inhumain. Ses genoux fléchirent et il s'affaissa telle une poupée de chiffon, les yeux clos. Reilly sentit alors le sang courir plus vite dans ses veines. Il balança l'arme en arrière, déterminé à l'abattre de nouveau, cette fois sur la tête de son adversaire, visualisant déjà le coup qui allait lui exploser le crâne et l'expédier sur-le-champ en enfer...

... mais avant qu'il ait pu achever son geste, quelque chose de dur le frappa à la nuque, privant soudain ses bras de toute énergie.

L'un des hommes de main s'était relevé.

En s'écroulant, Reilly constata que la situation était en train de tourner à son désavantage : ils étaient deux à s'être relevés, celui dont il avait démoli le visage et celui qui était arrivé avec l'Iranien.

Le reste ne fut qu'un échange confus de coups de poing, de coups de coude, la plupart portés par ses adversaires. À chaque nouveau coup, Reilly sentait ses forces l'abandonner davantage. Le sang coulant de ses blessures obscurcissait sa vue et lui obstruait la gorge, l'air avait de plus en plus de mal à atteindre ses poumons, ses doigts, puis ses mains s'engourdissaient progressivement. La dernière chose qu'il vit, comme dans un brouillard, fut le visage de l'Iranien, le fixant d'un air féroce, tout son être exsudant la haine – avant qu'un ultime coup de pied éteigne toutes les lumières et le plonge dans un sommeil où la souffrance n'existait plus.

59

Rhodes, Grèce

— *Endaxi*, tour. Demande autorisation décollage, piste deux cinq. Demande rester à quinze cents pieds sur alpha pour pouvoir admirer votre belle île, Niner Mike Alpha.

— OK pour quinze cents pieds sur alpha. Profitez bien de la vue.

Steyl sourit et mit les gaz.

— Bien reçu, terminé. *Efkharisto poli.*

Le Cessna s'éleva dans le ciel clair du petit matin. C'était bien bon de reprendre de l'altitude. Le Sud-Africain commençait à en avoir assez de passer ses journées à ne rien faire dans l'aéroport international Diagoras de Rhodes, réservoirs pleins, prêt à décoller, dans l'impossibilité de s'éloigner un tant soit peu de son avion en attendant le signal de Zahed. Il dormait profondément quand son téléphone avait enfin sonné, tard dans la nuit. Il s'était ensuite offert quelques heures de sommeil supplémentaires avant de décoller, aux premières lueurs du jour.

Il volait cap au sud-ouest, en direction d'une autre île, beaucoup plus petite celle-là, dénommée Kassos, sa destination officielle. Sa destination réelle se trouvait très exactement dans la direction opposée, mais c'était le stratagème le plus plausible, dans la mesure où le petit aérodrome de l'île était dépourvu de tour de contrôle et où il était indispensable de suivre une procédure rigoureuse s'il ne voulait pas attirer les soupçons. Ce dont il n'avait aucune envie. Trouver des failles dans les procédures, aussi rigoureuses fussent-elles, était devenu pour Steyl une seconde nature. Il savait très exactement ce qu'il faisait, sans doute mieux que quiconque dans la profession.

Il atteignit l'altitude qui lui avait été accordée moins d'une minute après le décollage, contacta de nouveau par radio la tour de contrôle, qui lui donna pour instruction de se brancher sur la fréquence du contrôleur d'approche. Ce qu'il fit. Il reçut alors l'autorisation de se maintenir à une altitude de quinze cents pieds jusqu'à Kassos et se vit demander de changer encore de fréquence, pour passer sur celle de l'Information d'Athènes cette fois, jusqu'au terme de son voyage. Il fit très exactement ce qui lui était demandé. Mais pas seulement : il coupa son transpondeur. Dès lors, son code d'affichage, ou squawk, son numéro d'immatriculation et son altitude n'apparaîtraient pas sur le radar de la tour. Il ne se manifesterait que par un point parfaitement anonyme.

Le pilote sud-africain continua donc de « faire comme si » et conserva le cap annoncé durant une minute supplémentaire tout en descendant progressivement jusqu'à une altitude de cinq cents pieds. Là, il contacta la tour de nouveau, sans obtenir de réponse. Ce qui le fit sourire. Trop éloigné de tout contact radio, on ne pouvait pas l'entendre, ce qui signifiait du même coup qu'il était hors de portée des radars.

Autrement dit, il était désormais libre de se rendre où bon lui semblait, sans être dérangé.

Il obliqua sur la gauche pour mettre le cap au sud, survola la pointe sud-ouest de l'île de Rhodes et conserva ce cap sur dix kilomètres au-dessus de l'eau, avant de virer brusquement sur l'aile, cap au nord-est cette fois, vers sa destination réelle : un endroit perdu à quelque cinq cents kilomètres de là, loin à l'intérieur du territoire turc.

À cette faible altitude, la visibilité était très mauvaise. Une petite brise associée à une haute pression barométrique avait engendré une légère brume qui stagnait dangereusement au-dessus de la surface de l'eau. Steyl ne pouvait plus apercevoir Rhodes, ce qui voulait dire que personne ne pouvait plus le voir depuis la terre. Le seul risque qui demeurait était celui de se faire repérer par un bateau. Il actionna donc son radar météo, qui lui signalerait les embarcations devant lui. Le cas échéant, il aurait tout le temps nécessaire pour les contourner et poursuivre son voyage clandestin.

Il arriverait à destination au bout d'une bonne heure. Comme il n'envisageait pas de rester au sol plus de quelques minutes, l'aller et retour prendrait deux heures et demie, grand maximum. Parfait pour ce qui était censé être un vol d'agrément, à basse altitude, vers une petite île sans tour de contrôle. Son absence ne serait pas signalée.

Il consulta sa montre, puis sortit son téléphone satellitaire et appela Zahed. Il lui fit savoir où il en était avant de s'adosser à son siège et de profiter de la vue alors que les deux turbopropulseurs du Cessna entraînaient le petit appareil au-dessus des côtes turques. Si tout se passait comme prévu, il envisageait de faire ses adieux à l'Iranien à la fin de la journée. Il retrouverait ensuite sa villa, à Malte, où, confortablement installé au bord de la piscine, une bière bien fraîche à la main, il pourrait réfléchir tranquillement à la meilleure façon de dépenser ses dernières rentrées d'un argent facilement gagné.

Zahed attendait sur la rive du lac salé, regardant le soleil se hisser au-dessus de sa surface impeccablement plane, d'un blanc immaculé.

En milieu de matinée, il aurait l'apparence d'une immensité neigeuse presque infinie sous une coupole d'un bleu parfait, mais pour le moment le soleil, encore très bas sur l'horizon, le teintait d'un bronze chatoyant. Encore un paysage invraisemblable, se dit l'Iranien, qui en avait vu au cours des jours précédents beaucoup plus qu'il ne l'aurait cru possible. Mais tout cela allait bientôt prendre fin, Dieu soit loué. Il allait très bientôt retrouver un environnement plus humain, et surtout plus familier. Il serait sous peu de retour chez lui. Où on le fêterait pour avoir réussi l'impossible.

Pour avoir ramené son butin.

L'air du petit matin était calme, frais, et sentait le sel à plein nez. Ce qui apaisait quelque peu ses vertiges, mais non sa gorge, aussi desséchée que le paysage. Il tremblait. Il avait perdu beaucoup de sang et, malgré les calmants, il souffrait encore énormément. Et ses tremblements allaient en empirant. Il avait besoin de soins, sans tarder. Il savait que le problème de sa main se présentait mal. Il n'ignorait pas qu'il risquait un handicap à vie, voire de la perdre. Mais cela devrait attendre. Il fallait d'abord se tirer de là, et vite. L'Américaine avait réussi à s'échapper. Elle avait certainement alerté les Turcs. Sa main était un prix très lourd à payer, mais cela ne représentait que peu de chose comparé à sa liberté et, très probablement, à sa vie.

Son téléphone portable bourdonna. Il le sortit de sa poche, tourna le dos au lac et se concentra sur la ligne d'horizon. Avant longtemps, il repéra le petit point dans le ciel, qui grossissait très vite, à basse altitude, le soleil encore bas se reflétant intensément sur le pare-brise du cockpit. L'Iranien confirma à Steyl que tout était en ordre, puis adressa à ses hommes un petit signe de tête avant de reculer d'un pas pour avoir une meilleure vue d'ensemble. Les moteurs des deux 4 × 4, garés à cent mètres l'un de l'autre, démarrèrent. Leurs phares et leurs warnings furent actionnés, signaux rouges et jaunes bien repérables sur cet arrière-plan totalement plat, désormais d'une belle couleur mordorée.

Zahed suivit du regard le petit appareil qui s'alignait sur l'axe créé par les deux 4 × 4, et examina la piste d'atterrissage improvisée. Elle paraissait impeccable. Dure et sèche, sans la moindre ride ou aspérité aussi loin que portait le regard. Le nom du lac, Tuz Gölü, signifiait simplement « lac salé ». Et c'est très précisé-ment ce qu'il était. Un immense réservoir d'eau à forte concentration de sel, peu profond, couvrant une super-ficie de plus de quinze cents kilomètres carrés, qui se transformait chaque été en un gigantesque bloc de sel. Deux tiers de ce sel se retrouvaient sur les tables de toute la Turquie, mais les usines de raffinage qui per-mettaient cette transformation se trouvaient plus au nord ou de l'autre côté du lac. La zone choisie par Steyl était déserte, comme le Sud-Africain l'avait prédit. Encore une plume à la casquette du pilote, qui en comptait déjà quelques-unes… Et une confirmation supplémentaire que Zahed avait fait le bon choix.

Quelques minutes plus tard, le léger bourdonnement du Cessna rompit le silence jusqu'alors irréel. À peine audible au début, il se mua en rugissement assourdissant tandis que l'appareil survolait les deux véhicules arrêtés sur le lac, ses séparateurs à inertie grands ouverts pour empêcher la poussière de sel d'engorger ses turbopropulseurs. Son train d'atterrissage frôla à le toucher le toit du premier 4 × 4 avant que l'avion n'atterrisse. Zahed avait déjà rejoint en claudiquant la voiture de tête, tandis que Steyl inversait le flux des moteurs et arrêtait brutalement l'appareil, un peu plus loin devant.

Les deux 4 × 4 accélérèrent tout aussi brutalement à la suite du Cessna et, moins de sept cents mètres plus loin, ils se garaient de chaque côté de l'appareil.

Le transfert se fit sans tarder. Tandis que les turbo-propulseurs brassaient toujours l'air déjà brûlant, les cartons de codex furent chargés, puis rangés derrière les deux sièges arrière. Puis vint le tour de la cargaison humaine.

Reilly.

On le transporta tel un ballot dans l'avion, où il fut balancé sans ménagement derrière une cloison, tout au fond de la cabine.

Toujours inconscient. Mais en vie.

Comme le souhaitait l'Iranien.

Moins de quatre minutes après avoir touché le sol, le Cessna redécollait. Une heure et onze minutes plus tard, très précisément, il était de retour à Diagoras. Il ne resta pas plus de vingt minutes sur le tarmac. L'agent de service qui arrêta son véhicule devant le Cessna était celui-là même à qui Steyl avait eu affaire lorsqu'il avait atterri à Rhodes, quelques jours plus tôt. Il n'avait donc pas besoin de procéder à des vérifications supplémentaires. Caché derrière la cloison, à côté du corps inerte de Reilly, Zahed attendit en silence que les formalités soient accomplies. Steyl remplit son plan de vol, signa les documents, obtint le feu vert et fit redécoller son appareil.

La frontière iranienne se trouvait à moins de trois heures de vol.

60

Assise à l'arrière du gros Humvee de la *jandarma*, Tess était anéantie.

Après ce qui, pour elle, n'avait été qu'une succession interminable d'aventures toutes plus horribles les unes que les autres, elle avait enfin trouvé quelque chose de gratifiant : un beau rayon de lumière qui avait fini par percer le sinistre linceul dont elle s'était sentie recouverte depuis ce jour fatal, en Jordanie. Malheureusement, cette bouffée d'optimisme s'était dissipée aussi vite qu'elle était apparue. Toute cette exultation, ce soulagement, cette fièvre, annihilés en quelques minutes et remplacés tout aussi rapidement par de sinistres pressentiments et une tristesse irrépressible.

Elle détestait ce sentiment d'impuissance, de défaite, le fait que, une fois de plus, quelqu'un avait pris le dessus sur elle et Reilly. Mais, plus que tout, l'ignorance de ce qui était arrivé à Reilly la remplissait d'effroi et elle ne pouvait s'empêcher d'imaginer le pire. L'Iranien avait mis la main sur ce qu'il recherchait, il n'avait donc plus aucune raison de rester dans la région. Pas plus qu'il n'en avait de faire preuve de la moindre retenue quant au sort qu'il réservait à Reilly.

Cette seule idée lui retournait l'estomac.

Alertée par l'échange de coups de feu, la police locale avait fait irruption dans la maison de la vieille Turque peu après la fusillade. La *jandarma* l'avait relayée peu après. L'Iranien et ses sbires avaient emporté le corps de leur camarade abattu, mais les nombreuses traces de l'affrontement sanglant qui s'était déroulé avaient décuplé la fureur du responsable de la gendarmerie locale. Tess s'était laissé admonester sans réagir tandis qu'il lui reprochait violemment d'avoir quitté leur hôtel à Zelve sans autorisation. Elle avait joué les oies blanches, expliquant qu'elle n'avait fait que suivre Reilly. Elle avait également veillé à minimiser le rôle de la vieille femme, lui faisant comprendre à demi-mot qu'elle ne devait surtout pas mentionner les évangiles ni les œuvres qui se trouvaient dans la crypte.

Apparemment, cela marcha : on les emmena toutes deux au commissariat central de Konya, sous prétexte de les protéger mais certainement aussi pour un interrogatoire. Tess détestait mentir mais elle se consolait en se disant que leur révéler le fond de l'histoire ne les aurait guère aidés dans leurs efforts pour retrouver l'Iranien et ses hommes de main. Tout ce qu'il lui restait à faire désormais, c'était attendre. Attendre et espérer. Peut-être les autorités parviendraient-elles à boucler le pays avant que l'Iranien ne s'en échappe. Avec un peu – beaucoup ? – de chance, ils le coinceraient à un barrage routier quelconque. À moins que ce ne soit à un poste-frontière, ou encore dans un petit aérodrome perdu.

Elle se frotta les yeux, puis se massa les tempes, essayant de chasser la fatigue. Les pensées qui lui venaient ne lui apportaient pas la moindre consolation :

toutes évoquaient une sanglante confrontation qui se soldait par un désastre pour l'homme qu'elle aimait.

— Je suis navrée, lui murmura la vieille femme, sa voix douce tirant Tess de l'océan de désespoir dans lequel elle était plongée.

— De quoi ?

— Si je ne vous avais pas envoyé ma petite-fille… Si j'étais restée cachée dans mon coin… Rien de tout cela ne serait arrivé.

Tess haussa les épaules. Ce qu'elle disait n'était pas faux. À l'heure qu'il était, elle et Reilly auraient dû être confortablement installés dans un avion à destination de New York. Mais ruminer ne servait pas à grand-chose.

— Tout n'est pas encore terminé, lui répondit-elle, essayant de se convaincre elle-même.

Le visage de la vieille femme s'éclaira.

— Vous croyez… ?

— Il y a toujours une chance. Et, d'ordinaire, Sean n'est pas le dernier à savoir la saisir.

— J'espère que vous avez raison, dit la vieille Turque avec un sourire, que Tess tenta tant bien que mal de lui rendre, malgré les images affreuses qui se bousculaient dans son esprit.

61

Reilly se réveilla en sursaut, rejeta brutalement la tête en arrière en inspirant : une odeur âcre emplissait ses narines, puanteur effroyable qui lui rappelait celle de corps en décomposition. Ses yeux s'écarquillèrent, sa vision retrouva toute sa précision alors même qu'il avait l'impression d'avoir le cerveau en bouillie.

L'Iranien était là, tout près, à quelques centimètres à peine de son visage. Il tenait une ampoule, sous le nez de Reilly, l'obligeant à en renifler le contenu beaucoup plus longtemps qu'il n'était nécessaire. Il transpirait profusément, animé d'une énergie nerveuse anormale, et jouissait à l'évidence du vif désagrément qu'il causait à son passager involontaire. Puis il rangea l'ampoule et se recula, permettant à Reilly de mieux le voir.

— Te voilà donc de retour parmi nous, dit Zahed. C'est parfait, pour rien au monde je n'aurais voulu que tu rates ça.

Reilly ignorait de quoi il parlait. Le moment où les mots sortaient de la bouche de son ravisseur et celui où son propre cerveau les décodait ne coïncidaient pas encore tout à fait. Mais ces paroles ne laissaient présager rien de bon. Il songea alors à Tess, et il regarda autour de lui, inquiet à l'idée de l'apercevoir elle aussi. Il ne la vit nulle part.

— Non, elle n'est pas là, lui confirma l'Iranien, comme s'il lisait dans ses pensées. Nous n'avons pas eu le temps de remettre la main sur elle. Mais je suis sûr que je la retrouverai d'ici peu. Avec grand plaisir.

Le sang de Reilly ne fit qu'un tour. Il veilla cependant à n'en rien laisser paraître. Inutile de donner à l'Iranien la satisfaction de le voir perturbé. Il s'appliqua au contraire à sourire et essaya de dire quelque chose, mais sentit ses lèvres enflées se craqueler. Il les humecta d'un coup de langue avant de lancer d'une voix rauque :

— Très bonne idée, si tu veux mon avis. Elle n'a pas encore d'amis homos.

La main de l'Iranien s'abattit sur la joue de Reilly.

L'Américain détourna la tête un moment, le temps que la douleur s'apaise, puis fit face à son ravisseur.

— Oh, désolé, dit-il en esquissant un sourire. J'ignorais que tu n'avais pas encore fait ton *coming out*. Mais ne t'inquiète pas : cela restera entre nous.

L'Iranien leva de nouveau la main, mais se ravisa et dit, en souriant à son tour :

— Elle réussira peut-être à me convertir. Qu'est-ce que tu en dis ?

La tête encore lourde, Reilly décida d'en rester là et de ne pas irriter davantage son ennemi. Il essaya de se concentrer pour comprendre où il se trouvait exactement, constata qu'il était dans un petit avion, dans la cabine duquel il semblait impossible de tenir debout. Mû par des turbopropulseurs, à en juger par le vacarme des moteurs.

Un appareil en vol.

Quand cette constatation prit la forme d'une évidence, Reilly sentit sa pression sanguine s'accélérer, ce qui n'améliora pas son état, déjà plus que précaire : une migraine atroce lui vrillait le crâne, sa respiration était hachée et pénible. Du sang séché lui obstruait les narines, empêchant en grande partie l'air de pénétrer dans ses poumons, qui souffraient également du tabassage en règle dont on l'avait gratifié. Sa gorge était en outre encombrée d'un mélange de mucus et de sang qui faisait monter jusqu'à son nez des remugles nauséabonds. Ces sensations furent bientôt remplacées par l'intense douleur qui irradia de toutes les parties de son corps dès que ses neurones retrouvèrent leur fonctionnement normal. Il avait les paupières lourdes et se rendit compte que l'un de ses yeux était à moitié fermé, conséquence évidente du passage à tabac. Il comprit aussi qu'il avait certainement plusieurs côtes fêlées, et probablement perdu une dent ou deux. Bizarrement, il n'avait plus ni chaussettes ni chaussures.

Il était allongé sur une espèce de siège capitonné à l'arrière de la cabine, une banquette en forme de L contiguë à une cloison en contreplaqué qui séparait cette petite niche du reste de la cabine. Il essaya de bouger, pour constater qu'il avait les mains liées dans le dos. Sous la pression, ses articulations souffraient terriblement, douleur qu'aggravaient encore l'enflure et les hématomes aux endroits où le lien mordait dans sa chair.

Il jeta un coup d'œil par le petit hublot ovale face à lui : pas un nuage. Il ne vit rien que le ciel d'un bleu d'azur, d'une pureté sans tache, et chercha à déterminer la direction prise par l'avion. Le soleil semblait pénétrer dans la cabine par l'avant de l'appareil, un peu sur la droite, à un angle de quarante-cinq degrés environ, avec une intensité toute matinale. Ce qui laissait entendre qu'ils volaient en direction de l'est. Vers l'est, depuis un endroit situé quelque part au centre de la Turquie...

Mentalement, il se représenta une carte. À l'est, rien de bien bon... Pas pour lui, en tout cas. Syrie, Irak, Iran. Assurément pas les endroits au monde les plus accueillants pour un agent du FBI.

Le sang se mit à couler plus vite encore dans ses veines.

— On va vers l'est, dit-il en regardant l'Iranien.

Celui-ci garda le silence.

— Que se passe-t-il ? Ton visa a expiré ? lança Reilly.

Zahed esquissa un sourire.

— La cuisine me manquait.

Reilly regarda la main de son ennemi : elle avait sale allure. Le bandage était mal serré, tire-bouchonné et taché de sang.

Reilly la désigna d'un signe de tête :

— Tu vas avoir besoin d'aide pour couper tes steaks.

Le sourire de l'Iranien s'évanouit. Il rumina un moment en silence, serrant les dents, puis sa main droite vola et gifla violemment Reilly.

Il inspira profondément avant de proférer :

— Rigole tant qu'il est encore temps. Tu en auras moins l'occasion quand on aura atterri.

Reilly se repassa une série d'images des plus déplaisantes, d'otages détenus des années durant en territoire ennemi dans des cellules infâmes, enchaînés aux murs, torturés, violés, abandonnés de tous jusqu'à ce qu'une maladie fatale finisse par les libérer de leurs tourments. Sur le point de dire quelque chose, il se retint en pensant soudain à tout autre chose, qui poussa sa pression sanguine plus loin encore dans la zone rouge.

Le rapport. Celui dont il avait eu connaissance à Istanbul.

Celui qui concernait cet agent d'un aéroport italien, dont on avait retrouvé le corps, les os pulvérisés. Celui dont on pensait qu'il avait été précipité d'un hélicoptère ou d'un avion.

Vivant.

Il essaya de surmonter sa peur et de deviner ce que cachait l'air entendu de l'Iranien.

— Je ne sais même pas ton nom, lança-t-il.

L'Iranien hésita un moment, se demandant s'il devait ou non répondre, puis lâcha :

— Je m'appelle Zahed. Mansour Zahed.

— C'est bon à savoir. Je ne voudrais pas que tu te fasses enterrer dans une tombe anonyme. Tu n'aimerais pas trop ça, hein ?

L'Iranien esquissa de nouveau un pâle sourire.

— Comme je te le disais tout à l'heure : profites-en bien. Cela te fera des souvenirs pour plus tard. Beaucoup plus tard.

Zahed fixait Reilly avec une curiosité à peine dissimulée.

Il hésitait encore entre deux options, toutes deux extrêmement séduisantes.

L'une d'elles consistait à emmener Reilly en Iran. Le faire boucler dans un trou à rats perdu au fin fond du pays. S'amuser un peu avec lui pendant les années à venir. L'agent lâcherait à coup sûr un maximum de renseignements. Car on finirait par le briser, sans aucun doute : il raconterait alors tout ce qu'il savait sur le

FBI, sur les procédures, les protocoles de la Sécurité intérieure américaine. Après avoir remis la main sur le trésor de Nicée, ramener au pays le chef de l'unité new-yorkaise du FBI chargée du contre-terrorisme – et cela sans laisser la moindre trace permettant de remonter jusqu'à lui, donc à l'Iran – représenterait pour Zahed la cerise sur le gâteau.

Zahed se laissa aller un moment à rêver jusqu'à ce que le sens des réalités reprenne le dessus. Il était pragmatique et voyait déjà comment tout cela risquait fort de se terminer : Reilly finirait par lui échapper. L'agent américain était un trop gros morceau. Il susciterait inévitablement un vif intérêt dans des cercles divers. D'autres personnalités entreraient en jeu. Des gens qui auraient sans doute d'autres idées sur le meilleur moyen de tirer parti d'un tel atout. Peut-être même feraient-ils de Reilly l'objet d'un marchandage, d'un échange contre quelque chose, ou quelqu'un. Si cela arrivait, ou plutôt *quand* cela arriverait, l'Américain serait libéré. Dès lors, Zahed le savait, il ferait de sa vie un enfer, même à plusieurs milliers de kilomètres de distance.

Non, se dit-il une fois de plus. La première option était la bonne. Il ne pouvait pas le ramener en Iran avec lui. De surcroît, la solution qui s'imposait lui procurerait un plaisir ineffable. Ce serait un moment qu'il savourerait jusqu'à la fin de ses jours. Dommage : il ne pourrait pas voir le corps brisé, désarticulé, de Reilly après qu'il aurait touché la surface de l'eau. À cette vitesse, l'impact serait aussi violent que s'il s'agissait de béton : l'Américain passerait dans l'autre monde avant même d'avoir eu l'occasion de savourer la moindre goutte d'eau salée.

Zahed laissa cette image passer en boucle dans son cerveau, jouissant intensément de l'instant, avant de s'emparer d'un combiné installé non loin et de presser deux boutons.

Steyl, dans le cockpit, décrocha instantanément :

— Il s'est réveillé ? demanda-t-il.

— Oui. Où sommes-nous ?

— Nous venons d'entrer dans l'espace aérien chypriote. Atterrissage dans une demi-heure environ.

— On passe à l'action, dit Zahed.

— OK, fit le Sud-Africain.

L'Iranien raccrocha et sourit à Reilly.

— Je vais m'offrir un grand plaisir. Un très grand plaisir, annonça-t-il.

Sur quoi il asséna à Reilly un coup de poing magistral.

62

— Ici Niner Mike Alpha, nous avons un problème. Impossible de maintenir la pressurisation de la cabine. Demande autorisation de descendre au niveau un deux zéro.

Le contrôleur ne tarda pas à réagir :

— Vous déclarez une urgence, Niner Mike Alpha ?

— Négatif, pas pour le moment, répondit Steyl d'une voix égale. Nous pensons qu'il s'agit d'une portière mal fermée. Il nous suffit de dépressuriser, de la refermer et de repressuriser. Ça nous est déjà arrivé.

— Bien compris, Mike Alpha. Descendez jusqu'au niveau que vous souhaitez. Pas de trafic au-dessous de vous. La base de l'espace aérien sous contrôle est à huit mille pieds. Bonne chance.

Steyl remercia la tour, avant de relever la manette du contrôle d'assiette du pilote automatique, ce qui eut pour effet de faire baisser sensiblement le nez de l'appareil, tout en réduisant les gaz, limitant ainsi fortement la puissance des turbopropulseurs. L'appareil, sur pilote automatique, en déduisit qu'il était sur le point d'atterrir, ce qui déclencha l'alarme du train d'atterrissage, censée rappeler au pilote qu'il devait actionner celui-ci. Steyl avait prévu le déclenchement du signal sonore et il pressa un bouton près de son genou droit pour le faire cesser.

Son nez ayant pris un angle de quinze degrés vers le bas, le Cessna Conquest commença à redescendre à vive allure de son altitude de croisière de vingt-cinq mille pieds pour atteindre les douze mille pieds. C'était, pour la cabine, l'altitude maximale que les systèmes de l'appareil pouvaient permettre au pilote de réclamer, dans la mesure où la cabine était déjà pressurisée. Le Sud-Africain tourna le bouton de contrôle de la pressurisation au maximum, de façon à ce que les compresseurs élèvent l'altitude de la cabine de la position dite de croisière, soit huit mille pieds, jusqu'à l'équivalent nettement moins confortable, puisque réduit en oxygène, de douze mille pieds. Au rythme de cinq cents pieds par minute, il faudrait huit minutes pour que la pression atteigne ce niveau. Puis, une fois les pressions intérieure et extérieure identiques, Zahed serait en mesure d'ouvrir la porte de la cabine. L'Iranien avait expliqué à Steyl qu'il souhaitait que la chute de Reilly soit la plus longue possible, et même si le Sud-Africain savait qu'il était possible d'ouvrir la porte quelque deux mille pieds plus haut, il estimait qu'une altitude de douze mille pieds représentait une sécurité supplémentaire. Depuis cette hauteur, la chute de Reilly prendrait un peu plus d'une minute. Une éternité, pour qui avait conscience de ce qui l'attendait.

En entendant le bruit des moteurs se faire moins strident, en sentant l'appareil piquer du nez et perdre de l'altitude, Reilly comprit ce qui était en train de se passer.

Un frisson de peur le parcourut mais, au lieu de le paralyser, cela parut galvaniser le fonctionnement de ses synapses et le fit passer en mode survie. Il n'y avait pas grand-chose qu'il puisse faire, dans la mesure où il avait les mains liées dans le dos, mais il lui fallait absolument tenter quelque chose.

Il regarda autour de lui : son champ de vision était limité par la cloison sur sa droite, qui ne lui permettait d'apercevoir que le fond de la cabine. Il distingua une série de cartons empilés derrière l'Iranien et vit la reliure en cuir d'un antique codex qui dépassait du carton supérieur. L'idée que Zahed et ses hommes se trouvaient désormais en possession du trésor de Nicée le démoralisa et il eut quelque mal à détourner son regard des cartons, pour étudier le reste de l'habitacle. Il repéra un tiroir marqué d'un symbole : une croix verte, sous l'un des sièges arrière. Le kit de première urgence. Qui contenait certainement une paire de ciseaux, avec lesquels il pourrait tenter de trancher ses liens. Pour l'atteindre, il n'y avait qu'un tout petit obstacle, en la personne de l'Iranien, qui le fixait tel un faucon observant sa proie et ne manqua pas de remarquer que son captif passait l'habitacle en revue.

Sans prononcer le moindre mot, Zahed se contenta de lever sa main valide et de lui faire de l'index un petit signe de dénégation accompagné d'un coup d'œil menaçant.

Reilly trouva la force de le gratifier d'un sourire ironique, presque détendu. Ce qui tendit encore un peu plus les traits de l'Iranien. L'Américain émit alors un ricanement. Ce n'était pas grand-chose, mais sur le moment et en ce lieu, perturber son ennemi ne fût-ce qu'un tout petit peu lui procura une intense satisfaction.

Un peu moins de six minutes après avoir entamé sa descente, le Cessna se stabilisa à une altitude de douze mille pieds. Steyl vérifia l'altimètre de la cabine. L'aiguille se rapprochait de l'objectif prévu.

Il était temps de « préparer » Reilly.

Quittant son siège, le Sud-Africain alla rejoindre Zahed à l'arrière de la cabine.

— Par quel bout vous préférez ? demanda-t-il à Zahed.

— Prenez les jambes, répondit l'Iranien.

Steyl hocha la tête.

Il s'empara fermement des jambes de Reilly, passa un bras autour de ses chevilles pour les maintenir l'une contre l'autre puis commença à reculer, courbé en deux dans la cabine exiguë, faisant glisser Reilly sur la moquette au sol.

Avant de l'entraîner vers la porte de la cabine.

63

Reilly tomba sur la moquette avec un bruit sourd.

Pris de frénésie, il se débattit, lançant des ruades pour se libérer, se tortillant en tous sens, pliant les genoux avant de détendre brutalement ses jambes pour donner des coups de pied, ses chevilles toujours maintenues par le pilote. Chaque mouvement, chaque ruade envoyait dans son corps des ondes de douleur, dont il essayait de ne pas tenir compte pour se débattre de plus belle. À son tour, l'Iranien se joignit à l'action : de son bras valide, il fit à Reilly une clef au cou : désormais maîtrisé à la tête et aux pieds, Reilly accentua encore ses efforts. La clef était redoutablement efficace, mais grâce à des mouvements de plus en plus brutaux, dans lesquels il mettait toutes les forces qui lui restaient, il parvint à se dégager de l'étreinte du Sud-Africain. Prenant appui sur les mains pour s'équilibrer, il rua des deux pieds, maintenant Steyl à bonne distance tout en projetant son crâne en arrière pour essayer d'atteindre Zahed.

— Merde alors, je pensais que vous auriez mis ce con sous sédatifs, protesta le pilote tout en essayant de reprendre le contrôle des jambes de Reilly.

— Pas question, répliqua l'Iranien en raffermissant sa prise. Je veux qu'il ait toute sa conscience, qu'il profite pleinement de chaque seconde...

Ces mots ne firent que fouetter Reilly, qui se mit à lancer des ruades de plus en plus frénétiques, visant cette fois le visage du Sud-Africain. Sa position était trop malcommode pour lui permettre de mettre beaucoup de force dans ses coups, et le pilote n'avait pas grand mal à les bloquer. Reilly décida alors de changer de tactique et de redoubler d'efforts pour mettre l'Iranien hors d'état de nuire : c'était le plus faible de ses deux adversaires, et un coup bien senti pouvait modifier la situation du tout au tout.

Mais il fallait d'abord le donner...

Il secoua furieusement la tête, s'efforçant de se dégager de l'étreinte de l'Iranien, d'élargir la zone où ce dernier courait le risque de recevoir un coup, jusqu'au moment où il sentit l'homme à sa portée : il rejeta alors la tête en arrière, aussi soudainement, aussi violemment qu'il le pouvait, et la base de son crâne alla donner dans le visage de l'Iranien. Le choc fut suffisant pour qu'il entende le bruit sourd de la chair meurtrie. L'étreinte de Zahed se relâcha aussitôt, ce qui n'échappa pas à Reilly, qui se tortilla de plus belle pour échapper à la clef qui le retenait prisonnier. L'Iranien essaya bien de resserrer sa prise mais la tête de l'Américain glissait déjà du bras replié autour de son cou.

Il mordit dans l'avant-bras tel un chien enragé.

L'Iranien poussa un cri de douleur accompagné d'un juron et releva vivement le bras, mais Reilly ne lâcha pas sa proie. Au contraire, il enfonça ses dents de plus belle dans l'avant-bras de son adversaire. Trop concentré sur l'Iranien, il avait toutefois oublié de s'intéresser au Sud-Africain, lequel passa ses deux bras autour de ses chevilles afin de les immobiliser de nouveau. Presque simultanément, Zahed libéra son coude, qu'il enfonça à la base de l'oreille de l'Américain, le sonnant à nouveau, ce qui lui permit de reprendre son étranglement.

Reilly essaya bien de continuer à lutter mais les deux hommes avaient raffermi leur prise, solidement. Ils parvinrent ainsi à lui faire franchir l'obstacle constitué par la pile de cartons contenant les textes anciens, puis l'espace restreint qui séparait les deux sièges en cuir qui donnaient vers l'avant, avant de le jeter tête la première entre ces deux fauteuils et les deux autres leur faisant face. La cabine étant bien trop étroite en largeur pour qu'il puisse tenir perpendiculairement, ils le firent pivoter de sorte qu'il soit en diagonale, ses pieds butant contre le siège avant droit, la tête à quelques centimètres à peine de la porte de la cabine.

— Vous allez pouvoir le tenir ? demanda le Sud-Africain.

— Faites ce que vous avez à faire, rétorqua Zahed.

Haletant, ce dernier se mit à califourchon sur le dos de Reilly, son poids compressant les bras toujours liés de l'Américain. Son propre avant-bras droit – le valide – était fermement appuyé contre le cou de Reilly, lui permettant tout juste de respirer.

— Je le tiens bien, ajouta-t-il.

Steyl resta encore là un moment, s'assurant que Zahed avait immobilisé Reilly comme il convenait, avant de s'en écarter lentement, prêt à réagir.

Rien ne se produisit.

— Je vais prévenir la tour par radio et nous ralentir, annonça le pilote à Zahed. Accordez-moi une minute.

— Allez-y.

Le Sud-Africain retourna dans le cockpit.

Il alerta par radio le contrôle aérien de Nicosie pour faire savoir qu'il avait atteint son palier de un deux zéro et demander l'autorisation de réduire sa vitesse à cent nœuds. Avec sa vitesse préalablement réduite, l'avion avait déjà commencé à ralentir. Une fois l'accord de la tour obtenu, Steyl modifia l'angle d'attaque des hélices afin de modifier celui des pales, ce qui, pour une automobile, aurait équivalu à passer sans transition de la cinquième à la seconde. Les hélices passèrent d'un coup à près de dix-neuf cents tours à la minute, accompagnées par un vrombissement strident dans la cabine.

Steyl regarda l'aiguille du tachymètre tomber au niveau recherché.

Elle atteignit le cent.

Tout était prêt.

— Vous pouvez ouvrir la porte ! lança-t-il à Zahed. Je vous rejoindrai dès qu'elle le sera complètement !

Il devait rester à son siège le temps que les deux parties de la porte soient ouvertes, afin d'être en mesure de réagir à toute complication imprévue susceptible d'intervenir au cours de cette manœuvre rien moins qu'orthodoxe.

Il se détourna de ses instruments pour regarder Zahed. Ce dernier, toujours à cheval sur le dos de Reilly, tendit la main pour tourner la poignée afin d'ouvrir la partie supérieure de la porte.

L'Iranien la repoussa d'un simple geste.

Le vent s'engouffra aussitôt et le panneau s'ouvrit avec violence.

Un grand souffle d'air glacial balaya la cabine avec un hurlement assourdissant.

Et ce fut le début de l'hallali.

64

Reilly avait l'impression qu'une horloge interne indiquait à son corps le passage de chaque seconde, exactement comme s'il avait avalé une bombe à retardement. Sa joue était pressée rudement contre la moquette en synthétique de la cabine, obturant complètement la vision de son œil gauche et rendant sa respiration difficile.

Il était incapable de bouger. L'Iranien l'immobilisait avec une efficacité redoutable. Mais au moins ce dernier était-il désormais seul. Si Reilly devait tenter quelque chose, il fallait qu'il le fasse avant que le pilote ne revienne. Contre deux adversaires, il serait presque totalement impuissant, ligoté comme il l'était.

Autrement dit, il était impératif qu'il passe à l'action sans plus tarder.

C'est alors qu'il entendit le pilote donner le feu vert à l'Iranien, sentit ce dernier se soulever légèrement, lui laissant donc un peu de marge, et entendit un cliquetis indiquant que l'on était en train de déverrouiller la porte de la cabine.

Il savait que, pour ce faire, Zahed se servait forcément de sa main valide, et qu'il serait dans l'impossibilité d'utiliser l'autre pour contrer son attaque.

C'était maintenant ou jamais.

Reilly concentra ses forces, banda ses muscles, entendit le panneau s'ouvrir d'un bloc, sentit l'air s'engouffrer en rugissant, ce qui lui donna un coup de fouet supplémentaire.

Il décida d'oublier le mot « jamais ».

Mobilisant toute son énergie, il roula sur le côté et prit appui sur son épaule gauche pour se soulever du plancher et se retrouver le dos tourné vers le fond de la cabine, l'Iranien toujours derrière lui. Simultanément, il comprima ses deux mains l'une contre l'autre et prit un maximum d'élan pour projeter son épaule droite en arrière, le plus fort qu'il pouvait. Son épaule heurta avec violence son adversaire, déclenchant des grogne-ments de douleur. Ce coup ne suffirait pas à bouleverser du tout au tout le cours de la partie qui s'était engagée, Reilly le savait pertinemment. S'il ne pouvait à lui seul mettre l'Iranien hors d'état de nuire, il pouvait au moins le déstabiliser, afin qu'il ne l'ait plus sur le dos – au sens propre – l'espace de quelques secondes. Ce fut en effet le cas.

L'Iranien perdit l'équilibre et le libéra durant trois précieuses secondes, un laps de temps suffisant pour permettre à Reilly de passer à la phase suivante de sa contre-attaque.

Tandis que l'air glacial tourbillonnait dans la cabine, Reilly s'allongea prestement sur le dos et prit coup sur coup deux initiatives : il ramena d'abord ses jambes sur son torse et lâcha un double coup de pied d'une violence inouïe qui frappa l'Iranien en pleine poitrine et l'envoya valser contre la paroi de l'appareil ; puis il se balança en arrière, se mit en position fœtale et ramena ses épaules en avant dans le but de réduire au minimum la distance qui les séparait de ses hanches, afin de permettre à ses mains de passer devant dans un mouvement d'une grande fluidité.

Elles étaient certes toujours attachées. Mais plus dans son dos.

Zahed se releva au moment précis où Reilly se remettait sur ses pieds. L'Iranien se trouvait devant la porte à moitié ouverte et fit un pas de côté pour s'en écarter. Les deux hommes se mirent en garde, s'affrontant du regard, courbés en deux sous le plafond bas, chacun cherchant à anticiper ce qu'allait faire son adversaire. Puis Reilly comprit qu'il se passait quelque chose derrière lui.

Dans le même mouvement, il se retourna et se jeta sur le Sud-Africain dans l'espace étroit qui séparait les sièges, les bras tendus. Impossible de porter un coup digne de ce nom avec des mains liées. Il saisit le pilote par le cou et l'attira brutalement à lui, sa tête venant cogner avec violence le nez de son adversaire. Un coup de boule terrible, comme jamais Reilly n'en avait donné : le craquement qui en résulta fut nettement audible malgré le rugissement de l'air. La tête du Sud-Africain alla percuter la cloison verticale qui séparait la cabine du cockpit, et il s'effondra.

Reilly sentit Zahed dans son dos mais il ne parvint pas à se retourner à temps pour dévier le coup : l'Iranien avait sorti son pistolet et l'abattait sur Reilly, le frappant à la mâchoire. Le coup n'était pas parfait, mais il n'en fit pas moins de sérieux dégâts : le visage de l'Américain se tordit de douleur et sa vision se brouilla un instant.

Il vacilla, se retint au siège adossé à celui du pilote. Il tourna la tête juste à temps pour voir Zahed s'apprêter à lui porter un nouveau coup, le bras levé, le métal anthracite brillant sous l'éclairage de la cabine.

Prenant appui sur le siège il se rua sur l'Iranien, le haut de son crâne venant heurter le menton du tueur qui, sous le choc, partit en arrière.

Reilly rebondit contre le siège : la tête lui tournait, ses jambes le soutenaient à grand-peine, tout son corps n'était que douleur. Dans un état second, il vit Zahed, à genoux, tâtonner autour de lui pour récupérer le pistolet qui lui avait échappé. Instinctivement, il chercha des yeux autour de lui une arme quelconque, n'importe quoi susceptible de lui permettre de contrecarrer cette nouvelle attaque. La seule chose que capta son regard fut une sorte de mallette en Nylon, d'un jaune fluorescent, munie de deux poignées noires. Longue de soixante centimètres environ, haute de trente et large de quinze, elle se trouvait adossée au fauteuil situé à la droite de Reilly, qui eut le sentiment qu'elle lui faisait signe.

Il s'en empara aussitôt. Elle était lourde, une quinzaine de kilos peut-être. Autrement dit cinquante, étant donné son état.

Il n'avait pas le temps de réfléchir, ne savait même pas ce qu'il était en train de faire. Il ne fonctionnait plus qu'à l'instinct. Il se contenta donc de saisir la valise et d'en frapper son adversaire à la poitrine, l'envoyant valdinguer contre le fauteuil le plus proche de la porte toujours à moitié ouverte. Sous le choc, Reilly lâcha la mallette, qui alla rebondir contre la paroi et s'ouvrit en retombant au sol : une sorte de paquet parallélépipédique en Nylon, là encore d'un jaune fluorescent, en jaillit.

Le radeau de survie.

Voyant Zahed s'extraire du siège sur lequel il s'était affalé, il tendit les mains vers la poignée. Ses doigts l'agrippèrent et il tira dessus, très fort, avant de s'écarter vers le côté opposé de la cabine, loin du tueur et de la porte.

Le radeau commença aussitôt à se gonfler. D'une envergure finale de plus de deux mètres, il ne trouva la place de se déployer que le long de l'axe de la cabine, dont la hauteur et la largeur étaient d'environ un mètre cinquante. Il adopta une forme ovoïde, l'espace extrêmement réduit l'obligeant à se gonfler beaucoup plus violemment que dans des circonstances normales. Au bout de quatre secondes, il formait une barrière entre Reilly et l'Iranien. Au bout de huit, il était totalement gonflé, le dessous faisant face à l'Américain, le dessus à Zahed. Sa proue dépassa la cloison séparant les sièges du cockpit et le bruit des moteurs s'éleva pour atteindre l'intensité d'un hurlement strident. La vitesse de l'appareil s'accrut sensiblement, les pales des hélices tournant à un rythme plus rapide. La cabine plongea alors d'une quinzaine de degrés : le radeau avait poussé les leviers de contrôle de la vitesse et des hélices ainsi que celui du pilote automatique.

Le Cessna commença à descendre.

Retenant son souffle, Reilly s'appuya contre le siège le plus proche. Il entendit le vent faire sortir brusquement de ses gonds le panneau ouvert de la portière, puis le vit s'arracher et disparaître. Il regarda frénétiquement autour de lui, cherchant ce qu'il convenait de faire, luttant contre une peur incoercible, s'efforçant de recouvrer son calme et un semblant de rationalité.

Des coups de feu l'en empêchèrent.

De l'autre côté du radeau de survie, Zahed faisait usage de son pistolet, dans l'espoir manifeste de percer le revêtement ou d'abattre Reilly.

À moins que ce ne soit les deux.

Des balles traversaient l'enveloppe en Nylon du radeau. Quant à Reilly, il n'avait nulle part où s'abriter.

Plié en deux, il progressa en avant tandis que le contenu du kit d'urgence du radeau roulait sur le plancher de la cabine.

Du regard, Reilly passa en revue les objets en question. Un miroir pour alerter les avions. Un récipient muni d'une poignée pouvant servir d'écope. Une pagaie rétractable. Une ancre flottante repliable. Des fusées de détresse.

Et un couteau.

Oh, pas énorme. Pas un coutelas de combat en acier trempé. Juste un modeste couteau de sûreté muni d'une poignée orange lui permettant de flotter et d'une courte lame dentelée d'aspect parfaitement inoffensif.

Il était là, à sa portée, au pied du siège en cuir.

Il semblait lui faire signe.

Cinq secondes plus tard, ses mains étaient libres. Une balle vint percuter le siège derrière lui, s'enfonçant dans le rembourrage en cuir épais, puis une autre lui effleura l'épaule gauche avant de finir sa course dans la carlingue. Avec ses compartiments isolés, le canot était toujours parfaitement gonflé, mais avant longtemps il commencerait à perdre de l'air, ce qui libérerait Zahed.

Reilly devait donc en finir avant.

D'autant que l'avion descendait toujours, à une vitesse alarmante.

Repoussant le bord du canot de son bras droit tout en brandissant le couteau du gauche, il plongea en avant.

Il prit Zahed par surprise et lui entailla profondément le poignet droit.

Le pistolet tomba de la main de l'Iranien, tandis qu'un flot de sang jaillissait de sa blessure. Il resta là, sans bouger, sous le choc, fixant sur Reilly un regard effaré, toujours coincé contre la porte de la cabine par l'arceau autodéployable du radeau de survie et le toit qu'il soutenait.

Les yeux de Reilly le transpercèrent. Il aurait aimé savourer l'instant un peu plus longuement, mais il ne pouvait pas se permettre de traîner. L'avion descendait toujours.

Il regarda l'Iranien d'un air torve.

Tendit la main derrière lui et ouvrit d'un coup de poignet le panneau inférieur de la porte de la cabine.

Il rangea dans un coin de son cerveau, pour ne plus les oublier, les traits livides, l'expression affolée, les yeux écarquillés d'épouvante de Zahed, lui cria :

— Apparemment, tu n'auras pas besoin de pierre tombale !

Et l'éjecta d'un grand coup de pied dans le bas-ventre.

65

L'Iranien disparut instantanément, sans un bruit.

Debout dans le tourbillon de vent glacial, Reilly regarda la mer s'approcher à grande vitesse par la porte ouverte de la cabine. Une fraction de seconde, il se demanda si, des deux, l'Iranien n'était pas celui qui avait eu le plus de chance. Puis il tourna son attention vers la masse de Nylon qui l'empêchait d'accéder au tableau de bord du Cessna, la contourna pour atteindre l'endroit où elle bloquait l'entrée du cockpit, et entreprit de la découper à l'aide de son couteau.

Il déchiqueta, tira, lacéra, taillada le mur de Nylon jaune avec rage, oubliant sa douleur.

L'entraînement subi jadis payait dans des moments comme celui-ci, ajustant, optimisant ses fonctions corporelles pour la tâche unique qui leur était assignée et qui tenait en un mot : survivre. Tout en lui était tendu vers ce seul but : ses glandes médullosurrénales avaient noyé son système d'adrénaline, augmentant la capacité de son cerveau à transmettre les informations et renforçant son système d'alerte lui permettant de faire barrage aux messages sensoriels. Les endorphines se répandaient dans son corps pour atténuer les douleurs qui risquaient de l'empêcher de se concentrer. Son cerveau avait relâché un flot de dopamine, entraînant une augmentation du rythme cardiaque et de la pression sanguine. Ses bronches s'étaient dilatées, permettant un accroissement du flux d'oxygène parvenant à ses poumons. Son foie sécrétait un surplus de glucose pour augmenter son énergie. Jusqu'à ses pupilles qui s'étaient dilatées, pour améliorer sa vision.

Une mécanique de haute précision, parfaitement synchronisée, chargée d'entretenir sa propre longévité.

Il parvint à repousser sur les côtés une partie du canot de survie afin de se frayer un passage jusqu'au cockpit. Des pages du classeur d'informations de Steyl volaient dans l'habitacle, arrachées par le véritable ouragan qui balayait l'appareil. Il en rejeta de côté quelques-unes en passant par-dessus le corps inanimé du pilote sud-africain, et s'installa dans son siège, devant les instruments de bord.

Il glissa le couteau sous sa ceinture, boucla rapidement son harnais et regarda à l'extérieur : la surface de la mer paraissait redoutablement proche, plus proche à chaque seconde. Pis encore, l'appareil vibrait terriblement, atteignant une vitesse dangereusement élevée.

Reilly étudia le tableau de bord : il n'avait jamais piloté d'avion, mais il s'était trouvé suffisamment souvent dans le cockpit de petits appareils au cours de sa carrière pour savoir en gros quel était le rôle de tel ou tel instrument et ce qu'indiquaient les principaux cadrans. Il en repéra un qui lui confirma que l'avion tombait à une vitesse proche de quinze cents pieds à la minute. D'autres voyants étaient munis d'aiguilles qui avaient largement dépassé la ligne rouge indiquant la cote d'alerte. L'indicateur de vitesse était à son maximum : l'aiguille avait dépassé toutes les cotes, y compris la rouge et blanc, celle où était indiqué

« Vitesse à ne jamais dépasser ». Il savait qu'il devait réduire les gaz pour ralentir l'appareil, mais avant que sa main atteigne les deux leviers jumeaux, il entendit un crachotement d'ordre mécanique dominer le hurlement suraigu des moteurs. Celui-ci venait de sa droite. Il jeta un coup d'œil par le hublot, juste à temps pour voir le tuyau d'échappement du moteur tribord cracher une traînée de flammes et de fumée noire.

Quelques secondes plus tard, ce fut au tour du moteur bâbord.

Un fonctionnement à plein régime à une altitude aussi basse dépassait les limites conçues par les motoristes, et la fumée commença à se répandre dans la cabine via les bouches d'aération. Toute une série de signaux d'alerte se mit à clignoter sur le tableau de bord. Reilly se pencha pour mieux voir. Les deux plus visibles indiquaient « Incendie interrupteur automatique arrivée d'air/pousser ». Le cœur battant, il actionna les volets de sécurité et poussa les gros boutons carrés, ce qui interrompit le flux d'air parvenant aux moteurs et évacua la fumée qui avait envahi la cabine. Deux autres boutons se mirent à clignoter. Ils indiquaient « Bots armés/pousser ». Sans aucune certitude mais se doutant qu'ils avaient un rapport avec l'incendie, il appuya dessus, à tout hasard. Les voyants durent actionner les extincteurs car le feu et la fumée noire que crachaient les moteurs cessèrent brusquement. Tout comme les moteurs eux-mêmes. Ce qui eut pour premier effet d'instaurer un silence de mort, et pour second de ralentir sensiblement la chute de l'avion. Quelques secondes plus tard, les hélices arrêtèrent totalement de tourner. Reilly vit qu'elles s'étaient mises en drapeau, les pales parallèles au sens de la marche de l'appareil, et perpendiculaires par rapport à ses ailes. Aussitôt, deux voyants verts se mirent à clignoter.

Il avait réussi à éteindre l'incendie mais, ce faisant, il avait également coupé les moteurs.

Le Cessna se dirigeait désormais à pleine vitesse vers la mer. Et, étrangement, il le faisait de façon totalement contrôlée, le pilote automatique lui faisant toujours suivre un cap linéaire.

Un cap que Reilly avait tout intérêt à corriger.

Il empoigna le manche à balai et le tira vers lui, violemment. Il sentit le nez de l'appareil se redresser un peu, mais il avait trop de mal à maintenir le levier tiré et, dès qu'il relâcha sa prise, l'avion se remit à chuter, le précipitant ainsi que ses occupants vers un cimetière marin. Reilly menait une bataille perdue d'avance : quelque chose contrecarrait ses efforts et maintenait l'avion obstinément fixé sur sa trajectoire. C'est alors qu'il repéra un petit interrupteur rouge sur le manche à balai, avec la mention « a/p déconnecter ».

Déconnexion du pilote automatique.

Il n'avait rien à perdre. Si c'était le pilote automatique qui gérait la situation, c'était lui l'ennemi. Il fallait absolument l'éliminer.

Il actionna l'interrupteur, entendit aussitôt un bruit de sonnette. Le manche à balai devint instantanément plus facile à manier. Il le tira de nouveau vers lui, veillant à le garder bien centré, ainsi que les pédales du palonnier, de façon à ce que les ailes restent stables. Cette fois, il sentit un changement. Le nez de l'appareil se redressait. Pas de beaucoup, mais assez pour que ce soit sensible, ce qui l'incita à poursuivre. Il continua de tirer sur le manche, le plus fort qu'il pouvait. Voyant la surface de l'eau accourir à sa rencontre à une vitesse vertigineuse, il redoubla ses efforts.

Lorsqu'il fut en mesure de distinguer la texture de chacune des vaguelettes qui bosselaient la surface de l'eau, l'indicateur de vitesse l'informa que l'avion progressait à une vitesse légèrement supérieure à cent nœuds. L'eau courait à toute vitesse au-dessous de lui désormais, véritable tapis roulant sans fin couleur bleu outremer, terriblement proche, accueillante et néanmoins mortelle au cas où l'amerrissage se passerait mal.

Veillant à respirer le plus calmement, le plus régulièrement possible, Reilly s'appliqua à conserver à l'appareil une trajectoire à peu près plane et rectiligne, évitant autant que possible tout mouvement brusque, effectuant une fin de descente progressive et régulière. Il n'avait pas vraiment hâte de toucher l'eau. Tant qu'il n'essayait pas de se poser, il ne risquait pas de heurter la mer trop rudement et, ce faisant, de pulvériser son appareil.

Et pourtant, il fallait qu'il se pose. Et il fallait qu'il le fasse avant d'atteindre la terre, qui devait bien se trouver quelque part dans les environs.

Se concentrant au maximum, il continua à maîtriser le manche à balai de façon à garder le nez de l'appareil plus ou moins droit et à contrôler la fin de la descente. Soudain, une sirène se déclencha, stridente et continue : l'alarme annonçant que l'appareil allait décrocher.

Il devait se poser sans plus attendre.

Il poussa le manche en avant, d'une fraction de millimètre.

L'avion descendit doucement, très lentement, d'un pied à la fois, avec une grâce d'oiseau. Il finit par effleurer la crête des vagues, dans un nuage d'embruns, avant d'amerrir. La mer était plutôt calme et le fuselage du Cessna glissa sur l'eau, sans heurt. Les hélices en drapeau aidèrent à rendre l'amerrissage parfaitement propre, et le petit appareil poursuivit sa course, rebondissant sur une vague un peu plus forte que les autres, jusqu'à ce que la pression de l'eau vienne à bout de sa course folle et l'arrête, dans une gerbe d'écume blanche.

La décélération fut brutale, la vitesse de l'appareil passant de cent nœuds à zéro en moins d'une seconde. Reilly fut projeté en avant, mais son harnais de sécurité joua parfaitement son rôle, l'empêchant de passer à travers le pare-brise.

L'eau de mer commença aussitôt à envahir la cabine par la porte restée ouverte.

Reilly savait qu'il ne disposait que d'un temps limité pour évacuer les lieux. Il déboucla son harnais de sécurité, s'extirpa de son siège, parvint non sans mal à quitter le cockpit en passant par-dessus le corps du Sud-Africain et les restes du canot, pour atteindre l'espace étroit qui séparait les deux sièges à l'avant. Plusieurs centimètres d'eau noyaient déjà le plancher de la cabine, et l'eau de mer continuait d'entrer à gros bouillons. Il fit une pause, cherchant un gilet de sauvetage. Trouva rapidement mieux : une autre sacoche jaune vif, celle-ci placée sous l'autre siège en cuir, à l'avant, et plus petite que la mallette qui avait contenu le radeau de survie. De grosses lettres bleues indiquaient qu'il s'agissait d'un « Sac d'urgence ».

Il s'en saisit et se rua vers la porte de la cabine, avant de s'arrêter net. Il jeta un coup d'œil vers l'arrière, vers les cartons empilés entre les sièges et la cloison derrière laquelle lui-même avait été « rangé ».

Les textes.

Ceux qui avaient survécu depuis l'aube de la chrétienté.

Ce legs de deux mille ans que Tess avait réussi à retrouver.

Sa poitrine se souleva d'émotion à l'idée de perdre irrémédiablement ces ouvrages inestimables, à l'idée de la déception de Tess, après toutes les épreuves qu'ils avaient traversées.

Il devait à tout prix faire quelque chose.

Il devait tenter de les sauver.

Il se précipita vers les cartons, ses yeux parcourant la cabine en tous sens, à la recherche de quelque chose qui pourrait permettre de les empaqueter, un contenant hermétique quelconque. N'importe quoi. Un sac, une feuille de plastique, un bout de... du radeau de survie... Il était là, en lambeaux, de gros débris de plastique jaune, ballottant sur l'eau qui montait inexorablement.

Il faudrait qu'ils fassent l'affaire.

Reilly saisit l'un des plus gros, le tira à lui, sortit son couteau et commença à scier le Nylon, découpant une sorte de grand sac. L'eau lui arrivait maintenant aux genoux et continuait de monter à une vitesse alarmante.

Il s'approcha de la pile de cartons, souleva le couvercle du premier, entreprit de fourrer un par un les codex dans le sac de fortune qu'il venait de confectionner. Il ne pourrait pas les sauver tous, c'était évident, mais s'il parvenait à en arracher quelques-uns au désastre, ce serait déjà ça de gagné.

L'eau atteignait désormais ses cuisses.

Il poursuivit son effort. Ouvrit le deuxième carton et en retira les précieux ouvrages.

Il avait de l'eau jusqu'à la poitrine. Les autres cartons étaient maintenant submergés.

Il devait quitter l'avion au plus vite. Refermer son sac improvisé et ficher le camp.

Il replia le haut du sac en Nylon, le fermant du mieux possible tout en étant conscient qu'il ne serait pas totalement hermétique.

Il s'approcha à grand-peine de la porte, luttant contre le courant contraire. Prenant une profonde inspiration, il se propulsa dans l'eau, tenant le sac aux codex d'une main, le sac de survie de l'autre. Une fois à l'extérieur de l'avion en partie immergé, il grimpa sur l'aile, rejoignit le moteur bâbord et s'installa sur le capot, qui dépassait tout juste de la surface de l'eau. Il tira du sac d'urgence une brassière de sauvetage, qu'il enfila avant de la gonfler, et une balise de détresse, qu'il activa après l'avoir fixée à sa brassière.

Puis il se rassit et attendit que le capot du moteur soit submergé. Une minute plus tard, la queue du Cessna fut à son tour avalée par la mer, le laissant flotter au gré des vagues, tandis que la silhouette blanche de l'avion disparaissait dans l'obscurité des profondeurs marines. Il tenait toujours son sac de fortune, serrant son extrémité supérieure le plus fort possible afin d'empêcher l'eau d'y pénétrer. Mais déjà les premières gouttes s'infiltraient par les plis. Conçu pour résister aux chocs et aux paquets de mer, le Nylon dans lequel il avait été confectionné n'était pas destiné à servir de sac.

Reilly savait qu'en dépit de tous ses efforts, c'était mission impossible.

À chaque minute qui passait, le sac s'alourdissait. Au bout d'une demi-heure, après y avoir consacré toute l'énergie qu'il était capable de mobiliser, il dut se rendre à l'évidence : il était devenu trop lourd.

S'obstiner n'aurait servi à rien : les livres étaient maintenant détrempés. Ils étaient irrémédiablement

perdus, comme le trésor d'informations qu'ils rece-
laient. Et s'il persistait à s'y accrocher, il finirait par
sombrer avec eux. Avec un hurlement de désespoir, il
dut se résoudre à tout lâcher.

Poussé par la houle, le sac contenant les précieux
textes s'éloigna un peu avant de couler, pour l'éternité,
le laissant seul sur l'immensité liquide.

66

À plusieurs reprises, Reilly se sentit successivement perdre et reprendre conscience, l'eau fraîche clapotant autour de sa tête l'éveillant en sursaut chaque fois qu'il sombrait dans l'inconscience. La mer se montra clémente avec lui, n'allant pas au-delà d'une houle modeste. Mais elle allait devenir plus froide, et éventuellement plus agitée, avec l'arrivée de la nuit. Le gilet de sauvetage le maintiendrait à flot mais pas forcément en vie si les vagues gagnaient en intensité et si son corps épuisé finissait par déclarer forfait.

Tess était probablement saine et sauve, mais il avait manqué à sa promesse en laissant disparaître le trésor de Nicée, ce qui, pour elle, serait un coup terrible. Il tenta de se concentrer sur cette déception, s'en servant pour tenir le coup, s'accrochant à l'idée que s'il s'obligeait à rester en vie elle n'aurait à affronter qu'une unique désillusion. Il serait en mesure de raconter très précisément à la jeune femme ce qui s'était passé, lui ôtant au moins le sentiment d'incertitude qui, sinon, la rongerait jusqu'à la fin de ses jours.

Au bout d'un moment, il se laissa pourtant aller, épuisé au-delà de toute expression, espérant que la brassière de sauvetage et la balise de détresse rempliraient leur office, attendant des secours qui, il l'espérait, finiraient bien par arriver.

À quelque deux cents kilomètres à l'est, le contrôleur du trafic aérien qui avait suivi la progression du Cessna après que Steyl eut demandé par radio l'autorisation de descendre avait compris que quelque chose ne tournait pas rond dès qu'il avait vu l'appareil passer au-dessous de douze mille pieds, puis accélérer. À la suite de trois appels restés sans réponse et moins d'une minute après avoir remarqué le comportement inhabituel de l'appareil, il déclencha le plan d'urgence, dit SAR – Recherche et Sauvetage. Un hélicoptère Sea King HAR3 de la Royal Navy britannique chargé de ce genre d'opération de sauvetage prit l'air depuis sa base d'Akrotiri à Chypre, au moment même où l'avion de Reilly touchait la surface des flots. Le signal de sa balise de détresse donnant sa position fut transmis au pilote qui fonçait au maximum de sa vitesse vers la dernière position connue du Cessna Conquest. Ainsi, à peine plus d'une heure après qu'il se fut retrouvé flottant dans les eaux de la Méditerranée, un homme-grenouille lui faisait passer un harnais pour le remonter en toute sécurité.

L'hélicoptère l'amena à Akrotiri, où le personnel de l'hôpital militaire Princess Mary s'occupa de panser ses blessures. L'avion s'était certes abîmé dans les eaux internationales, mais cela n'empêcha pas Reilly de se voir poser quantité de questions concernant les occupants de l'appareil, ce qui s'était passé, comment et pourquoi. Les Britanniques avaient ouvert un feu roulant. Peu après, les responsables de l'aviation civile chypriote et de la garde nationale prirent le relais. Pendant un temps relativement long, Reilly dut se débrouiller seul. Il répondit aux questions en se montrant le moins disert possible, mais il était fatigué, il avait mal partout et sa patience ne tenait plus qu'à un fil. Il appela New York, s'entretint avec Aparo, à qui il demanda de l'aide, tout en étant conscient que le tirer de là prendrait un certain temps. L'ambassade des États-Unis se trouvait à Nicosie, à une heure de route de la base britannique, et le FBI n'y avait pas d'antenne. Il y eut cependant un certain nombre d'échanges de coups de téléphone et c'est ainsi que, à la mi-journée, l'attaché militaire de l'ambassade fit son apparition, prit les choses en main et exfiltra Reilly séance tenante. Plus important encore, il fut en mesure d'aider son compatriote à trouver la réponse à la question qui lui brûlait les lèvres depuis le moment où un treuil l'avait remonté à bord du Sea King.

Laquelle réponse n'allait pas de soi : avec ce qui s'était passé, et en particulier la disparition d'Ertugrul, le consulat des États-Unis à Istanbul était en pleine confusion, et c'était un véritable casse-tête que d'essayer de trouver la personne la plus à même de localiser Tess. Il fallut de nombreux coups de téléphone et plusieurs heures d'une attente particulièrement frustrante pour apprendre qu'elle était retenue dans un commissariat de police à Konya.

Entendre sa voix contribua davantage à apaiser les maux et les douleurs de Reilly que tous les calmants qu'on lui avait administrés. La jeune femme était saine et sauve. Mais elle avait, elle aussi, besoin d'aide.

Car elle se trouvait prise dans un imbroglio bureaucratique du même ordre que celui où était englué son compagnon. Les Turcs avaient une longue liste de questions à lui poser, et ils n'avaient nullement l'intention de la relâcher avant qu'elle y eût répondu.

— Tiens bon, la rassura Reilly. Je viens te chercher.

Le jet atterrit tard dans la nuit. C'était un bel avion d'un blanc immaculé portant le logo discret de la Gulfstream Aerospace Corporation. Reilly le regarda avec une impatience non dissimulée rouler jusqu'à un hangar privé. Ses réacteurs venaient à peine d'être coupés que la porte de la cabine s'ouvrit, laissant apparaître la haute stature du cardinal Mauro Brugnone, secrétaire d'État du Vatican.

Le visage ridé du prélat s'illumina lorsqu'il aperçut Reilly venu l'accueillir, puis se rembrunit en voyant les innombrables bleus et les coupures diverses qu'il avait à la figure et aux mains. Ouvrant grand les bras, il étreignit l'agent du FBI avant de reculer de quelques pas pour lui demander :

— Alors, ils ont disparu ? Ils ont définitivement disparu, cette fois ?

Il n'avait nul besoin d'une confirmation. Reilly la lui avait apportée lorsqu'il l'avait eu au téléphone. Mais il ne lui avait pas dit *toute* l'histoire.

— J'en ai bien peur, répondit Reilly.

— Vous allez me raconter tout ça, fit l'ecclésiastique en invitant l'agent à monter à bord de l'appareil.

Tandis que le pilote s'empressait de remplir les formalités qui leur permettraient de redécoller au plus vite, Reilly raconta dans les grandes lignes ce qui leur était arrivé depuis qu'ils avaient quitté Rome. Au terme de son récit, le cardinal était courbé en avant, les yeux

627

cernés, comme sous le poids des terribles révélations qu'il venait d'entendre.

Les deux hommes gardèrent un moment le silence, puis le pilote passa la tête dans l'habitacle pour confirmer qu'ils étaient prêts à repartir dans les minutes suivantes. Brugnone ne dit toujours rien. Il se contenta de faire un signe de tête, ruminant toujours ce que Reilly venait de lui apprendre.

— On arrivera peut-être à les récupérer, avança ce dernier. Je ne suis pas sûr que les fonds soient très profonds là où l'avion s'est englouti. Ces textes sont certainement accessibles. Si on les retrouve, on pourra peut-être prendre malgré tout connaissance de ce qu'ils contenaient. Les labos spécialisés dans les recherches médico-légales peuvent faire des miracles de nos jours.

Brugnone dévisagea son interlocuteur avec un scepticisme manifeste. À l'évidence, il n'accordait pas plus de créance à ce que venait de dire Reilly que Reilly lui-même.

— Mais cela vous convient bien, non ? interrogea ce dernier. Qu'ils aient disparu pour de bon, je veux dire. Plus de questions en suspens. Plus de révélations embarrassantes... Plus de maux de tête ?

Le prélat fronça les sourcils.

— Je préfère bien sûr que le contenu de ces textes demeure inédit, admit-il. Je n'aurais pas aimé que tout le monde puisse en prendre connaissance. Mais n'empêche que j'aurais bien aimé savoir. Vraiment.

Il soutint un long moment le regard de Reilly puis se détourna et fixa l'obscurité de la nuit, comme un homme faisant le deuil de quelqu'un. Ou de quelque chose...

67

À Konya, ils furent accueillis dans le modeste aéro-drome, essentiellement utilisé par les appareils militaires, par Rich Burston, l'attaché juridique du bureau du FBI d'Ankara. Ce dernier était venu depuis la capitale de la Turquie dans un hélicoptère de l'armée. Ertugrul avait travaillé sous ses ordres. Dans la voiture qui traversait les hauts plateaux désertiques pour les conduire en ville, Reilly put lui faire un récit de première main sur les circonstances de la disparition de son subordonné.

L'homme était particulièrement nerveux.

— Notre intervention doit se limiter au strict minimum, confia-t-il à Reilly. Je ne veux surtout pas que nos amis apprennent qui vous êtes en réalité. À moins que vous n'ayez envie de passer les prochains jours à répondre à leurs questions.

L'anxiété de son collègue était compréhensible : le Cessna avait coulé dans les eaux internationales. Il avait décollé d'une île grecque. Autant les Chypriotes pouvaient difficilement se montrer trop curieux, autant la situation était différente concernant la Turquie : Reilly avait été impliqué dans des événements qui avaient entraîné la mort de plusieurs soldats turcs, y compris un officier de très haut rang fort respecté. Les autorités turques voudraient certainement savoir exactement le comment et le pourquoi.

— Je préférerais nettement leur expliquer tout ça par téléphone depuis notre bureau de New York, avoua Reilly.

— Oui, je vous comprends. Bon, laissez-moi leur parler et faites ce que je vous dirai.

Reilly le lui promit, puis se tourna vers Brugnone qui, d'un signe de tête, manifesta son approbation.

En fin de compte, ils purent faire sortir Tess et la vieille femme de la cellule où elles étaient en garde à vue sans trop de difficulté, grâce au fait qu'il était très tard et que les autorités de la *jandarma* n'étaient pas basées à Konya.

Une petite unité de la police locale fut chargée de garder un œil sur la vieille femme et sa famille durant quelques jours, même si Reilly savait qu'elle ne courait plus guère de danger, Zahed ayant disparu tout comme les caisses de textes anciens.

Les premières lueurs de l'aube pointaient à l'est lorsqu'ils quittèrent le commissariat de police. La rue était déserte. La ville était encore plongée dans sa torpeur nocturne coutumière, seul le bourdonnement des conditionneurs d'air venant troubler ici ou là sa sérénité.

Ils se dirigèrent vers les voitures qui les attendaient, Tess tenant la main de son compagnon. Elle était épuisée, tant physiquement que psychologiquement. Elle était également profondément déçue. En quelques mots, glissés durant l'un des rares moments où ils s'étaient retrouvés seuls, Reilly avait pu lui apprendre, ainsi qu'à la vieille femme, que les textes avaient été avalés par la mer. Tess était effondrée. Ces textes avaient survécu à près de deux mille ans d'intrigues. Ils avaient traversé les croisades, la chute d'un empire extraordinairement étendu ainsi que deux guerres mondiales, et voilà qu'ils n'avaient pu résister à la sauvagerie du XXIᵉ siècle.

Ils s'arrêtèrent devant la voiture de police qui allait ramener la vieille femme à l'appartement de son fils, au-dessus de la boutique. Tess lâcha la main de Reilly et enlaça la vieille Turque.

Celle-ci la retint un long moment avant de reculer.

— Est-ce que je vous verrai demain ? demanda-t-elle à Tess, dont elle tenait la main serrée dans les deux siennes.

La jeune femme hésita, se tourna vers Reilly. Ce dernier était dans un état épouvantable. Elle savait qu'il ne pensait qu'à une chose : quitter cet endroit le plus vite possible. Le jet de Brugnone les attendait à l'aéroport pour les ramener à Rome, d'où ils prendraient un vol commercial pour New York. Tess avait, elle aussi, désespérément envie de rentrer chez elle et d'oublier toute cette folie. Mais, le regard plongé dans celui, las et fragile, de la vieille femme, elle se rendait compte qu'elle ne pouvait pas se permettre de partir aussi vite. En un peu plus de vingt-quatre heures, les deux femmes en avaient vu de toutes les couleurs, et Tess avait l'impression que disparaître ainsi de sa vie, même si ce n'était pas pour toujours, était de la dernière grossièreté. Mais avait-elle réellement le choix ? Elle ne le pensait pas.

L'air sombre de Reilly la conforta dans cette opinion.

— Je suis navrée, dit-elle, nous ne pouvons pas rester. Un avion nous attend.

Le visage de la vieille femme sembla s'affaisser.

— Même quelques heures, demain matin ? J'espérais que vous pourriez venir prendre le petit déjeuner avec moi chez mon fils. Au-dessus de la boutique.

Elle essaya de sourire, sans pouvoir dissimuler le sentiment de mélancolie qui s'était emparé d'elle.

Reilly jeta un coup d'œil à son collègue du FBI, qui fit non de la tête.

— Je suis vraiment désolé, dit-il à son tour à la vieille Turque.

Cette dernière hocha la tête à plusieurs reprises, visiblement résignée. L'un des agents de police lui ouvrit la portière de la voiture. Elle resta immobile un moment puis, se tournant vers Tess, elle lui dit :

— Pouvez-vous m'accompagner jusqu'à la boutique ? Sur le chemin de l'aéroport ?

Cette requête surprit Tess.

— Que voulez-vous dire ? Maintenant ?

La vieille femme serra plus fort la main de l'Américaine.

— Oui. Je voudrais vous donner quelque chose. Un petit cadeau. J'aimerais que vous emportiez un souvenir de Konya plus agréable que ceux que vous a laissés cette ville jusqu'à présent.

Tess regarda fixement la vieille Turque. Elle lut quelque chose de singulier dans ses yeux, une sorte de sous-entendu. Quelque chose à quoi elle voulait absolument que Tess réagisse. Essayant de garder ses intuitions pour elle, et soudain très consciente de la présence de Brugnone, celle-ci interrogea Reilly et son collègue du regard.

L'attaché juridique haussa les épaules.

— Je pense qu'il n'y a pas de problème. À condition qu'on ne s'éternise pas. Vraiment pas. Je n'ai pas envie que vous restiez dans ce pays une minute de plus que nécessaire.

L'attaché juridique et le prélat attendirent dans le confort de la voiture à air conditionné, tandis que Tess et Reilly rejoignaient la vieille femme devant la devanture de la boutique.

Elle réveilla son fils, le fit descendre et ouvrir la porte avant de le renvoyer se coucher sans plus d'explications. Puis elle invita ses hôtes à entrer.

— Choisissez ce qui vous fait plaisir, je vous en prie, leur dit la vieille femme en les laissant à la contemplation des céramiques, que Tess trouvait fort belles. Je reviens tout de suite.

Tess la regarda se diriger vers le fond de la boutique, puis disparaître dans un escalier qui menait sans doute à une cave.

Elle jeta un coup d'œil à son compagnon : il avait l'air au bout du rouleau et fort mécontent, comme si le fait de se trouver là était la chose au monde qui lui faisait le moins plaisir. Ce qui était certainement le cas et pouvait par ailleurs se comprendre.

Tess espérait ne pas s'être trompée, et elle s'apprêtait à se confier à Reilly lorsque la Turque réapparut. Deux signes lui confirmèrent alors qu'elle avait vu juste : d'abord, la vieille femme jeta un coup d'œil furtif à travers la vitrine qui se trouvait derrière Tess et Reilly, comme pour s'assurer que personne ne les regardait depuis la rue. Ensuite, ce qu'elle tenait entre les mains.

Une vieille boîte à chaussures.

Après un dernier regard dehors, elle présenta celle-ci à Tess.

— C'est pour vous, murmura-t-elle.

Le cœur battant, Tess regarda la vieille femme d'un air interrogateur. Elle mourait d'envie de lui poser la question qui s'imposait, mais les mots demeurèrent bloqués dans sa gorge. Elle se contenta donc de prendre la boîte et de l'ouvrir.

Celle-ci contenait des dizaines de pochettes en plastique. Tess en prit une, l'ouvrit : d'une quinzaine de centimètres de large, elle était pliée en accordéon.

Elle l'ouvrit.

La pochette contenait une bonne vingtaine d'étuis, beaucoup plus petits, de moins de cinq centimètres de haut. À l'intérieur de chacun se trouvait une pellicule longue d'une quinzaine de centimètres, comportant quatre négatifs 35 mm.

Tess comprit de quoi il s'agissait avant même d'exposer la pochette à la lumière. Bien que l'image fût sombre et inversée, elle pouvait voir distinctement la forme d'un objet rectangulaire sur un arrière-plan neutre. Certains clichés montraient les rabats et les lanières de cuir. À l'intérieur de chaque rectangle, on distinguait des rangées de petits caractères de couleur claire, comme écrits à l'encre blanche sur une page noire.

Le contenu des codex.

Ils étaient là. En quantité incroyable.

— C'est vous qui les avez photographiés ? s'enquit-elle.

— Non, c'est mon mari. Il y a des années, bien avant qu'il nous quitte. Nous avons estimé nécessaire d'en garder une trace, pour le cas où ils viendraient à être détruits dans un incendie ou un désastre du même genre. Ils étaient si fragiles… Nous avons dû faire très attention, mais nous y sommes arrivés. J'ai gardé en réserve des tirages sur papier de toutes les pages, mais ils sont trop lourds pour que vous puissiez les transporter sans vous faire remarquer.

Les doigts de Tess plongèrent plus profondément dans la boîte.

— Tous les textes sont là-dedans ?

La vieille femme fit oui de la tête.

— Chaque page de chaque œuvre, confirma-t-elle avant de hausser les épaules, un air de résignation assombrissant ses traits. Je sais, ces textes n'arriveront à convaincre personne. On dira à coup sûr que ce sont des faux. Mais c'est tout ce que j'ai pu faire.

Tess réfléchit un moment à ce qu'elle venait de dire, puis hocha la tête à son tour.

— Aucune importance, dit-elle en adressant à la vieille femme un sourire réconfortant. Il ne s'agit pas de convaincre quiconque de quoi que ce soit. Cela n'a jamais été le cas. Tout ça concerne la connaissance. L'histoire, et la vérité. Ceux qui croient que chaque mot de la Bible a été dicté par Dieu Lui-même ne se laisseront convaincre par rien, de toute façon. Même si on leur fourrait ces textes sous les yeux, cela n'aurait aucun effet. Mais pour tous ceux qui, comme nous, cherchent une meilleure compréhension des racines de la foi, ceux d'entre nous qui sont curieux de leur histoire et de la façon dont nous sommes devenus ce que nous sommes... Il y a là amplement matière à réflexion. Et plus encore, croyez-moi.

Les paroles de Tess semblèrent satisfaire la vieille femme, qui lui fit comprendre d'un signe de la tête qu'elle partageait pleinement ce point de vue.

— Veillez bien sur eux, dit-elle.

— Oh, faites-moi confiance, j'en prendrai grand soin.

Elle se tourna vers Reilly, son visage lumineux brillant d'une allégresse presque enfantine.

— *Nous* y veillerons, hein ?

Reilly la regarda longuement avec un petit air amusé, et lança, en haussant un sourcil :

— J'imagine que, désormais, tu n'as plus besoin de chercher une fin ?

— Tu verras bien, fit-elle en riant. Allez. Maintenant, on rentre à la maison.

Remerciements

Merci à tous les amis et collègues – Bashar, Nic, Carlos, Ben, Jon, Brian, Béatrice, Caroline, Renaud, Sophie, Eugénie, Jay, Tracy, Raffaella et tout le monde chez Dutton, Orion et aux Presses de la Cité – sans qui mes efforts ne seraient rien d'autre que des pixels sur l'écran de mon MacBook. Merci aussi aux Burston, aux Jooris et aux Chalabi pour m'avoir prêté leurs maisons (et leur bateau) à l'écart de l'agitation, ce qui a permis auxdits efforts de se réaliser sans trop de distractions indues.

Et des remerciements plus vifs encore à tous nos amis et aux membres de nos familles qui ont apporté leur soutien dans les moments difficiles que nous traversons. Vous êtes trop nombreux pour être ici mentionnés, mais vous vous reconnaîtrez. Sachez en tout cas que nous sommes conscients de la bonne fortune qui est la nôtre de vous avoir dans nos vies. Votre amitié et votre aide ont été considérables, et si des personnes méritent d'être remerciées pour avoir rendu ce livre possible, c'est bien vous.

Découvrez maintenant
le 1er chapitre
du nouveau roman
de **Raymond Khoury**

à paraître aux
Presses de la Cité

Plus d'informations sur www.pressesdelacite.com
et www.raymond-khoury.fr

RAYMOND KHOURY

L'ELIXIR
DU DIABLE

*Traduit de l'anglais par
Jacques Martinache*

PRESSES DE LA CITÉ

Titre original:
THE DEVIL'S ELIXIR

place
des
éditeurs

© Presses de la Cité, un département de , 2011,
pour la traduction française
ISBN : 978-2-258-09246-4

Mexique

— Appuie sur cette putain de détente et dégage ! aboya Munro dans mes écouteurs. Bouge-toi le cul ! Il faut qu'on décroche MAINTENANT !

Je sais, merci !

Mes yeux tanguaient au rythme des rafales qui résonnaient dans tout le camp, parfois brèves, parfois frénétiques et sauvages. Dans mon casque, j'entendis quelques coups sourds suivis d'un cri de douleur et je compris qu'un des huit membres de notre commando venait d'être abattu.

Tiraillé entre deux instincts contradictoires, mon corps se figea. J'accordai un regard à l'homme recroquevillé par terre, la cuisse barrée d'une grande balafre sanglante. Un visage couvert de sueur, emmuré dans l'angoisse, des lèvres tremblantes, des yeux écarquillés de peur, comme s'il savait ce qui l'attendait. Je serrai le poing sur mon arme, un doigt sur la détente, l'effleurant sans appuyer franchement, comme si elle était brûlante.

Munro avait raison. Il fallait décrocher avant qu'il soit trop tard. Mais… D'autres balles criblèrent les murs autour de moi.

— On n'est pas venus pour ça ! répondis-je d'une voix rauque, les yeux fixés sur ma cible. Il faut que j'essaie…

— Que tu essaies quoi ? gueula Munro. De le porter ? Tu te prends pour Superman, maintenant ?

Une longue rafale me déchira les tympans, puis sa voix affolée revint dans les écouteurs :

— Descends-moi ce fils de pute, Reilly. Vas-y. Tu sais ce qu'il a fait. A cause de lui, la meth va devenir aussi ringarde que l'aspirine. Et tu hésites à liquider ce pourri ? En le relâchant dans la nature, tu penses que le monde ira mieux ? C'est ça que tu veux ? Ça m'étonnerait. Pas besoin de coller ça sur ta conscience, ni sur la mienne. On est venus faire un boulot. On a des ordres. On est en guerre et ce type, c'est l'ennemi. Alors, arrête avec tes scrupules à la con, crève cette ordure et ramène-toi. J'attendrai pas plus longtemps.

Ses mots résonnaient encore sous mon crâne quand une autre rafale balaya le mur du fond. Sous une pluie d'éclats de verre et d'échardes, je plongeai m'abriter derrière une des armoires métalliques du labo. Je glissai un coup d'œil vers le chercheur affalé de l'autre côté de la pièce. Là encore, Munro avait raison. Impossible de l'emmener. Pas avec sa blessure. Pas avec la petite armée de *bandidos* saturés de cocaïne qui nous tombait dessus.

Bon Dieu, c'était pas censé se passer comme ça.

L'extraction devait être rapide, chirurgicale. A la faveur de l'obscurité, Munro et moi, soutenus par les six autres membres d'élite de notre commando du GTDCO – le Groupe de travail sur la drogue et le crime organisé, un organisme fédéral bénéficiant des ressources de onze agences, dont la mienne, le FBI, et celle de Munro, la DEA –, étions censés nous glisser dans le camp, trouver McKenna et le ramener. Avec le résultat de ses recherches. Simple, surtout pour ce qui était de se glisser dans le camp. Mais la mission avait été décidée à la hâte, après le coup de fil inattendu de McKenna. Nous n'avions pas eu beaucoup de temps pour préparer l'attaque du labo et, côté renseignements, c'était maigre... Je pensais que nous avions quand même une chance. Pour commencer, nous disposions d'un excellent équipement – armes automatiques munies de silencieux, lunettes de vision nocturne, gilets pare-balles, drone de surveillance. Nous avions aussi l'avantage de la surprise. Et depuis notre arrivée au Mexique, quatre mois plus tôt, les raids sur les autres labos s'étaient très bien passés.

On entre et on ressort. Vite fait, bien fait.

La phase « on entre » avait parfaitement bien marché.

Puis McKenna nous avait balancé sa surprise du chef – un rebondissement qui avait fait péter un câble à Munro. Il s'était pris une balle dans la cuisse et avait bousillé la phase « on ressort ».

J'entendis des cris nerveux, en espagnol : les *bandidos* se rapprochaient.

Il fallait que je me décide. Si j'attendais plus longtemps, je me ferais capturer et je ne nourrissais aucune illusion sur la suite. Ils allaient me torturer à mort. En partie pour obtenir des infos, en partie pour le plaisir. Ensuite, un petit coup de tronçonneuse et ils poseraient ma tête sur mes genoux, pour la photo. Le pire, c'est que, malgré le côté aristocratique d'une décapitation, ma mort n'aurait servi à rien. Les travaux de McKenna allaient passer à la postérité. Un legs infâme, de l'avis général.

La voix de Munro se remit à grésiller au plus profond de mon crâne.

— D'accord, si tu veux tout foutre en l'air, vas-y. Ce sera de ta faute, mec. Moi, je me barre.

A cet instant précis, mon esprit embraya.

Ce fut comme si une détermination primale court-circuitait en moi toute résistance, balayait tout l'inné, toute mon humanité et toutes mes croyances pour prendre les commandes. Je vis ma main se lever avec une aisance et une précision de robot, braquer mon arme entre les yeux terrifiés de McKenna et presser la détente.

La tête du chercheur partit en arrière, une giclée sombre éclaboussa le placard derrière lui et il bascula sur le côté, tas inerte de chair et d'os.

Pas besoin de toucher pour vérifier. Je savais que c'était fini.

Une longue seconde, je laissai mon regard glisser sur l'homme au sol, avant de gueuler :

— Je sors !

Je m'immobilisai devant la porte du laboratoire, jetai un dernier coup d'œil derrière moi, dégoupillai deux grenades incendiaires et les lançai vers les *bandidos*. Je me ruai dehors au moment où la pièce s'embrasait.

Composé par Nord Compo
à Villeneuve-d'Ascq (Nord)

Imprimé en Espagne
Liberduplex
à Barcelone
en août 2012

POCKET – 12, avenue d'Italie – 75627 Paris Cedex 13

N° d'impression : 29901
Dépôt légal : septembre 2011
Suite du premier tirage : août 2012
S21395/05